La revue PRISME, fondée en 1990.

no 46

**Comité éditorial:**
Jean-François Bélair, Patricia Garel,
Louisiane Gauthier, Alain Lebel, Martin St-André

**Secrétaire de rédaction:**
Denise Marchand

**Comité consultatif:**
Pierre Asselin, Louise Baillargeon, Luc Blanchet, Marc-André Bouchard,
Rose-Marie Charest, Dominique Cousineau, Luce Des Aulniers, Yvon Gauthier,
Daniel Jacques, Gloria Jeliu, Ridha Joober, Michèle Lambin, Marc Laporta,
Marc-Yves Leclerc, Michel Lemay, Nicole Leroux, Jean-Pierre Pépin (rédacteur en chef
fondateur), Jean-François Saucier, Angeles Toharia

**Correspondants:**
J.A. Barriguete (Mexico), M. Elkaïm (Bruxelles), B. Golse (Paris), A. Guédeney (Paris),
J.Y. Hayez (Bruxelles), P. Huerre (Paris), M. Keren (Tel Aviv), D. Lauru (Paris),
F. Molénat (Montpellier)

**Illustration de la page couverture :** Steve Adams
**Infographie :** Madeleine Leduc
**Révision et correction des épreuves:** Denise Marchand
**Responsable du site internet:** Louis Luc Lecompte
**Diffusion:** Luc Bégin
**Abonnements:** Suzy Coutu
**Comité administratif:** Patricia Garel, Marc Girard
**Distribution en librairie :** (Québec) Prologue Inc.
(Europe) CEDIF/Casteilla (France), La Caravelle (Belgique), Servidis (Suisse)

La publication de PRISME est assurée par les Éditions du CHU Sainte-Justine.

Les articles de la revue sont répertoriés dans : **Base Pascal de l'INIST – Repère de la SDM**

# ( L'ADOPTION

# État des lieux )

no 46
2007

*prisme*

prisme

PRISME

sommaire

PRISME

sommaire

# sommaire

## no 46

# L'ADOPTION
## État des lieux

Éditeurs : **Martin St-André, Michel Carignan, Denise Marchand**

# Introduction

## Des visages de l'adoption

Le lecteur qui aborde un ouvrage sur l'adoption réalise rapidement que ce thème recouvre des dimensions extrêmement variées. Ce quarante sixième dossier de PRISME présente un ensemble de points de vue sur cette problématique qui touche de plus en plus d'enfants et de familles au Québec et à l'étranger. Le dossier s'est constitué dans la foulée de la journée ' *L'adoption : de la gestation psychologique à la construction du lien*' qui fut organisée conjointement, en mai 2005, par l'Association Québécoise pour la Santé Mentale des Nourrissons et le programme de psychiatrie du CHU Ste-Justine, avec le précieux apport du Service adoption du Centre jeunesse de Montréal–Institut universitaire. Il rassemble autour de cette question des chercheurs, juristes, cliniciens et parents issus de différents milieux et champs de pratique auprès de l'enfant adopté et de sa famille.

La variabilité des situations d'adoption sert de fil conducteur à la lecture. Loin de constituer un groupe homogène, les enfants adoptés, tout comme leurs familles, présentent des besoins d'accompagnement et des types d'aménagement multiples. Les textes s'attardent à différentes polarités de l'adoption, comme celles de l'adoption précoce ou tardive, de l'adoption locale ou internationale, ou encore de l'adoption d'enfants présentant des besoins à caractère particulier. Les postulants à l'adoption et les familles sont décrits eux aussi dans leur pluralité. De même, le trajet des parents biologiques est exploré, en tenant compte des facteurs ayant mené à l'adoption de l'enfant et aussi, dans certains cas, à la question difficile et controversée du maintien de la filiation avec le milieu d'origine.

Rendre compte de la diversité des situations d'adoption ouvre nécessairement sur celle de la meilleure façon de venir en aide à ces

( 6 )

familles. Le lecteur retrouvera dans le dossier des comparaisons de modes de pratique entre le milieu québécois et d'ailleurs. Il croisera aussi des réflexions provenant de différents milieux d'intervention, qu'il s'agisse du programme Banque-mixte ou des milieux communautaire, pédiatrique ou pédopsychiatrique. La question de l'accessibilité et de l'intégration des services post-adoption est évoquée par plusieurs des contributeurs au dossier, ce qui témoigne de l'importance accordée actuellement à cette question et peut-être aussi des progrès en train de s'opérer dans ce domaine.

Par ailleurs, les textes rassemblés mettent en relief plusieurs points communs dans le parcours des enfants adoptés et des familles adoptantes. Des recherches et expériences cliniques sont là pour témoigner de la remarquable force d'adaptation des enfants adoptés. De fait, des données de ces travaux suggèrent des évolutions somme toute positives pour les enfants adoptés en ce qui concerne l'attachement et le développement cognitif, ce dont on pourra se réjouir. Il faut néanmoins relever certaines vulnérabilités chez plusieurs parents, d'ailleurs souvent inaperçues ou mal repérées, telles des difficultés d'attachement ou d'accordage avec l'enfant... On sait combien ce repérage importe au moment d'envisager offrir de l'aide à ces familles, par exemple autour de la sensibilité parentale ou encore des représentations et attentes parentales face à l'enfant adopté. L'espoir serait de modifier ces trajectoires problématiques et d'éviter les risques d'échec si lourd de conséquences pour certains enfants.

Un point névralgique dans l'intervention auprès d'enfants adoptés est de trouver la juste place du phénomène de l'adoption dans la formulation clinique et le plan thérapeutique. Tout ramener à l'adoption, et en particulier aux aspects relationnels particuliers à l'adoption, risque de faire oublier au clinicien des dimensions centrales, lesquelles peuvent faire l'objet d'un travail thérapeutique spécifique. On donnera comme exemple les dimensions du langage, de la régulation neurosensorielle, des retards cognitifs ou du contrôle de l'impulsivité. À l'inverse, une minimisation de la portée de l'adoption risque de passer sous silence des enjeux qui devraient faire l'objet d'un travail thérapeutique focalisé. Il pourrait s'agir par exemple d'une aide à l'établissement de la confiance de base pour l'enfant adopté, du travail sur des questions liées à son expérience d'abandon ou, plus tard, de questions en lien avec l'identité.

Des contributions au dossier décrivent bien comment une minorité significative d'enfants adoptés présentera à court et à moyen terme une évolution nettement moins satisfaisante, avec des risques de troubles pédopsychiatriques et du développement. Les parcours cliniques de ces enfants sont trop souvent marqués par des difficultés de nature constitutionnelle, par des troubles de l'attachement ou, encore, par des troubles de la relation parent-enfant. L'adoption met en évidence des zones de force chez les enfants adoptés mais elle dévoile trop souvent aussi, au contact d'un parent particulier, des traits de vulnérabilité qui peuvent s'exprimer au fil du développement. La vigilance clinique demeure donc de mise avec les enfants adoptés. Ceci est particulièrement vrai au début du parcours d'adoption, incluant la pré-adoption, et les initiatives d'intervention précoce rapportées dans le dossier doivent être saluées. La célébration parfois un peu hyperbolique que l'on fait de la résilience des enfants adoptés ne devrait pas nous amener à banaliser le repérage précoce d'évolutions problématiques encore trop fréquentes.

Le difficile équilibre à tenir entre une position clinique où *'tout, pour l'enfant, découle de son adoption'* et où *'tout n'est que le reflet de ses circonstances actuelles'* reflète bien, au fond, les écueils à éviter dans toute situation clinique. Il s'agit en effet de faire ressortir le plus judicieusement possible la part relative de différents facteurs étiologiques impliqués - par exemple ceux liés aux aspects constitutionnels ou encore aux dimensions relationnelles, culturelles ou tenant à l'abandon. Un des enjeux de l'intervention auprès d'enfants adoptés et de leurs familles sera donc d'intégrer les connaissances de la réalité de l'adoption à une vision d'ensemble des problèmes ou des questions spécifiques vécus par l'enfant dans sa famille.

Dans la tradition de PRISME, nous souhaitons avec cœur que ce dossier circule amplement dans les différents milieux, qu'il suscite la discussion et conduise à sa manière à une meilleure prise en compte des défis auxquels font face les enfants adoptés de même que leurs parents, et les intervenants qui cherchent avec eux.

*Martin St-André*

Pédopsychiatre à la Clinique 0-5 ans, Dr St-André est coordonnateur des activités académiques du Programme de psychiatrie, CHU Ste-Justine.
**Adresse :** 3100, Ellendale Montréal (Québec) H3S 1W3
**Courriel :** martin.st-andre@umontreal.ca

# ÉTAT DE LA QUESTION :
## DES CHERCHEURS ET DES CLINICIENS
## SE PRONONCENT

# Adopter un enfant. La création du lien d'attachement

**Réjean Tessier**

L'auteur est professeur et chercheur à l'École de psychologie de l'Université Laval et rattaché au Centre interdisciplinaire de recherche en réadaptation et intégration sociale.

**Adresse :**
Pavillon F.-A. Savard
Québec (Québec) G1K 7P4

**Courriel :**
rejean.tessier@psy.ulaval.ca

Chaque année, environ 2 000 enfants en provenance d'un pays étranger sont adoptés au Canada, dont près de 50 % au Québec. La grande diversité, tant dans les expériences des parents adoptifs (problème d'infertilité, expérience avec des enfants biologiques ou adoptés, âge des parents, etc.) que dans les expériences des enfants selon leur milieu d'origine, soulève un nombre important de questions dont la plupart restent encore sans réponse : quels sont les obstacles risquant de compromettre le développement d'une relation d'attachement sécurisante ? L'histoire pré-adoption, l'âge à l'adoption, le sexe de l'enfant, le pays d'origine, le milieu socio-économique des familles adoptives influencent-ils de façon décisive le développement de ces enfants ? À l'âge scolaire et à l'adolescence, les enfants adoptés sont-ils comparables à leurs pairs non adoptés pour ce qui est de leur développement social, cognitif, académique ? En dépit d'expériences malheureuses en jeune âge, plusieurs enfants réussissent à se tirer d'affaire et à se développer normalement en milieu adoptif alors que d'autres, moins nombreux, ne font pas de tels progrès et connaissent des difficultés d'adaptation (à la maison ou à l'école) parfois très importantes. Une question que se posent tous les parents adoptants et, à un autre titre, les responsables de politiques sociales, est la suivante : que pouvons-nous faire pour aider ces enfants et, y a-t-il des périodes critiques pour le faire ?
À partir d'études empiriques récentes et de fondements théoriques valides, ce document se veut le point de départ d'une réflexion dont le but est de répondre à la question suivante : comment s'établit le lien d'attachement des enfants adoptés à leurs nouveaux parents ?

## Introduction
### Parents adoptifs / enfants adoptés : les premiers liens
Les enfants, lorsqu'ils arrivent dans leur famille adoptive, viennent de quitter un environnement connu depuis plusieurs mois ou plusieurs

## RÉSUMÉ

*Quelles sont les conditions de vie les plus favorables au développement d'un lien d'attachement sécurisant entre l'enfant adopté et ses nouveaux parents? S'appuyant sur des fondements théoriques et des études empiriques, dont deux menées récemment par l'auteur et des collègues, l'auteur tente de répondre à cette question en considérant diverses variables influant sur la sécurité du lien d'attachement chez les enfants adoptés, dont le sexe de l'enfant et son âge à l'arrivée dans la famille adoptive, les soins et les conditions de vie dans le pays d'origine de l'enfant précédant l'adoption et la qualité des soins post-adoption. Dans sa discussion des résultats aux scores du développement socio-émotif, l'auteur relève l'importance de l'organisation familiale, notamment la façon de répondre à l'enfant lorsqu'il est en détresse. Par ailleurs, considérant les trajectoires développementales très variables chez les enfants adoptés, l'auteur met en cause les conditions de vie des mères au cours de la grossesse et la qualité des soins précédant l'adoption de l'enfant.*

années, dans lequel ils ont fait leurs premières expériences de vie, tant positives que négatives. Les influences qu'ils ont subies ne proviennent pas que de leur milieu de garde (orphelinat, famille d'accueil, famille d'origine) mais aussi de toute la période de leur vie intra-utérine. On sait maintenant que le développement du fœtus est influencé par les habitudes de vie de la mère (tabac, alcool, drogues etc.), son stress (O'Connor et al., 2003 ; Rieger et al., 2004) et les problèmes nutritionnels associés à la grande pauvreté (Lupien, King et McEwen, 2001). Cet environnement prénatal marque, avec l'environnement postnatal, l'état de l'enfant au moment où il arrive dans sa nouvelle famille (O'Connor et al., 2003). Ces enfants entrent alors dans une période de transition au cours de laquelle ils doivent faire face à plusieurs nouveaux événements : de nouvelles méthodes de soins, une nouvelle langue et de nouveaux visages.

Les parents, pour leur part, ont aussi fait un long cheminement avant l'arrivée de cet enfant et plusieurs, qui ont dû faire face à un problème de fertilité, ont décidé d'adopter un enfant après avoir tout tenté biologiquement (fécondation in vitro, insémination, etc.) (Juffer et al., 1997 ; Ouellette et Méthot, 2000). L'adoption arrive alors, faisant suite à une période de deuil de l'enfant biologique (Brodzinsky, 1987). Pour d'autres, surtout lorsqu'il y a déjà des enfants dans la famille, la décision d'adopter est plus facile mais implique aussi plusieurs imprévus, ne serait-ce que la procédure intrusive des instances de la protection de la jeunesse, ou encore les exigences des pays d'origine quant à l'âge des parents, leur statut socio-économique, leur état de santé ou même leur poids... Et l'écart entre l'enfant imaginé et l'enfant arrivé est parfois difficile à combler, surtout au début, durant les premiers mois, la première année. *C'est dans ces conditions, où l'inconnu domine, que parents et enfants amorcent un processus commun devant les conduire à l'établissement d'une relation de confiance et de sécurité réciproque.*

### a) Attachement et adoption internationale

Selon la théorie de l'attachement, la situation émotive précaire des enfants avant l'adoption les met à risque de développer des problèmes de régulation émotive et d'adaptation sociale par la suite. Le psychiatre John Bowlby avait conclu, durant les années 50, suite à de nombreuses observations d'enfants dans les orphelinats anglais, que l'impossibilité pour ces derniers d'établir une relation stable et sécurisante avec des adultes leur causait un préjudice sérieux allant même jusqu'à l'impossibilité d'établir une relation d'attachement sécurisante avec d'autres adultes par la suite (Bowlby, 1951). Dans notre contexte d'adoption internationale ou nationale (locale) où les environnements pré-adoptifs sont méconnus ou reconnus comme déficients, on a tendance à conclure, sur la base de cette théorie, que tous ces enfants ont été privés de la possibilité d'établir une relation saine et sécurisante. Pour ces raisons, ils sont vus comme « à risque » de ne pouvoir s'engager dans une nouvelle relation émotionnellement sécurisante avec de nouveaux adultes.

*Le cas particulier des enfants roumains*

À la suite de la chute du régime de Ceauçescu en décembre 1989 et de l'ouverture des frontières qui s'ensuivit, les médias décrivirent la situation déplorable d'un très grand nombre d'enfants vivant dans les orphelinats de l'État. Dans les mois et années qui suivirent, des milliers d'enfants furent adoptés tant en Europe qu'en Amérique. Les études portant sur les enfants d'origine roumaine se sont principalement adressées à cette cohorte parce qu'elle leur permettait d'observer des enfants ayant été soumis, pendant un laps de temps variable, à des conditions extrêmes de survie tant physiques que psychologiques et ce, dès le début de leur vie.

Une vaste étude anglaise sur les enfants adoptés de la Roumanie a largement contribué à mettre en évidence les risques associés à une longue et dévastatrice période de vie dans de telles institutions. Cette étude longitudinale a comparé le développement de 324 enfants roumains avec 52 enfants adoptés localement en Angleterre. On a rapporté, lors de leur arrivée en Angleterre, des problèmes de santé physique et des retards de développement (Rutter, 1998; Johnson, 1992), des déficits cognitifs (O'Connor et al., 2000), des problèmes de comportement et des modes d'attachement pathologiques (O'Connor et al., 2003 ; Zeanah, 2000). Il en fut de même dans une étude faite aux États-Unis auprès de 475 enfants adoptés de la Roumanie (16 % de tous les enfants roumains adoptés dans ce pays entre 1990 et 1993) : des problèmes de développement moteur, du langage et des difficultés d'adaptation sociale ont été rapportés, de même que des problèmes chroniques de santé physique (Groze et Heana, 1996). Deux études canadiennes ont donné les mêmes résultats quant aux problèmes de comportement et aux déficits d'attachement dans des échantillons d'enfants en provenance de la Roumanie (Marcovitch et al., 1997 ; Fisher et al., 1997). Les résultats de ces études ont confirmé que le séjour en orphelinat est lié à des problèmes d'attachement mère-enfant (insécurité), d'alimentation (mangent trop) et à des problèmes médicaux ainsi qu'à des problèmes de socialisation avec les pairs (retrait social) et, finalement, à des comportements stéréotypés (se bercer, se balancer, rester tranquille au lit même si éveillé). Mais les études qui ont suivi ces enfants pendant quelques années ont tendance à démontrer que ces effets sont de moins en moins marqués avec le temps (Rutter, 2006). Les désordres manifestés par les enfants adoptés après 6 mois, dans l'étude britannique, ont été récupérés sur les plans cognitif et émotionnel presque entièrement à 4 ans, de même que dans l'étude canadienne de Chisholm (1998) où les enfants adoptés après 8 mois ont une relation avec leur mère adoptive aussi sécurisée, trois ans plus tard, que les enfants adoptés très tôt ou que les enfants non adoptés.

Ces conclusions semblent toutefois propres aux enfants adoptés de la Roumanie dans un contexte de privation physique et sociale extrême. Elles peuvent sans doute être généralisées à d'autres situations d'adoption où les conditions pré-adoptives se rapprocheraient de celles de la Roumanie à cette époque (début des années 90). Mais les recherches sur l'adoption internationale en général ne produisent pas des résultats aussi dramatiques. Une série d'études menées aux Pays-Bas (Juffer et al., 1997 ; Juffer et van Ijzendoorn, 2005) et en Angleterre (Tizard, 1977, 1991) ont rapporté que les enfants en provenance de la plupart des pays se développent normalement. Ils conviennent toutefois que certains ont toujours des problèmes majeurs, même après plusieurs années et que, à l'adolescence, le taux de problèmes sociaux rapportés est plus élevé que celui observé dans une population non adoptée (Verhulst et Verluis-den Bieman, 1990 ; Verhulst et Verluis-den Bieman, 1990). Il est ainsi difficile de tracer une ligne nette entre les pays d'origine ou entre les conditions de vie pré-adoptive pour identifier la source des problèmes d'adaptation des enfants. Toutes les données confirment que les enfants s'améliorent rapidement après leur arrivée, mais les parents sont inquiets, au début surtout, et principalement à cause des comportements adaptatifs développés en milieu de privation mais inadaptés dans la famille d'adoption.

### b) Un comportement d'attachement atypique : la sociabilité non sélective

L'expression « sociabilité non sélective » fut utilisée par Barbara Tizard (1977) pour décrire un comportement trop amical adopté indifféremment à l'égard de n'importe quel pair ou adulte. Cette expression est aussi décrite dans la littérature comme un comportement « superficiellement affectueux et charmant » ou encore « d'amitié indifférenciée ». On le retrouve dans des expressions comme « ne pas avoir un meilleur ami », « ne pas demander de l'aide aux amis », « rechercher un adulte plutôt qu'un pair », etc. (Zeanah, 2000). Cette expression a contribué à définir le syndrome d'une difficulté à établir une relation significative (avec des pairs ou des adultes) et comme étant un des pôles d'un « trouble réactionnel de l'attachement » (DSM-IV). Il s'agit d'une hyper activation du système d'attachement (recherche la proximité de tous) mais avec peu de sélectivité et d'intensité pour la personne auprès de laquelle l'enfant recherche le réconfort ou la réassurance. Il est tout de suite très intime avec les adultes (même les étrangers) sans les craintes ou les précautions habituelles notées chez les enfants. Ce qui semble particulier à ce comportement, c'est qu'il est systématiquement rapporté chez les enfants ayant vécu en institution. Chisholm et al. (1995) rapportent des études de Goldfarb en 1955, de Provence et Lipton en 1962, les travaux longitudinaux de Tizard (1991) dans l'importante étude de Londres durant les années 60-70 qui, tous, ont observé ce même comportement chez des enfants ayant séjourné des années durant en institution et placés ensuite en famille d'accueil ou en adoption. On rejoint ici le concept de « non attachement » utilisé par Lieberman et Pawl (1988) pour décrire un enfant n'ayant pas eu l'occasion d'établir un lien d'attachement. Ce comportement, s'il a pu s'avérer adaptatif dans le cadre de la vie en orphelinat, n'est pas souhaitable ni même efficace dans un contexte familial.

### c) Le principal facteur invoqué : le manque de soins en milieu pré-adoptif

Il y a un débat entourant la question du manque de soins en bas âge sur la capacité d'établir une relation d'attachement. Suivant la synthèse de Megan Gunnar sur cette question, il existe une confusion entre le manque de stimulation, pris dans son sens général, et l'absence spécifique d'une figure d'attachement (Gunnar, Bruce et Grotevant, 2000). On peut distinguer trois types de privation de soins : a) un manque d'opportunités pour développer une relation d'attachement avec un donneur de soins constant et stable ; b) un manque de soins physiques, une mauvaise nutrition, de pauvres conditions d'hygiène et de mauvaises habitudes de sommeil; c) un manque de stimulations visant le développement cognitif, moteur et social. Ces trois niveaux de privation ne sont pas indépendants l'un de l'autre et il y a une hiérarchie dans ce sens où une relation stable avec un adulte « donneur de soins » comporte des opportunités de stimulations non sociales et une plus grande attention portée aux besoins de base de l'enfant concernant le sommeil, la nutrition et les soins médicaux (Johnson, 1992; Miller et Hendrie, 2000).

### i) Les soins physiques aux enfants en institution

Des analyses ont démontré que, en général, pour chaque tranche de trois mois passés en institution, il y a un retard d'un mois de la croissance physique (taille) (Johnson, 2000). Cette plus petite taille peut être due à un effet génétique ou encore à des causes médicales comme des infections répétées ou des parasites ou encore à une nutrition déficiente. Ce peut aussi être dû à des effets combinés d'un environnement négligent ou stressant qui induit une résistance cellulaire et une réduction des hormones de croissance. Comme ce processus peut être inversé lorsque l'enfant change de milieu, on assiste souvent à une croissance trop rapide (par rapport à la norme) durant l'année qui suit l'adoption, laquelle peut accélérer l'arrivée de la puberté chez les filles (et réduire la taille adulte) et modifier les comportements alimentaires des garçons et des filles longtemps après que la croissance se soit normalisée (Johnson, 2000). Pour cette raison, il est important de suivre le rythme de récupération pour identifier les désordres du comportement alimentaire éventuels. Pour une vision à plus long terme du développement de l'enfant, il serait également important de mesurer le rythme circadien par le biais de la sécrétion de glucocorticoïdes dont l'expression est en lien avec la privation de soins maternels durant l'enfance (Ben-Dat Fisher et al., sous presse ; Gunnar et Donzella, 2002). On a ainsi trouvé que les enfants originaires de certains pays comme la Roumanie ont un profil quotidien de sécrétion de cortisol (système hypothalamo-pituitaire-adrénal (HPA)) différent de celui que l'on retrouve normalement dans la population d'enfants en santé (Gunnar et Fisher, 2006).

*ii) Les opportunités d'apprentissage dans le milieu pré-adoptif*

Il n'est pas facile de connaître la qualité du soutien à l'apprentissage dans les milieux pré-adoptifs. Il existe sans doute une très grande diversité qui dépend de la situation économique et politique de chaque pays et, bien sûr de la gestion de ces milieux de vie, soit les ressources financières disponibles, le ratio éducatrice/enfant, la qualité du matériel pédagogique compte tenu de l'âge des enfants et la connaissance des besoins des enfants. Une minorité d'enfants adoptés ont résidé dans une famille d'accueil ou encore ont vécu dans leur famille biologique jusqu'à l'adoption, mais la majorité des enfants a vécu dans un orphelinat géré par l'État ou par une entreprise privée. La plupart du temps, on ne connaît rien de la supervision qui est faite de l'encadrement des enfants mais le ratio élevé enfants/donneur de soins en orphelinat augmente la probabilité que ces enfants soient exposés à un manque de soins. Toutefois, ces milieux sont restés relativement fermés jusqu'à maintenant et très peu ont été soumis à des visites ou des observations. Il y a là des questions importantes de recherche si on veut vraiment connaître le milieu d'origine des enfants.

*iii) Le développement cognitif des enfants après l'adoption*

Toutes les études cliniques ont démontré des retards dans le développement cognitif des enfants dès leur arrivée de l'étranger.

Comme dit précédemment, le manque de soins, d'attention, la privation de stimulations nouvelles, un mauvais état de santé et quelquefois des problèmes nutritionnels ont pu agir sur le développement des capacités individuelles, mais en fait, nous sommes incapables d'établir les raisons précises de ces retards chez les enfants. La plupart du temps, il n'y a pas d'information disponible pour apprécier les contextes de vie précédant l'adoption. Même le statut de naissance (prématurité, poids, retard de croissance intra-utérin) et les complications de naissance (asphyxie, hémorragie cérébrale, etc.) ne sont pas documentés non plus que le bagage génétique des parents. Pour toutes ces raisons et parce que la récupération est généralement rapide chez ces enfants, on pense que les évaluations hâtives du développement cognitif ne sont pas nécessaires et seraient plus valides quelques mois ou années après l'arrivée. Tout au plus, ces mesures peuvent-elles servir de point de départ sur la base duquel on pourra ensuite estimer les progrès. Mais comme, de plus, les enfants sont relativement jeunes à l'arrivée et que ces tests sont plus valides chez les enfants plus âgés, ils ont peu de valeur prédictive des capacités réelles des enfants.

Par ailleurs, les découvertes récentes dans les neurosciences ont augmenté considérablement nos connaissances des mécanismes neuronaux responsables de la transmission des expériences sur le cerveau et les capacités cognitives. On a récemment suggéré que des mesures spécifiques devraient permettre un accès à des connaissances plus précise des forces et des faiblesses des enfants adoptés (Gunnar et coll., 2000). Ainsi, des observations cliniques à partir de tests neuropsychologiques (problèmes d'attention, rigidité de la pensée, problèmes de raisonnement, etc.) montrent qu'il est possible de détecter des différences individuelles dans les fonctions exécutives des enfants. À partir de travaux faits sur d'autres populations, notamment chez les enfants nés prématurément, on peut maintenant affirmer que l'exposition à des environnements déficitaires en très jeune âge a des effets durables sur le développement du cerveau. Ces résultats renforcent l'idée que le cerveau se développe à travers les expériences et qu'un environnement peu stimulant durant les périodes sensibles (comme la première année de vie) peut modifier le processus de multiplication des synapses dans le cortex pré-frontal. Cette altération peut réduire les capacités d'apprentissage et modifier les capacités d'adaptation des enfants tout au long de leur vie.

Notre objectif est ici a) de démontrer empiriquement les liens entre diverses conditions pré-adoptives (notamment l'âge à l'adoption et le milieu d'origine) comme des marqueurs de la qualité de la relation d'attachement, et b) de démontrer le rôle déterminant des soins en famille adoptive sur la relation d'attachement.

Deux études réalisées au Québec serviront à la démonstration, la première est une enquête populationnelle effectuée auprès d'un large échantillon de familles adoptives et la seconde est une étude portant spécifiquement sur l'établissement de la relation d'attachement dans un échantillon d'enfants adoptés depuis un pays d'Asie. Les détails méthodologiques de chaque étude seront sommairement résumés ici et on pourra consulter les travaux mis en référence pour plus d'information.

## Première étude : Tessier et coll., 2003

**Type d'étude :** Enquête générale sur le développement social, affectif et scolaire des enfants adoptés au Québec entre 1985 et 2002

*Question de recherche :* Quels sont les liens entre les conditions pré-adoptives (âge à l'adoption et pays d'origine) et le développement des enfants?

### Méthodologie

Population

Les familles de l'enquête sont recrutées parmi celles qui ont adopté un enfant au cours des 17 dernières années, soit de 1985 à 2002 inclusivement. Au total, 3 665 questionnaires ont été postés aux familles en trois vagues correspondant aux âges des enfants et le taux de réponses valides fut de 44 %.

Mesures d'attachement

Des mesures différentes, adaptées à l'âge des enfants, ont été utilisées pour mesurer la qualité des relations entre les enfants et leurs parents. *Dans le groupe des plus jeunes* (18 mois à 6 ans), on a utilisé une version modifiée de la mesure par Tri-de-cartes de Waters & Deane (1990) (Waters et Deane, 1985) qui consiste en une série de 24 items décrivant des comportements d'enfants dans un contexte familial. Ces comportements ont été jugés par des experts comme étant typiques d'un comportement sécurisé (v.g. « Dans mes interactions avec mon enfant, il met ses bras autour de moi ou me met la main sur l'épaule quand je le prends. ») ou, au contraire, typiques d'un comportement insécurisé (v.g. « Lorsqu'il revient près de moi après avoir joué, il est parfois maussade sans raison apparente. »). Les parents répondent à chacun des 24 items sur une échelle de type Likert allant de 1 (très différent de celui de mon enfant) à 5 (très semblable à celui de mon enfant). Un score élevé sur les 12 items du premier groupe indique un score de sécurité élevé et, à l'inverse, un score élevé sur les 12 items du dernier groupe indique un score élevé d'insécurité. La somme des deux scores produit un indice global de sécurité d'attachement. Cette procédure a été utilisée avec succès par Chisholm (1998) dans une étude sur l'adoption internationale au Canada. Les résultats seront comparés à ceux obtenus par des enfants du même âge dans la population générale du Québec.

*Chez les enfants plus âgés* (6 à 18 ans), le questionnaire de Kerns et al. (2001) fut utilisé; il contient 10 questions portant sur les sentiments des parents dans leurs échanges avec leur enfant et, plus précisément, sur leur relation d'attachement vis-à-vis de leur enfant (v.g. : « Je me sens souvent fâché contre mon enfant. » ou « J'encourage mon enfant à parler de ses problèmes. »). Les parents y répondent sur une échelle de type Likert allant de 1 (très différent de moi) à 5 (très semblable à moi). Un score total est obtenu par l'addition des 10 items.

Ces échelles ne sont pas validées pour produire des scores cliniques et ne permettent que des comparaisons de valeurs moyennes. Les scores bruts de ces deux mesures sont transformés en score z[1] de façon à les disposer sur la même échelle et pouvoir ainsi traiter la mesure d'attachement sur l'ensemble de la population. Les scores de sécurité sont analysés en fonction de l'âge à l'adoption, du sexe et du pays d'origine des enfants ainsi que de leur âge actuel en tenant compte du temps écoulé depuis l'adoption.

## Résultats

Les résultats indiquent, en contrôlant statistiquement pour le pays d'origine, le temps écoulé depuis l'adoption et l'âge actuel des enfants, qu'il y a un lien entre l'âge à l'adoption et la sécurité d'attachement des enfants ($F(5,1259) = 2,61$, $p < 0,05$) : plus les enfants

---

1 La moyenne d'un score z est de « 0 » et son écart-type est de « 1 ». Pour faciliter la lecture des figures suivantes, les écarts à la moyenne sont gradués en dixième, c'est-à-dire que, par exemple, un écart entre -0.2 et + 0.3 représente un demi écart-type entre deux conditions. Les barres en forme de T qui sont au-dessus ou au-dessous des histogrammes représentent les erreurs standard (écart-type standardisée) de chaque condition mesurée.

sont adoptés jeunes, plus ils ont une relation sécurisée (Figure 1). De plus, il y a un lien important avec la variable « sexe des enfants » où les garçons sont moins sécurisés que les filles ($F_{(1,1259)} = 23,30$, $p < 0,001$). Le pays d'origine n'est pas associé à des différences significatives dans la sécurité d'attachement des enfants (Figure 2) bien qu'il y ait des variations dans les moyennes d'un pays à l'autre. Enfin, le score moyen d'attachement chez les enfants âgés de moins de 6 ans ne se distingue pas du score moyen des enfants non adoptés, nés au Québec et du même âge (données non en tableau). Il n'y a pas de données comparatives pour les enfants plus âgés.

Tel que prévu au départ, l'âge des enfants à l'adoption est associé à une variation des scores d'attachement mesurés par les questionnaires. Pour tous les enfants, tant les garçons que les filles, le profil est le même, à savoir que le score d'attachement décroît en fonction d'une augmentation de l'âge à l'adoption. Il y a ainsi un effet de protection associé au jeune âge lors de l'adoption, c'est-à-dire que les enfants exposés moins longtemps à une situation de risque (le milieu de vie en période pré-adoptive étant reconnu comme tel) seraient favorisés en regard de leur relation d'attachement avec leurs parents. Les données ne permettent pas d'établir un âge critique au-delà duquel le risque est plus élevé; à titre indicatif, toutefois, les données de la Figure 1 semblent indiquer que 18 mois pour les garçons et 36 mois pour les filles seraient des âges au-delà desquels les risques sont plus grands de développer une relation moins sécurisée. Un des faits marquants de ces analyses reste la différence liée au sexe des enfants : pour tous les groupes d'âge à l'adoption, sauf ceux entre 6 et 17 mois (Figure 1), il y a une différence statistiquement significative au désavantage des garçons. Cette différence n'est pas liée au pays d'origine, ni à l'âge des enfants ni à la durée depuis leur adoption. Il s'agit d'un fait particulier puisque cette différence liée au sexe n'a pas l'habitude d'apparaître dans les populations d'enfants non adoptés.

Cette mesure de sécurité d'attachement porte sur des aspects de la relation parent-enfant dans la vie de chaque jour et traduit un système de relations qui s'est construit sur la base de la qualité des interactions quotidiennes. Un score faible à cette mesure indique des difficultés de co-régulation sociale et émotionnelle dans les rapports avec les parents adoptifs et une dynamique relationnelle difficile. La mesure ne permet toutefois pas de catégoriser les enfants selon un seuil clinique et n'informe pas sur d'éventuels « troubles » de la relation d'attachement. Les paramètres qui semblent influencer la sécurité d'attachement sont davantage associés à la durée de temps passé dans le milieu d'origine plutôt qu'à la qualité de l'environnement actuel, tel que l'âge ou la scolarité de la mère, le revenu familial, ou le fait d'avoir utilisé un service de garde extra-familial durant la période préscolaire, lesquels ne sont pas reliés à ce score

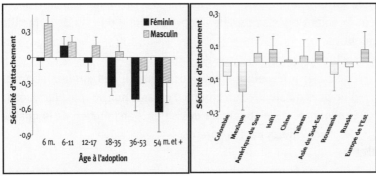

**Figure 1.** Score de sécurité des enfants en fonction de l'âge à l'adoption et du sexe de l'enfant.

**Figure 2.** Score de sécurité des enfants selon leur pays d'origine.

d'attachement. Le rôle du sexe de l'enfant dans l'établissement de la relation d'attachement reste difficile à interpréter : les garçons seraient-ils plus à risque dans les milieux pré-adoptifs que les filles? Auraient-ils davantage de problèmes de santé à leur arrivée? Davantage de problèmes psychologiques avec lesquels les parents auraient plus de mal à composer? Est-ce le fait que ces questionnaires sont complétés uniquement par les mères et qu'il manque la vision du père? Autant de questions qui demeurent en suspens dans le cadre de cette enquête.

### Conclusions de l'étude 1 pour la relation d'attachement

1. Les enfants adoptés plus tôt (exposition plus brève) ont un score de sécurité d'attachement plus élevé que les enfants adoptés plus tardivement.

2. Les garçons adoptés ont une relation moins sécurisée que les filles du même âge.

3. Le score moyen de sécurité d'attachement chez les moins de 6 ans n'est pas différent de celui observé dans des populations d'enfants non adoptés du même âge. Il n'y a pas de données comparatives pour les groupes d'enfants plus âgés.

4. Les conditions de vie des familles adoptives (âge et scolarité des parents, revenu, utilisation de service de garde) ne sont pas liées à la sécurité d'attachement des enfants.

## Deuxième étude : Tessier, Tarabulsy et Moss, 2006

**Type d'étude :** Étude de cohorte avec groupe témoin
*Question de recherche :* Quelles sont les conditions les plus favorables au développement de relations d'attachement sécurisantes pour l'enfant dans sa famille adoptive? Étude du rôle de la famille adoptive.
*Objectifs*
1) Comparer le développement socio-émotif des enfants adoptés d'un pays d'Asie avec un groupe d'enfants non adoptés du Québec
2) Expliquer le développement des enfants en fonction de la qualité des soins offerts par les parents.

**Devis**
Il s'agit d'une étude descriptive longitudinale où un groupe d'enfants adoptés depuis un pays asiatique est comparé à un groupe d'enfants de familles témoins (non adoptives) et appariés pour le quartier de résidence, le statut socio-économique, le nombre d'enfants dans la famille, l'âge et le sexe des enfants.

*Participants*
Les familles adoptives ont été recrutées au hasard parmi les dossiers soumis à la DPJ (pour l'adoption internationale) entre les mois d'avril 2002 et mars 2003. Elles l'ont été en respect de l'article 582 (livre 2, chapitre 2, section 4) du Code civil du Québec et en respect de la loi sur l'accès aux documents des organismes publics suite à des ententes avec le Secrétariat à l'adoption internationale du Québec. L'échantillon a été stratifié pour représenter, selon les mêmes proportions, les garçons et les filles (pour éviter une surreprésentation des filles dans l'échantillon, leur nombre a été pondéré selon un rapport de 1 pour 2, et les groupes d'âge à l'adoption (moins de 6 mois, de 6 à 11 mois, de 12 à 23 mois). Les familles témoins ont été recrutées à partir d'une banque de données de naissance détenue à l'Institut de la Statistique du Québec (ISQ) (voir le rapport de recherche pour plus de détails sur l'ensemble de l'étude).
Les enfants adoptés sont âgés entre 1 et 23 mois lors de leur arrivée dans la famille adoptive et les deux groupes d'enfants sont équivalents pour le sexe, l'âge, le poids et la taille au premier temps de

l'étude. Les groupes diffèrent quelque peu selon l'éducation des parents et leur revenu : les pères adoptifs ont un plus haut niveau d'éducation et les mères adoptives, un meilleur revenu. Les parents adoptifs sont également un peu plus âgés d'environ 4 ans que ceux de l'autre groupe.

## Mesures

Des mesures sont prises en deux occasions, la première entre 3 et 4 mois après l'arrivée de l'enfant dans la famille adoptive, et la seconde, 12 mois plus tard, soit 15-16 mois après l'arrivée. Elles incluent des observations à la maison, des questionnaires aux parents et des examens en laboratoire pour les enfants (Tableau 1).

**Tableau 1.** Principales mesures utilisées aux deux temps de l'étude

|  | 3 mois après l'arrivée de l'enfant | 15 mois après l'arrivée de l'enfant |
|---|---|---|
| Mesures prises à la maison | • Interactions parent enfant : 4 heures d'observation directe<br>• HOME (complété par l'observatrice)<br><br>*Questionnaires pour les deux parents :*<br>• Détresse<br>• Engagement Paternel<br>• Questionnaire tempérament<br>• Questionnaire RAD<br>• CBCL (Achenbach)<br>• Journal des nuits | *Questionnaires pour les deux parents :*<br>• Détresse<br>• Engagement Paternel<br>• Questionnaire tempérament<br>• Questionnaire RAD<br>• CBCL (Achenbach)<br>• Journal des nuits |
| Tâches effectuées en laboratoire | • Situation Étrangère<br>• Q-Sort d'attachement<br>• Entrevue clinique (Classification diagnostique entre 0 et 3)<br>• Échelles de Mullen (QI)<br>• Dépistage médical | • Situation Étrangère<br>• Q-Sort d'attachement<br>• Entrevue clinique (Classification diagnostique entre 0 et 3)<br>• Échelles de Mullen (QI) |

Les observations à la maison ont été réalisées lors de trois visites de 4 heures chacune dans les familles adoptives et d'une visite de 4 heures (entre 15h30 et 19h30) dans les familles témoins. Les comparaisons de groupe présentées ici ne portent que sur cette dernière période de la journée qui est vue comme révélatrice des conduites habituelles des parents et des enfants. Les observations portent sur un ensemble de comportements de l'enfant et de l'adulte responsable et elles visent l'évaluation de la qualité des soins offerts par les adultes et la réponse des enfants. En d'autres mots, les observations portent sur les interactions entre adultes et enfants durant les activités quotidiennes en fin de journée.

Hormis une série de questionnaires adressés aux parents : Tempérament de l'enfant (Bates et Bayles, 1984; Moran et al., 1992), Index des stresseurs parentaux (Abidin, 1990), échelle des Comportements sociaux de l'enfant (Achenbach et Rescorla, 2000), mesure des comportements d'attachement de l'enfant (procédure par Tri-de-Cartes) (Moran et al., 1992) et une autre mesure de la relation d'attachement, la mesure du comportement social indifférencié (Chisholm et al., 1995), l'observatrice complète la mesure de Sensibilité des parents (Moran, Pederson et Tarabulsy, 1996) et la mesure de l'Environnement familial (Caldwell et Bradley, 1984). Les familles sont vues en laboratoire où une entrevue clinique est faite avec les parents, suivie d'examens du développement de l'enfant ainsi que d'une mesure standardisée de la relation d'attachement : la *Situation Étrangère*. (l'avancement des travaux ne permet toutefois pas de présenter des résultats complets pour cette dernière mesure). Seuls, les résultats relatifs aux mesures d'attachement font l'objet de cet article.

## Résultats

*Comparaison des groupes de parents*

À partir des questionnaires complétés par les parents, la seule différence notable entre les deux groupes se situe dans l'état de stress et d'anxiété : les parents du groupe adoptif se décrivent comme moins anxieux/dépressifs ou stressés que ceux du groupe des témoins. Par ailleurs les parents des deux groupes se décrivent comme également compétents (sentiment de compétence), également soutenus par leur conjoint/e et voient les pères comme également impliqués. Enfin, les mères ne décrivent pas leur enfant comme plus difficile et ne perçoivent pas leur tâche de parent comme plus accablante, peu importe leur groupe.

*Premier objectif de l'étude :* Comparer le développement socio-émotif des enfants à l'arrivée et un an plus tard. Comparaisons entre les deux temps de mesure pour chaque groupe.

La première mesure « attachement » (Tableau 2) décrit les comportements d'attachement de l'enfant dans le quotidien; le score traduit la perception, par la mère, de ces comportements. La seconde mesure « relation mère/enfant » est le résultat d'observations de la clinicienne lors des examens cliniques et son jugement est validé par les observatrices à la maison. Dans les deux cas, il n'y a pas de différence entre les groupes. Par contre, les données issues d'une procédure expérimentale, la « Situation Étrangère » sur une partie de

**Tableau 2**. Moyennes et écart-type des scores de la relation d'attachement (Tri-de-Cartes) et de la relation mère/enfant (score d'entrevue clinique) pour chacun des groupes et pour chaque temps

| | Temps 1 | | | Temps 2 | | |
|---|---|---|---|---|---|---|
| | Adoptés ± e.t. | Témoins ± e.t. | *p* | Adoptés ± e.t. | Témoins ± e.t. | *p* |
| Attachement (Tri-de-Cartes) | 0,41 ±0,20 | 0,48 ±0,16 | ns | 0,48 ±0,19 | 0,48 ±,13 | ns |
| Relation mère/enfant[1] | 80,7 ±13.5 | 85,9 ±7.5 | ns | 83.1 ±12.3 | 83.1 ±12.9 | ns |
| Situation Étrangère (49/64) Sécurisé Désorganisé | | | | 39% 20% | | |

1. Un score plus élevé indique une relation affective plus harmonieuse.

l'échantillon des enfants adoptés (49/64), remettent en question ces résultats car au Temps 2, seulement 39 % des enfants ont un attachement sécurisé à leur mère, un taux plus faible que celui attendu dans une population d'enfants non adoptés qui varie, au Québec, de 50 % à 60 %. De plus 20 % de ces enfants ont un statut « désorganisé » (score D), soit un taux plus élevé que celui attendu. Ces derniers résultats ne sont pas définitifs (manque aussi les données du groupe témoin) mais laissent croire que la situation expérimentale démontre plus d'insécurité que les observations faites en situation non stressantes à la maison. Les données finales seront utiles pour faire la part des choses mais elles indiquent déjà qu'il est possible que les enfants soient moins sécurisés que le montrent les observations en milieu non contraint que la Situation Étrangère, par sa mise en scène stressante, fasse ressurgir des comportements antérieurs, associables à des moments de la vie pré adoptive et de type insécurisé.

Le troisième indice du développement socio-émotif des enfants provient de l'entrevue clinique. Lors de cette entrevue, le seul trouble pour lequel le taux diffère entre les groupes est le trouble réactionnel de l'attachement : plus d'enfants du groupe des adoptés (15.6 %) ont ce diagnostic au Temps 1. Ce problème disparaît au Temps 2. On voit aussi (Tableau 3) que des troubles de régulation émotionnelle sont davantage présents au Temps 1 qu'au Temps 2 mais ce changement est observé dans les mêmes proportions dans les deux groupes. Ce dernier résultat est attendu, vu le jeune âge des sujets : les enfants plus jeunes ont naturellement plus de difficultés, mais on ne parle pas ici de pathologie.

*Deuxième objectif de l'étude :* Expliquer l'évolution du développement socio-émotif et des comportements sociaux en fonction des conditions de vie intra-familiale.

**Tableau 3.** Nombre et pourcentage d'enfants qui ont des troubles socio-émotifs pour chacun des groupes et pour chaque temps

|  | Temps 1 | | | Temps 2 | | |
|---|---|---|---|---|---|---|
|  | Adoptés (%) | Témoins (%) | *p* | Adoptés (%) | Témoins (%) | *p* |
| Trouble réactionnel de l'attachement | 15.6 | 0 | **0,03** | 3.3 | 0 | ns |
| Stress post-traumatique | 6.3 | 0 | ns | 1.7 | 8.3 | ns |
| Trouble d'ajustement | 1.6 | 0 | ns | 5.0 | 4.2 | ns |
| Problème de Régulation | 23.4 | 20.0 | ns | 11.7 | 12.5 | Ns |

Les données de la vie intra-familiale proviennent des observations faites à la maison au premier temps de l'étude, alors que les enfants adoptés n'étaient arrivés que depuis 3-4 mois dans leur famille. Les enfants non adoptés vivent avec leur famille depuis leur naissance. On se souviendra qu'une observatrice a visité les familles pendant trois séances d'observations de 4 heures (grand merci à la générosité des parents!). Les résultats présentés ici ne couvrent toutefois que la troisième période de la journée, soit de 15h30 à 17h30. Ces quatre heures d'observation permettent de décrire les principaux comportements des parents et des enfants durant cette période.

*La première question à laquelle on peut répondre est : quel est l'adulte responsable qui assume les soins?*

Comme prévu, la mère est la personne qui est la plus souvent responsable des soins avec toutefois un écart significatif entre les groupes : les mères biologiques plus que les mères adoptives sont présentes durant cette période de la journée (75 % vs 71 %) mais cette différence est comblée par les pères qui sont plus souvent présents dans les familles adoptives (25 % vs 20 % : données non en tableau). Ces différences sont statistiquement significatives. Cependant, dans les deux groupes il y a les mêmes proportions de mères et de pères qui sont seuls responsables durant cette période. Les pères ne sont seuls, comme donneur de soins principal, que dans 6 % à 8 % du temps selon les groupes.

*La seconde question à laquelle peuvent répondre les observations est : que font les adultes et les enfants durant cette période ?*

Notre méthode d'observation directe des comportements à la maison permet de définir des contextes fonctionnels qui sont déterminés par l'organisation des activités des personnes en présence. Durant cette période de la journée, les adultes sont occupés à des tâches interactives directes pour environ 40 % du temps (jouer, manifester de l'affection, consoler) et 30 % du temps va à la surveillance à distance (regarder, vérifier) ; environ 26 % du temps est affecté à des tâches domestiques. Le reste du temps (environ 5 %) est consacré aux soins directs (nourrir, bain, etc.). Les enfants pour leur part, adoptés ou non, passent plus du tiers de leur temps (35 %) à maintenir un contact visuel avec leur parent, que ce soit de près ou de loin. Ils passent aussi 35 % de leur temps en interaction verbale ou physique avec leur parent. Par contre, ils font des activités seuls pendant, en moyenne, 13 % de leur temps. Ils dorment ou se reposent pendant 10 % du temps. Ils pleurent ou manifestent des comportements négatifs dans environ 4 % du temps. Les expressions de contentement ou d'affect positif représentent un peu plus de 8 % du temps. En résumé, tant de la part des parents que de celle des enfants, les activités sont, en grande partie (environ 70 % du temps), dirigées l'un vers l'autre, que ce soit par contact direct ou à distance (voir le rapport de recherche (Tessier et al., 2006) pour plus de détails). Ces contextes semblent propices au développement d'une relation stimulante et réciproque. Mais les proportions de temps consacrées à ces activités sont-elles les mêmes dans les deux groupes ?

Plusieurs différences ont été observées entre les comportements des deux groupes (Tableau 4). Il y a davantage d'attention mutuelle (principalement des regards mutuels) chez les témoins alors qu'il y a davantage de contacts physiques entre parent et enfant adopté. Les soins donnés par les parents ne diffèrent pas d'un groupe à l'autre. Cependant, dans l'ensemble de toutes les interactions observées pendant ces 4 heures, les rapports entre les mères et les enfants adoptés sont moins souvent harmonieux que dans l'autre groupe mais, par contre, ils sont aussi moins souvent dysharmonieux. Ce n'est pas le cas des pères pour lesquels il n'y a pas de différence. Ces résultats, en apparence contradictoires, restent cohérents en ce sens que les parents ne se conduisent pas que d'une seule façon et leurs conduites sont, dans le quotidien, parfois positives et parfois négatives. Les données indiquent ici que les parents adoptifs manifestent moins souvent des conduites contingentes (sensibles). Ceci

**Tableau 4.** Moyennes et écart-type des conduites des parents et des enfants pour chaque groupe au Temps 1

| | Adoptés (n=64) | Témoins (n=25) | Différence entre les groupes si (p < 0,05) |
|---|---|---|---|
| **Comportements dyadiques** | | | |
| Attention mutuelle | 1.84 ±,72 | 2.14 ±,53 | 0.085 |
| - Regards mutuels | ,95 ±,37 | ,91 ±,39 | 1.11 ±,26 |
| - Échanges verbaux | 1,02 ±,32 | (0,042) | ns |
| - Contacts physiques entre parent et enfant (bras, etc.) | ,16 ±,36 | ,10 ±,30 | (0,000) |
| **Soins donnés par le parent** | | | |
| - Nourrit, donne soins | ,12 ±,06 | ,12 ±,03 | (ns) |
| - Parent regarde ou surveille | ,65 ±,16 | ,69 ±,10 | (ns) |
| - Parent stimule avec ou sans objet | ,17 ±,10 | ,17 ±,08 | (ns) |
| - Parent donne de l'affection physique ou non physique | ,09 ±,07 | ,10 ±,08 | (ns) |
| - Parent console | ,02 ±,02 | ,02 ±,02 | (ns) |
| - Parent parle à l'enfant | ,59 ±,25 | ,63 ±,18 | (0,045) |
| - Parent travaille | ,53 ±,25 | ,64 ±,26 | (ns) |
| - Mère répond de façon sensible à son enfant | 1,24 ±,89 | 1,66 ±,83 | (0,041) |
| - Père répond de façon sensible à son enfant | ,48 ±,58 | ,52 ±,41 | (ns) |
| - Mère non contingente | ,08 ±,08 | ,14 ±,11 | (0,012) |
| - Père non contingent | ,02 ±02 | ,03 ±,04 | (ns) |
| **Comportements de l'enfant** | | | |
| - Enfant pleure ou chigne | ,03 ±19 | ,03 ±18 | (ns) |
| - Enfant dort, se repose | ,14 ±,16 | ,09 ±,12 | (ns) |
| - Enfant joue seul | ,13 ±,10 | ,18 ±,13 | (0,049) |
| - Enfant regarde le parent | ,36 ±,24 | ,50 ±,19 | (0,010) |
| - Enfant sourit | ,07 ±,04 | ,17 ±,15 | (0,000) |
| - Enfant parle, vocalise | ,24 ±,14 | ,31 ±,14 | (0,051) |
| - Enfant répond au parent | ,14 ±,09 | ,16 ±,08 | (ns) |

*Les scores moyens de ce tableau s'interprètent comme des proportions de temps. Si un élément rapporté (vg attention mutuelle) inclut plusieurs comportements, le résultat est une proportion de temps pour ces comportements rassemblés.*

peut être compris comme une plus grande difficulté de leur part à « décoder » les messages de leur enfant, soit que le langage de l'enfant adopté est moins compréhensible (ce qui est probable, vu la récence de leur arrivée), soit que ces derniers sont moins clairs dans les messages verbaux ou non verbaux qu'ils émettent. À preuve, les données indiquent que ces derniers (adoptés) sourient moins souvent et parlent ou vocalisent moins que les enfants non adoptés (Tableau 4). Enfin les enfants adoptés passent moins de temps à jouer seuls que ceux de l'autre groupe ce qui suggère qu'ils sont plus souvent à proximité d'un adulte.

*La troisième question à laquelle on peut répondre à partir de ces observations est : quels sont les liens entre les interactions parent-enfant, observées à la maison, entre le Temps 1 et le Temps 2.*

Le fait d'avoir été adopté est-il en lien avec l'adaptation des enfants ? Une autre façon de poser la question serait : quel est le rôle de l'écologie familiale sur l'adaptation des enfants sur le plan cognitif et socio-affectif ?

Dans une série d'analyses de covariance, où le statut socio-économique de la famille et la variable « sexe de l'enfant » sont contrôlés, le fait que la mère réponde à l'enfant et joue avec lui/elle de façon sensible et appropriée aide ce dernier à développer son sentiment de sécurité ; mais ce qui semble le plus intimement lié à la sécurité d'attachement est la sensibilité du parent lors *d'un contexte spécifique de détresse*. Des réponses maternelles appropriées, dans un tel contexte, semblent plus significatives pour l'enfant que la façon de répondre du parent dans les autres contextes de jeu ou d'échanges sociaux. Il vaut la peine de souligner ici que les conduites du père ne sont pas associées à des variations dans le développement socio-émotif des enfants, ce qui ne veut pas dire qu'il n'a pas d'importance mais que statistiquement, la variation de ses scores de sensibilité n'est pas en lien avec la variation des scores d'attachement des enfants. Enfin, l'appartenance au groupe « adopté » ou « non adopté » ne contribue pas à expliquer la sécurité d'attachement de l'enfant. Comme on l'a vu précédemment (Tableau 2), les deux groupes ont le même score d'attachement (Tri-de-Cartes) au Temps 2, soit 15 mois après l'arrivée de l'enfant adopté dans sa famille. Il est important de souligner ici que cette mesure n'a pas de seuil clinique; elle procure un score continu allant de moins sécurisé à plus sécurisé.

En résumé, les scores du développement socio-émotif (attachement) s'expliquent en partie par des éléments de l'organisation familiale, notamment la façon qu'ont les parents (surtout les mères) de répondre aux enfants lorsqu'ils sont en détresse. Mais le développement socio-émotif n'est pas différent selon les groupes (à partir des données observées à la maison) ce qui suggère que, chez les enfants d'origine asiatique, la relation d'attachement se crée rapidement après l'adoption. Ce résultat laisse croire que, contrairement à ce qui est souvent rapporté, les conditions de vie offertes dans ces orphelinats ne pénalisent pas les enfants quant à leur capacité d'établir des liens d'attachement sécurisés avec leurs parents adoptifs. Toutefois, les données provenant de la situation expérimentale (Situation Étrangère), qui induit une dose de stress chez les enfants, montrent que ces derniers sont un peu moins sécurisés et un peu plus désorganisés que ce qu'on observe dans les populations d'enfants non adoptés. Ces résultats laissent croire que ces enfants, un an et demi après leur adoption, ont plus de mal à réagir à une situation stressante s'apparentant dans la Situation Étrangère à un abandon momentané par la mère.

### Résumé et conclusions de l'étude 2
*A) Organisation familiale*
Les données
1) Les parents adoptifs se décrivent comme moins anxieux/ dépressifs ou moins stressés que les parents du groupe témoin durant l'année qui suit l'adoption de leur enfant;
2) Ils se décrivent comme aussi compétents comme parents, aussi bien soutenus/es par leur conjoint/e et ils voient les pères comme autant impliqués que dans le groupe témoin;
3) Les parents adoptifs ne voient pas leur enfant comme plus difficile et non plus que leur rôle comme parent;
4) Les mères sont responsables des soins aux enfants pour une proportion du temps variant de 70 % à 75 %; ce sont les pères qui, entre 15h30 et 19h30, prennent le plus souvent la relève;
5) Les parents adoptifs ont, plus souvent que les parents non adoptifs, des contacts physiques avec leur enfant alors que c'est l'inverse pour les échanges verbaux;
6) Il n'y a pas de différence entre les groupes dans la qualité des soins donnés aux enfants, que ce soit la fréquence des soins

intimes, la surveillance de l'enfant à distance, la fréquence des manifestations d'affection ou les stimulations par le jeu ou la parole;

7) Les enfants non adoptés sont plus souvent seuls pour jouer, passent plus de temps à regarder le parent de loin, parlent ou vocalisent plus souvent et sourient plus que les enfants adoptés;

8) Dans l'ensemble, les mères adoptives sont moins contingentes, donnent moins de réponses sensibles à leur enfant que les mères non adoptives, mais elles sont aussi moins souvent non contingentes que les mères de l'autre groupe. En d'autres mots, elles sont moins actives à l'égard de leur enfant.

Cette étude a comparé l'organisation des activités de soins aux enfants dans des familles adoptives et des familles non adoptives appariées sur plusieurs dimensions. Plusieurs travaux suggèrent que les parents adoptifs sont, dans l'ensemble, de grande qualité et qu'ils sont capables d'aider les enfants adoptifs à récupérer leur retard à l'arrivée en famille adoptive. Une hypothèse sous-jacente est que leur position sociale favorable (éducation, revenu) et leur plus grande expérience (ces parents sont plus âgés que la moyenne des parents biologiques avec un enfant du même âge) en font des parents plus sensibles et capables de répondre de façon plus appropriée aux besoins des enfants. Nos résultats, en comparant les parents adoptifs avec des parents biologiques, nous permettent d'être un peu plus explicites. Les parents adoptifs ne sont pas des « super parents », ils ne semblent pas mieux encadrer les enfants et n'y sont pas plus sensibles. Ils sont moins stressés mais ne se décrivent pas eux-mêmes comme plus compétents. Les pères sont aussi impliqués dans les deux groupes et pas davantage chez les adoptés. Les seules nuances qui peuvent être apportées ici sont à l'effet qu'il y a des tendances, par exemple, à ce que les parents adoptifs se voient comme plus compétents au Temps 2 de l'étude ou encore que les pères ont des scores d'engagement un peu plus élevés dans le groupe des adoptés, mais ces tendances ne sont pas statistiquement significatives. En résumé donc, les parents adoptifs sont de bons parents mais les soins qu'ils donnent ne sont pas exceptionnels et sont comparables à ceux que l'on retrouve dans des familles du même environnement socio-économique.

## B) *Évolution de la relation d' attachement*
Les données

1) Les enfants adoptés d'Asie ne sont pas moins sécurisés, 15 mois après leur adoption, que les enfants nés à terme dans leur famille biologique; ils semblent toutefois avoir plus de mal à s'adapter à une situation stressante;

2) Les enfants adoptés ont plus de comportements s'apparentant à des troubles de l'attachement, quelques mois après leur arrivée dans la famille adoptive, mais ces troubles sont presque complètement disparus, un an plus tard;

3) L'évolution de la relation d'attachement entre un an et deux ans d'âge s'explique principalement, peu importe le groupe, par la qualité de la réponse des parents lorsque les enfants sont en détresse.

### Conclusions

Dans cette population d'enfants adoptés de l'Asie, il ne paraît pas y avoir de problème majeur d'attachement. Ils ont des scores un peu plus faibles ou ont davantage de comportements qui ressemblent à des troubles cliniques d'attachement au début mais, un an plus tard, ces symptômes ont disparu. Il ne s'agit certainement pas d'une population clinique. Ces résultats rejoignent ceux observés dans notre enquête réalisée en 2003 auprès d'un large échantillon d'enfants adoptés au Québec (Tessier et coll., 2003) : les enfants adoptés d'un pays d'Asie n'étaient pas rapportés par les parents comme ayant des problèmes d'attachement; ils étaient évalués différemment de ceux de plusieurs autres pays, ce qui nous conduit à penser que les expériences de vie en institution sont variables selon le pays et peuvent, comme c'est le cas ici, avoir peu d'impact négatif sur les capacités adaptatives des enfants.

Ce que cette étude nous enseigne, en outre, c'est que les réactions des parents en contexte de détresse sont de puissants marqueurs de la sécurité d'attachement des enfants. Les travaux scientifiques publiés rapportent le plus souvent que les relations de nature contingente réciproque et sensible des parents sont déterminantes de l'évolution des relations d'attachement avec les enfants. Nos résultats sont plus spécifiques: ces réponses sensibles et appropriées marquent la construction de la relation d'attachement si elles se manifestent lorsque l'enfant en ressent un besoin plus intense, besoin d'être réconforté, entouré, aimé. Les autres contextes de jeu, de dialogue et d'interactions de toutes sortes paraissent moins critiques et, dans cette étude, ne sont pas en lien avec la sécurité d'attachement. On ne dit pas ici que les comportements positifs des parents ne sont pas importants dans les autres contextes, au contraire, mais bien qu'il faut accorder une attention particulière lorsque les enfants sont dans des situations plus critiques. Cette constatation vaut pour les deux groupes. Comme il n'y a pas de différence entre les groupes dans la réponse des parents aux situations de détresse des enfants, c'est vraiment la conduite des parents, indépendamment du fait que les enfants soient adoptés ou non, qui fait la différence.

## Conclusions générales : ce que nous apprend la recherche

Il semble que les enfants adoptés de l'Asie forment un groupe qui s'adapte bien à un changement majeur de leurs conditions de vie. Il est difficile de connaître leurs environnements antérieurs, la plupart du temps en orphelinat, mais l'adaptation de ces enfants ne correspond pas aux descriptions dramatiques que l'on fait souvent des enfants issus de l'adoption internationale. Comme nous avons déjà obtenu des résultats semblables lors de notre récente enquête auprès d'une large population de familles adoptives au Québec (Étude 1), ces résultats, issus d'une méthodologie différente, sans être définitifs, donnent confiance dans les capacités adaptatives de ces enfants.

L'hypothèse rivale aurait pu être que ce sont les parents adoptifs qui ont des habiletés exceptionnelles mais les résultats ne le confirment pas. Les parents adoptifs sont de bons parents mais, comparés à d'autres qui vivent dans les mêmes conditions socio-démographiques, ils ne sont pas des « super parents ».

Que conclure? Les trajectoires de développement des enfants adoptés sont très variables selon l'âge à l'adoption, ce qui met en cause la qualité des soins en milieu pré-adoptif; mais aussi, elles sont variables selon le pays d'origine, ce qui met également en cause l'organisation et la qualité des soins en milieu pré-adoptif. Mais le milieu d'adoption ne semble pas jouer un rôle déterminant et les conduites des parents adoptifs ne sont pas plus positives que celles des familles non adoptives. La vraie question qui se pose est la suivante: hormis le milieu d'orphelinat, la durée du séjour, le sexe de l'enfant et le pays d'origine qui sont des marqueurs significatifs du développement des enfants adoptés, une partie de l'explication semble se trouver ailleurs. Que signifie réellement le fait d'être adopté?

*Une nouvelle avenue de recherche*

Nos connaissances sur les conséquences de l'adoption locale ou internationale sont, en fait, des inférences sur les conséquences d'un long cheminement des enfants les ayant conduits, d'abord, à un abandon par leurs parents (leur mère) qui ont vécu une grossesse dans des conditions difficiles, puis à des conditions de soins probablement non optimaux pendant une période plus ou moins longue, qui se sont terminées par une relocalisation dans une famille adoptive. Le moment où on étudie ces derniers se situe à la fin de ce processus et, la plupart du temps, nous n'avons pas accès aux données antérieures. Comme les familles adoptives prodiguent des soins de qualité équivalente à ceux offerts en milieu familial naturel, on est justifié de conclure aux effets prépondérants des milieux pré-adoptifs. Mais une nouvelle hypothèse, issue des modèles animaux, suggère que ce n'est pas le simple fait de l'abandon ou des mauvais soins reçus en bas âge qui explique les problèmes d'adaptation ultérieurs mais aussi les conditions intra-utérines qui ont « programmé » en partie le cours du développement des enfants (Gutteling et coll., 2005).

Cette nouvelle hypothèse, provenant de modèles animaux, suggère une programmation prénatale du fœtus dont un des marqueurs déterminants serait le stress anténatal de la mère (Amiel-Tison et al., 2004). De plus en plus de données, issues de la recherche sur la grossesse, suggèrent en effet que l'exposition de la mère à des événements difficiles et stressants peut avoir des effets permanents sur la santé du fœtus et sur le développement de l'enfant et rendre ces derniers plus susceptibles de développer des troubles ou des maladies de nature cognitive ou socio-émotive (Bertram et Hanson, 2002; Huizink et coll., 2004; Ward et al., 2004; Gutteling et coll., 2005; Teixira et Glover, 1999; Van den Bergh et coll. 2005; De Boo et Harding, 2006; Barker, 2001). Ces travaux nous ramènent aux conditions qui ont pu prévaloir durant la grossesse des mères qui ont donné leur enfant en adoption. Sachant que cette démarche, de donner son enfant, n'est pas naturelle dans l'espèce humaine, il est raisonnable de suggérer que les conditions de grossesse qui ont conduit à l'abandon de leur enfant n'ont pas été faciles pour les mères; selon l'hypothèse de programmation prénatale, le développe-ment de ces enfants a pu être modifié et se répercuter ultérieurement en des problèmes de développement (Gunnar et Fisher, 2006; Dozier et al., 2006; Gunner et Cheatham, 2003). Ces conditions prénatales défavorables s'ajouteraient à un manque de soins durant la période postnatale mais pré-adoptive. Les procédures d'adoption, incluant la plupart du temps une rupture totale avec la mère biologique, ne permet pas cette connaissance des parents biologiques ni des conditions de développement intra-utérin et réduit notre capacité de connaître vraiment l'enfant qui vient d'être adopté.

## ABSTRACT

*Referring to theoretical work on the development of secure atta-chment in adopted children and to major longitudinal studies in the domain, in particular two recent ones held by the author in colla-boration with colleagues on samples of Quebec adoptees, the author reviews variables defining and assessing differences in the evolution of attachement relationships between parents and adoptive children : sex and country of origin of children, age at arrival in adoptive family and the quality of care and conditions in pre adoptive and post adoptive environment. When discussing developmental issues, the author considers their connections with life conditions of biological mothers during pregnancy and the quality of postnatal care and duration of privation preceeding adoption of the child.*

# Références

**Abidin R.** *The Parenting Stress Index* (Short Form). 1990, Charlottesville, VA: Pediatric Psychology Press.

**Achenbach TM, Rescorla LA.** *Manual for the ASEBA Preschool Forms & Profiles.* Burlington, VT : University of Vermont, 2000.

**Amiel-Tison C, et al.** Fetal adaptation to stress: Part II. Evolutionary aspects; stress-induced hippocampal damage; long-term effects on behavior; consequences on adult health. *Early Hum Dev* 2004; 78(2) : 81-94.

**Barker DJ.** A new model for the origins of chronic disease. *Med Health Care Philos* 2001; 4(1): 31-35.

**Bates JE, Bayles K.** Objective and subjective components in mothers' perceptions of their children age 6 months to 3 years. *Merill Palmer Quart* 1984; 30(2) : 111-130.

**Ben-Dat Fisher D, et al.** *Intergenerational predictors of blunted diurnal cortison rythms.* In press.

**Bertram CE, Hanson Ma.** Prenatal programming of postnatal endocrine responses by glucocorticoids. *Reproduction* 2002; 124(4) : 459-467.

**Bowlby J.** *Maternal care and mental health.* WHO: Geneva, 1951.

**Brodzinsky DM.** Adjustment of adoption : A psychosocial perspective. *Clin Psychol Rev* 1987; 7 : 25-47.

**Caldwell BM, Bradley RH.** (eds) *Home observation for measurement of the environment.* Administration manual. University of Arkansas : Little Rock, 1984.

**Chisholm K, Carter M, Ames E, Morison SJ.** Attachment security and indiscriminately friendly behavior in children adopted from Romanian orphanages. *Dev & Psychopathol* 1995; 7: 183-194.

**Chisholm K.** A three year follow-up of attachment and indiscriminate friendliness in children adopted from Romanian orphanage. *Child Dev* 1998; 69(4) : 1092-1106.

**de Boo HA, Harding JE.** The developmental origins of adult disease (Barker) hypothesis. *Aust N Z J Obstet Gynaecol* 2006; 46(1) : 4-14.

**Dozier M, et al.** Foster children's diurnal production of cortisol: An exporatory study. *Child Maltreatment* 2006; 11 : 189-197.

**Fisher L, Ames EW, Chisholm K, Savoie L.** Problems reported by parents of Romanian orphans adopted to British Colombia. *Int J Beh Dev* 1997; 20 : 67-82.

**Groze V, Ileana D.** A follow-up study of adopted children from Romania. *Child & Adol Soc Work J* 1996; 13 : 541-564.

**Gunnar MR, Cheatham CL.** Brain and behavior interface: stress and the developing brain. *Inf Ment Health J*

2003; 24 : 195-211.

**Gunnar MR, Bruce J, Grotevant HD.** International adoption of institutionally-reared children: Research and policy. *Dev & Psychopathol* 2000; 12 : 677-693.

**Gunnar MR, Donzella B.** Social regulation of the cortisol levels in early human development. *Psychoneuroendocrinology* 2002; 27 : 199-220.

**Gunnar MR, Fisher PA.** Bringing basic research on early experience and stress neurobiology to bear on preventive interventions for neglected and maltreated children. *Dev & Psychopathol* 2006 ; 18 : 651-677.

**Gutteling BM, de Weerth CD, Willemsen-Swinkels SH, Huizink AC, Mulder EJ, Visser GH, Buitelaar JK.** The effects of prenatal stress on temperament and problem behavior of 27-month-old toddlers. *Eur Child Adol Psychiat* 2005; 14(1) : 435-446.

**Huizink AC, Mulder EJ, Buitelaar JK.** Prenatal stress and risk for psychopathology: specific effects or induction of general susceptibility? *Psychol Bull* 2004; 130(1) : 115-42.

**Johnson DE.** Adopting the international child : What are the risks? ADOPT FAM 1992; 30 : 26-29.

**Johnson DE.** Long-term medical issues in international adoptees. *Pediatr Ann* 2000; 29(4) : 234-241.

**Juffer F, van Ijzendoorn MHé** Behavior problems and mental health referrals of international adoptees: a meta-analysis. *JAMA* 2005; 293(20) : 2501-2515.

**Juffer F, et al.** Early intervention in adoptive families: supporting maternal sensitive responsiveness, infant-mother attachment, and infant competence. *J Child Psych Psychiat* 1997 ; 38(8) : 1039-1050.

**Kerns KA, Aspelmeier JE, Gentzler AL, Grabill CM.** Parent-child attachment and monitoring in middle childhood. *J Fam Psychol* 2001; 15 : 69-81.

**Lieberman AF, Pawl JH.** Clinical applications of attachment theory. In : **Nezworski JBT.** (ed) *Clinical implications of attachment.* New Jersey : Erlbaum, 1988 : 327-347.

**Lupien SJ, King SMJ, McEwen BS.** Can poverty get under your skin? Basal cortisol levels and cognitive function in children from low and high socioeconomic status. *Dev & Psychopathol* 2001; 13 : 653-676.

**Marcovitch S, Goldberg S, Gold A, Washington J, Wasson C, Krekewich K, Handley-Derry M.** Determinants of behavioral problems in Romanian childen adopted in Ontario. *Int J Beh Dev* 1997; 20 : 17-31.

**Miller LC, Hendrie NW.** Health of Children Adopted from China. *Pediatrics* 2000; 105(6) : 6.

**Moran G, et al.** Maternal sensitivity and infant-mother

attachment in a developmentally delayed sample. *Infant Beh & Dev* 1992; 15 : 427-442.

**Moran G, Pederson DR, Tarabulsy GM.** Le rôle de la théorie de l'attachement dans l'analyse des interactions mère-enfant à la petite enfance : Descriptions précises et interprétations significatives. In : **Tarabulsy G, Tessier R** (eds) *Le développement émotionnel et social de l'enfant.* Québec : Presses de l'Université du Québec, 1996 : 69-109.

**O'Connor TG, et al.** Maternal antenatal anxiety and behavioural/emotional problems in children: a test of a programming hypothesis. *J Child Psychol Psychiat* 2003; 44(7) : 1025-1036.

**O'Connor TG, et al.** The English and Romanian adoptees study team : The effects of global severe privation on cognitive competence : Extension and longitudinal follow-up. *Child Dev* 2000; 71 : 376-390.

**O'Connor TG, et al.** Child-parent attachment following early institutional deprivation. *Dev & Psychopathol* 2003. 15: p. 19-38.

**Ouellette FR, Méthot C.** *L'adoption tardive internationale.* Rapport de recherche déposé au CQRS (RS-2254). Québec : INRS-Culture et Société, 2000 : 292.

**Rieger M, et al.** Influence of stress during pregnancy on HPA activity and neonatal behavior. *Ann N Y Acad Sci* 2004; 1032 : 228-230.

**Rutter M.** Developmental catch-up, and deficit, following adoption after severe global early privation. English and Romanian Adoptees (ERA) Study Team. *J Child Psychol Psychiat* 1998; 39(4) : 465-476.

**Rutter M.** Attachment from infancy to adulthood. The major longitudinal studies. *J Child Psychol Psychiat* 2006; 47(9) : 974-977.

**Teixeira JMAF, N.M. Glover V.** Association between maternal anxiety in pregnancy and increased uterine artery resistance index: Cohort based study. *Br Med J* 1999; 318 : 153-157.

**Tessier R, Larose S, Moss E, Nadeau L, Tarabulsy GM. Secrétariat à l'adoption internationale du Québec.** *L'adoption internationale au Québec de 1985 à 2002.*

*L'adaptation sociale des enfants nés à l'étranger et adoptés par des familles du Québec.* Québec : Université Laval, 2003 : 36.

**Tessier RT, Tarabulsy GM, Moss E.** *Adopter un enfant. Étude sur l'organisation familiale et le développement des enfants adoptés d'un pays d'Asie.* Québec : Université Laval, 2006 : 31.

**Tizard B.** *Adoption : A second chance.* New York : The Free Press, 1977.

**Tizard B.** Intercountry adoption: A review of the evidence. *J Child Psychol & Psychiatr* 1991; 32 : 743-756.

**Van den Bergh BRH, Mulder EJH, Mennes M, Glover V.** Antenatal maternal anxiety and stress and the neurobehavioural development of the foetus and child : links and possible mechanism. *Neuroscience and Biobehavioral Reviews* 2005; 29 : 237-258.

**Verhulst FCAM, Verluis-den Bieman HJ,** Problem behavior in international adoptees: II. Age at placement. *J Amer Acad Ch & Adol Psychiat* 1990; 29 : 104-111.

**Verhulst FCAM, Verluis-den Bieman HJ.** Problem behavior in international adoptees: I. An epidemiological study. *J Amer Acad Child &Adol Psychiat* 1990; 29 : 94-103.

**Ward AM, Syddall HE, Wood PJ, Chrousos GP, Phillips DI.** Fetal programming of th hypothalamic-pituitary-adrenal (HPA) axis: low birth weight and central HPA regulation. *J Clin Endocrinology & Metabolism* 2004; 89 : 1227-1233.

**Waters E, Deane KE.** Defining and assessing individual differences in attachment relationships: Q-methodology and the organization of behavior in infancy and early childhood. In : **Bretherton I, Waters E.** (eds) *Monographs of the Society for Research in Child Development.* Chicago: University of Chicago, 1985.

**Zeanah CH.** Disturbances of attachment in young children adopted from institutions. *J Dev Beh Ped* 2000; 21(3) : 230-236.

no 46

# Système familial et Adoption ouverte
## État des relations et évolution des enfants et des parents selon le Minnesota/Texas Adoption Project

**Harold D. Grotevant**
**Ruth G. McRoy**
**Susan Ayers-Lopez**
**Gretchen Miller Wrobel**

L'auteur principal est chercheur au Département de la famille et des sciences sociales de l'Université du Minnesota où il poursuit avec une équipe de chercheurs des universités Bethel et St-Paul au Minnesota et de l'Université du Texas à Austin le Minnesota/Texas Adoption Project.

**Adresse :** Department of Family Social Science University of Minnesota 290 McNeal Hall 1985, Buford Avenue St. Paul MN 55108 USA

**Courriel :**
hgroteva@umn.edu

Le Minnesota/Texas Adoption Project fut lancé à la fin des années 1980 dans le but de mieux comprendre l'état des liens et le trajet développemental des enfants placés dans un système familial adoptif ouvert où les contacts de l'enfant et des parents adoptifs avec la famille d'origine étaient de nature et d'intensité variables. Si l'on possède aujourd'hui beaucoup de connaissances sur le type d'environnement familial qui favorise un sain développement de l'enfant et de l'adolescent, nos savoirs restent limités concernant les mécanismes qui gèrent les systèmes familiaux complexes, tel celui comprenant une famille adoptive et des parents naturels, et comment ceux-ci interviennent dans l'évolution psychologique et sociale de l'enfant.

La recherche sur ces familles est d'autant plus importante que l'adoption est un phénomène qui touche bien des vies. De fait, presque les deux-tiers des Américains disent avoir une expérience personnelle de l'adoption par le biais de leur propre famille ou d'amis proches. Dans le présent essai, nous repassons les principaux résultats obtenus à date dans notre étude. À cet égard, le Temps 1 réfère aux données recueillies alors que les enfants étaient âgés entre 4 et 12 ans, tandis qu'au Temps 2, l'âge des sujets devenus adolescents variait entre 12 et 20 ans. Nous traiterons essentiellement des types d'ouverture de l'adoption et de l'état des relations et des contacts à l'intérieur du système familial adoptif en considérant notre échantillon formé de 190 familles adoptives et 169 mères naturelles. Nous nous centrerons ensuite sur l'évolution des enfants eux-mêmes, et sur celle des parents adoptifs et des mères naturelles en repassant des dimensions telles que l'adaptation, l'estime de soi et l'identité. Chacun de ces sujets étant traités de façon plus détaillée dans d'autres publications, le lecteur peut s'y référer en consultant la liste des références.

## RÉSUMÉ

*Partant des données recueillies au cours des quinze dernières années auprès de 190 familles adoptives et 169 mères d'origine impliquées dans des modalités diverses d'adoption ouverte, les auteurs présentent les points centraux de leur étude longitudinale en mettant en évidence l'organisation des rapports entre les membres du système familial adoptif et le degré de satisfaction chez les uns et les autres selon les arrangements prévus à l'adoption. Ils considèrent l'évolution des enfants eu égard à l'estime de soi, l'adaptation, la constitution de l'identité et la quête des origines, et l'évolution des parents naturels et adoptifs. Ils proposent enfin certaines pistes utiles pour la pratique et la recherche future en matière d'adoption.*

## Rapports entre les membres du système familial adoptif
### Modalités d'arrangement de l'adoption ouverte

Dans notre conceptualisation de l'adoption dite ouverte, fondée sur les écrits et sur nos discussions avec des membres des agences d'adoption, nous avons posé trois niveaux ou types d'ouverture, soit l'adoption *confidentielle* (ou fermée), l'adoption *médiatisée* (ou semi-ouverte ou indirecte), et l'adoption complètement *ouverte* impliquant une divulgation ou un dévoilement complet (McRoy, Grotevant et coll., 1988). Nous avons toutefois réalisé assez rapidement que ces catégories ne reflétaient pas très fidèlement les expériences des participants à notre étude. Dans les adoptions confidentielles, on retrouvait dans plusieurs cas des pièces qui avaient été envoyées à l'agence dans le but d'être jointes au dossier de l'enfant ; ces documents n'étaient pas destinés comme tels à être transmis immédiatement à l'autre partie et il pouvait s'agir d'un seul ou de plusieurs envois. Dans la plupart de ces cas, la mère naturelle ou les parents adoptifs avaient envoyé de l'information, telle qu'une lettre écrite à l'occasion de l'anniversaire de l'enfant. Par ailleurs, dans les dossiers d'adoptions médiatisées aussi bien que dans les adoptions complètement ouvertes, on notait plusieurs cas où les contacts entre les parties se poursuivaient, certains cas où les contacts avaient cessé et d'autres encore où les contacts étaient suspendus ou se trouvaient temporairement interrompus.

Dans notre classification des types d'ouverture, nous avons cherché à tenir compte de ces distinctions. Il s'ajoutait aussi d'importantes

variations dans l'intensité des contacts (fréquence, valeur personnelle du contact : par exemple, une photo est plus personnelle qu'un
objet acheté et remis en cadeau), dans les types de contact (tels que
lettre, photo, cadeau, appel téléphonique, courrier électronique,
visite...), dans l'état et le niveau de satisfaction des participants. Bien
que ces variations n'étaient pas inscrites dans nos catégories
ou types d'ouverture, nous avons tenté de les explorer dans des
analyses qualitatives plus détaillées (voir Dunbar et coll., 2000;
Berge, Mendenhall, Wrobel, Grotevant et McRoy, sous presse).

## Recrutement des enfants et caractéristiques des familles

Tous les enfants de notre échantillon furent placés en adoption de
façon volontaire par leurs parents d'origine. En d'autres mots, notre
échantillon ne comprend aucun enfant qui aurait été retiré à ses
parents par les services de protection. L'âge moyen de l'enfant au
moment du placement en foyer adoptif est de 4 semaines (soit dès la
naissance et pouvant aller jusqu'à 44 semaines) et l'âge médian est
de 2 semaines. Plus de 90 % des enfants furent placés en adoption
avant leur neuvième semaine de vie, et tous les enfants sauf trois
l'étaient au moment où ils atteignirent l'âge de six mois. Il n'existe
pas de différence dans l'âge du placement considéré en fonction des
types d'adoption, soit confidentielle, médiatisée ou complètement
ouverte.

Bien que certains des enfants de notre cohorte aient été mis en foyer
d'accueil pendant une brève période avant d'être placés dans leur
famille adoptive, tous les enfants furent placés en très bas âge - l'âge
moyen étant de 4 semaines, tel que nous l'avons dit. Nous avons
intentionnellement recruté les enfants par l'intermédiaire d'agences
d'adoption privées au cours de leur première année de vie afin
d'éviter que des variables telles que des conditions de vie adverses
ou des carences ne viennent biaiser les résultats de notre étude.

Les familles adoptives et les parents naturels de notre cohorte furent
recrutés par l'intermédiaire de 35 agences privées localisées à
travers les Etats-Unis et il s'agissait d'enfants nés à la fin des années
1970 et au tout début des années '80. Nous recherchions des familles
où il se trouvait au moins un enfant adopté âgé entre 4 et 12 ans au
moment de l'entrevue. Dans la constitution de notre échantillon,
nous nous sommes limités à des familles où l'enfant avait été placé
par une agence d'adoption avant son premier anniversaire; il ne
devait s'agir ni d'une adoption interraciale ou internationale, ni non

plus de l'adoption d'un enfant avec des besoins spéciaux et enfin, les deux parents adoptifs devaient vivre avec le même partenaire qu'au moment de l'adoption.

De façon générale, les membres des familles adoptives étaient caucasiens de race blanche et appartenaient à la classe moyenne ou moyenne supérieure. L'âge moyen des pères au Temps 1 était de 40.7 ans, et celui des mères de 39.1 ans; le niveau d'éducation était de 16.2 ans chez les pères adoptifs et de 15.1 ans chez les mères adoptives. Ces variables démographiques ne différaient pas de façon significative lorsqu'on considérait la distribution des familles selon les types d'ouverture de l'adoption.

Concernant le processus d'évaluation des familles adoptives, les couples furent évalués par les agences d'adoption auprès desquelles ils étaient inscrits, et tous furent reconnus comme des candidats aptes à l'adoption. Quant au suivi post-adoption, son intensité a varié selon les familles, certains parents ayant reçu relativement peu de suivi. Dans le cas des adoptions médiatisées, on sait que le personnel des agences joue un rôle essentiel, en particulier celui de préserver l'anonymat tout en assurant la transmission de l'information entre les membres des familles adoptives et naturelles, de sorte que cette forme d'assistance peut se poursuivre pendant plusieurs années selon les cas.

## Inclusion des enfants dans les contacts selon les types d'adoption

Au Temps 1, ce sont les mères adoptives et les mères naturelles qui organisaient la plupart des contacts dans les adoptions ouvertes, tandis que les pères prenaient rarement l'initiative de ces démarches. Par la suite, les parents adoptifs et les mères d'origine dirent que les adolescents prenaient la responsabilité d'organiser des contacts ou d'en faire la demande, ou qu'ils en prendraient charge dans un avenir prochain (Dunbar, van Dulmen, et al., 2000).

Au Temps 1, la comparaison des rapports des parents et ceux des enfants (alors âgés entre 4 et 12 ans) concernant les arrangements relatifs à l'adoption a révélé d'importants écarts entre la participation des parents et celle des enfants dans les contacts entre les familles adoptives et d'origine. Presque la moitié des enfants dans les adoptions médiatisées étaient exclus des contacts que leurs parents adoptifs entretenaient avec leur mère d'origine, ajoutant que la plupart de ces enfants ignoraient qu'ils n'en faisaient pas partie.

Par contre, la majorité des enfants placés dans des adoptions complètement ouvertes participait aux rencontres avec leurs parents d'origine et ces enfants étaient au courant des arrangements entourant leur adoption (Grotevant et McRoy, 1998).

## Changements des modalités d'adoption entre l'enfance et l'adolescence

Avant le premier recueil des données au Temps 1, des changements étaient intervenus dans les types d'arrangements relatifs à l'ouverture de l'adoption depuis le placement de l'enfant. Par exemple, presque les deux-tiers des adoptions qui étaient considérées complètement ouvertes au Temps 1 avaient d'abord été des adoptions médiatisées (51 %) ou confidentielles (15 %). Dans plusieurs cas, une relation de confiance et de respect mutuel s'était établie au fil du temps entre les parents adoptifs et la mère naturelle, et c'est ensuite qu'avait été prise la décision de partager des renseignements personnels (Grotevant et McRoy, 1998).

Dans la période entre les Temps 1 et 2, les patterns de stabilité du type d'ouverture de l'adoption étaient semblables pour les familles adoptives et les mères d'origine. Les familles ont conservé pour la plupart la même modalité d'adoption (71,2 % des familles adoptives et 78,7 % des mères naturelles), cependant que dans des proportions beaucoup plus faibles et presque égales, la modalité d'ouverture s'est accrue (14,7 % des familles adoptives et 10,2 % des mères naturelles) ou a été réduite (14,1 % des familles adoptives et 11,0 % des mères d'origine) selon les cas. On relève très peu d'adoptions ouvertes où les contacts ont cessé entre les Temps 1 et 2 (13,2 % des familles adoptives et aucune mère naturelle).

Parmi les familles adoptives engagées selon la formule de l'adoption médiatisée, on trouve des nombres presque égaux de familles qui sont restées dans cette catégorie (N = 18), qui ont cessé tout contact (N = 17) ou encore qui sont passées à une adoption ouverte (N = 15). Concernant les mères naturelles, 21 ont continué selon le même arrangement, 14 ont cessé tout contact, et 9 sont passées à une modalité d'adoption ouverte. La plupart des cas classifiés comme confidentiels (adoption fermée) au Temps 1 ont maintenu ce type d'arrangement au Temps 2 (89,5 % des familles adoptives et 91,2 % des mères d'origine). En dépit de la stabilité relative des modalités d'ouverture, en particulier pour les adoptions confidentielles et les adoptions complètement ouvertes, plusieurs mères naturelles et parents adoptifs ont vécu des modifications au niveau de la fréquence des contacts ou des personnes engagées dans ces contacts. Une fois pris en compte les changements en tous genres intervenus dans les contacts et le type d'adoption, on note que 90 % des mères naturelles avaient vécu des changements au cours de cette période de huit années et les raisons de ceux-ci étaient nombreuses et variées (Henney, Ayers-Lopez, McRoy et Grotevant, 2004).

Les adoptions médiatisées, dont les contacts procèdent via l'agence d'adoption, posent des défis spécifiques car elles requièrent de l'agence d'adoption la présence d'un intervenant à la fois fiable et stable pour assurer que les contacts à l'intérieur du système familial adoptif se poursuivent de façon harmonieuse. Dans les cas où l'ouverture de l'adoption se trouvait réduite, les mères d'origine et les parents adoptifs avaient tendance à invoquer des motifs contra-dictoires pour expliquer qui avait le premier interrompu les contacts et pourquoi ceux-ci avaient pris fin (Dunbar et al., 2000).

## Organisation et maintien des contacts

Le maintien des contacts dans les adoptions ouvertes peut apparaître comme un exercice complexe, parfois même périlleux, où l'on doit tenir compte du rôle et des besoins de chaque participant, sachant que ceux-ci se modifient avec le temps et affectent par suite l'ensemble du système familial (Grotevant et al., 1998). Il n'existe pas de pattern uniforme de gestion des contacts dans les adoptions ouvertes. Dans de tels systèmes familiaux, chacun des membres entretient des contacts de diverses natures avec différentes per-sonnes, qu'il poursuit à une fréquence et selon des degrés d'intérêt variables. Ces relations se poursuivant dans des situations familiales souvent très complexes, leur succès repose essentiellement sur la souplesse, le sens de la communication et l'engagement personnel de chacun des membres du système familial adoptif.

Les membres, parents et enfants, engagés dans des contacts suivis ont fait état de relations dynamiques mais qui nécessitaient d'être redéfinies avec le temps. Dans les premiers temps de l'adoption, les rencontres étaient particulièrement importantes pour les mères d'origine, qui étaient très préoccupées de savoir si elles avaient pris la bonne décision, si leur enfant était en sécurité et si les parents adoptifs étaient des gens responsables. Par la suite, leur intérêt et leur désir d'avoir des contacts déclinaient, en particulier lorsque la mère naturelle était rassurée et convaincue que son enfant se développait bien. Avec le temps, plusieurs de ces mères s'engageaient dans de nouvelles relations amoureuses, ce qui les amenait parfois à perdre de vue leurs relations avec la famille adoptive.

Selon les parents adoptifs, la capacité des mères d'origine à fournir de l'information n'était pas toujours en rapport avec la demande adressée ni apportée en temps voulu (Wrobel et coll., 2003). Les parents adoptifs tendaient de leur côté à devenir plus intéressés aux contacts au fur et à mesure qu'ils gagnaient de l'assurance dans leur rôle parental. Enfin, plus les enfants grandissaient et comprenaient la signification de l'adoption (voir Brodzinsky, Singer et Braff, 1984), plus ils avaient tendance à faire pression par leurs questions sur les parents adoptifs pour que ceux-ci recherchent de l'information ou prennent contact avec leurs parents naturels (Wrobel et al., 1998, 1999).

## Satisfaction des adolescents vis-à-vis des contacts

Au Temps 1, on n'observait pas de différence dans le niveau de satisfaction des enfants dans leurs contacts avec leur mère d'origine, et ceci quel que soit le type d'ouverture de l'adoption. Toutefois, au Temps 2, les adolescents qui entretenaient des contacts avec leur mère naturelle rapportaient un plus haut degré de satisfaction par rapport au type d'ouverture de l'adoption et à l'intensité de leurs contacts que ne l'étaient les adolescents qui n'avaient pas de contact avec leur mère d'origine. De façon générale, la satisfaction par rapport au type d'ouverture de l'adoption était plus faible durant le milieu de l'adolescence (de 14 à 16 ans) qu'à son début (12 et 13 ans) ou en fin d'adolescence, soit de 17 à 20 ans (Mendenhall et al., 2004).

Les adolescents évoquaient diverses raisons d'être satisfaits ou non des contacts ou de l'absence de contacts avec leur mère naturelle (Berge et al., sous presse). Ceux qui avaient des contacts et se déclaraient satisfaits (45,5 % de l'échantillon) rapportaient que ces contacts étaient une occasion pour eux de développer une relation avec leur parent naturel qui leur apporte ainsi un soutien additionnel. En plus d'entretenir des sentiments positifs vis-à-vis de leur mère d'origine, ces adolescents ressentaient que leurs contacts avec elle les aidaient à mieux comprendre qui ils étaient et les encourageaient à créer des liens avec d'autres membres de leur famille d'origine, tels que des frères ou des sœurs.

Les adolescents qui avaient des contacts avec leurs parents d'origine mais s'en disaient insatisfaits (16,3 % de notre échantillon) auraient en général souhaité une relation plus intense que celle qu'ils avaient mais étaient incapables d'en installer les conditions. Ils croyaient qu'ils pouvaient avoir de bonnes relations tout à la fois avec leurs parents adoptifs et leurs parents naturels, et qu'ils n'avaient pas à choisir les uns plutôt que les autres. De leur côté, les adolescents qui n'avaient pas de contact avec leurs parents d'origine et s'en disaient satisfaits (17,1 %) pensaient que l'adoption n'était pas un enjeu important dans leur vie. Ils ne ressentaient pas le besoin d'avoir de tels contacts, exprimant parfois leur inquiétude à l'effet que ces contacts puissent être néfastes pour eux. Ils se disaient privilégiés d'être là où ils étaient (dans leurs familles adoptives) et mieux que s'ils avaient été élevés par leurs parents d'origine.

Enfin, les adolescents qui n'avaient pas de contacts avec leur mère d'origine mais s'en disaient insatisfaits (21,1 % de l'échantillon) avouaient qu'ils auraient parfois souhaité avoir des contacts mais étaient incapables d'en organiser. Certains adolescents entretenaient des sentiments négatifs vis-à-vis de leur mère naturelle, ou encore ils pensaient qu'elle n'avait fait aucun effort pour établir un contact avec eux. Certains craignaient aussi que leurs parents adoptifs ou leur mère d'origine vivent mal le fait qu'ils entretiennent des contacts avec les uns et les autres.

## Modalités d'adoption et satisfaction des mères d'origine

Des 127 mères naturelles qui furent rencontrées au Temps 2, environ la moitié était des adolescentes au moment du placement de leur enfant, alors que l'autre moitié de ces mères étaient déjà parvenues à l'âge adulte. Les mères naturelles plus âgées au moment du placement étaient davantage portées à être satisfaites des modalités d'ouverture de l'adoption. Au Temps 2, ces mères disaient se sentir plus proches de la mère adoptive de leur enfant, ce qui n'était pas le cas des mères plus jeunes au moment du placement de l'enfant.

La plupart des mères naturelles disaient avoir des sentiments positifs ou très positifs vis-à-vis de la mère et du père adoptif de leur enfant, et elles rapportaient être satisfaites ou très satisfaites de leurs relations avec eux. La majorité de ces mères avouait aussi entretenir une certaine inquiétude quant à savoir si la qualité de leurs contacts actuels ou futurs pouvait nuire au bon fonctionnement de leur enfant ou de la famille adoptive. Presque 20 % de ces mères se disaient « très préoccupées » à ce sujet. On notait dans les conditions de vie de ces mères un niveau de stress plus élevé que la moyenne (McRoy et coll., 2001).

Au Temps 2, les mères naturelles engagées dans des adoptions complètement ouvertes étaient significativement plus satisfaites de leur rôle et de leur place dans la relation avec leur enfant devenu adolescent que ne l'étaient les mères d'origine impliquées dans des adoptions confidentielles ou médiatisées où les contacts avaient cessé. Les mères naturelles se disaient non seulement plus satisfaites de leur relation avec l'adolescent adopté mais aussi plus satisfaites de leur relation avec la mère et le père adoptif de leur enfant.

Les mères naturelles qui étaient plus satisfaites des modalités d'ouverture de l'adoption rapportaient un degré de satisfaction plus élevé concernant leur rôle et leur place dans la relation avec le jeune adopté et avec les parents adoptifs et elles se disaient également plus satisfaites du rôle de l'adolescent adopté dans leur vie. Les mères engagées dans des adoptions où les contacts étaient stables ressentaient que leur rôle était plus clair, et se différenciaient en ceci de celles engagées dans des adoptions marquées par une augmentation des contacts au cours du temps.

La majorité des mères d'origine (78,7 %) est demeurée dans la même modalité d'adoption entre les Temps 1 et 2. Les mères naturelles qui n'ont vécu aucun changement à cet égard se sont dites plus satisfaites que celles qui ont vécu un élargissement ou une réduction de l'ouverture de l'adoption, ceci étant probablement dû à l'effet désorganisant de tels changements. L'état de satisfaction des mères au Temps 2 était relié au type d'ouverture de l'adoption : les mères naturelles engagées dans des adoptions complètement ouvertes étaient plus satisfaites que celles engagées dans des adoptions confidentielles ou médiatisées. Quant aux parents adoptifs, leur niveau de satisfaction était plus élevé lorsque les mères naturelles respectaient les frontières de leur famille et les laissaient engager en premier les contacts avec elles (Dunbar et al., 2000).

## Processus de communication

La communication autour et à propos de l'adoption à l'intérieur du système familial est un processus qui évolue avec le temps. Si les parents adoptifs prennent d'abord en charge la communication, les enfants jouent un rôle de plus en plus important à mesure qu'ils entrent dans l'adolescence. On reconnaît plusieurs stades à ce processus : durant le premier, ce sont les parents adoptifs qui fournissent à l'enfant une information non sollicitée, alors que dans le second, les parents répondent à la curiosité exprimée par celui-ci en lui apportant ou en retenant certains éléments d'information. Le troisième stade coïncide avec une prise d'initiative par les enfants qui prennent sur eux de rechercher de l'information sur leurs origines.

Chacune de ces étapes joue un rôle essentiel dans la constitution et l'évolution du récit ou du narratif familial à propos de l'adoption. En plus de fournir de multiples occasions de donner un sens à l'adoption, chaque étape sert de contexte dans lequel la relation entre le parent adoptif et l'enfant peut se trouver renforcée ou affaiblie (Wrobel et al., 2003).

## Confusion des frontières familiales

Les rapports entres la famille adoptive et la mère d'origine ont aussi été étudiés sous l'angle de la confusion ou de l'ambiguïté des frontières, laquelle accentue le stress familial en raison de l'incapacité de ses membres à déterminer qui fait ou ne fait pas partie de la famille (Boss, 1988). Une telle confusion survient lorsqu'un membre de la famille est absent physiquement tout en étant psychologiquement présent, ou l'inverse.

Ayant examiné ce fait de la présence psychologique de la mère naturelle dans le système familial adoptif, Fravel (1995) a relevé qu'une confusion des frontières est presque inévitable dans les foyers adoptifs mais qu'elle se manifeste différemment selon le type d'ouverture de l'adoption. La manière de gérer la présence psychologique de la mère d'origine peut aussi varier selon l'état d'ouverture de l'adoption, ou selon certains traits de personnalité et modes relationnels propres aux parents adoptifs, telle la tolérance face à l'ambiguïté (Fravel, Grotevant et coll., 1993; Fravel, 1995).

Les entrevues avec les mères naturelles furent examinées pour déterminer à quel degré elles ressentaient la présence psychologique de l'enfant mis en adoption. On a ainsi relevé un rapport significatif entre le degré de présence psychologique et les modalités d'ouverture de l'adoption. Les plus hauts niveaux de présence psychologique se trouvaient dans les adoptions complètement ouvertes, suivies des adoptions médiatisées et des adoptions confidentielles (Fravel et al, 2000).

Au Temps 2, les mères naturelles impliquées dans des adoptions médiatisées où les contacts avaient cessé vivaient un niveau de présence psychologique significativement plus faible que les mères impliquées dans des adoptions médiatisées ou complètement ouvertes. Selon les rapports de ces mères, elles ressentaient la présence psychologique de l'adolescent adopté environ une fois par mois. On notait une fréquence moindre de la présence psychologique de l'enfant chez les mères naturelles engagées dans des adoptions confidentielles comparativement aux mères impliquées dans des adoptions médiatisées ou dans des adoptions complètement ouvertes. Par contre, on relevait chez les mères naturelles engagées dans des adoptions médiatisées où les contacts avaient cessé une fréquence nettement moindre de la présence psychologique que chez les mères engagées dans des adoptions médiatisées ou complètement ouvertes avec contacts suivis. Enfin, les mères naturelles impliquées dans des adoptions confidentielles vivaient une intensité significativement plus faible de ressenti au niveau de la présence psychologique de l'enfant que les mères naturelles engagées dans des adoptions complètement ouvertes.

## Grands-parents adoptifs

Karen Schmid (1994) a examiné les rapports entre les grands-parents adoptifs et leurs enfants adultes, tels que perçus par les parents adoptifs. Cette étude s'intéressait à la façon dont les parents adoptifs interprétaient les réactions de leurs propres parents et leurs sentiments vis-à-vis de l'adoption en général, et de l'adoption ouverte en particulier; comment leurs relations affectaient les membres de la famille nucléaire; et les conséquences de telles variations pour l'établissement ou le maintien de contacts entre les familles d'origine et d'adoption.

Selon ces résultats, la plupart des grands-parents étaient peu impliqués dans les décisions du couple en regard de l'adoption et ils se montraient en général supportants. Plusieurs d'entre eux avaient toutefois des réserves quant au choix du type d'ouverture de l'adoption, et les parents adoptifs devaient négocier avec leurs parents sur ces questions en même temps qu'ils créaient des liens avec leur nouvel enfant et entraient en contact avec les parents d'origine.

# Évolution des membres du système familial adoptif

## Enfants et adolescents adoptés

### Estime de soi

Au Temps 1, le *Self-Perception Scale for Children* de Harter, qui évalue l'estime de soi, fut administré aux enfants âgés de 7½ ans et plus, lesquels se situaient comme groupe dans la moyenne des scores normalement retrouvés pour cette échelle. Il n'existait pas de correspondances entre les taux moyens d'estime de soi et les types d'adoption, c'est-à-dire que les scores d'estime de soi ne différaient pas selon l'ouverture de l'adoption (Wrobel et coll., 1996).

### Adaptation

Au Temps 1, les variations en regard de l'adaptation chez les enfants adoptés étaient liées aux rapports qu'ils entretenaient avec leurs familles adoptives aussi bien qu'à la qualité de leurs liens avec le système familial adoptif dans son ensemble. Il n'existait pas de relations entre le type d'ouverture de l'adoption et l'adaptation socioaffective des enfants, telle que mesurée par le *Child Adaptive Behavior Inventory* (Grotevant et McRoy, 1998). Des analyses subséquentes ont porté sur les signes présents dans le système familial intervenant comme prédicteurs de l'adaptation, dont la reconnaissance des différences, la compatibilité entre parent et enfant, le sentiment chez le parent d'assumer l'autorité sur l'enfant et d'avoir la compétence parentale pour le faire. Dans ces analyses, le trait prédicteur le plus puissant d'une adaptation problématique (traits internalisés ou externalisés) durant l'enfance (Temps 1) consistait dans la perception chez le parent adoptif qu'il existait une incompatibilité entre l'enfant et la famille (Ross, 1995).

Lorsque les enfants étaient impliqués dans le système familial adoptif et avaient des contacts avec les membres de leur famille naturelle, l'adaptation de l'enfant était reliée non seulement à la qualité de sa relation avec la famille adoptive mais aussi à la qualité de la collaboration apportée au maintien des contacts entre les parents adoptifs et la famille naturelle. La coopération à propos des contacts tient à la capacité des parents adoptifs et des parents naturels à travailler ensemble dans le meilleur intérêt de l'enfant ; ceci implique que les uns et les autres exercent un contrôle conjoint sur la manière d'organiser et d'entretenir les contacts en se fondant sur le respect mutuel, l'empathie et la valorisation de la relation. Les chiffres indiquant un degré élevé de collaboration à l'intérieur du système familial se trouvent associés à une meilleure adaptation de l'enfant, en particulier en milieu de l'enfance (Grotevant et al., 1999). Sur un plan longitudinal, nous avons noté que de plus forts taux de compatibilité, maintenue depuis l'enfance jusque dans l'adolescence, étaient associés à des mesures plus élevées d'*engagement psychosocial* (soit l'utilisation par l'adolescent de ses ressources internes pour interagir de façon positive avec les autres membres de la famille et avec ses pairs dans divers contextes sociaux), d'attachement aux parents et à moins de problèmes de comportement. Les résultats étaient similaires pour les filles et les garçons et sans égard au fait que les changements de patterns au niveau de la compatibilité parent-enfant provenaient de perceptions des mères ou des pères adoptifs (Grotevant et coll., 2001).

Dans l'ensemble, les niveaux d'adaptation dans notre échantillon d'adolescents adoptés n'étaient pas différents des normes nationales établies à l'aide de mesures dûment validées. De plus, le type d'ouverture de l'adoption n'était pas un trait prédicteur important de la qualité de l'adaptation au Temps 1 (Grotevant et McRoy, 1998) ou au Temps 2 (Von Korff, 2004). Cependant, les aspects relationnels tels que la collaboration autour des contacts et la qualité des perceptions - par exemple la compatibilité entre parent et enfant - étaient des traits prédicteurs de l'adaptation de l'enfant, et ce pour tous les types d'ouverture de l'adoption.

*Curiosité et quête des origines*

Une dimension importante de notre travail visait à faire entendre les voix des enfants et des adolescents qui ont participé à la recherche. Par exemple, au Temps 1, tous les enfants manifestaient de la curiosité à l'égard de leurs parents d'origine et les rapports des enfants à ce sujet ne différaient pas selon le type d'ouverture de l'adoption (Wrobel et coll., 1996). Les entrevues réalisées avec les adolescents au Temps 2 ont permis de mieux comprendre le processus de recherche des parents d'origine (voir Wrobel et coll., 2004 pour de plus amples données).

Nous considérons que la décision de rechercher ses origines fait partie intégrante du processus de développement chez l'adolescent et le jeune adulte adopté. Ceci ne signifie pas que chaque jeune adopté entreprendra des recherches, mais plutôt qu'il devra affronter l'idée de rechercher ou non ses origines à un moment ou l'autre au cours de son développement. Dans notre échantillon, ni la curiosité à l'égard des parents d'origine ni le désir de les rencontrer n'allaient à l'encontre des perceptions et n'annulaient les sentiments positifs entretenus par les adolescents vis-à-vis de leurs parents adoptifs.

## Constitution de l'identité

Les adolescents adoptés sont confrontés au défi de donner un sens à leurs origines qui peuvent être inconnues, ou se révéler vagues et confuses ou autrement ambiguës. Ce processus (voir Kegan, 1982 ; Klinger, 1998) implique l'élaboration d'un récit par l'adolescent qui tente ainsi de répondre aux questions : *D'où est-ce que je viens ? Qui sont mes parents naturels? Pourquoi ai-je été mis en adoption ? Mes parents d'origine pensent-ils encore à moi ? Ai-je des frères et des sœurs ? Que veut dire l'adoption dans ma vie?*

Ce récit ou narratif aide l'adolescent à donner un sens au passé, à comprendre le présent et à se projeter dans l'avenir (Grotevant, 1993). Élaborer ce narratif équivaut pour lui à construire son identité adoptive, à nourrir et enrichir la réponse qu'il donne à la question : « *Qui suis-je en tant que personne adoptée ?* » (Grotevant, 1997 ; Grotevant et coll., 2000). Cette démarche fait partie du processus de développement de l'identité, lequel est reconnu comme une tâche essentielle à l'adolescence où il sert à établir les fondements de l'identité psychosociale adulte (Erikson, 1968).

L'approche narrative mise au service de la structuration de l'identité permet d'apprécier l'intégration et la cohérence du moi qui ressortent en considérant la structure, le contenu et la fonction du narratif (voir McAdams, 1987, 1993, 2001 ; Mishler, 1999). Selon cette perspective, l'adolescent crée et recrée sans cesse son récit ou son histoire de vie, donnant ainsi un sens et une direction à son expérience d'adoption.

Le processus de développement de l'identité chez le jeune adopté peut impliquer une période au cours de laquelle des questions concernant l'adoption occuperont le premier plan, engageant une réflexion et un investissement affectif intenses, et parfois même suscitant des troubles et des préoccupations chez l'adolescent (Dunbar, 2003). Selon les cas, cette démarche pourra entraîner un retrait affectif temporaire de l'adolescent par rapport à sa famille adoptive. En moyenne, le niveau de préoccupation chez les filles (tel que mesuré par le *Adoption Dynamics Questionnaire*) était plus élevé que chez les garçons (Kohler, Grotevant et McRoy, 2002). Les différences à cet égard n'étaient pas reliées au type d'ouverture de l'adoption.

L'identité adoptive, ou le sentiment de soi en tant que personne adoptée, apparaît au cours de l'adolescence et est reliée à la qualité des relations existant entre l'adolescent et la famille adoptive. Quatre patterns distinctifs ont été identifiés en regard de l'identité adoptive chez l'adolescent (Dunbar et Grotevant, 2004). Dans le premier groupe correspondant à l'*identité adoptive inexplorée*, les adolescents entreprennent peu ou pas d'exploration. Le sujet suscite peu d'intérêt chez eux et ils expriment très peu d'affect en regard de l'adoption. Par exemple, un adolescent a déclaré, « Parce que je sens que c'est fini et que je suis heureux d'être là où je suis et je ne veux pas mêler cette autre histoire à ma vie ». Un autre a avoué, « Je ne pense vraiment pas souvent à l'adoption, je veux dire, je ne réalise peut-être même pas que je suis adopté ».

Dans le second groupe, celui de l'*identité adoptive limitée*, les adolescents explorent activement diverses idées en rapport avec l'adoption. Tel que l'a dit une jeune fille, « Quelquefois c'est important pour moi et d'autres fois, ça ne l'est pas ». Quant aux adolescents appartenant au troisième groupe, l'*identité adoptive non résolue*, leurs narratifs sont cohérents et bien intégrés, marqués par un haut niveau d'exploration de leur identité adoptive, un intérêt prédominant et des affects négatifs importants à ce sujet. Un adolescent dit ainsi, « Ma mère (adoptive) et moi ne sommes pas très proches et je sais que c'est à cause de l'adoption... je suis sûr que si je vivais avec ma vraie mère, elle et moi aurions été beaucoup plus proches et nous en aurions parlé. C'est ça qui est difficile... parce que tous mes amis peuvent parler à leur mère ».

Finalement, les adolescents démontrant une *identité adoptive intégrée* élaborent un narratif cohérent et intégré dans lequel leur identité adoptive est à l'avant-plan et vue positivement. Par exemple, un jeune a déclaré, « Quand j'étais petit, je m'inquiétais d'avoir été placé parce que je croyais que ma mère ne m'avait pas voulu. Maintenant je sais que j'ai été placé parce qu'elle a pris soin de faire ce qui était le mieux pour moi ».

Les patterns d'identité adoptive différaient largement dans notre échantillon d'adolescents, bien qu'en général, on notait des patterns résolus plus positivement chez les plus âgés (vs les plus jeunes) et chez les filles plutôt que chez les garçons. Les différences dans l'identité adoptive ou le degré de préoccupation en regard de l'adoption n'étaient pas liées au niveau d'ouverture de l'adoption (Dunbar, 2003; Dunbar et Grotevant, 2004). Toutefois, les différences dans les préoccupations des jeunes étaient reliées aux types d'identité : les préoccupations étaient significativement plus élevées chez les adolescents des groupes *Identité non Résolue et Identité Intégrée* qu'elles ne l'étaient chez ceux du type *Identité non Examinée ou Inexplorée* (Dunbar, 2003).

## Évolution des mères d'origine

### *Résolution du deuil*

Les mères naturelles engagées dans des adoptions médiatisées où les contacts avaient cessé étaient celles qui avaient le plus fort sentiment de perte et de deuil non résolu face à l'adoption au Temps 1 (Christian et coll., 1997). Au Temps 1 de même qu'au Temps 2, les mères d'origine participant à des adoptions complètement ouvertes démontraient un plus faible sentiment de perte et de deuil en lien avec l'adoption que les mères engagées dans des adoptions confidentielles. Tout en tenant compte de l'ouverture de l'adoption, on observe des différences significatives associées au regret de la mère naturelle suivant sa décision de placer l'enfant. Une fois contrôlé le type d'ouverture de l'adoption, on note qu'à mesure que la satisfaction par rapport à l'ouverture de l'adoption s'accroît, le sentiment global de deuil diminue dans le même temps chez les mères naturelles.

### *Autres relations*

Entre les entrevues réalisées aux Temps 1 et 2, 49 mères naturelles (39,2 %) ont eu des contacts avec les pères naturels de l'enfant adopté. Au Temps 2, plus de mères naturelles rapportaient des sentiments négatifs ou très négatifs à l'égard du père naturel (plutôt que des sentiments positifs), et un petit nombre d'entre elles se sentaient neutres ou ambivalentes. Au Temps 2, la plupart des mères naturelles ont indiqué que le placement de leur enfant en adoption n'avait pas d'effet ou sinon un effet positif sur leurs relations avec leur partenaire ou leur époux actuel. La majorité des partenaires des mères naturelles n'étaient pas engagés directement dans les contacts avec la famille adoptive ou avec l'enfant adopté. Cependant, même lorsque le type d'ouverture était contrôlé, les mères naturelles dont les partenaires participaient plus intensément étaient en général plus satisfaites que celles dont les conjoints étaien peu engagés dans le processus (McRoy et coll., 2001).

*Adaptation et santé mentale*

L'état de santé mentale chez les mères naturelles, tel que mesuré par le *Brief Symptom Inventory* au Temps 2, n'était pas relié au niveau d'ouverture de l'adoption ou à la fréquence des contacts avec l'enfant et les parents adoptifs.

## Parents adoptifs

Au Temps 1, lorsque comparés aux parents engagés dans des adoptions confidentielles, les parents adoptifs impliqués dans des adoptions complètement ouvertes rapportaient en général un plus haut niveau de conscience ou de reconnaissance du phénomène de l'adoption, une plus grande empathie à l'égard des parents d'origine et de l'enfant, un plus fort sentiment de permanence dans leur relation avec l'enfant tel qu'ils le projetaient dans l'avenir, et ils vivaient moins de craintes que la mère naturelle tente de reprendre l'enfant. Aux côtés de ces différences globales, des variations selon les types d'ouverture de l'adoption étaient présentes (Grotevant et al., 1994).

## Types d'ouverture de l'adoption et évolution des enfants

Selon nos résultats, le type d'ouverture de l'adoption est lié à certains aspects seulement de l'évolution des enfants. Une des premières questions qui a lancé en quelque sorte cette recherche était de savoir si l'ouverture complète des contacts entre l'enfant et ses parents naturels était intrinsèquement mauvaise ou nocive pour l'enfant. Nous n'avons trouvé aucun fait permettant de supporter cette hypothèse.

D'un autre côté, on peut se demander si les contacts sont un avantage et s'ils servent l'évolution de l'enfant. En évaluant ce point, nous en sommes venus à apprécier les variations présentes dans chacun des groupes de familles rassemblées selon les types d'adoption (confidentielle, médiatisée et ouverte complètement), tout en sachant que le type d'ouverture de l'adoption dit peu de choses sur le climat émotionnel ou relationnel ou sur la qualité de la communication qui règne dans la famille. Nos travaux actuels portent sur la dynamique familiale (par exemple, l'ouverture à la communication) qui est susceptible d'avoir un impact sur l'évolution de l'enfant.

Concernant d'éventuelles contre-indications à l'adoption ouverte, nos résultats suggèrent que pour bien fonctionner, l'adoption ouverte requiert un engagement certain de la part des membres de la famille d'origine et de la famille adoptive, chacun devant développer une relation et maintenir des contacts avec les autres. L'adoption ouverte nécessite également de solides capacités de communication chez les membres du système familial adoptif qui doivent chercher à comprendre la situation, les besoins et les préoccupations des uns et des autres, et elle exige enfin de la souplesse dans la gestion de ce réseau familial complexe. Si ces conditions sont réunies, il nous semble que l'adoption ouverte peut très bien fonctionner, alors que leur absence pourra représenter une contre-indication à ce type de modalité.

## Implications pour la pratique et la recherche

Si chaque famille est unique, chaque système familial adoptif occupe une place spécifique dans le contexte social et légal très mouvant de nos sociétés. L'expérience des personnes touchées par l'adoption devrait être vue comme un processus dynamique plutôt qu'un pattern uniforme et arrêté dans le temps. Par suite, l'un des points les plus importants pour les praticiens qui interviennent auprès de ces familles est de se montrer attentifs aux multiples transformations qui surviennent au cours du processus d'adoption. En ce sens, il sera utile de développer des habiletés de communication et de collaboration chez les parents et les enfants, de soutenir les membres du système familial adoptif en les aidant à traverser les changements intervenus dans les modalités d'adoption, en particulier en leur apprenant à négocier lorsque surgissent des difficultés à la suite de ces changements.

Les protocoles d'entente et les procédures légales entourant l'adoption ouverte devraient s'appuyer sur les données tirées de recherches longitudinales plutôt que sur des présuppositions ou des mythes entretenus dans l'opinion publique au sujet de l'adoption. Dans les procédures visant à définir le type d'ouverture de l'adoption et le maintien des contacts, on devrait prévoir des mécanismes d'entente volontaire et s'assurer que ces ententes soient re-négociées au fil du temps. Au plan des services, il faudrait prévoir l'accès à des professionnels qui apportent conseil et soutien aux membres du système familial adoptif, en particulier lors de transitions ou de tournants qui s'avèrent plus difficiles à vivre pour l'enfant ou le milieu familial.

De nouveaux services ou des ressources supplémentaires sont nécessaires pour supporter les réseaux et systèmes familiaux adoptifs. Des services offerts aux parents qui projettent d'adopter doivent amener ces familles à mieux comprendre les besoins des parents naturels. Le counselling en pré et post-adoption devrait aider les membres des familles d'origine et des familles adoptives à négocier les modalités d'ouverture de l'adoption. La formation continue des professionnels de la santé mentale et des intervenants auprès des familles qui vivent ces nouvelles formes d'adoption est essentielle à la réalisation de ces tâches cliniques.

Dans l'optique de favoriser des liens plus étroits entre les milieux de la recherche et de la clinique et ceux régissant les politiques en matière d'adoption, diverses responsabilités incombent aux chercheurs engagés dans ce domaine, dont les suivantes :

❖ Les chercheurs devraient inviter les partenaires agissant dans ces milieux à participer à la formulation d'hypothèses ou de questions de recherche afin d'arriver à la compréhension la plus large possible de l'expérience d'adoption, et ainsi fournir des éléments de réponse utiles à ceux qui interviennent dans ce champ. Les partenaires pertinents ici sont les membres du réseau familial adoptif, les cliniciens et intervenants des services d'adoption, les administrateurs et experts chargés de définir des politiques et procédures juridiques, les dirigeants d'organismes et d'agences communautaires, les personnes vouées à la protection des droits des citoyens, les éducateurs et animateurs communautaires...

❖ Les chercheurs devraient explorer des approches non traditionnelles de façon à accélérer la collecte de données et la dissémination de leurs résultats, en particulier auprès des experts chargés de définir et d'appliquer des procédures juridiques dans des cas d'adoption. En étudiant divers aspects de l'expérience d'adoption, les recherches peuvent aider grandement les législateurs à mieux saisir l'impact potentiel sur les familles des lois mises en vigueur dans ce domaine (Bogenschneider, 2002).

❖ Les chercheurs tout autant que les professionnels devraient intervenir en apportant une information adéquate lorsque des cas sont portés à la connaissance du public ou traités de façon sensationnaliste dans les médias. Il est crucial de s'engager dans le débat public et de répondre en corrigeant si nécessaire des données inexactes ou des points de vue erronés, d'autant que pour un pourcentage élevé de gens, leurs seules sources d'information sur l'adoption sont les bulletins de nouvelles, les émissions télévisées et le cinéma (Evan B. Donaldson Adoption Institute, 2002).

❖ Enfin, les chercheurs ont tout intérêt à développer des liens avec des experts de divers domaines, dont des membres des conseils et facultés d'enseignement, des experts cliniques et juridiques et des praticiens de diverses disciplines. Ce faisant, les uns et les autres peuvent apporter leur contribution à l'élaboration de procédures et de règles qui touchent la vie d'un grand nombre d'enfants, de familles adoptives et de parents naturels.

Dans ce domaine comme dans bien d'autres, on remarque que les recherches sont souvent centrées exclusivement sur des problèmes, comme si on assumait que l'adoption est synonyme de risques à éviter ou de défis à surmonter (Grotevant et Kohler, 1999). Cette manière de voir contribue à accentuer les aspects négatifs de l'expérience d'adoption, tels que le taux plus élevé de psychopathologies chez les enfants adoptés, les risques de rupture des placements, le traumatisme lié à la recherche des parents d'origine... De même les interventions et les politiques en matières d'adoption sont appelées et définies le plus souvent en fonction de problèmes à traiter. Une telle vision aurait avantage à être élargie, et plutôt qu'à la seule amélioration ou résolution de problèmes, on devrait s'intéresser au potentiel et aux forces existant ou à développer dans le réseau adoptif, de même qu'aux stratégies susceptibles de favoriser les liens à l'intérieur du système familial. À cet égard, plusieurs de nos données visaient à mettre en évidence des traits et des processus positifs, tels que l'engagement psychosocial des adolescents adoptés et le facteur de compatibilité entre parents et adolescent, en soulignant les bénéfices présents et futurs pour chacun. En somme, plus nous en apprendrons sur ces sujets, plus les pratiques mises de l'avant dans le domaine de l'adoption gagneront en pertinence et en efficacité auprès de cette population.

Traduit par *Denise Marchand*

## ABSTRACT

*Referring to data collected over the past fifteen years involving 190 adoptive families and 169 birth mothers enrolled in various types of adoption arrangements, the authors discuss key findings of their longitudinal research and their implications for clinical practice, research and social policies. In the first section, they address variations in openness arrangements as mediating factor in the quality of relationships and degrees of satisfaction in contacts within the adoptive kinship network. In the second section dealing with individual outcomes for adopted children and adolescents, adoptive parents and birth mothers, they consider issues such as adjustment, self-esteem, constitution of self identity and grief resolution and how these are connected to psychopathological and psychosocial outcomes for these children and their families.*

## Références

**Berge JM, Mendenhall TJ, Wrobel GM, Grotevant HD, McRoy RG.** (sous presse) Adolescents' feelings about openness in adoption : Implications for adoption agencies. *Child Welfare.*

**Bogenschneider K.** *Family policy matters : How policymaking affects families and what professionals can do.* Nahwah, NJ : Erlbaum, 2002.

**Boss PG.** *Family stress management.* Newbury Park, CA : Sage Publ., 1988.

**Brodzinsky DM, Singer LM, Braff AM.** Children's understanding of adoption. *Ch Dev* 1984; 55 : 869-878.

**Christian CL, McRoy RG, Grotevant HD, Bryant C.** Grief resolution of birthmothers in confidential, time-limited mediated, ongoing mediated, and fully disclosed adoptions. *Adoption Quarterly* 1997; 1(2) : 35-58.

**Dunbar N.** Adoptive identity : A narrative approach. Unpublished doctoral dissertation, University of Minnesota, 2003.

**Dunbar N, Grotevant HD.** Adoption narratives : The construction of adoptive identity during adolescence. In : **Pratt MW, Fiese BH.** (eds) *Family stories and the life course : Across time and generations.* Mahwah, NJ : Erlbaum, 2004: 135-161.

**Dunbar N, van Dulmen M, Ayers-Lopez S, Berge JM, Christian C, Gossman G, Henney S, Mendenhall TJ, Grotevant HD, McRoy RG.** (sous presse) Processes Linked to Contact Changes in Adoptive Kinship Networks. *Family Process.*

**Erikson EH.** *Identity : Youth and crisis.* New York : Norton, 1968.

**Evan B.** Donaldson Adoption Institute. National adoption attitudes survey. New York : **Evan B.** *Donaldson Adoption Institute,* 2002. [Site internet : http://www.adoptioninstitute.org/survey/survey_intro.html]

**Fravel DL, Grotevant HD, Boss PG, McRoy RG.** Boundary ambiguity across levels of openness in adoption. In : **Crosbie-Burnett M.** (ed) *Proceedings of the Theory Construction and Research Methodology Workshop of the National Council on Family Relations,* 1993.

**Fravel DL.** *Boundary ambiguity perceptions of adoptive parents experiencing various levels of openness in adoption.* Unpublished doctoral dissertation, University of Minnesota, 1995.

**Fravel DL, McRoy RG, Grotevant HD.** Birthmother perceptions of the psychologically present adopted child : Adoption openness and boundary ambiguity. *Fam Rel* 2000; 49 : 425-433.

**Grotevant HD.** The integrative nature of identity : Bringing the soloists to sing in the choir. In : **Kroger J.** (ed) *Discussions on ego identity.* Hillsdale, NJ : Erlbaum, 1993 : 121-146.

**Grotevant HD, Dunbar N, Kohler JK, Esau AL.** Adoptive identity : How contexts within and beyond the family shape developmental pathways. *Fam Rel* 2000; 49 : 379-387.

**Grotevant HD, Kohler JK.** Adoptive families. In : **Lamb M.** (ed) *Nontraditional families : Parenting and child development.* 2$^{nd}$ ed., Mahwah, NJ : Erlbaum, 1999 : 161-190 .

**Grotevant HD, McRoy RG.** *Openness in Adoption : Connecting Families of Birth and Adoption.* Newbury Park, CA : Sage, 1998.

**Grotevant HD, McRoy RG, van Dulmen MH.** The adoptive kinship network : Putting the perspectives together. In : **Grotevant HD, McRoy RG.** (eds) *Openness in Adoption : Connecting Families of Birth and Adoption.* Newbury Park, CA : Sage, 1998.

**Grotevant HD, Ross NM, Marchel MA, McRoy RG.** Adaptive behavior in adopted children : Predictors from early risk, collaboration in relationships within the adoptive kinship network, and openness arrangements. *J Adol Res* 1999; 14 : 231-247.

**Grotevant HD, Wrobel GM, van Dulmen MH, McRoy RG.** The emergence of psychosocial engagement in adopted adolescents : The family as context over time. *J Adol Res* 2001; 16 : 469-490.

**Henney S, Ayers-Lopez S, McRoy RG, Grotevant HD.** A longitudinal perspective on changes in adoption openness : The birthmother story. In : **Neil E, Howe D.** (eds) *Contact in adoption and permanent foster care: Research, theory, and practice.* London : British Association for Adoption and Fostering, 2004.

**Kegan R.** *The evolving self : Problem and process in human development.* Cambridge, MA : Harvard University Press, 1982.

**Kohler JK, Grotevant HD, McRoy RG.** Adopted adolescents' preoccupation with adoption: Impact of adoptive family dynamics. *J Marriage & Fam* 2002; 64 : 93-104.

**McAdams DP.** A life-story model of identity. In : **Hogan R, Jones WH.** (eds) *Perspectives in personality.* Greenwich, CT : JAI Press Inc, 1987; 2 : 15-50.

**McAdams DP.** *The stories we live by : Personal myths and the making of the self.* New York : Morrow, 1993.

**McAdams DP.** The psychology of life stories. *Review of General Psychology* 2001; 5 : 100-122.

**McRoy RG, Ayers-Lopez S, Henney SM, Christian C, Gossman G.** *Adoption openness: Longitudinal birthmother outcomes. Final Report submitted to U.S.* *Office of Population Affairs.* Austin, TX: University of Texas Center for Social Work Research, 2001.

**McRoy RG, Grotevant HD, White KL.** *Openness in adoption : New practices, new issues.* New York : Praeger, 1988.

**Mendenhall TJ, Berge JM, Wrobel GM, Grotevant HD, McRoy RG.** Adolescents' satisfaction with contact in adoption. *Ch & Adol Soc Work J* 2004; 21 : 175-190.

**Mishler EG.** *Storylines : Craftartists' narratives of identity.* Cambridge, MA : Harvard University Press, 1999.

**Ross NM.** *Adoptive family processes that predict adopted child behavior and self esteem.* Unpublished masters thesis, University of Minnesota, 1995.

**Schmid K.** *Intergenerational relationships in adoptive families : Adoptive parents' interpretations.* Unpublished doctoral dissertation, University of Minnesota, 1994.

**Von Korff LV, Grotevant HD, McRoy RG** (sous presse) Openness arrangements and psychological adjustment in adolescent adoptees. *Journal of Family Psychology.*

**Wrobel GM, Ayers-Lopez S, Grotevant HD, McRoy RG, Friedrick M.** Openness in adoption and the level of child participation. *Ch Dev* 1996; 67 : 2358-2374.

**Wrobel GM, Grotevant HD, Berge JM, Mendenhall TJ, McRoy RG.** Contact in adoption : The experience of American adoptive families. *Adoption and Fostering* 2003; 27 : 57-67.

**Wrobel GM, Grotevant HD, McRoy RG.** Adolescent search for birthparents: Who moves forward? *J Adol Res* 2004; 19 : 132-151.

**Wrobel GM, Kohler JK, Grotevant HD, McRoy RG.** Factors related to patterns of information exchange between adoptive parents and children in mediated adoptions. *J Appl Dev Psychol* 1998; 19 : 641-657.

**Wrobel GM, Kohler JK, Grotevant HD, McRoy RG.** The family adoption communication model (FAC): Identifying pathways of adoption-related communication. In : **Johnson M.** (ed) *Proceedings of the 29$^{th}$ Annual Theory Construction and Research Methodology Workshop of the National Council on Family Relations,* 1999.

no 46

# L'adoption au Québec : ni bleue ni rose

**Michel Carignan**

**L'auteur est Chef du Service adoption au Centre jeunesse de Montréal-Institut universitaire.**

**Adresse** : 1001, boul. de Maisonneuve est Montréal (Québec) H2L 4R5

**Courriel :** michel.carignan@cjm-iu.qc.ca

La croyance populaire veut qu'il n'y ait pas d'enfants à adopter au Québec et que c'est pour cette raison que l'adoption internationale s'est développée. Depuis la fin des années soixante-dix, il est vrai que le nombre d'enfants confiés à la naissance pour adoption au Québec a chuté de façon considérable. Cette diminution est sans aucun doute liée à l'évolution sociale du Québec, et particulièrement à la libéralisation du statut et du rôle des femmes dans notre société. Il reste qu'il est faux de dire qu'il n'y a pas d'enfants à adopter au Québec, plutôt, l'adoption québécoise a pris un nouveau visage : celui de l'adoption par le biais du programme Banque-mixte.

## Mais de quoi parlons-nous?

Au Centre Jeunesse de Montréal-Institut universitaire, l'adoption par le programme Banque-mixte existe depuis 1988. Il ne s'agit donc pas d'une pratique novatrice, puisque celle-ci a acquis ses lettres de noblesse depuis un certain temps déjà. Depuis 1988, plus de 600 enfants ont été confiés à des familles de type Banque-mixte. Pour les enfants dont le dossier est fermé, 89 % ont été adoptés légalement. Dans le cas des dossiers toujours actifs, la situation des enfants varie : certains d'entre eux font l'objet d'une ordonnance de placement en famille d'accueil jusqu'à leur majorité, tandis que d'autres sont adoptables mais non adoptés, et pour certains autres, le cadre légal de leur situation n'a pas été encore finalisé.

Ce programme dépiste des enfants pris en charge par le système de protection de la jeunesse parce que jugés à haut risque d'abandon par leurs parents biologiques, ce qui les rend potentiellement adoptables à plus ou moins long terme. Dans un tel contexte, l'abandon est défini comme étant l'incapacité du parent d'assumer ses obligations de soin, d'entretien et d'éducation à l'égard de son enfant, sa seule présence à des contacts supervisés étant considérée comme insuffisante. C'est ainsi qu'une famille désireuse d'adopter accueille

## RÉSUMÉ

*Qu' est-ce que le programme Banque-mixte et quelle est sa mission spécifique? Qui sont ces familles qui viennent postuler en vue d' adopter un enfant, et qui sont ces enfants recrutés par le programme? L' auteur discute de la démarche et du processus d' évaluation du programme Banque-mixte et des défis qu' ont à relever par la suite les parents postulants tout en soulignant l' évolution et le travail accompli depuis sa création par ce service d' adoption.*

un enfant non légalement adoptable au moment de son placement mais pour lequel la probabilité d'abandon de la part de ses parents naturels et la perspective d'une adoption sont grandes. Le postulant qui souhaite adopter un enfant par le biais du programme Banque-mixte exerce d'abord un rôle de famille d'accueil auprès de cet enfant, et ce, jusqu'à ce que son adoption soit rendue possible.

Cette situation comporte évidemment des risques : il n'existe aucune garantie à l'effet que l'enfant, qui est confié à cette famille, deviendra légalement adoptable. Le stress lié à cette démarche est important pour ces familles, d'autant plus que la majorité des enfants placés via la Banque-mixte ont encore des contacts avec leurs parents biologiques au moment de leur placement. Il faut comprendre que la démarche est génératrice de stress pour les postulants qui rêvent de voir réaliser leur rêve d'enfant « bleu » ou « rose » le plus vite possible. Les postulants à l'adoption ne sont pas tous équipés au plan émotif pour faire face à de tels enjeux et il est bien possible que l'adoption internationale s'avère pour certains de ces parents une meilleure option.

Avec les années, le dépistage des enfants à haut risque d'abandon s'est grandement raffiné. Actuellement le programme *« À chaque enfant son projet de vie permanent »*, développé et implanté au Centre jeunesse de Montréal-Institut universitaire, permet, grâce à un processus clinique rigoureux, d'identifier les enfants susceptibles de bénéficier d'un placement dans une famille de type Banque-mixte. Pour la région du Montréal francophone, une soixantaine d'enfants sont placés chaque année dans ce type de familles. Ces enfants sont issus de milieux familiaux dysfonctionnels présentant l'une et/ou l'autre des situations suivantes : des parents alcooliques ou toxicomanes, des parents atteints de problèmes de santé mentale ou encore de déficience intellectuelle. Ces enfants ont tous été signalés en vertu de la Loi sur la protection de la jeunesse, et l'intervention du DPJ a mis à jour une situation familiale nécessitant le retrait de l'enfant de son milieu naturel alors qu'une évaluation a montré la faible probabilité d'un retour éventuel de l'enfant dans sa famille d'origine.

## Mais qui sont ces familles du programme Banque-mixte?

Ce sont d'abord des personnes qui prennent contact avec l'Accueil du service adoption afin de connaître les différentes options leur permettant de réaliser leur rêve d'adopter un enfant. Nous devons malheureusement les informer que pour adopter un enfant confié à sa naissance à l'adoption par un consentement des parents biologiques, l'attente est de cinq à sept ans. En effet, l'adoption régulière est encore possible au Québec mais très limitée; pour le Montréal francophone, environ dix enfants sont confiés chaque année à l'adoption à la naissance, d'où la si longue période d'attente imposée aux familles. Nous proposons alors aux postulants le parcours de l'adoption par le programme Banque-mixte. Il faut comprendre que peu de postulants s'intéressent d'emblée à la Banque-mixte - c'est généralement nous qui leur présentons cette alternative - dans la mesure où les parents veulent adopter un enfant, et ce, le plus vite possible. Le programme Banque-mixte devient ainsi pour eux « un mal nécessaire ».

Les postulants qui s'intéressent à cette option doivent, avant de s'inscrire comme postulants au programme Banque-mixte, assister à deux soirées d'information qui leur permettent de mieux connaître les enjeux et objectifs du programme, ainsi que se familiariser avec les besoins des enfants pour lesquels nous cherchons des familles. Ils devront par la suite prendre une décision éclairée par rapport à leur capacité de vivre ce parcours. S'ils s'inscrivent ensuite, le délai d'attente pour l'évaluation de leur projet pourra être d'environ un an.

Plus de 85 % des postulants à l'adoption sont des couples infertiles. Leur rêve d'enfant est bien légitime, et pour la plupart d'entre eux, après une période de deuil souvent importante par rapport à leur impossibilité de concevoir naturellement un enfant, l'adoption s'est présentée comme la meilleure option pouvant répondre à leur désir de parentalité.

Chez environ 15 % des postulants au programme, on note un désir d'engagement social à l'égard d'un enfant dans le besoin. Ces postulants offrent aux enfants dont nous avons la responsabilité une opportunité d'accueil extrêmement intéressante. Leurs attentes sont différentes vis-à-vis de l'enfant qui n'est pas perçu comme un prolongement narcissique d'eux-mêmes, mais reconnu comme un enfant dans le besoin qui a vécu un mauvais départ dans la vie. Leur motivation est altruiste : ils veulent redonner au suivant. Malheureusement ce type de postulants étant peu nombreux, ils ne peuvent répondre à toutes les demandes de placements en attente.

Les personnes seules ont aussi la possibilité de présenter un projet dans le cadre de ce type d'adoption. Nous retenons toutefois les candidats qui se démarquent quant à leurs capacités à soutenir un enfant dans le besoin, considérant qu'ils seront seuls pour assumer la lourde tâche de répondre aux besoins de l'enfant. La pratique clinique actuelle nous amène à croire que les candidats célibataires doivent disposer d'un réseau de soutien solide et très développé autour d'eux afin d'assurer la réussite de leur projet. C'est là un élément majeur à considérer lors de l'évaluation.

Depuis 2002, une nouvelle réalité s'est ajoutée en regard des caractéristiques des postulants à l'adoption par le programme Banque-mixte, soit celle de l'homoparentalité. En effet, les nouvelles dispositions légales permettent aux couples de même sexe d'adopter un enfant au Québec. Plus d'une douzaine de projets Banque-mixte par de tels couples sont actuellement en cours au Centre jeunesse de Montréal-Institut universitaire. Ces milieux différents sont tout aussi animés de valeurs positives, telles l'ouverture, le respect, la tolérance. Les enfants qui y sont accueillis sont acceptés tels qu'ils sont, avec leurs différences et les marques laissées par la négligence ou la violence dont ils ont été victimes.

À titre d'information, pour la période du 1er avril 2005 au 31 mars 2006, 84 projets d'adoption dans le cadre du programme Banque-mixte ont été évalués : sur ces 84 projets, 63 ont été acceptés, 12 furent refusés et 9 postulants se sont désistés en cours d'évaluation.

## Enjeux du programme Banque-mixte

Notre pratique clinique nous a permis d'identifier que l'un des principaux enjeux affectifs liés au programme Banque-mixte concerne la dimension de la filiation psychique. Nous avons mentionné précédemment que les postulants à l'adoption par le programme Banque-mixte doivent d'abord jouer un rôle de famille d'accueil auprès de l'enfant qui leur est confié, et ceci, tant et aussi longtemps que l'enfant ne sera pas devenu légalement adoptable. Cette fonction fait d'eux des collaborateurs aux côtés des professionnels des centres jeunesse chargés d'assumer le suivi de l'enfant et de sa famille dans le système de protection. Précisons qu'au service adoption, ces postulants viennent d'abord solliciter un service, soit celui d'adopter un enfant. Ils sont ainsi des 'usagers' pour le service adoption. Être à la fois collaborateur et usager pose un défi de taille, qui peut placer ces parents dans une position paradoxale au plan des relations qu'ils doivent entretenir avec l'enfant et les différents acteurs en lien avec la situation de ce dernier. Comment peut-on être à la fois collaborateur et demandeur de services? Le dilemme se pose et n'est pas évident à résoudre!

De façon générale, la réalisation d'une adoption fait suite à une longue démarche de réflexion pour les postulants. Leur désir de parentalité s'est maintenu pour la majorité des postulants à la suite d'une infertilité déclarée dans le couple, et celle-ci, expliquée ou non expliquée, a pu engendrer bien des blessures et des souffrances chez les postulants. Nous savons tous combien peuvent être difficiles psychologiquement et physiquement ces démarches porteuses d'espoir faites par les parents dans les hôpitaux et les cliniques spécialisées en fertilité.

Le deuil de l'enfant biologique est une dimension majeure à considérer lors de l'évaluation d'un couple, car un deuil plus ou moins bien résolu peut faire obstacle à l'investissement de l'enfant qui pourrait leur être confié. Ce qu'il nous apparaît important de soulever ici, c'est cette dimension de l'espace psychologique nécessaire pour élaborer un enfant dans l'univers psychique d'une personne. Ce parent a-t-il cette disponibilité psychologique qui lui permettra de créer un lien de filiation psychique avec l'enfant? Les professionnels qui évaluent les postulants à l'adoption examinent attentivement cet aspect chez leurs clients puisqu'il est fondamental à la réussite d'un projet d'adoption.

Or, on peut se demander comment chez un parent postulant dans un contexte de Banque-mixte, placé dans un rôle de collaborateur lors du placement de l'enfant et d'usager face à une demande de services, cet aspect de la disponibilité psychique peut-il s'intégrer dans l'investissement de l'enfant, compte tenu du risque de voir celui-ci retourner chez ses parents naturels? Les enfants confiés à ces familles ont été retirés de leur milieu familial naturel parce que leurs parents n'arrivaient pas à remplir leurs responsabilités parentales. Selon l'esprit de la Loi sur la protection de la jeunesse, tout doit être mis en œuvre pour aider ces parents à reprendre en main leur vie et à développer leurs capacités parentales afin d'assumer leur enfant. Le risque ou l'éventualité d'un retour dans le milieu naturel est donc bien présent ; si ces parents démontrent un nouvel élan parental qui s'avère satisfaisant et substantiel, l'enfant retournera vivre dans sa famille. De plus, chaque révision judiciaire fait réapparaître cette éventualité. Dans un tel contexte, comment peut-on investir un enfant tout en sachant que ce risque, si minime soit-il, est bel et bien présent?

La présence des parents biologiques auprès de l'enfant peut aussi être un obstacle à l'établissement d'un lien de filiation psychique entre les adoptants et l'enfant accueilli. Les visites aux parents naturels, dont la fréquence et la durée varient selon la situation de chaque enfant, ont un impact majeur dans la vie des parents postulants à l'adoption. Certains enfants voient leurs parents biologiques une ou deux fois par semaine, d'autres, une fois par mois, et certains enfants les voient seulement quatre fois par année. Les adoptants qui veulent devenir les parents de cet enfant-là doivent composer avec cette réalité qui leur rappelle sans cesse qu'ils ne sont pas encore les vrais parents de cet enfant qu'ils ont tant désiré et élaboré dans leur univers psychologique. Aussi, pour toutes les décisions à prendre au sujet de l'enfant, les postulants n'ont pas voix au chapitre tant et aussi longtemps qu'une ordonnance en vue d'adoption ne sera pas rendue en leur faveur. Ils ont de plus à « porter » les difficultés de l'enfant avant et après chacune de ses visites à ses parents biologiques, et ils peuvent parfois se sentir comme des « bourreaux », du fait de faire souffrir « leur enfant », au sens où ils aident à maintenir le contact entre l'enfant et son parent «agresseur», c'est-à-dire reconnu dans le passé comme négligent ou abusif.

## Mais qui donc est en mesure de vivre émotivement cette situation ?

Selon notre expérience clinique, il s'agit d'individus dont la sécurité de base dépasse largement la moyenne, et qui se démarquent aussi par une sensibilité parentale hautement aiguisée. À cet égard, Ellen Moss, professeure-chercheure à l'Université du Québec à Montréal, a confirmé par ses travaux sur l'attachement que pour des enfants plutôt désorganisés au plan de l'attachement, comme c'est le cas de nombreux enfants du système de protection, il faut recruter des postulants dont la sensibilité parentale se situe au-delà de la norme convenue. Ce sont aussi très souvent des êtres d'exception, des personnes différentes, dirons-nous, mais aussi simplement des personnes qui sont confiantes et sereines face à la vie. Elles se disent que si l'enfant retourne un jour dans sa famille d'origine, elles seront heureuses d'avoir pu lui donner quelque chose qui aura fait une différence dans sa vie. C'est là le principal enjeu d'adopter un enfant par le programme Banque-mixte.

Mais comment arriver à dénicher ces « perles rares »? L'enjeu de l'évaluation des postulants pour le professionnel est à cet égard un défi considérable. Il faut savoir choisir la ou les bonnes personnes tout en ayant en tête que celles-ci seront à la fois des collaborateurs et des usagers, et que le professionnel aura à les soutenir tout au long de leur parcours avec l'enfant. Depuis plus de dix-huit ans que le programme Banque-mixte existe, le raffinement en matière d'évaluation a contribué à faire de bons choix. Des outils d'évaluation novateurs ont été intégrés à la pratique clinique, des consultations avec des psychologues et des psychiatres viennent éclairer les doutes des évaluateurs et souvent recadrer le processus d'évaluation, s'il y a lieu. Dans le doute, nous préférons nous abstenir de faire une recommandation favorable à un projet d'adoption par le programme Banque-mixte. Un mauvais jumelage entre un enfant et une maman et ou un papa peut s'avérer catastrophique pour un enfant en quête d'une famille.

L'expérience de la Banque-mixte est hasardeuse mais aussi très « gratifiante ». Lors d'une rencontre de l'Association des parents adoptants du Québec à l'automne 2005, la majorité des parents présents nous ont exprimé combien cette expérience, souvent difficile, a été « nourrissante » pour eux et qu'ils « recommenceraient demain matin » malgré les embûches rencontrées.

Malheureusement, cet enjeu de la filiation dans un contexte d'investissement aléatoire ou paradoxal peut s'avérer impossible à relever pour certaines familles. Il peut arriver que nous devions retirer un enfant d'une famille Banque-mixte ou encore qu'une famille remette un enfant parce que le lien ne s'établit pas, que les enjeux psycho-affectifs dépassent les capacités de l'enfant, de la famille ou des deux. Ces situations sont toutefois extrêmement rares. Au cours de la dernière année, trois enfants ont été déplacés : deux d'entre eux ont été orientés vers des ressources de réadaptation, milieux correspondant mieux à leurs besoins, et le troisième enfant a été accueilli par une autre famille de type Banque-mixte.

## Qui sont-ils ? Sont-ils différents de ceux adoptés à l'adoption internationale ?

Attardons-nous maintenant aux enfants confiés aux familles Banque-mixte. Les enfants confiés à ces familles ne sont pas différents des autres enfants pris en charge par le système de protection, c'est plutôt le pronostic à long terme quant à la permanence de leur projet de vie qui diffère. Ces enfants sont tous porteurs d'un abandon qui les a frappés à un moment ou l'autre dans leur vie. C'est là l'une des caractéristiques fondamentales des enfants confiés pour adoption dans le cadre du programme Banque-mixte. Outre cet aspect crucial de leur dynamique interne, ces enfants ont vécu des traumatismes importants, de la négligence grave, de la violence, des abus de toutes sortes. Notre connaissance du vécu de ces enfants est très grande; pour la plupart d'entre eux, leur parcours de vie nous est familier et nous connaissons en général très bien leurs parents naturels, du fait de leur fréquentation de nos services.

Certains de ces enfants garderont des séquelles importantes de leur histoire antérieure; pensons, au plan physique par exemple à un enfant secoué qui gardera peut être des atteintes neurologiques de cet accident. Des séquelles au plan psychologique peuvent aussi rendre ces enfants vulnérables et susceptibles de développer d'autres difficultés à plus ou moins long terme. Plusieurs des enfants relevant de la Banque-mixte ont ainsi des besoins spécifiques et le défi est par la suite de trouver une famille qui saura répondre à ces besoins. L'enfant n'est plus « tout bleu » ou « tout rose », comme dans le rêve des postulants et pour la majorité d'entre eux, il s'agira d'un autre deuil à envisager.

Une fois trouvés et réunis, ces parents postulants et leur enfant auront de grands besoins, et répondre aux besoins spécifiques de ces enfants ne sera pas une mince tâche. Le soutien est défaillant au Québec; les listes d'attente sont parfois très longues pour les services d'ergothérapie ou d'orthophonie, par exemple. Une fois le jugement d'adoption rendu, aucun professionnel spécialisé en adoption ne poursuit actuellement un suivi auprès de l'enfant et de sa nouvelle famille. Les familles en besoin doivent recourir aux services publics généraux qui soutiennent les familles en difficulté. Quelques professionnels ont développé une expertise en post-adoption mais ceux-ci sont peu nombreux et ne suffisent pas à la demande. Une volonté politique est présente par rapport au développement de ces services mais à l'heure actuelle, plusieurs familles se retrouvent seules face à d'immenses besoins non répondus. Leur situation est précaire et demeure très préoccupante quant à leur avenir.

Les enfants de la Banque-mixte étant bien connus des professionnels qui en assument la prise en charge, cette connaissance constitue comme telle une grande richesse. Les postulants à l'adoption ont accès ainsi à une foule de renseignements sur l'enfant, ce qu'un autre type d'adoption ne leur permettrait pas d'avoir. Les profession-nels qui proposeront tel enfant à des parents postulants seront par la suite en mesure de relater son parcours de vie, et son état physique et psychologique évalué judicieusement par les professionnels du milieu sera porté à la connaissance des parents. Certains postulants voudront toujours en savoir davantage sur l'histoire de l'enfant, alors que d'autres parents associeront trop facilement certaines difficultés présentées par l'enfant à son histoire antérieure. Toutefois, la mise à jour des particularités propres à chacun des enfants de la Banque-mixte sera appréciée des postulants qui pourront prendre une décision éclairée quand la proposition d'un enfant leur sera faite. Nous considérons que cette connaissance de l'histoire de vie de l'enfant est en soi une plus-value pour les adoptants.

## L'adoption québécoise, une réalité bien ancrée dans les milieux d'intervention

Il est donc faux de dire qu'il est impossible au Québec d'adopter un enfant. Chaque année, une soixantaine d'enfants québécois de la grande région métropolitaine francophone sont placés dans des familles de type Banque-mixte. Ces familles qui les accueillent désirent ardemment les adopter et la majorité d'entre elles réalisera ce rêve.

Mais alors, pourquoi donc cette légende urbaine? Il y a toujours plus de cinquante dossiers de postulants en attente d'évaluation; il n'existe aucun problème de recrutement concernant des familles prêtes à accueillir des bébés de 0-2 ans. Par contre, pour les enfants plus âgés qui ont des besoins spécifiques, le recrutement est plus difficile et nos attentes à l'égard de ces familles sont évidemment plus grandes, compte tenu de ces besoins particuliers. Il faut trouver la « bonne » famille pour chaque enfant : le service d'adoption ne cherche pas un enfant pour des postulants à l'adoption, mais davantage une famille pour un enfant dans le besoin. C'est là une distinction majeure et un défi de taille, car il faut savoir apprécier, entre le risque de laisser plus longtemps un enfant sans parent et celui de le placer dans un milieu non optimal d'où il risque d'être retiré, lequel de ces risques est le moindre.

Du côté de l'Ontario, la Société d'aide à l'enfance, qui réunit une cinquantaine d'agences dans cette province, a mis sur pied des programmes similaires à celui de la Banque-mixte québécoise. Ces programmes semblent avoir évolué sous différents vocables au fil du temps, dont celui de « *Fostering with a view to adopt* » (Accueillir en vue d'adopter), celui de « *Flexible family* » (Famille adaptée aux besoins de l'enfant), ou encore « *Concurrent planning* » (Planification simultanée). Le concept nous semble le même et les fondements qui sous-tendent ces programmes sont identiques à ceux élaborés par les établissements du Québec.

On trouve aussi un équivalent américain au programme Banque-mixte sous les vocables « *Foster adoption placement*», ou « *Legal risk placement* » ou encore « *At-risk placement* ». Les principes qui guident ces programmes sont équivalents à ceux de la Banque-mixte. Lorsqu'un enfant est placé dans ce type de familles, les options en vue d'assurer la permanence de son projet de vie sont évaluées en considérant deux directions : l'adoption ou la réunification de l'enfant avec sa famille naturelle. Les Américains nomment cette pratique «*Concurrent planning*», traduit librement en français par l'expression «Planification concourante ou simultanée», dont le modèle est très proche de celui de la Banque-mixte. Ce type d'adoption est né au début des années '90 pour éviter le déplacement des enfants placés en familles d'accueil vers des familles adoptives au moment où leur situation légale les rendait admissibles à l'adoption. Actuellement tous les États américains ont développé cette pratique.

L'adoption par le programme Banque-mixte : une réalité méconnue? Peut-être... Pourtant des efforts considérables ont été déployés pour faire connaître le programme. Des professionnels européens nous interpellent sans cesse pour en connaître les fondements. Le psychiatre français, Maurice Berger, en parle comme d'un dispositif original dans son livre, *L'échec du système de protection français*.

## La Banque-mixte : un programme efficace ?

La finalité du programme est de permettre à un enfant de s'enraciner dans un milieu de vie permanent afin d'y construire les bases de sa sécurité et de son identité. Pour les postulants à l'adoption, leur finalité est de réaliser leur rêve de parentalité, finalité qui sera atteinte et garantie alors qu'un jugement d'adoption les confirmera socialement et juridiquement comme les parents légaux de l'enfant. Il n'existe pas de contradiction entre ces deux finalités. Si aucune étude scientifique ni évaluation ne sont venues confirmer l'efficacité du programme, la pratique clinique nous dit par contre que « oui », ces deux finalités sont atteintes dans la majorité des cas.

Peu de chercheurs au Québec s'intéressent actuellement à la cause de l'adoption nationale. À notre connaissance, aucun projet n'est en cours du côté de la recherche clinique. Une étude vient toutefois de débuter avec pour objectif d'analyser le parcours d'un certain nombre d'enfants adoptés via le programme Banque-mixte et qui ont maintenant dépassé l'âge de 15 ans. Autour de 80 sujets ont été retracés dans la région du Montréal francophone. Marie-Andrée Poirier, professeure-chercheure à l'École de service social de l'Université de Montréal, et Sylvie Normandeau, vice-doyenne aux études de la Faculté des arts et des Sciences de l'Université de Montréal, dirigeront ces travaux novateurs en la matière.

L'adoption au Québec existe bel et bien et elle a pris de nouvelles couleurs. Elle n'est plus ni toute bleue, ni toute rose, mais qu'importe la couleur qu'elle prend aujourd'hui, l'adoption n'est-elle pas le reflet d'une société qui évolue en fonction des besoins et des réalités nouvelles de ses citoyens ? Nous sommes peut-être loin du rêve initial des postulants qui souhaiteraient tous aller chercher un poupon à la maternité d'un hôpital, mais la pratique clinique nous montre régulièrement qu'il y a bien des façons de réaliser un rêve « bleu ou rose ».

## ABSTRACT

*Since 1988, six hundred children have found a permanent home through the Programme Banque-mixte and each year, sixty children are placed in foster families with the ultimate goal to give an adoptive family to the child. The Programme Banque-mixte is an initiative of the Centre Jeunesse de Montreal-Institut Universitaire with a specific mission that is to insure for each child a permanent life project, whether by adoption or by the reintegration of the child in his family of origin. While reviewing the assessment process, the author stresses the special characteristics of the families recruited in this program, considering the many challenges they have to face and the stress involved in their role and their waiting to assume the full parental responsibility until the child is admissible for adoption.*

# « Si on faisait autrement... » **Méthodes interactives d'évaluation des familles candidates à l'adoption**

**Wayne D. Duehn**

L'auteur est professeur à l'École de Service social de l'Université du Texas à Arlington.

**Adresse :**
2200, Wilson Drive
Arlington, Texas, E.-U.
76011-3226

**Courriel :**
duehn1@airmail.net

Sachant les décisions souvent très difficiles qu'ont à prendre les intervenants en regard de l'évaluation des familles candidates à l'adoption, ils ont grandement besoin de méthodes qui soient efficaces et d'application facile pour recueillir l'information la plus pertinente possible au cours de l'observation à domicile de la famille ou au moment de fournir aux familles des services post-adoption. Au cours des récentes années, plusieurs méthodes novatrices nous ont été fournies par la clinique en thérapie familiale et en psychologie sociale, méthodes qui n'ont toutefois pas trouvé place dans le coffre à outils des intervenants des services d'adoption. L'objectif de ce texte est d'offrir un aperçu des techniques récentes en matière d'évaluation familiale, en particulier celles qui peuvent aider à distinguer les familles qui entretiennent des relations saines et satisfaisantes de milieux dysfonctionnels, et celles qui permettent d'apprécier les interactions entre mari et femme.

De fait, cet intérêt très ancien qui a évolué au fil de ma pratique m'a fait voir la nécessité d'évaluer le comportement des familles et des couples dans le contexte de la vraie vie. On sait que plus l'information recueillie est précise et étendue, plus les décisions eu égard à l'évaluation et la sélection des familles et la planification de services post-adoption s'en trouveront facilitées. L'accent mis ici sur l'évaluation fondée sur des données interactionnelles plutôt que sur des jugements subjectifs ou sur des questionnaires remplis par les parents candidats repose sur l'hypothèse, à savoir *que ce que les gens disent sur eux-mêmes ne peut en aucun cas remplacer l'observation de leur comportement.*

Nous considérons ici le processus d'adoption du point de vue de l'intervenant et présentons des méthodes utilisées essentiellement

Le contenu de ce texte a été présenté les 27 et 28 avril 2006 dans le cadre d'un séminaire de formation organisé par le Centre jeunesse de Montréal, Institut universitaire, Montréal, Québec.

( 72 )

## RÉSUMÉ

*Revoyant les limites des pratiques d' évaluation actuelle et souli-gnant la nécessité de se fonder sur un modèle fondé sur des données interactionnelles plutôt que sur des jugements subjectifs pour évaluer les familles candidates à l' adoption, l' auteur présente divers outils et méthodes de type interactif-comportemental qui peuvent servir d' indicateurs des niveaux de cohésion et d' adapta-bilité du système familial. C' est ainsi qu' en observant la famille à divers niveaux de son fonctionnement, l' intervenant est mieux à même de saisir les forces et les faiblesses du système familial et d' évaluer la capacité de la famille à s' adapter aux exigences et gérer le stress associés à l' adoption. L' administration de telles procé-dures devrait faire partie du processus d' évaluation et de sélection des familles adoptives de même que d' attribution de services en pré et post-adoption.*

pour l'évaluation des familles dans des cadres clinique et de recher-che tout en avançant que ces méthodes devraient être utilisées dans la sélection des familles, la distribution de services post-adoption et la formation professionnelle continue. Ces techniques et procédures d'évaluation sont de type interactif-comportemental et peuvent servir en tant qu'indicateurs du niveau de fonctionnement de la famille.

## Limites des pratiques d'évaluation à domicile

La manière traditionnelle de recueillir de l'information sur l'histoire passée et le fonctionnement actuel de la famille s'appuie sur le format question – réponse où l'on procède par une série d'entrevues menées au domicile familial. La recherche n'hésite pas à conclure que ces auto-questionnaires remplis par les parents candidats, pour qui les intérêts en jeu pèsent lourd, font en sorte de faire paraître le parent sous son jour le plus favorable et risquent par suite de comporter des omissions et d'introduire un biais subjectif, sinon des distorsions importantes dans les réponses faites par les parents. De même, les échelles sur le fonctionnement familial et conjugal et les mesures de satisfaction familiale ne réussissent pas vraiment à saisir la dynamique interactionnelle et les patterns de communication à l'intérieur des familles.

De fait, les candidats apportent habituellement aux questions posées des réponses prévisibles, celles qu'ils jugent désirables, socialement acceptables et dont les contenus positifs correspondent à l'ensemble des traits de la « famille idéale ». Par exemple, lorsqu'on leur demande : « Comment vous et votre partenaire réglez-vous un conflit ? », les réponses des parents sont typiques : « Nous en discutons ensemble », «Nous arrivons à faire un compromis », « C'est affaire de prendre et de donner... », réponse suivie d'une remarque, telle que : « En nous mariant, il y a maintenant 18 ans, nous nous sommes jurés de ne jamais nous endormir en restant fâchés l'un contre l'autre ».

Une autre limite rattachée à ce type d'entrevue à domicile est que les résultats risquent de pencher en faveur des candidats qui ont des habiletés de communication, c'est-à-dire une bonne capacité d'élocution et qui savent s'exprimer. On pourra rétorquer ici que ces compétences sont des pré-requis au rôle de parent, mais d'autres facteurs sont également, sinon encore plus importants – tels que la sensibilité parentale, le dévouement, la patience, la maturité et les attentes réalistes à l'égard de l'enfant. En se rapportant essentiellement aux rapports verbaux des candidats, les protocoles d'entrevue traditionnels placent souvent les groupes socio-économiques moins favorisés et certaines minorités ethniques en net désavantage. Certains candidats peuvent aussi être désavantagés par le fait que l'entrevue soit conduite dans une langue autre que leur langue maternelle, ou que l'on exige des renseignements très personnels, alors que cette pratique est contraire aux normes dans leur culture qui n'encourage pas la divulgation d'information sur la vie privée à des personnes étrangères au cercle familial.

Une troisième limite face aux pratiques d'évaluation actuelles est que du fait de se fonder essentiellement sur les questionnaires remplis par les candidats, l'étude risque d'être biaisée par les interprétations, opinions et perceptions des adultes, tandis qu'on accordera peu d'attention aux idées et au vécu des enfants par rapport à l'adoption. Dit simplement, les habiletés nécessaires pour répondre à une entrevue sont du ressort de l'adulte et ne sont pas à la portée des enfants. Ce type de protocoles ne tient pas compte du niveau de développement, des habiletés langagières et des capacités cognitives de l'enfant. En ne parvenant pas à capter les perceptions de l'enfant sur la famille, une information très valable, et peut-être la plus juste, risque d'être perdue et non intégrée dans l'évaluation globale de la famille candidate à l'adoption.

## Que cherchons-nous à évaluer? En quête d'un modèle

Tout au long de l'histoire de l'adoption, beaucoup de temps et de ressources ont été consacrés à l'observation à domicile dans le but d'identifier les familles les plus appropriées pour accueillir des enfants en instance de placement. Alors qu'on reconnaît qu'il n'existe pas de famille «idéale», qu'est-ce que cette observation tente de trouver ? Quels types de familles sont davantage adéquates pour adopter un enfant ? Si les écrits théoriques et empiriques sont riches d'information sur les familles dites à risque et dysfonctionnelles, on s'est peu préoccupé de décrire ce qu'est une famille normale et fonctionnelle. Dans sa tentative de combler ce vide, Lewis (1976) a entrepris une étude rigoureuse sur les traits jugés essentiels au fonctionnement d'une famille équilibrée. Il a conclu qu'il n'existait pas de ligne absolue de démarcation entre les familles fonctionnelles et celles considérées comme dysfonctionnelles, si bien qu'il a intitulé le texte où il rapporte ses résultats du terme même utilisé dans sa conclusion : '*No single thread*'.

En l'absence de critères établissant ce qu'est une famille normale et fonctionnelle, il arrive trop souvent que les intervenants des services d'adoption s'en remettent à leur propre vision subjective de ce qu'est et ce qui fait une famille normale et heureuse. Souvent ces évaluations subjectives sont fondées sur leurs propres expériences de vie – positives autant que négatives – et enracinées dans le vécu remontant à leur famille d'origine. Encore ici, quels types de familles les intervenants recherchent-ils ? En somme, le but de l'observation à domicile est de repérer et sélectionner les familles qui répondent aux trois traits suivants, soit d'être chaleureuses, sécuritaires et engagées vis-à-vis de l'enfant.

Suivant leur revue de littérature, David Olson et al. (1989) ont proposé un modèle qui permet d'identifier les familles unies et fonctionnelles et aussi d'apprécier l'information reçue des familles candidates. Selon Olson (1989), deux facteurs sont critiques pour déterminer la qualité du fonctionnement d'une famille, soit son niveau de cohésion et son adaptabilité. La cohésion se définit comme le lien émotionnel existant entre les membres de la famille, lequel est assorti au degré d'autonomie dont chacun dispose à l'intérieur du système familial. Ce point a été reconnu par nombre de chercheurs comme central à la compréhension de la vie familiale. Dans sa discussion de cas de familles «enchevêtrées» ou «désengagées»,

Minuchin (1974) utilise ces termes pour décrire des types de frontières et d'interactions propres à la famille. Ainsi, des frontières rigides et strictement définies peuvent mener à un désengagement alors que des frontières floues et diffuses entraîneront un enchevêtrement du système familial.

Kantor et Lehr (1976) considèrent pour leur part la « régulation de la distance » comme une fonction majeure dans la famille. Dans la description qu'ils en donnent, cette notion concerne la façon dont la famille organise son espace physique et conçoit les modalités de communication entre ses membres de façon à installer une distance psychologique appropriée entre les uns et les autres. La dimension concrète du temps est tout aussi essentielle si l'on veut bien comprendre les patterns distinctifs et le rythme propre à chaque famille.

Le *McMaster Family Model* (Epstein, Baldwin et Bishop, 1982) est un autre modèle largement utilisé qui met l'accent sur la cohésion du système familial, appréhendé ici en termes de structure, d'organisation et de patterns transactionnels. Deux instruments, le *McMaster Clinical Rating Scale* et un questionnaire rempli par la famille, le *McMaster Family Assessment Device*, évaluent sept dimensions du fonctionnement familial, soit 1) la résolution de problèmes, 2) la communication, 3) la répartition des rôles, 4) les réactions affectives, 5) l'engagement affectif de chacun de ses membres, 6) le contrôle du comportement, et 7) le fonctionnement global de la famille.

Un second facteur critique dans l'évaluation du fonctionnement familial est, selon Olson, celui de l'adaptabilité, qui concerne la capacité d'un système familial ou conjugal à modifier sa structure, la répartition des rôles de ses membres, de même que ses règles de fonctionnement, de façon à répondre aux besoins selon le stade développemental de ses membres et à réagir à des situations de stress. Pour Olson, l'adaptabilité s'évalue selon un continuum avec, à un extrême, un état chaotique et, à l'opposé, une rigidité excessive. Là encore, Olson a trouvé que les familles saines se situaient quelque part entre ces deux extrêmes. Tel qu'attendu, les règles dans les familles chaotiques sont inexistantes ou continuellement modifiées, et de même, les rôles sont mal définis et exposent à des confusions ou des chevauchements intergénérationnels, voire à un renversement des rôles où l'enfant sert de parent à ses propres parents. À l'inverse, les familles rigides sont caractérisées par le fait de règles installées depuis longtemps et qui sont par suite appliquées de manière inflexible et sans remise en cause possible. La répartition le plus souvent stéréotypée des rôles suit un code traditionnel fondé sur le sexe et l'âge de chacun de ses membres.

Considérant ces deux dimensions telles qu'elles interviennent, on peut par suite visualiser, d'un extrême à l'autre du continuum, où se situe la famille, selon qu'elle est plus ou moins fonctionnelle (voir Figure 1). En règle générale, plus la famille s'éloigne du centre de l'axe, soit de la cohésion ou de l'adaptabilité, plus elle présentera des risques pour ses membres, en plus de ne pouvoir répondre adéquatement aux besoins de protection et d'engagement vis-à-vis de l'enfant adopté.

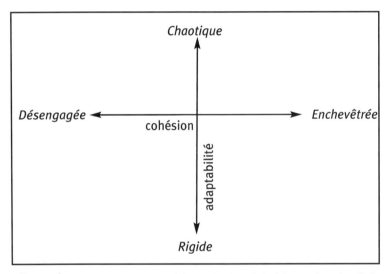

**Figure 1**. Axes mesurant la cohésion et l'adaptabilité du système familial

Outre la cohésion et l'adaptabilité, une troisième dimension devrait être intégrée à l'évaluation de la famille, soit l'identification de l'étape dans son cycle de vie où se trouve engagée la famille comme unité. Carter et McGoldrick (1980) ont décrit les huit stades que traverse la famille, avec les tâches et les stress spécifiques qui y sont rattachés. Si les familles saines peuvent anticiper ces passages et en gérer les exigences, les familles qui se situent dans les zones dysfonctionnelles du modèle d'Olson courent de plus grands risques de ne pouvoir franchir ces tournants tout en favorisant l'autonomie de leurs membres.

## Évaluations fondées sur une observation multi-systémique et à de multiples niveaux

De récents développements en évaluation familiale ont prôné une approche systémique reliant la théorie à la pratique mais il reste que l'atteinte d'un tel objectif est l'exception plutôt que la règle. C'est le cas lorsqu'on considère les concepts théoriques et les méthodes d'application qui sont dérivés de la théorie du système familial. Ainsi, certains principes de la théorie des systèmes, tels que l'accent mis sur les interrelations et l'organisation des composantes du système, sont particulièrement problématiques dans l'évaluation à domicile. En pratique, la plupart des intervenants tendent à simplifier et réduire la complexité du système en se centrant exclusivement sur un niveau du système. Par exemple, certains s'en tiennent aux auto-questionnaires remplis par les candidats sur tel aspect du système familial (mariage, relations parent-enfant, ou famille comme ensemble) et par suite ils ignorent l'essence même de la théorie des systèmes. L'approche que nous proposons ici comporte des évaluations multiples qui envisagent divers niveaux du système familial de façon à arriver à une vision holistique du système et des liens entre ses différentes composantes.

En résumé, l'évaluation systémique faite dans un cadre d'observation à domicile devrait : 1. Tenir compte des concepts d'«ensemble» et de «structure hiérarchique» des systèmes et sous-systèmes existants ; 2. Considérer les difficultés soulevées par des problèmes d'accord (ou de correspondance), c'est-à-dire l'appariement entre le phénomène visé à tel niveau spécifique de la famille et le choix de l'outil ou de la technique pour le mesurer; 3. Procéder à l'évaluation au moyen d'indicateurs multiples. En favorisant l'utilisation de multiples techiques d'évaluation, on s'assure que les aspects associés aux différents niveaux des systèmes de même que les caractéristiques partagées par l'ensemble de la famille peuvent être identifiés et évalués. L'emploi d'indicateurs multiples fournira par suite des points de vue divergents sur les multiples composantes des sous-systèmes familiaux alors que, de façon simultanée, on pourra aussi observer des points de convergence entre les membres de la famille à propos de certaines dimensions du fonctionnement familial.

## Exemples d'évaluations utilisant de multiples méthodes

Un point doit être éclairci avant d'illustrer l'approche MS-MM d'évaluation du foyer adoptif. Cette approche préconise le choix d'outils d'évaluation susceptibles de recueillir de l'information sur divers phénomènes et dimensions du système familial. Par exemple, si l'intérêt premier de l'intervenant porte sur la « prise de décision » à l'intérieur de la famille, on devrait choisir les techniques d'évaluation conçues pour mesurer ce phénomène à différents niveaux du système familial. Un phénomène tel que la « répartition des rôles » pourra requérir un autre ensemble d'outils spécifiques à son évaluation. Les outils destinés à l'observation à domicile devraient être choisis selon leur potentiel à fournir une vision d'ensemble de la famille, de même qu'à éclaircir toute question ou point soulevé concernant la dynamique familiale, les patterns de communication, la prise de décision et les modes de résolution de problèmes, etc., qui peuvent être apparus au cours du processus d'inscription et d'évaluation de la famille. Voici quelques outils et techniques qui peuvent être utilisés dans l'évaluation de la famille.

***Construire la maison de ses rêves*** – Cet exercice implique que la famille travaille ensemble pendant une trentaine de minutes sur une tâche commune. La famille reçoit la somme de 800 000$ (ou l'équivalent) destinée à construire la «maison de ses rêves». Du papier de construction, des modèles pré-découpés de dimensions variées, des ciseaux, un stylo et une liste de prix pour chacune des pièces de la maison sont fournis. La famille doit de façon consensuelle prendre des décisions et arriver à créer un plan de la maison à partir de ces matériaux. Les interactions sont observées en termes de cohésion (processus de prise de décision et habiletés à résoudre des problèmes, patterns de communication (temps et espaces individuel et collectif), frontières interpersonnelles) et d'adaptabilité (répartition des rôles et règles familiales). Lorsque la tâche est terminée, l'intervenant fait retour avec la famille sur la « maison de rêve » nouvellement construite. Circulant d'une pièce à l'autre, il pose les questions suivantes : 1. « Comment cette pièce est-elle meublée ? » ; 2. « Qui passe du temps ici et que font ces personnes ? » et 3. « Quelles sont les règles en vigueur dans cette pièce ? ». Les réponses sont évaluées en tenant compte de qui répond. Les rôles et les règles familiales qui transparaissent à la fois au cours de la tâche et durant la période de retour sur l'activité avec la famille sont interprétés en regard du modèle d'adaptabilité de Olson. De même, les patterns de communication démontrant comment les uns et les autres passent du temps ensemble et séparément (temps et espace) et les frontières interpersonnelles et intergénérationnelles sont évaluées en fonction du modèle de cohésion.

***Planifier un repas ensemble*** – Cette tâche fut développée par Minuchin (1974) à la Clinique de Philadelphie pour évaluer la dynamique et les interactions en thérapie familiale lorsqu'un des membres de la famille souffrait d'un trouble alimentaire. On demande à la famille de planifier de façon consensuelle un repas que tous pourraient manger. Le repas doit comporter les ingrédients suivants : un breuvage, un plat de viande, deux légumes et un dessert. Tandis que la famille s'engage dans la planification du repas, l'intervenant observe la scène en considérant les facteurs temps et espace, les questions de frontières et les patterns de communication (cohésion) ainsi que la répartition des rôles et les règles (adaptabilité) qui ressortent au cours du processus.

***L'entrevue structurée de la famille (ESF)*** – Partant d'une série de tâches très structurées, Watzlawick (1966) a demandé à chacun des membres de la famille, à la famille comme ensemble et à chacun des sous-systèmes de discuter et d'arriver à un consensus à propos de différents sujets et problèmes familiaux. Les étapes de l'ESF sont comme suit : 1. On pose à chaque membre de la famille la question suivante : « Il existe des problèmes dans toutes les familles, quel est selon vous le principal problème dans votre famille ? » ; 2. La famille est ensuite réunie et on pose la même question que la famille doit discuter avant d'arriver à un consensus ; 3. On demande par suite à la famille de planifier une activité que tous pourront faire ensemble ; 4. Ayant complété la tâche en 3, chacun des sous-systèmes doit planifier une activité ensemble, i.e. père et enfants, mère et enfants, frères et sœurs, mari et femme ; 5. On demande aux parents de discuter la question suivante : « De toutes les personnes que vous connaissez, pourquoi vous êtes-vous choisis comme partenaires ? » ; 6. La tâche finale concerne le sens donné par les parents au proverbe : « Pierre qui roule n'amasse pas mousse ». Après avoir rejoint un consensus sur le sens de ce proverbe, les enfants sont ramenés dans la pièce et les parents doivent leur enseigner la signification du proverbe. Ici encore, le modèle d'Olson est utilisé pour évaluer les interactions, la répartition des rôles, les habiletés à prendre des décisions, les dimensions du temps et de l'espace et les patterns de communication observés dans la famille.

*Le Journal de la famille* – Cet outil d'évaluation nécessite que la famille ensemble (ou séparément) retrace les activités de chacun de ses membres au cours d'une journée ordinaire suivant des intervalles d'une demi-heure en commençant avec le membre qui se réveille le premier le matin et en terminant avec celui qui se met le dernier au lit le soir. Sur une feuille de format journal, l'intervenant remplit chaque item en demandant des précisions quant au temps, au lieu et au type d'activité en cause. Par exemple, on demande aux parents à propos de leur fils de 10 ans : « Où est Jim à ce moment ? », « Que fait-il ? », « Avec qui est-il ? », «Dans quelle classe est-il ? », « Qui est son professeur ? », « Où est-il dans la pièce ? » Les familles désengagées seront incapables d'apporter de telles précisions ou resteront vagues dans leurs réponses, tandis que les familles enchevêtrées pourront fournir mille détails à propos de la moindre activité.

*La sculpture de la famille selon Duehn* – Adaptée de la technique de sculpture familiale de Kvebaek (Cromwell et al., 1981), cette procédure requiert que chaque membre de la famille choisisse individuellement des figurines de la collection Fisher Price pour représenter les différents membres de la famille. On demande ensuite à chacun de disposer les figurines sur une feuille de 10" x 10" selon leur vision des relations entre les membres de la famille. D'autres éléments peuvent être ajoutés à la sculpture, tels que des membres de la famille étendue, des animaux favoris ou des gens appartenant au réseau social. Chaque sculpture est complétée de façon indépendante puis on demande à chacun d'expliquer la disposition de « sa » famille. L'ordre des placements, les mouvements des personnages et l'arrangement final sont évalués en tenant compte des explications données par chacun et de la disposition de la famille sur le plan.

*L'écomap (carte réseau) et le génogramme* – Il s'agit d'un moyen simple et efficace pour prendre connaissance des liens que la famille a créés et entretient avec son environnement. Construire une écomap peut être une façon dynamique de visualiser le pattern organisationnel et les liens entre la famille et les personnes, de même que les organismes présents dans son espace de vie. Développé par Hartman (1975), cet outil offre une vue d'ensemble du système écologique entourant la famille et fait voir l'équilibre entre les besoins et les ressources dont dispose le système familial. En exposant les liens existant entre la famille et son système écologique, l'écomap livre l'état des ressources offertes par l'environnement à la famille, aussi bien que ses lacunes et les besoins non satisfaits de celle-ci.

Les intervenants se rapportent depuis longtemps au génogramme en tant qu'instrument d'appoint pour prendre connaissance de l'histoire de la famille. Référant au concept d'arbre généalogique, le génogramme comprend habituellement trois ou quatre générations qui, selon une perspective longitudinale, offre un tableau des divers événements de vie (naissance, mariage, divorce, maladie et décès), des types d'occupation et lieux de résidence de la famille. Des patterns émergent à mesure de la réalisation de la tâche qui peuvent renseigner sur le fonctionnement et la composition de la famille actuelle. Il est malheureux que ces outils soient trop souvent remis à la famille comme « devoir à faire à la maison » et qu'aucun critère ou modèle ne soit appliqué pour les évaluer, ce qui fait perdre une précieuse information sur les interactions et le processus en cours de réalisation. Aussi, nous recommandons que ces techniques fassent partie de l'évaluation de la famille, et que le processus et le produit final soient évalués selon le modèle d'Olson.

**L'inventaire des conflits conjugaux** – (Olson & Ryder, 1970) Cette procédure utilise une combinaison d'auto-questionnaires et d'observation du comportement. A partir de 18 courtes vignettes représentant divers types de conflits conjugaux, quatre questions sont posées aux parents à propos de chacune des situations : 1. Qui est responsable ? 2. Que devraient-ils faire ? 3. Cette situation est-elle pertinente pour vous ? 4. Cette situation est-elle pertinente par rapport à d'autres relations que vous connaissez ? Le questionnaire est rempli par le mari et la femme séparément, puis le couple est réuni et on discute de chaque situation en demandant au couple de décider ensemble « qui est responsable » et « ce qu'ils devraient faire dans ce cas ». La discussion est observée et évaluée en termes de cohésion et d'adaptabilité.

## Cas clinique

Partant de la technique interactive « *Construisez la maison de vos rêves* », l'intervenant annonce à la famille qu'elle dispose de 800 000$ pour bâtir une maison et la meubler. Celle-ci est composée de la mère, 41 ans, du père, 43 ans, et d'un garçon de 10 ans en attente d'être adopté. Une fois les explications données, la famille commence très vite à tracer les plans sur une carte séparée et à envisager les décisions concernant la construction et l'ameublement de la maison. La famille fait tout de même face à un conflit lorsqu'il s'agit de décider de l'occupation du plancher, mais elle rejoint une décision après avoir pesé les pours et les contres et tenté d'obtenir des suggestions de l'intervenant.

Il devient cependant évident au cours de l'exercice que la mère est frustrée et fâchée contre le père concernant le plan et l'ameublement de la maison. À un moment donné, la mère dit : « Pourquoi ne laisserait-on pas tout simplement papa dormir dans la cour ?... », ce commentaire et d'autres remarques de la mère étant dirigés vers le garçon de 10 ans.

Une fois l'exercice achevé et après que l'enfant eut quitté la salle, l'intervenant revint sur les remarques de la mère à propos du père, en exprimant à celle-ci qu'il semblait qu'elle se rangeait avec son fils à propos d'une question à traiter entre mari et femme, et ce au détriment de son mari. Affichant leur désaccord, les parents parlèrent plutôt d'une alliance présente entre le père et le fils. À mesure et plus la discussion progressait, plus il devint évident que des conflits importants existaient entre les deux parents. Il fut alors convenu qu'un plan impliquant un suivi professionnel était nécessaire, ce que les deux parents acceptèrent en s'engageant à chercher du counselling conjugal et familial.

Il s'agit d'une famille structurellement désengagée et séparée, alors que dans le passé, les parents ont eu à répondre d'allégations d'abus concernant leur fils adopté. Cet exercice a permis à l'intervenant d'ouvrir la discussion autour d'un conflit conjugal et d'un problème de triangulation parent-enfant qui n'auraient pu être identifiés et explorés autrement.

## Conclusion

La nature même des méthodes d'évaluation utilisées dicte le ton de l'intervention et des interactions qui vont suivre dans le cours de l'évaluation des familles et des services à fournir en post-adoption. En observant la famille à divers niveaux de son fonctionnement, l'intervenant est mieux à même de saisir les forces et les faiblesses du système familial et d'évaluer la capacité de la famille à s'adapter aux exigences et gérer le stress associés à l'adoption. Les intervenants qui ont développé des méthodes d'évaluation et collaboré avec des familles en administrant de tels protocoles sont particulièrement bien outillés au moment de recommander la sélection des familles adoptives et de fournir des services en pré ou post-adoption qui soient vraiment appropriés à la famille en question. Leur expérience et la maîtrise de leurs habiletés à cet égard devraient contribuer à une sélection de familles adoptives dévouées et engagées et promouvoir ainsi la confiance à l'intérieur de la communauté professionnelle et des milieux de l'adoption.

Traduit par *Denise Marchand*

## ABSTRACT

*The author examines cutting edge methodological assessment approaches to adoptive family selection and post adoptive service delivery and offers a conceptual framework for bridging systemic and cognitive-behavioral perspectives and techniques. He argues for the necessity of multisystem and multilevel assessment procedures that should be designed to match the particular system level of the family being assessed. The assessment procedures discussed are of special relevance to adoption workers who must not only select, develop and provide post adoptive services to adoptive families but who often times must address the special traumagenic impact and needs of neglected and abused children entering into adoption.*

# Références

**Carter EA, McGoldrick M.** *The family life cycle : A framework for family therapy.* New York : Gardner, 1980.

**Cromwell RE, Fournier DG, Kvebaek DJ.** *The Kvebaek family sculpture techniques : A diagnostic and research tool in family therapy.* Jonesboro, TN : Pilgrimage, 1981.

**Epstein NB, Bishop DS, Baldwin LM.** McMaster model of family functioning: A view of the normal family. In : **Walsh F.** (ed) *Normal family processes : Guilford family therapy Series.* New York : Guilford, 1982 : 115-141.

**Hartman A.** *Finding families : An ecological approach to family assessment in adoption.* Beverly Hills, CA : Sage, 1979.

**Hess R, Handel G.** *Family worlds.* Chicago : University of Chicago, 1959.

**Kantor D, Lehr W.** *Inside the family.* San Francisco : Jossey-Bass, 1976.

**Lewis JM, et al.** *No single thread : Psychological health in family systems.* New York : Brunner-Mazel, 1976.

**Minuchin S.** *Families and family therapy.* Cambridge, MA: Harvard University, 1974.

**Olson DH, Russell CS, Sprenkle D H.** *Circumplex model : Systemic assessment and treatment of families.* New York : Haworth, 1989.

**Olson DH, Ryder RG.** Inventory of marital conflict : An experimental interaction procedure. *Journal of Marriage and the Family* 1970; 32 : 443-448.

**Watzlawick P.** A structured family interview. *Family Process* 1966; 5 : 256-271.

# Développement cognitif et moteur d'enfants de l'adoption internationale au Québec : une étude longitudinale

Chantal Migneault
Gérard Malcuit
Andrée Pomerleau et
Mélanie Vilandré*

Chantal Migneault est psychologue et ce travail s'inscrit dans le cadre de sa recherche faite pour l'obtention d'un doctorat en psychologie à l'Université du Québec à Montréal.
Les autres auteurs sont associés au Laboratoire d'étude du nourrisson de l'Université du Québec à Montréal.

Adresse :
C.P. 8888 succ. Centre-ville
Montréal (Québec) H3C 3P8

Courriel:
Chantal.Migneault@
USherbrooke.ca
gerard.malcuit@uqam.ca

Le bagage génétique et les prédispositions biologiques de l'enfant peuvent expliquer son niveau de développement, mais le milieu dans lequel il vit a également de l'importance : plus l'enfant vit des expériences appropriées, plus il est susceptible de bien évoluer, et l'inverse est aussi vrai. Les enfants adoptés de l'étranger ont souvent expérimenté des privations (Chicoine, Germain et Lemieux, 2003), et les conditions difficiles particulières à leur pays d'origine se répercutent sur leur état de santé et de développement. Ces conditions se définissent souvent par la pauvreté, la malnutrition, le manque d'affection et de stimulations, ainsi que par des soins médicaux déficients inappropriés. Ce type d'environnement lacunaire peut entraîner des problèmes de santé, des retards de développement cognitif, moteur ou social et des difficultés d'attachement (Juffer, Stams et van Ijzendoorn, 2004; MacLean, 2003; Rutter, O'Connor et ERA Study team, 2004).

Les observations réalisées dans divers pays permettent de tracer un portrait des conditions pré-adoption, qui ne sont pas les mêmes pour tous les enfants (Kaler et Freeman, 1994; Westhues et Cohen, 1995). L'environnement dans les orphelinats d'Europe de l'Est, généralement surpeuplés, comporte des privations sévères. À l'opposé, en Corée du Sud ou en certaines provinces de Chine, les enfants sont souvent mis en famille d'accueil, lesquelles offriraient de meilleurs soins, puisque chaque enfant a une nourrice. Le mode de vie de la mère pendant la grossesse et la raison qui l'incite à abandonner son bébé font aussi partie des conditions pré-adoption. En Chine par exemple, les mères abandonnent leur fillette car les familles préfèrent un garçon, ce dernier possédant une plus grande valeur

* L'équipe de recherche comprend également J.-F. Chicoine, G. Jeliu, C. Belhumeur, I. Amyot, P. Germain et R. Séguin. L'article repose sur la thèse de doctorat de la première auteure. La recherche a bénéficié de subventions du Conseil de recherches médicales du Canada, de l'UQAM et du CHU Ste-Justine.

## RÉSUMÉ

*La présente étude vise à expliquer le développement cognitif et moteur de 90 enfants de l'adoption internationale provenant d'Asie, de Chine et de Russie, et âgés de moins de 18 mois à leur arrivée au Québec. Selon les mesures prises dès l'arrivée, trois mois plus tard, puis à l'âge de trois ans, les plus jeunes enfants obtiennent de meilleurs scores de développement cognitif et évoluent plus rapidement que ceux plus âgés au moment de leur arrivée. Les enfants du groupe Russie présentent davantage de retards de développement cognitif et moteur à 3 ans. Les conditions pré-adoption se refléteraient sur l'évolution plus ou moins rapide du développement. Après quelques mois dans leur famille adoptive, 81 % des enfants atteignent un niveau de développement satisfaisant.*

sociale. Dans d'autres pays d'Asie, beaucoup de mères célibataires donnent leur enfant en adoption, alors qu'ailleurs, en Russie notamment, c'est la pauvreté qui motive ce choix. Ces conditions déterminent en bonne part l'importance des retards chez les enfants au moment de leur adoption et elles orientent aussi leur évolution subséquente.

De façon générale, moins longtemps les enfants ont expérimenté des privations, moins leur état de santé et leur développement sont compromis, et meilleure est leur évolution. O'Connor et son équipe (2000) observent que les enfants roumains adoptés au Canada avant l'âge de six mois présentent moins de troubles médicaux, comportementaux et affectifs à l'âge de 4 ans que les enfants adoptés plus tardivement. Cependant, certains enfants qui arrivent plus âgés obtiennent tout de même des scores de développement élevés, ce qui serait en partie lié à la qualité des soins offerts dans le milieu d'origine (Chicoine, 2001; Johnson et al., 1992). Cette qualité varie selon les pays et même selon les régions.

Malgré divers problèmes à l'arrivée, la majorité des enfants connaît une amélioration rapide après l'adoption (O'Connor et al., 2000). Cette récupération s'expliquerait par les conditions de vie offertes dans l'environnement familial. Les parents adoptifs sont en général de niveau socio-économique aisé, plus scolarisés et plus âgés que la moyenne des parents de jeunes enfants (Tessier et al., 2005). Ils peuvent pallier les difficultés que présente l'enfant et favoriser son développement en lui fournissant des occasions d'apprentissage variées.

Ce phénomène de rattrapage rapide chez les enfants de l'adoption internationale a suscité de nombreuses questions sur les facteurs pouvant l'expliquer. S'intéressant aux variables liées à l'enfant et au contexte familial qui pourraient être associées à leur évolution, notre recherche longitudinale vise à décrire l'état de santé physique et psychologique d'enfants de l'adoption étrangère, ainsi que leur milieu de vie depuis leur arrivée jusqu'à l'âge de 3 ans (voir Pomerleau et al., 2005, pour les données médicales et psychosociales de l'échantillon total). Le présent article porte sur le développement cognitif et moteur des enfants, de leur arrivée au Québec jusqu'à l'âge de 3 ans (Migneault, 2005). Nous examinons les liens entre le niveau de développement, l'âge au moment de l'adoption et la région d'origine des enfants.

## Protocole de recherche et résultats

Nous avons choisi d'étudier le développement d'enfants adoptés jeunes, soit avant l'âge de 18 mois. Ce choix repose sur deux raisons : la majorité des adoptions implique de jeunes enfants et nous avons pris en compte cette réalité (Lachance, 2002). Aussi, nous voulions un échantillon d'enfants dont l'éventail des âges au moment de l'adoption ne soit pas trop large afin de restreindre la variabilité liée à ce facteur. Les enfants proviennent de Chine, d'Asie de l'Est autre que la Chine continentale, et de Russie. On sait que la majorité des enfants adoptés au Québec sont originaires de ces régions (Lachance, 2002). L'échantillon comprend 90 enfants qui viennent de Chine ($n$ = 48, toutes des filles), d'Asie de l'Est (Vietnam, Thaïlande, Cambodge, Taïwan et Corée, $n$ = 30, 17 filles) et d'Europe de l'Est (Russie et Biélorussie, $n$ = 12, 5 filles). L'âge moyen des enfants à l'arrivée est de 11 mois 10 jours (étendue variant entre 4 et 18 mois) et leur recrutement a été fait par le personnel des agences d'adoption de la région de Montréal et de la Clinique de santé internationale (CSI).

Lors de rencontres organisées par les agences avant l'adoption, nous expliquons le projet aux parents adoptants et sollicitons leur participation. Les familles se présentent à trois visites d'évaluation à l'UQAM : la première a lieu le plus près possible du moment de l'arrivée des enfants (96 % sont au Québec depuis moins de 30 jours) ; la deuxième visite a lieu trois mois après et, finalement, quand les enfants sont âgés de 3 ans. Chaque visite est jumelée à une évaluation à la CSI (voir Pomerleau et al., 2005). Les deux premières évaluations visent à examiner et comparer l'évolution du développement cognitif et moteur des enfants après des durées de vie similaires dans la famille adoptive, et l'évaluation faite à 3 ans permet de comparer ces mêmes variables alors que les enfants ont le même âge.

Nous évaluons le développement à l'aide des *Échelles de développement mental et moteur de Bayley* (Bayley, 1993). L'échelle mentale mesure la capacité à répondre à des tâches qui nécessitent des habiletés cognitives, telles la permanence de l'objet, la mémoire ou le langage. L'échelle motrice évalue les motricités fine et globale. Elle touche des habiletés telles l'extension des membres, la manipulation de petits objets ou la marche. Ces échelles donnent des scores normalisés de développement avec une moyenne de 100 et un écart type de 15. Pour assurer la fidélité des mesures, 69 % des évaluations filmées, choisies au hasard, sont cotées une deuxième fois par un groupe d'évaluatrices. Nous colligeons également des données sur le contexte familial, les parents répondant à un questionnaire portant sur leur revenu, leur niveau de scolarité, leur âge et la composition de la fratrie (voir Tableau 1) Concernant les caractéristiques socio-démographiques des familles, il n'existe pas de différences entre les groupes.

**Tableau 1** Caractéristiques socio-démographiques des familles adoptives

| N = 90 enfants | Asie n = 30 | | Chine n = 48 | | Russie n = 12 | |
|---|---|---|---|---|---|---|
| | M | (ÉT) | M | (ÉT) | M | (ÉT) |
| • Âge de la mère (années) | 36,2 | (4,6) | 37,4 | (5,2) | 39,1 | (4,6) |
| • Âge du père (années) | 39,1 | (5,5) | 39,3 | (5,4) | 40,9 | (5,8) |
| • Scolarité de la mère (années) | 15,6 | (2,7) | 14,9 | (2,4) | 14,7 | (2,1) |
| • Scolarité du père (années) | 15,4 | (3,5) | 15,4 | (2,6) | 15,1 | (2,8) |
| • Revenu familial + 60 0000$ | 80% | | 82% | | 100% | |
| • Présence d'un enfant plus âgé | 14 familles | | 20 familles | | 3 familles | |
|   Fratrie adoptée de l'étranger | 12 familles | | 11 familles | | 1 famille | |

La majorité des analyses est faite à l'aide du logiciel des modèles hiérarchiques linéaires à deux niveaux, nommé aussi HLM (Raudenbush & Bryk, 2002). Les analyses HLM tiennent compte du temps variable entre les trois visites. Elles considèrent aussi le temps écoulé pour chaque enfant entre son âge à l'arrivée et la dernière évaluation, alors qu'il a 3 ans. Les analyses HLM, des analyses corrélationnelles et de la variance portent sur l'évolution du développement de l'enfant en lien avec son âge au moment de l'adoption et sa région d'origine.

Une analyse de la variance, suivie du test de Tukey, révèle que les enfants du groupe Asie sont significativement plus jeunes que ceux de Chine à leur arrivée. Ils ont en moyenne 8,9 mois, et ceux de Chine 11,8 mois (ceux de Russie ont 11,1 mois). Les analyses HLM des scores de développement cognitif indiquent que, plus les enfants arrivent jeunes, meilleurs sont leurs scores (voir Tableau 2). Les

**Tableau 2**  Résultats des analyses HLM du score de développement cognitif des enfants

| Effets fixes | Coefficient | (Écart type) | t | p |
|---|---|---|---|---|
| **Score initial** *(intercept)* | 92,2 | *(5,5)* | 16,56 | 0,000 |
| Âge de l'enfant à l'arrivée | -0,036 | *(0,014)* | -2,67 | 0,008 |
| Asie | 3,41 | *(3,5)* | 0,96 | 0,336 |
| Chine | 4,1 | *(3,1)* | 1,28 | 0,199 |
| **Évolution / temps** *(intercept)* | 0,001 | *(0,007)* | 0,11 | 0,917 |
| Âge de l'enfant à l'arrivée | 0,00003 | *(0,00002)* | 1,62 | 0,106 |
| Asie | 0,004 | *(0,005)* | 0,83 | 0,407 |
| Chine | 0,007 | *(0,005)* | 1,38 | 0,166 |

| Effets aléatoires | Écart Type | Composante de la variance | Khi-Carré | p |
|---|---|---|---|---|
| **Score initial** | 9,76 | 95,34 | 287,83 | 0,000 |
| **Évolution dans le temps** | 0,01 | 0,00011 | 129,44 | 0,002 |
| **Erreur niveau 1** | 8,59 | 73,884 | | |

analyses corrélationnelles de Pearson montrent que l'âge des enfants à l'arrivée est associé à leurs scores de développement cognitif aux trois évaluations (r = -0,20 à l'arrivée, -0,38 3 mois plus tard et -0,25 à 3 ans). Les plus jeunes au moment de l'adoption (selon la médiane) ont de meilleurs scores à chaque temps de mesure (voir Figure 1). Les scores de développement moteur ne sont pas en lien avec l'âge des enfants à l'arrivée.

**Figure 1**  Évolution des scores de développement cognitif des enfants, selon leur âge au moment de l'adoption (selon la médiane).

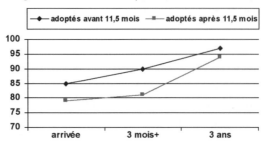

Alors que, d'après les HLM, les scores de développement cognitif ne sont pas différents à l'arrivée selon la région d'origine, ils diffèrent à 3 ans. Une analyse de la variance des scores à 3 ans et le test de

Tukey montrent que les enfants du groupe Russie ont un score moyen plus faible que ceux des enfants des groupes Asie et Chine. Entre la première et la dernière évaluation, les scores de développement cognitif augmentent chez 83 % des enfants du groupe Asie, 86 % de ceux du groupe Chine et 67 % de ceux du groupe Russie (voir Figure 2).

**Figure 2** Évolution des scores de développement cognitif des enfants, selon leur pays d'origine.

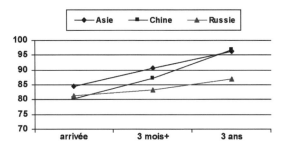

Comme les scores de développement cognitif, les scores de développement moteur ne sont pas différents au moment de l'arrivée, selon les analyses HLM (voir Tableau 3). Toutefois, une analyse de la

**Tableau 3** Résultats des analyses HLM du score de développement moteur des enfants

| Effets fixes | Coefficient | (Écart type) | t | p |
|---|---|---|---|---|
| **Score initial** *(intercept)* | 81,7 | *(4,7)* | 16,8 | 0,000 |
| Âge de l'enfant à l'arrivée | -0,012 | *(0,02)* | -1,09 | 0,275 |
| Asie | 8,87 | *(5,6)* | 1,58 | 0,114 |
| Chine | 1,4 | *(4,8)* | 0,29 | 0,773 |
| **Évolution / temps** *(intercept)* | -0,005 | *(0,008)* | -0,65 | 0,519 |
| Âge de l'enfant à l'arrivée | 0,00003 | *(0,00002)* | 1,186 | 0,236 |
| Asie | 0,002 | *(0,006)* | 0,38 | 0,700 |
| Chine | 0,012 | *(0,006)* | 2,06 | 0,039 |
| **Effets aléatoires** | Écart Type | Composante de la variance | Khi-Carré | p |
| **Score initial** | 12,501 | 156,277 | 277,56 | 0,000 |
| **Évolution dans le temps** | 0,0092 | 0,00009 | 105,88 | 0,062 |
| **Erreur niveau 1** | 11,419 | 130,407 | | |

variance des scores à l'évaluation faite à 3 ans et le test de Tukey montrent que les enfants du groupe Russie ont un score moyen inférieur à ceux des enfants des groupes Asie et Chine. Les scores de développement moteur augmentent chez 70 % des enfants du groupe Asie, 83 % de ceux du groupe Chine et 67 % de ceux du groupe Russie. Ce sont les enfants du groupe Asie qui ont les scores les plus élevés (voir Figure 3).

**Figure 3** Évolution des scores de développement moteur des enfants, selon leur pays d'origine.

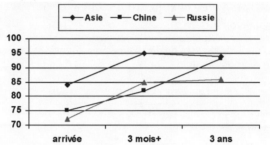

## Discussion

Ces résultats nous amènent à poser deux questions : pourquoi le niveau de développement des enfants adoptés plus jeunes et leur évolution sont-ils supérieurs à ceux des enfants adoptés plus vieux, et pourquoi les enfants du groupe Russie évoluent-ils moins bien que ceux adoptés des groupes Asie et Chine?

Examinons les éléments qui peuvent expliquer le meilleur niveau de développement et d'évolution des enfants adoptés jeunes. Nous pensons que le temps passé dans l'environnement pré-adoption et la qualité du milieu adoptif sont des éléments à considérer. Aux trois temps de mesure, on note une corrélation négative entre l'âge à l'arrivée et les scores de développement cognitif. Il semble donc que moins longtemps les enfants sont exposés à des conditions de vie difficiles pré-adoption, moins les effets nocifs de ces conditions affectent la qualité de leur développement et son évolution après l'adoption. Le jeune enfant qui n'a vécu qu'une courte période de temps dans son milieu d'origine arrive dans sa nouvelle famille avec un plus petit bagage d'antécédents négatifs. Ses difficultés seraient moins nombreuses et probablement moins importantes (Chicoine, 2001). Il serait alors plus facile pour lui de rattraper d'éventuels retards quand il se retrouve dans un environnement adéquat. Plus ce changement d'environnement survient tôt, plus son impact sur le développement de l'enfant se révèle important (Ramey et Ramey, 1998). La plasticité du cerveau étant plus grande chez le jeune enfant (Thomas, 2003), celui-ci est alors plus susceptible de bénéficier de l'environnement stimulant que lui offre son nouveau milieu familial.

Nous pouvons également supposer qu'il est plus facile pour les parents d'avoir des échanges positifs et affectueux avec un jeune bébé, qu'il soit adopté ou non. En effet, les traits particuliers du bébé déclencheraient spontanément des conduites interactives positives et stimulantes chez les adultes (Papousek et Papousek, 1991). Des conduites interactives positives de la part des parents suscitent en retour chez l'enfant des conduites de même nature, ce qui favorise un échange transactionnel entre les partenaires (Sameroff, 2000). Nous estimons donc que le fait de vivre moins longtemps dans un milieu pré-adoption souvent carencé et de trouver tôt un environnement familial adéquat et stimulant entraîne un meilleur état développemental de l'enfant à son arrivée et un rattrapage plus rapide par la suite.

La deuxième question porte sur le constat que les enfants du groupe Russie évoluent moins bien que ceux des groupes Asie et Chine. Nos résultats montrent que, à l'arrivée, les scores de développement cognitif et moteur des enfants des trois groupes ne diffèrent pas. En moyenne, les enfants arrivent avec des retards dont la mesure rend compte. La ou les causes de ces retards expliqueraient le rattrapage plus ou moins rapide chez certains. Des problèmes de santé majeurs se retrouvent proportionnellement en plus grand nombre chez les enfants du groupe Russie. La recherche menée sur l'échantillon plus large d'où proviennent les enfants de cette étude indique que ceux du groupe Russie présentent plus de signes d'épilepsie, de syndrome d'alcoolisation fœtale et d'hémiplégie que les enfants des autres groupes, six mois après leur adoption (présence de signes neurologiques : Russie : 17 %, Chine : 2 %, Asie : 3 %) (Pomerleau et al., 2005). L'évolution moins prononcée de leurs scores à 3 ans serait donc en lien avec les conditions pré-adoption spécifiques à leur région d'origine. Il semble aussi que les difficultés perdurent. Tessier et ses collègues (2005) rapportent que les enfants de Russie et de Roumanie ont un taux d'échec scolaire au primaire qui est supérieur à celui des autres enfants adoptés à l'étranger. Ils ont plus de problèmes internalisés que ceux d'Asie et ont davantage de problèmes externalisés (troubles des conduites et de l'attention avec hyperactivité) que la moyenne générale des enfants. Les enfants du groupe Russie auraient donc au départ des problèmes plus difficiles à rattraper. Les effets d'un premier environnement déficitaire peuvent persister, quelle que soit la qualité du milieu ultérieur.

Notre étude comporte des limites. Bien que nos résultats ne soient pas en contradiction avec ceux d'autres recherches, il faut demeurer prudent dans leur interprétation. Le groupe d'enfants adoptés en Russie est petit, ce qui restreint les possibilités de généralisation. Une autre limite, la plus importante, est l'impossibilité de vérifier les conditions pré-adoption dans lesquelles ont vécu les enfants. Les interprétations reposent sur des informations partielles recueillies auprès des parents et des agences d'adoption, ainsi que sur les observations de recherches antérieures.

En conclusion, l'étude montre l'importance du premier environnement dans lequel évolue l'enfant; des conditions inadéquates du milieu pré et postnatal se répercutent sur son développement, entraînant des retards cognitif et moteur. C'est ce que l'on observe chez les enfants adoptés à l'étranger lorsqu'ils arrivent au Québec; sans avoir pu mesurer les conditions du milieu pré-adoption, nous en mesurons les effets sur l'état de leur développement. En appui à l'impact des conditions inadéquates du premier environnement, nous observons que les retards sont moins importants lorsque la durée de vie dans de telles conditions est moins longue. Heureusement, le premier milieu de vie, bien qu'important, n'a pas d'effets irréversibles notables sur le développement. Un changement radical dans la qualité de l'environnement entraîne un rattrapage remarquable de l'état de l'enfant. La qualité de l'environnement de la famille adoptive vient pallier les retards observés à l'arrivée chez la majorité des enfants (81 % de ceux de l'étude). Les enfants adoptés jeunes évoluent plus rapidement que ceux adoptés plus tard, mais cet écart diminue constamment au contact de la famille adoptive. L'ensemble des éléments du nouvel environnement de vie offert par la famille demeure le principal facteur expliquant l'épanouissement ultérieur des enfants adoptés.

## ABSTRACT

*The authors discuss results of their longitudinal study of 90 children adopted from South Asia, China or Russia and arrived in Quebec at 18 months of age or less. Considering data collected through three times of measurement, the first at the arrival of the child, the second, three months later and the third time, at 3 years of age, the authors examine links between the level of cognitive and motor development, the age at the time of adoption and the country of origin of adopted children. Younger children obtained the best scores in cognitive development with a more rapid evolution than older children. A key finding is that children from the Russian group showed more delay in their motor and cognitive development at 3 years of age than children of the other groups. However the authors have noted that after a few months in their adoptive families, 81 % of the sample had made notable progress and reached an average level of development.*

## Références

**Bayley N. Bayley** *Scales of Infant Development* (2ᵉ ed.). San Antonio, TX : The Psychological Corp., 1993.

**Chicoine JF, Germain P, Lemieux J.** *L'enfant adopté dans le monde (en quinze chapitres et demi)*. Montréal : Éditions de l'Hôpital Sainte-Justine, 2003.

**Chicoine JF.** Adoption étrangère : le point de vue du pédiatre. *Médecine Thérapeutique/Pédiatrie* 2001; 4 : 342-357.

**Johnson DE, Miller LC, Iverson S, Thomas W, Franchino B, Dole K, Kiernan MT, Georgieff MK, Hostetter MK.** The health of children adopted from Romania. *JAMA* 1992; 268 : 3446-3451.

**Juffer F, Stams GJ, Van Ijzendoorn MH.** Adopted children's problem behavior is significantly related to their ego resiliency, ego control, and sociometric status. *J Ch Psychol & Psychiat* 2004; 45 : 697-706.

**Kaler SR, Freeman BJ.** Analysis of environmental deprivation: Cognitive and social development in Romanian orphans. *J Ch Psychol & Psychiat* 1994; 35 : 769-781.

**Lachance JF.** *Les adoptions internationales au Québec; Portrait statistique de 2000*. Secrétariat à l'adoption internationale. Direction des communications, MSSS, Québec, 2002.

**MacLean K.** The impact of institutionalization on child development. *Dev & Psychopathol* 2003; 15 : 853-884.

**Migneault C.** *Interactions parent-enfant, maintien de la culture d'origine et développement cognitif et moteur d'enfants de l'adoption internationale au Québec*. Thèse de doctorat inédite, Département de psychologie, Université du Québec à Montréal, Canada, 2005.

**O'Connor TG, Rutter M, Beckett C, Keaveney L, Kreppner JM.** The effects of global severe privation on cognitive competence : Extension and longitudinal follow-up. *Child Dev* 2000; 71 : 376-390.

**Papousek H, Papousek M.** Innate and cultural guidance of infants' integrative competencies. In : **Bornstein MH.** (ed) *Cultural approaches to parenting*. Hillsdale, NJ : Erlbaum, 1991 : 23-44.

**Pomerleau A, Malcuit G, Chicoine JF, Séguin R, Belhumeur C, Germain P, et al.** Health status, cognitive and motor development of young children adopted from China, East Asia and Russia across the first six months after adoption. *Int J Beh Dev* 2005; 29 : 445-457.

**Ramey CT, Ramey SL.** Early intervention and early experience. *Amer Psychol* 1998; 53 : 109-120.

**Raudenbush SW, Bryk AS.** *Hierarchical Linear Models; Applications and data analysis methods* (2e Ed). Thousand Oaks, London : Sage Publ., 2002.

**Rutter M, O'Connor TG, the English and Romanian Adoptees (ERA) Study team.** Are there biological programming effects for psychological development? Findings from a study of Romanian adoptees. *Dev Psychol* 2004; 40 : 81-94.

**Sameroff AJ.** Developmental systems and psychopathology. *Dev & Psychopathol* 2000; 12 : 297-312.

**Tessier R, Larose S, Moss E, Nadeau L, Tarabulsy GM, le Secrétariat à l'adoption internationale (SAI) du Québec.** *L'adoption internationale au Québec de 1985 à 2002; L'adaptation sociale des enfants nés à l'étranger et adoptés par des familles du Québec*. Direction des communications, MSSS, Québec, 2005.

**Thomas MSC.** Limits on plasticity. *J Cogn & Dev* 2003; 4 : 99-125.

**Westhues A, Cohen JS.** Intercountry adoption in Canada: Predictors of well-being, In : **Hudson J, Galaway B.** (eds) *Canadian child welfare : Research and policy implications*. Toronto : Thompson, 1995.

no 46

# La théorie de l'attachement comme outil d'intervention auprès des parents d'accueil et des enfants placés

**Dominique Duchesne**
**Karine Dubois-Comtois**
**Ellen Moss**

Les trois auteures sont
associées au Département
de psychologie de
l'Université du Québec
à Montréal, où
**Dominique Duchesne** est
étudiante au doctorat,
**Karine Dubois-Comtois,**
Ph.D. et Ellen Moss, Ph.D.
sont chercheures
associées.

Adresse :
C. P. 8888, succ. Centre-Ville
Montréal (Québec) H3C 3P8

Courriel :
moss.ellen@uqam.ca

De nombreuses études révèlent que de plus en plus d'enfants sont confiés aux services sociaux. Au Québec, en 2004-2005, 27 642 enfants étaient confiés aux Directions de la Protection de la Jeunesse du Québec et vivaient dans une des ressources d'hébergement gérées par les centres jeunesse. On évalue que 14 838 enfants étaient placés auprès de quelque 6 000 familles d'accueil (Bilan des Directeurs de la protection de la jeunesse, 2004).

Les enfants placés très jeunes en familles d'accueil sont considérés comme une population très vulnérable à plusieurs égards. Tout d'abord, avant même d'être placés, ces enfants ont été exposés à divers facteurs de risque (Hepworth, 1980). En effet, leurs mères biologiques sont plus susceptibles de présenter des problèmes de santé mentale et de consommation (Rapport annuel du Centre jeunesse de Montréal, 2002). De plus, ces enfants ont vécu de multiples ruptures relationnelles et placements qui peuvent avoir une incidence sur leur développement socio-affectif ultérieur (Newton, Litrownik et Landsverk, 2000). Sur le plan relationnel, ils sont plus susceptibles de développer des liens d'attachement insécurisants, en particulier désorganisés (Dozier et al., 2001). À plus long terme, ces enfants présenteront plus de problèmes de comportement (Stein, 1997), d'échecs scolaires (Zima et al., 2000) et de problèmes de santé mentale (Clyman, Jones Harden et Little, 2002).

De leur côté, les parents d'accueil qui doivent subvenir aux besoins tant physiques qu'affectifs des enfants (Campbell et Downs, 1987; Chamberlain, Moreland et Reid, 1992; Pecora, Wittaker et Maluccio,

Cette recherche a été subventionnée par le Fonds québécois de la recherche en sciences et culture (FQRSC), ainsi que par les bourses doctorales du FQRSC pour Dominique Duchesne et Karine Dubois-Comtois. Toute correspondance doit être adressée à Ellen Moss, Département de psychologie, Université du Québec à Montréal.

## RÉSUMÉ

*Les auteures présentent les résultats d' une étude évaluant l' efficacité d' un programme d' intervention visant à augmenter la sensibilité parentale chez la mère d' accueil et la sécurité du lien d' attachement chez l' enfant placé. Une cohorte de 27 enfants âgés en moyenne de 3 ans et leurs mères d' accueil a été répartie en deux groupes - témoin et intervention - et six rencontres portant sur divers aspects de la relation parent-enfant ont été offertes aux dyades du groupe intervention. La sensibilité maternelle a été évaluée avant et après l' intervention pour tous les participants et une mesure d' attachement des mères d' accueil a été recueillie avant l' intervention. Selon les résultats obtenus, l' intervention est efficace pour augmenter la sensibilité des mères qui ont un attachement résolu mais elle est inefficace, voire nuisible dans le cas de parents chez qui l' attachement est de type non résolu.*

1992) éprouvent souvent de nombreuses difficultés à jouer adéquatement leur rôle (Brown et Clader, 1999; Holland et Gorey, 2004; Miedema, 1999; Rhodes, Orme et Buehler, 2001; Wilson, Sinclair et Gibbs, 2000). Malgré leur bon vouloir, beaucoup de parents ne possèdent pas les compétences et les ressources pour promouvoir le développement optimal de ces enfants (Fisher, Ellis et Chamberlain, 1999; Zukoski, 2000). Ils vivent beaucoup de stress en accueillant des enfants qui présentent des problématiques de plus en plus lourdes, et il importe donc d'intervenir auprès d'eux pour mieux les équiper face au rôle difficile qu'ils doivent jouer, et ce dans l'optique de prévenir des difficultés d'adaptation et de limiter le nombre de déplacements que risquent de connaître ces enfants.

La théorie de l'attachement permet de comprendre les enjeux confrontant cette population. Selon Bowlby (1982), la qualité de la relation parent-enfant a un effet durable sur l'adaptation socio-affective de l'enfant. La sensibilité parentale, qui est à la base du développement d'un attachement sécurisant chez l'enfant, réfère à la capacité du parent à reconnaître et détecter les besoins de l'enfant et à lui offrir rapidement le réconfort nécessaire. Plusieurs études ont montré que la sensibilité parentale est associée au type d'expériences d'attachement passées du parent et qu'elle agit comme un mécanisme de transmission intergénérationnelle de l'attachement, tant dans les dyades biologiques que non biologiques (Bokhorst et al., 2003; Dozier et al., 2001; van IJzendoorn, 1995). Les parents qui ont des représentations cohérentes de leurs expériences précoces d'attachement sont capables de faire face à l'expression de sentiments négatifs et d'en discuter avec leurs enfants. Ces parents possèdent un attachement de type autonome (F) et ont en général des enfants qui présentent un attachement sécurisé. Par contre, les parents distançants/désengagés (Ds) ont tendance à idéaliser leurs liens précoces et à nier leurs propres sentiments négatifs par rapport à leurs expériences passées d'attachement; ils seront probablement moins réceptifs à la détresse de l'enfant qui développera fréquemment un attachement de type évitant. Enfin, les parents qui sont encore très préoccupés (ou submergés) par leurs propres expériences d'attachement auront de la difficulté à gérer leurs émotions ou se sentiront menacés par les sentiments négatifs et ambivalents de leurs enfants qui pourront développer à leur tour un attachement ambivalent. Par contre, dans le cas des parents qui ne parviennent pas à résoudre les événements traumatiques vécus dans leur enfance et qui entretiennent un discours et une vision dissociés de leurs expériences passées, on note que les enfants développeront davantage un pattern d'attachement désorganisé (van IJzendoorn, 1995). Selon Main et Hesse (1990), ces parents ont souvent des comportements menaçants ou effrayants pour l'enfant alors qu'à d'autres moments, ils se comportent comme s'ils étaient eux-mêmes effrayés par l'enfant. Dans les cas d'attachement non résolu (U), les parents peuvent aussi être négligents ou violents envers l'enfant.

En plus d'être un puissant prédicteur de l'attachement de l'enfant, le style d'attachement chez le parent est associé à sa capacité à bénéficier d'une intervention thérapeutique. Ainsi, les adultes avec un type d'attachement non résolu éprouvent plus de difficultés à profiter d'une relation d'aide (Korfmacher et al., 1997; Moran, Pederson et Krupka; 2005; Slade, 1999). Ces adultes présentent des lacunes dans l'organisation de leur discours et de leur raisonnement lorsqu'ils rapportent et expliquent les circonstances d'un traumatisme passé, ce qui entrave d'autant le processus thérapeutique (Main et Hesse, 1999). Le type d'attachement des parents d'accueil est donc susceptible de jouer un rôle clé dans l'efficacité de l'intervention proposée dans la présente étude.

Howes et Segal (1993) ont observé que plusieurs enfants retirés de leur famille par suite de mauvais traitements réussissaient à développer un lien d'attachement sécurisé avec leurs parents d'accueil, sécurité qui serait associée à la sensibilité des adultes qui prennent charge de l'enfant. La sensibilité parentale est donc un élément critique dans le développement d'un attachement sécurisé (van IJzendoorn, 1995). Toutefois, des études menées auprès d'enfants roumains adoptés à l'étranger suggèrent qu'un niveau 'normal' de sensibilité parentale n'est pas suffisant pour qu'un enfant développe un attachement sécurisé dans une nouvelle famille (Ames, et al., 1992; Chisholm et al., 1995). Les parents d'accueil doivent avoir en outre une compréhension des stratégies d'attachement problématiques et posséder les habiletés pour modifier, plutôt que consolider, le pattern insécurisé que présente l'enfant (Dozier et Sepulveda, 2004). En effet, les comportements d'attachement se perpétuent souvent dans la famille d'accueil. Des études ont démontré que les mères tendaient à répondre à ces enfants en reproduisant les comportements d'attachement de ceux-ci : par exemple, la mère laissera l'enfant qui vient de tomber se débrouiller seul, s'il prétend ne pas avoir besoin de réconfort, ce qui entraînera en retour chez lui davantage de conduites d'évitement (Dozier et al., 2002a; Stovall et Dozier, 2000). Selon d'autres études, les parents d'accueil qui n'ont pas de représentations d'attachement sécurisant tendent à favoriser un attachement de type désorganisé chez l'enfant. Selon Dozier et al. (2001), l'expérience d'un placement est tellement perturbante pour un enfant que, seule, une relation avec une figure de soins autonome et sensible peut lui permettre de développer un attachement confiant et organisé.

Une question importante est donc celle de déterminer les attitudes et les comportements parentaux susceptibles de favoriser un lien d'attachement sécurisé chez l'enfant placé en famille d'accueil. Au Québec, on a établi que seulement 46 % des familles d'accueil, telles qu'évaluées par des intervenants, répondaient de façon très adéquate aux besoins de l'enfant placé sous leur garde (Simard, Vachon et Bérubé, 1998). Ces résultats laissent croire que le développement d'un attachement sécurisé présente un défi particulièrement important pour les familles d'accueil.

Au cours des dernières années, de nombreux efforts ont été faits afin d'évaluer l'efficacité de programmes d'intervention qui s'adressent à diverses populations à risque. En général, les programmes visant à améliorer la sensibilité parentale semblent plus efficaces que les programmes basés sur le support social et/ou la psychothérapie, et produiraient des effets positifs sur la qualité de la relation et sur l'enfant (Bakermans-Kranenburg, van IJzendoorn et Juffer, 2003). Les résultats tendent donc à appuyer l'efficacité d'une approche parent-enfant auprès de cette population si l'on veut promouvoir la sécurité et le développement des enfants (Juffer et al., 1997; van den Boom, 1994, 1995). Pourtant, les interventions s'adressant aux parents d'accueil sont peu nombreuses au Québec et elles ne portent généralement pas sur la relation parent-enfant.

Dans la présente étude, nous évaluons l'efficacité d'un programme d'intervention dont l'objectif était d'améliorer la sensibilité parentale des mères d'accueil. De plus, nous avons tenté de vérifier si le type d'attachement chez la mère affectait sa capacité à profiter de l'intervention. Les participants de l'étude ont été répartis aléatoirement en deux groupes, dont l'un a bénéficié du programme d'intervention relationnelle ainsi que du suivi d'un intervenant du centre jeunesse, tandis que le groupe témoin bénéficiait uniquement du suivi standard des centres jeunesse. Notre hypothèse était que les parents bénéficiant de l'approche relationnelle montreraient davantage de comportements sécurisants et sensibles envers leurs enfants que les parents du groupe témoin; aussi, il était attendu que les parents ayant un type d'attachement résolu profiteraient davantage de l'intervention que ceux avec un attachement non résolu.

## Méthodologie

### Participants

Le projet d'intervention vise à recruter un maximum de 50 familles d'accueil. À ce jour, les données de 27 familles sont disponibles, et celles-ci ont été recrutées dans cinq centres jeunesse du Québec. Les enfants présentant un handicap physique et/ou mental diagnostiqué ou un retard développemental sévère ont été exclus de l'étude. L'échantillon provient de milieux socio-économiques variés et les données socio-démographiques sont présentées au tableau 1.

### Instruments et procédures

Pour chaque participant, nous avons recueilli les consentements de l'intervenant de suivi (intervenant de l'enfant), des parents biologiques, de l'intervenant ressource (intervenant de la famille d'accueil) et enfin des parents d'accueil. La participation à l'étude implique deux rencontres de prises de mesures, soit une rencontre

**Tableau 1** Moyenne, (écart-type), étendue ou pourcentage pour les caractéristiques socio-démographiques des familles au pré-test

| | Échantillon global (n = 27) | Groupe Intervention (n = 14) | Groupe Contrôle (n = 13) |
|---|---|---|---|
| Sexe de l'enfant | 56% (garçons) | 50% (garçons) | 64% (garçons) |
| Âge moyen de l'enfant (en mois) | 22,44 (8,14) Étendue 11 – 41 | 21,43 (9,10) Étendue 11 – 41 | 34.61 (19.30) Étendue 12 – 34 |
| Âge de la mère | 39,42 (5,11) Étendue 28 – 47 | 41,00 (5,26) Étendue 28 – 47 | 37,55 (4,44) Étendue 32 – 46 |
| Monoparentalité | 8% | 14% | 0% |
| Revenu familial moyen | | | |
| Moins de 40 000$ | 8% | 7% | 9% |
| 40 000$ à 49 999$ | 16% | 14% | 18% |
| 50 000$ à 74 999$ | 32% | 36% | 27% |
| 75 000$ à 99 999$ | 28% | 29% | 27% |
| 100 000$ et plus | 16% | 14% | 19% |
| Scolarité maternelle (Diplôme complété) | | | |
| Secondaire | 24% | 21% | 27% |
| Collégial | 24% | 29% | 18% |
| Universitaire | 52% | 50% | 55% |
| Nombre d'enfants dans la famille * | | | |
| Enfants participant seulement | 33% | 50% | 15% |
| 1 enfant | 11% | 7% | 15% |
| 2 enfants | 30% | 29% | 31% |
| 3 enfants | 15% | 14% | 15% |
| 4 et 5 enfants | 11% | 0% | 24% |

*\* impossible de préciser le lien*

pré-test et une rencontre post-test. Lors des deux rencontres, le tri-de-cartes de sensibilité a été administré. L'évaluation de ce type d'attachement des mères a été effectuée lors de la première rencontre d'évaluation. Après cette rencontre, les mères ont été avisées du groupe auquel elles étaient assignées. Les familles du groupe d'intervention ont bénéficié de six rencontres hebdomadaires à domicile. L'évaluation au post-test a été effectuée pour toutes les familles, de 8 à 10 semaines après le pré-test.

## Description de l' intervention

Le programme utilisé est une adaptation d'une intervention proposée par Dozier et al. (2002b). Il combine et adapte différentes composantes d'interventions relationnelles dont l'efficacité a été démontrée auprès de populations d'enfants à risque (Barnard et Morisset, 1995; Lieberman, Weston et Pawl, 1991; van den Boom, 1994, 1995; Webster-Stratton, 2003). Nous utilisons la rétroaction vidéo et travaillons uniquement sur les forces du parent. Voici un bref résumé du contenu des six rencontres :

1. *Introduction des concepts clés :* Prendre le temps d'établir un lien de confiance avec le parent. Sensibiliser le parent d'accueil aux défis vécus par l'enfant qui sont liés à sa séparation d'avec ses parents biologiques, aux circonstances difficiles de sa vie passée ainsi qu'à sa difficulté de faire confiance à un nouvel adulte. Introduire différents concepts de la théorie de l'attachement.

2. *Prodiguer de l'affection quand l'enfant rend la chose difficile* : Il peut être très difficile pour un parent de donner des soins chaleureux et sensibles à certains enfants qui ne peuvent signaler adéquatement leurs besoins (particulièrement les signaux de détresse). Il est alors important d'enseigner au parent à réinterpréter le comportement de l'enfant et à y répondre de façon adéquate. Il s'agit aussi de sensibiliser le parent au fait que ses préoccupations personnelles ou son histoire relationnelle peuvent affecter par moments sa capacité à répondre adéquatement aux besoins de l'enfant, ce qui aura aussi un impact sur ses interactions avec l'enfant (Cooper, Hoffman et Powell, 2000; Lieberman, 1985; Lieberman, Weston et Pawl, 1991).

3. *Aider l'enfant à prendre les devants :* Fournir à l'enfant un environnement stable, prévisible et contrôlable qui contribue au développement de ses capacités d'autorégulation. Il est important d'amener le parent à se sentir à l'aise de laisser l'enfant diriger l'interaction à certains moments et dans certaines activités appropriées à son âge. Cela permet à l'enfant de voir l'environnement autour de lui comme prévisible et fiable, ce qui engendre chez lui un sentiment d'autonomie et de confiance (voir Barnard, 1999; Barnard et Morisset, 1995; van den Boom, 1994, 1995). Compte tenu de l'âge des enfants rencontrés (10 à 42 mois), il est important d'aborder le thème de la discipline (voir Webster-Stratton, 2003).

4. *Suivre l'initiative de l'enfant :* Reprendre les notions abordées dans la rencontre précédente en appliquant et illustrant ces notions.

5. *L'importance du toucher :* Mettre l'accent sur l'importance du contact physique dans le développement affectif de l'enfant (voir Barnard, 1999).

6. *Régulation des émotions de l'enfant :* Les objectifs sont : 1) sensibiliser les parents d'accueil à l'importance de la régulation des émotions chez ces enfants (voir Barnard, 1999 ; Barnard et Morisset, 1995 ; van den Boom, 1994, 1995), sachant qu'un enfant compétent émotionnellement sera moins porté à utiliser l'agressivité pour régler ses problèmes, et 2) faire un bilan des rencontres avec le parent.

*Mesures Tri-de-carte de sensibilité maternelle* (Maternal Behavior Q-Sort, Pederson et Moran, 1995). Cette mesure permet d'évaluer la qualité des comportements maternels durant les interactions mère-enfant à domicile. Constitué de 90 items qui reflètent la capacité de la mère à reconnaître et à répondre de façon appropriée aux signaux de son enfant, ce test présente d'excellents indices de fidélité et de validité prédictive et il est fortement associé à la sécurité d'attachement de l'enfant et à son développement socio-affectif (Atkinson et al., 2000; Pederson et al., 1998; Pederson et Moran, 1995; 1996; Tarabulsy et al., 1997). L'accord interjuge a été calculé sur 20 % des familles (corrélation intraclasse: $r = 0,64$, $p < 0,01$).

*Test Projectif de l'Attachement Adulte* (PAA, George et West, 2001). Cette mesure permet d'évaluer quatre types de représentation d'attachement chez les adultes : autonome (F), distançant / désengagé (Ds), préoccupé (E) et non résolu (U). Pour les fins de l'étude, seules les catégories résolu (F, Ds et E) et non résolu (U) ont été retenues. L'administration du PAA se fait au moyen d'une entrevue semi-structurée où huit images représentent des scènes qui activent le système d'attachement sont présentées au parent. La cotation est basée sur l'analyse des réponses (qualité et cohérence du discours et du contenu). La validité du PAA a été établie à partir de sa convergence élevée avec le EAA (Entrevue d'attachement adulte; George, Kaplan et Main, 1985; $\kappa = 0,84$, $p < 0,01$ pour les classifications sécurisé-insécurisé et $\kappa = 0,75$, $p < 0,01$ pour les quatre groupes). L'accord interjuge calculé sur 21 entrevues se situe à 86 % (à deux groupes U vs. Non U).

*Questionnaires évaluant les caractéristiques des mères d'accueil* Des questionnaires possédant d'excellentes qualités psychométriques ont été administrés aux mères d'accueil avant l'intervention. La présence d'événements stressants tel que l'hospitalisation d'un membre de la famille ou le décès d'un proche dans la dernière année a été évaluée à l'aide de la *Liste d'Événements de Vie* (LEV; Sarason, Johnson et Siegel, 1978). Le niveau de symptomatologie psychiatrique de la mère a été évalué à l'aide de l'*Inventaire des Symptômes psychiatriques* (SCL-90R; Derogatis,1994). Ce questionnaire de 90 items situe les symptômes psychologiques ou psychiatriques sur neuf échelles : somatisation, obsession-compulsion, sensibilité interpersonnelle, dépression, anxiété, hostilité, phobie, idéation paranoïde, traits psychotiques, et il permet d'établir un score de sévérité global de détresse. Enfin, le stress parental a été mesuré à partir de l'*Indice de Stress Parental - Bref* (ISP-B; Abidin, 1995), questionnaire de 36 items qui permet d'évaluer le niveau de stress occasionné chez le parent par les caractéristiques de l'enfant et par le rôle de parent.

## Résultats

### *Analyses préliminaires*

Afin de répondre aux questions de recherche, nous avons d'abord vérifié si les mesures de l'étude (sensibilité parentale et type d'attachement des mères) étaient affectées par les caractéristiques socio-démographiques de notre échantillon. Des analyses statistiques montrent qu'aucune donnée socio-démographique ne différencie les mères sur leurs scores de sensibilité et d'attachement ($r$ entre -0,03 et 0,27, n.s. et $F$ entre 0,14 et 1,27, n.s.). Par conséquent nos résultats ne peuvent être expliqués par les caractéristiques de l'échantillon, mais sont attribuables au processus d'intervention.

Par la suite, nous avons vérifié que les représentations d'attachement des mères n'étaient pas différentes entre les deux groupes. Nous observons que le pourcentage des mères avec un attachement résolu est de 57 % (8 mères sur 14) dans le groupe intervention et de 69 % (9 mères sur 13) dans le groupe témoin. Puisqu'aucune différence significative n'a été observée entre les deux groupes, $\chi^2$ (1, $N$ = 27) = 0,42, n.s., nous nous assurons que l'assignation des mères à l'intérieur des deux groupes s'est faite de manière aléatoire et que celles-ci possèdent des représentations d'attachement comparables avant l'intervention.

### *Effets de l'intervention en fonction du type d'attachement*

La principale question posée consiste à évaluer, à l'aide d'une analyse à mesures répétées, l'effet de l'intervention sur la capacité de la mère d'accueil à se montrer sensible aux besoins de l'enfant placé. Puisque le type d'attachement des mères d'accueil peut affecter leur capacité à profiter de l'intervention, nous avons considéré le type d'attachement des mères (U vs. non U) selon leur groupe d'assignation (témoin vs. intervention). Globalement, on note que la sensibilité parentale augmente chez les mères non U alors qu'elle diminue pour les mères U, Wilk's Lambda $F = 8,36$, $p < 0,01$. Plus précisément, la sensibilité des mères du groupe témoin reste stable dans le temps alors que la sensibilité des mères du groupe d'intervention évolue en fonction de leur type d'attachement, Wilk's Lambda $F = 9,60$, $p < 0,01$. Les mères non U deviennent plus sensibles, suite à l'intervention, contrairement aux mères U chez qui la sensibilité diminue, à la suite de l'intervention (voir Figure 1).

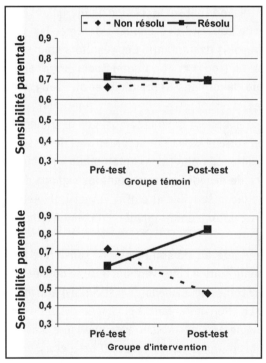

**Figure 1** Évolution de la sensibilité des mères d'accueil en fonction de l'intervention et de leur état d'esprit face à l'attachement

Étant donné ces résultats, il devient intéressant de voir en quoi les mères U diffèrent des mères non U. Des analyses (de variances et de chi-carrés) n'ont montré aucune différence entre les mères non U et U quant aux caractéristiques psychosociales maternelles (symptômes psychiatriques, stress parental et événements stressants ; $F$ entre 0,01 et 1,71 et $\chi 2$ entre 0,01 et 2,15, non significatif) et aux caractéristiques socio-démographiques (âge, niveau de scolarité, revenu familial; F entre 0,32 et 1,88, non significatif).

## Discussion

Notre objectif principal était d'évaluer l'efficacité d'un programme d'intervention basé sur la théorie de l'attachement destiné aux mères d'accueil et aux enfants placés. Conformément à nos hypothèses, les mères du groupe intervention sont devenues plus sensibles alors que celles qui n'ont pas reçu l'intervention présentent le même niveau de sensibilité aux deux temps de mesure. Globalement, notre étude démontre qu'une intervention de courte durée (6 rencontres) portant sur la relation parent-enfant est efficace pour améliorer la capacité des mères à détecter les signaux et répondre aux besoins des enfants. Ces résultats sont similaires à ceux de Juffer et al. (1997) et de van den Boom (1994) ainsi qu'à la méta-analyse de Bakermans-Kranenburg et al. (2003). Toutefois, d'autres études devront être effectuées pour vérifier si cette augmentation se maintient dans le temps. Ces résultats suggèrent que les services sociaux devraient accorder plus de ressources aux familles d'accueil et aux parents adoptants afin de les renseigner sur l'importance de décoder correctement les signaux de l'enfant, d'y répondre de façon sensible et d'offrir un environnement stable favorisant la régulation émotionnelle et comportementale des enfants placés.

Bien que notre étude ait démontré que la sensibilité des mères d'accueil augmente suite à l'intervention, aucune donnée ne permet de dire si celle-ci contribue à améliorer la sécurité d'attachement des enfants placés. En effet, ces enfants peuvent éprouver des difficultés à établir un attachement sécurisant avec une mère d'accueil puisqu'ils ont subi des ruptures relationnelles (Dozier et al., 2001; Vorria et al., 2003). De plus, les difficultés vécues dans leur milieu biologique, tel que l'abus et la négligence, peuvent perturber leurs représentations de soi et des autres et affecter leur capacité à faire confiance. Ces enfants ne pouvant réapprendre seuls à établir une relation positive avec un adulte, c'est pourquoi les parents d'accueil doivent se montrer encore plus sensibles que ce qui est attendu de parents biologiques afin de leur permettre de développer un sentiment de sécurité (Ames et al., 1992; Chisholm et al., 1995). Il sera donc intéressant de vérifier si un tel programme peut s'avérer efficace pour promouvoir des interactions parent-enfant sécurisantes.

Le deuxième objectif de l'étude était de vérifier si le type d'attachement des mères affectait leur capacité à profiter de l'intervention. Nous avons observé une différence parmi les mères du groupe d'intervention quant à leur capacité de bénéficier de l'intervention proposée. En effet, celles qui ont un type d'attachement non U ont profité du suivi, puisque leur score moyen de sensibilité a augmenté entre le pré-test et le post-test pour atteindre le niveau le plus élevé de l'échantillon. Par contre, les mères dont le type d'attachement est U, non seulement n'ont pas profité de l'intervention, mais celle-ci semble avoir été nuisible en diminuant leur sensibilité parentale.

Nos résultats concernant l'attachement des mères sont similaires à ceux obtenus par Korfmacher et al. (1997) ainsi que Moran et al. (2005) qui montrent qu'une intervention brève visant à améliorer la sensibilité maternelle n'a pas d'effet sur les mères U alors qu'elle est efficace pour les mères non U. Dans le cas des mères U, il est possible que la nature de l'intervention et le nombre de rencontres ne soient pas appropriés. Puisqu'un attachement U est associé à des événements traumatisants qui perturbent encore les mères, tel que le décès d'un parent ou le fait d'abus dans l'enfance (Main et Hesse, 1990), une intervention à long terme portant sur leur dynamique interne peut s'avérer plus efficace que quelques séances visant à modifier le comportement de ces mères face à l'enfant. Par ailleurs, il est possible que cette intervention ait contribué à faire prendre conscience à ces mères de leurs difficultés sans leur offrir de solutions adéquates, ce qui expliquerait leur baisse de sensibilité parentale dans le temps.

Notre étude confirme aussi l'hypothèse que, pour être efficaces, les programmes d'intervention doivent être adaptés au type d'attachement du parent (Bates et Dozier, 2002; Dozier et Sepulveda, 2004). Ces résultats soulignent l'importance d'évaluer adéquatement les parents postulants. Il est toutefois à noter que des questionnaires mesurant les symptômes psychiatriques des mères, le stress parental, la présence d'événements stressants ainsi que les caractéristiques socio-démographiques des familles, ne permettent pas de distinguer les mères U des autres mères dans un échantillon de familles d'accueil. Le type d'attachement U chez la mère suggérant la présence d'un traumatisme, il faut, lors du dépistage des familles d'accueil, être attentif à cette dimension chez les parents puisque leur capacité à résoudre ces traumatismes apparaît très importante dans leur habileté à s'ajuster aux besoins de l'enfant placé. Chez les parents ayant vécu un traumatisme non résolu, il semble essentiel d'intervenir d'abord sur cet enjeu avant d'amorcer un programme visant la sensibilité parentale.

## Exemples cliniques

Concernant l'application d'un tel programme, les commentaires recueillis auprès des mères révèlent qu'elles ont beaucoup apprécié les rencontres. Ce moment d'arrêt dans la semaine leur a permis d'approfondir leur réflexion concernant les besoins particuliers de ces enfants. Les rencontres sont informelles et dynamiques et les activités avec l'enfant sont agréables et non menaçantes. Nous proposons le cas de deux mères ayant participé à notre étude, une avec un attachement résolu (i.e. autonome) et l'autre, avec un attachement non résolu, afin de mieux comprendre le processus de changement en cours. Notons que ces exemples ne sont pas nécessairement représentatifs de tous les cas d'attachement autonome ou non résolu.

*Mère Autonome-Résolu (F)* : Âgée de 46 ans, Mme F. a choisi avec son conjoint d'adopter un enfant. Elle est chaleureuse, patiente et très compétente. Son enfant est plutôt colérique et peu collaborateur. Elle accepte d'emblée le concept que ses propres expériences d'attachement peuvent influencer ses attitudes parentales. Au cours des rencontres, elle prend conscience qu'elle et son conjoint passent peu de temps avec l'enfant, trop pris par le tourbillon des demandes professionnelles et familiales. Avec l'aide de l'intervenante, elle apprendra à passer plus de temps avec l'enfant en suivant le rythme de ce dernier. En redonnant à certains moments le *contrôle* à l'enfant, il devient rapidement plus coopératif au coucher ainsi qu'à d'autres moments de la journée. Ce type de mère accepte facilement l'aide de l'intervenante et est aussi très collaborante. Elle est capable d'évaluer les besoins de son enfant et les siens. Parce qu'elle comprend que sa relation avec l'enfant est importante pour le développement de celui-ci, elle est prête à travailler.

*Mère non résolue (U):* Mariée et âgée de 46 ans, Mme U. est devenue famille d'accueil parce qu'elle voulait protéger les enfants d'abus ou de négligence. Elle-même adoptée, elle désire donner une chance à des enfants qui n'en ont pas. Sa relation avec les enfants est houleuse : à certains moments, elle est très disponible mais à d'autres, elle est totalement dépassée et devient alors tendue et apeurée. Elle est frustrée facilement par les demandes et les besoins des enfants.

À chaque rencontre, Mme U. raconte les multiples crises qui sont survenues au cours de la semaine. Même si Mme U. désire participer au programme, ses problèmes semblent prendre toute la place. L'intervenante a beaucoup de difficultés à amener Mme U. à se centrer sur le contenu des rencontres et sur les besoins de l'enfant ; aussi, l'inquiétude de la mère face au bien-être de l'enfant ravive ses propres traumatismes passés et la rend incapable d'assumer correctement son rôle parental. Le nombre restreint de rencontres n'a pas permis d'élaborer suffisamment les difficultés vécues par cette mère.

Ces deux exemples illustrent les défis auxquels les intervenantes ont été confrontées. De façon générale, celles-ci soulignent l'engagement des mères qui ont à coeur l'avenir des enfants qu'elles accueillent, la qualité de leur accueil ainsi que leur collaboration. Les intervenantes mentionnent aussi que pour être efficace, ce programme doit avoir un contenu flexible afin de s'ajuster aux besoins particuliers de chaque dyade. Ce type d'intervention est exigeant pour l'intervenant qui doit comprendre rapidement les enjeux de chaque dyade et avoir une très bonne capacité d'observation et d'analyse ; il nécessite une formation rigoureuse avant d'amorcer l'intervention ainsi qu'un suivi périodique de l'intervenant. Enfin, la rétroaction vidéo est un outil intéressant et très révélateur qui permet aux mères de se regarder agir avec l'enfant.

En conclusion, nos résultats suggèrent que bien que le programme d'intervention soit efficace pour augmenter la sensibilité maternelle, il n'est pas adapté pour toutes les mères. Dans cette étude nous avons considéré l'efficacité de l'intervention selon le type d'attachement des mères mais il faut mentionner que d'autres facteurs pourraient aussi avoir un impact sur la relation parent-enfant, tel que les problèmes de santé mentale des parents d'accueil, le stress et le manque de support offert aux familles d'accueil, l'âge de l'enfant au moment du placement, le nombre de placements ainsi que la fréquence des visites chez les parents biologiques. Ces facteurs devraient tout autant être considérés dans la sélection des familles d'accueil ainsi que dans de futures études afin de comprendre les enjeux propres au développement d'un lien d'attachement sécurisant chez les enfants placés. Ainsi, une mesure de l'attachement du parent d'accueil, bien qu'elle offre une piste intéressante, n'est pas en soi nécessaire ou suffisante pour déterminer la qualité des soins que reçoit l'enfant placé.

## ABSTRACT

*The authors discuss results of a study dealing with the efficacy of an intervention program to enhance maternal sensitivity in foster mothers and promote a secure pattern of attachment in children in care. A sample of 27 children of an average 3 years of age and their foster parents was assigned in control and intervention groups. Six sessions with specific objectives and tasks were offered to the dyads of the intervention group. Maternal sensitivity was evaluated before and after the intervention for all participants and patterns of attachment in the mothers were specified before intervention. In their discussion of the results, the authors conclude that if the efficacy of the intervention program was evident in foster mothers with resolved pattern of attachment, it proved ineffective and could even be harmful for mothers with unresolved attachment.*

# Références

**Ames EW, Carter MC, Chisolm K, Fisher L, Gilman LC, Mainemer H, McMullan SJ, Savoie LA.** Development of Romanian orphanage children adopted to Canada. Symposium at the Annual Convention of Canadian Psychology Association, Québec, 1992.

**Atkinson L, Paglia A, Coolbear J, Niccols A, Parker KCH, Guger S.** Attachment security : A meta-analysis of maternal health correlates. *Clinical Psychol Rev* 2000; 20 : 1019-1040.

**Bakermans-Kranenburg MJ, van Ijzendoorn MH, Juffer F.** Less is more : Meta-Analyses of sensitivity and Attachment Interventions in Early Childhood, *Psychol Bull* 2003; 129 (2) : 195-215.

**Barnard KE.** *Beginning rythms : The emerging process of sleep-wake behaviours and self regulation.* Seattle, WA : University of Washington, NCAST, 1999.

**Barnard KE, Morisset CE.** Preventive health and developmental care for children : Relationships as a primary factor in service delivery with at risk populations. In : **Fitzgerald HE, Lester BM, Zuckerman B.** (eds) *Children of poverty : Research, health, and policy issues.* New York : Garland Publ., 1995 : 167-195.

**Bates BC, Dozier M.** The importance of maternal state of mind regarding attachment and infant age at placement to foster mothers' representations of their foster infants. *Infant Mental Health J* 2002; 23(4) : 417-431.

**Bilan des directeurs de la protection de la jeunesse.** Association des Centres Jeunesse du Québec, Gouvernement du Québec, 2004.

**Bokhorst BL, Bakermans-Kranenburg MJ, Pasco-Fearon RM, van Ijzendoorn MH, Fonagy P, Schuengel C.** The importance of shared environment in mother-infant attachment security : A behavioral genetic study. *Child Dev* 2003; 74 : 1769-1782.

**Bowlby J.** (1969/1982). *Attachment and Loss. vol. 1.* Attachment (2ᵉ éd.) New York : Basic Books.

**Brown J, Clader P.** Besoins et difficultés des parents de familles d'accueil. *Travail social Canadien* 2002; 4(1) : 139-151.

**Campbell C, Downs SW.** The impact of economic incentives on foster parents. *Social Service Review* 1987; 61 : 599-609.

**Chamberlain P, Moreland S, Reid K.** Enhanced services stipends for foster parents : Effects on retention rates and outcomes for children. *Child Welfare*

1992; 71 : 387-401.

**Chisholm K, Carter MC, Ames EW, Morison SJ.** Attachment security and indiscriminately friendly behaviour in Romanian adoptees. Poster presented at the Biennal Meetings of the Society for Research in Chid development, Indianapolis, 1995.

**Clyman RB, Jones Harden B, Little C.** Assessment, Intervention, and research with infants in out-of-home placement. *Infant and Mental Health* 2002; 23(5) : 435-453.

**Cooper G, Hoffman K, Powell B.** The circle of Security Project. Unpublished manuscript, Maycliffe Institute, 2000.

**Dozier M, Albus KE, Stovall KC, Bates B.** Attachment for infants in foster care : The role of caregiver state of mind. *Child Development* 2001; 72 : 1467-1477.

**Dozier M, Higley E, Albus KE, Nutter A.** (2002a). Intervening with foster infants' caregivers: Targeting three critical needs. *Infant Mental Health J* 2002a; 23(5) : 541-554.

**Dozier M, Higley E, Albus KE, Nutter A.** Une intervention auprès de parents d'accueil visant à répondre à trois besoins les plus critiques des jeunes enfants placés. *PRISME* 2002b ; 38 : 50-65.

**Dozier M, Sepulveda S.** Foster Mother State of Mind and Treatment use : Different challenges for different people. *Infant Mental Health J* 2004; 25(4) : 368-378.

**Fisher PA, Ellis H, Chamberlain P.** Early Intevention Foster Care: A Model for Preventing Risk in Young Children Who Have Been Maltreated. *Children's Services: Social Policy, Research, and Practice* 1999; 2(3) : 159-182.

**George C, Kaplan N, Main M.** *Adult Attachment Interview.* Unpublished manuscript, Department of Psychology, University of California, Berkeley, 1985.

**George C, West M.** The development and preliminary validation of a new measure of adult attachment : The Adult Attachment Projective. *Attachment and Human Development* 2001; 3 : 30-61.

**Hepworth SJ.** Moderating factors of the psychological impact of unemployment. *J Occupational Psychol* 1980; 53(2) : 139-146.

**Holland P, Gorey KM.** Historical, Developmental, and Behavioral Factors associated with Foster Care Challenges. *Child & Adol Social Work J* 2004; 21(2) : 117-135.

**Howes C, Segal J.** Children's relationships with

alternative caregivers: The special case of maltreated children removed from their homes. *J Applied Dev Psychol* 1993; 14(1) : 71-81.

**Juffer F, Hoksbergen RAC, Riksen-Walraven JM, Kohnstamm GA.** Early intervention in adoptive families: Supporting maternal sensitive responsiveness, infant-mother attachment, and infant competence. *J Child Psychol & Psychiat* 1997; 38(8) : 1039-1050.

**Korfmacher J, Adam E, Ogawa J, Egeland B.** Adult attachment: Implications for the therapeutic process in a home visitation intervention. *Applied Dev Science* 1997; 1(1) : 43-52.

**Lieberman AF.** Infant Mental Health : A model for service delivery. *J Clin Child Psychol* 1985; 14 : 454-469.

**Lieberman AF, Weston DR, Pawl JH.** Preventive intervention and outcome with anxiously attached dyads, *Child Dev* 1991; 62(1) : 199-209.

**Main M, Hesse E.** Parents' unresolved traumatic experiences are related to infant disorganized attachment status : Is frightened and-or frightening parental Behaviour the linking mechanism In : **Greenberg, MT, Cicchetti D, Cummings EM.** (eds) *Attachment in the preschool years.* Chicago, University of Chicago, 1990.

**Main M, Hesse E.** Second-generation effects of unresolved trauma in nonmaltreating parents: Dissociated, frightened, and threatening parental behavior *Psychoanalytic Inquiry.* Special Issue : *Attachment research and psychoanalysis : 1. Theoretical considerations* 1999; 19(4) : 481-540.

**Miedema B.** *Mothering for the state: The paradox of fostering.* Halifax, NS: Fernwood Publ., 1999.

**Moran G, Pederson DR, Krupka A.** Maternal Unresolved Attachment Status Impedes the Effectiveness of Interventions with Adolescent Mothers. *Infant Mental Health J* 2005; 26(3) : 231-249.

**Newton R, Litronik AJ,** Landsverk Children and youth in foster care : Disentangling the relationship between problems behaviours and number of placements. *Child Abuse and Neglect* 2000; 24 : 1363-1374.

**Pecora PJ, Wittaker JK, Maluccio AN.** *The child welfare challenge: Policy, practice, and research,* New York : Adline DeGruyter, 1992.

**Pederson DR, Gleason K, Moran G, Bento S.** Maternal Attachment representations, maternal sensitivity, and infant-mother attachment relationship. *Dev Psychol* 1998; 34 : 925-933.

**Pederson DR, Moran G. Appendix B.** Maternal Behavior Q-set. In : **Waters E, Vaughn BE, Poseda G, Kondo-Ikemura K.** (Eds.) Caregiving, cultural, and cognitive perspectives on secure-base behavior and working models : New Growing Points of Attachment Theory and Research. *Monographs of the Society for Research in Child Development* 1995; 60 (2-3, Serial No. 244) : 247-254.

**Pederson DR, Moran G.** Expressions of the attachment relationship outside the Strange Situation. *Child Dev* 1996; 67 : 915-927.

**Rapport annuel du Centre Jeunesse de Montréal.** Gouvernement du Québec, 2002.

**Rhodes KH, Orme JG, Buehler C.** A comparison of family foster parents who quit, considers quitting, and plan to continue fostering, *Social Service Review* 2001; 75 : 84-114.

**Simard M, Vachon J, Bérubé S.** *Les familles d'accueil pour les jeunes en difficulté au Québec. Étude comparative des familles spécifiques et non spécifiques.* Québec : Université Laval – Centre de recherche sur les services communautaires, 1998.

**Slade A.** Attachment theory and research: Implications for the theory and practice of individual psychotherapy with adults. In : **Cassidy J, Shaver PR.** (eds) *Handbook of attachment : Theory, research, and clinical applications.* New York : Guilford Press, 1999 : 575-594.

**Stein E.** Teacher's assessments of children in fodter care. *Dev Disabilities Bull* 1997; 25, 1-17.

**Stovall KC, Dozier M.** The development of attachment in new relationships: Single subject analyses for ten foster infants. *Dev & Psychopath* 2000; 9 : 133-156.

**Tarabulsy GM, Avgoustis E, Phillips J, Pederson DR, Moran G.** (1997). Similarities and differences in mothers' and observers' descriptions of attachment behaviours. *Int J Beh Dev* 1997; 21 : 599-619.

**van den Boom DC.** The influence of temperament and mothering on attachment and exploration : An experimental manipulation of sensitive responsiveness among lower-class mothers with irritable infants, *Child Dev* 1994; 65 : 1457-1477.

**van den Boom DC.** Do first-year intervention effects endure Follow up during toddler hood of a sample of Dutch irritable infants. *Child Dev* 1995; 66 : 1798-1816.

**van IJzendoorn MH.** Adult attachment representations, parental responsiveness, and infant attachment : A meta-analysis on the predictive validity of the adult attachment interview, *Psychol Bull* 1995; 117 : 387-403.

**Vorria P, Papaligoura Z, Dunn J, van IJzendoorn MH, Stelle H, Kontopoulou A, Sarafidou Y.** Early experiences and attachment relationships of GreeK infants raised in residential group care. *J Child Psychol & Psychiat* 2002; 44 : 1208-1220.

**Wilson K, Sinclair L, Gibbs I.** The trouble with foster care : The impact of stressful events on foster careers. *Br J Social Work* 2000; 30 : 193-209.

**Webster-Stratton C.** *The incredible Years : A troubleshooting guide for parents of children aged 3-8*. Toronto : Umbrella Press Publ., 2003.

**Zima BT, Bussing R, Freeman S, Yang X, Belin TR, Forness SR.** Behavior problems, Academic skill delays and school failure among school-aged children in foster care : Their relationship to placement characteristics. *J Child & Family Studies 2000*; 9(1) : 87-103.

**Zukoski M.** Foster parent training. In : **Shilver J, Amster B, Haecker T.** (eds) *Young children and foster care : A guide for professionnals*. Baltimore : Brookes Publ., 2000 : 473-490.

prisme
prisme
PRISME
prisme
prisme
PRISME
no 46

# L'adoption d'un enfant exposé à la consommation abusive de drogues ou d'alcool: recension de programmes d'intervention auprès des parents adoptants

**Geneviève Pagé**
**Marie-Andrée Poirier**
**Jacques Moreau**
**Pauline Morissette**
**Ève Bélanger**
**Louise Noël**

La première auteure est doctorante à l'École de Service social de l'Université de Montréal, et les trois auteurs suivants sont associés à titre de professeurs dans cette institution.
Ève Bélanger est étudiante au doctorat à l'École de service social, et Louise Noël est intervenante au Service adoption du Centre jeunesse de Montréal Institut universitaire.

Adresse :
C.P. 6128 succ. Centre-ville
Montréal (Québec) H3C 3J7
Courriel :
genevieve.page@umontreal.ca

Depuis 1988, le Québec s'est doté d'un programme d'adoption conçu pour les enfants jugés à « haut risque » d'abandon. Ces enfants, dont certains ont été exposés[1] à la consommation abusive de drogues ou d'alcool, sont placés dans des familles du programme « *Banque-mixte* » lorsque les intervenants de la Direction de la protection de la jeunesse (DPJ) ont des raisons de croire que leurs parents d'origine ne seront jamais en mesure d'assumer leurs responsabilités parentales. Les parents recrutés dans le programme Banque-mixte sont des parents adoptants[2] qui acceptent d'agir à titre de parents d'accueil, en attendant qu'un juge de la Cour du Québec (division de la Chambre de la jeunesse) déclare l'enfant admissible à l'adoption.

Bien qu'il n'existe aucune donnée officielle à ce sujet, la perception des intervenants du service d'adoption du Centre jeunesse de Montréal – Institut universitaire (CJM-IU) est que plusieurs enfants placés dans une famille du programme Banque-mixte ont été exposés à la consommation abusive de drogues ou d'alcool de leurs parents d'origine. Sans porter directement sur cette perception, des données états-uniennes tendent à l'appuyer. Ainsi, il semble que la consommation abusive de drogues ou d'alcool du parent soit un facteur déterminant dans la décision de placement pour un à deux tiers des enfants placés aux États-Unis (Department of Health and Human Services, 1999; dans Marcellus, 2004). Également, selon une recension d'études réalisée par Edelstein et al. (2000), les enfants placés en raison de la consommation abusive de leurs parents d'origine semblent moins souvent réunifiés avec ces derniers que les enfants placés pour d'autres raisons. Par conséquent, ils sont susceptibles d'être admissibles à l'adoption.

Les effets de la consommation de drogues sur le fœtus dépendent du type de drogue utilisée, de la quantité consommée, du mode d'administration et de la présence de problèmes sociaux et médicaux associés à la consommation ou à la grossesse. Deux constats se

114

## RÉSUMÉ

*Les auteurs présentent une analyse critique des programmes d'intervention s'adressant aux parents qui adoptent un enfant exposé à la consommation abusive de drogues ou d'alcool au cours de ses deux premières années de vie. Cette recension est comprise comme une étape préalable au développement d'un programme susceptible de répondre aux besoins des parents adoptants qui doivent faire face aux défis spécifiques posés par ces jeunes enfants. Après avoir repassé les objectifs et l'étendue des services offerts par divers programmes existants, ils discutent de l'adaptation possible de ces modèles au contexte québécois où doit être prise en compte la réalité du programme Banque-mixte.*

dégagent des écrits scientifiques : 1) vue la présence de facteurs confondants, il est difficile de démontrer que certains problèmes de développement résultent directement de l'usage de drogues par la mère durant la grossesse (Berger et Waldfogel, 2000; Marcellus, 2004) et 2) à long terme, tous les enfants exposés ne sont pas affectés de manière égale, bien qu'il n'y ait aucun doute que le développement de certains enfants puisse être compromis.

Selon une recension des écrits portant sur les impacts de la toxicomanie maternelle sur le développement de l'enfant, il semble que la consommation d'alcool, de cocaïne ou d'opiacés durant la grossesse puisse avoir des effets sur l'enfant, dans chacune des sphères de son développement (physique, moteur, cognitif, verbal et social), et ce, au moins jusqu'à ce qu'il soit d'âge scolaire[3] (Lecompte et al., 2002). Par ailleurs, la consommation abusive de drogues ou d'alcool est souvent associée à des conditions de vie difficiles (pauvreté, violence, problèmes de santé mentale) qui peuvent aussi influencer le développement de l'enfant (Marcellus, 2004). À cet effet, la recension de Freundlich (2000) révèle que les caractéristiques de l'environnement postnatal peuvent avoir des répercussions sur le développement de l'enfant d'importance égale, si ce n'est supérieure aux effets de l'exposition prénatale aux drogues ou à l'alcool.

## Défis spécifiques posés par ces enfants

L'adoption d'un enfant exposé pose parfois des défis particuliers. Deux études sur le sujet font état de difficultés exprimées par des parents adoptants. McCarty et al. (1999) ont rencontré 20 parents adoptants, de trois à cinq mois après l'arrivée de l'enfant exposé dans la famille. Au moment de l'entrevue, l'âge des enfants variait entre 5 mois et 7 ans. Selon les parents, il existait des problèmes de comportement (p. ex. difficulté à s'adapter au changement, crises de colère, pleurnicheries), d'attachement (p. ex. difficulté à s'attacher au(x) parent(s), création de liens superficiels avec les adultes) et de développement (p. ex. retards cognitifs, difficultés d'apprentissage) chez l'enfant exposé qu'ils ont adopté. Ce dernier type de problème est aussi rapporté par les 200 parents de l'étude de Barth et Brooks (2000) qui ont répondu à un questionnaire postal, huit ans après l'adoption[4].

Il est possible d'établir des liens entre les trois types de problèmes identifiés par ces parents adoptants. D'une part, la recension effectuée par Lecompte et al. (2002) montre que les enfants âgés de 1 à 4 ans exposés à la cocaïne peuvent éprouver des difficultés au plan de la mémorisation et du contrôle de leurs émotions. Aussi, les enfants du même âge exposés à l'alcool, à la cocaïne, au cannabis et aux narcotiques peuvent avoir des difficultés de langage. Ces problèmes de développement peuvent influencer la qualité de la relation parent-enfant. De plus, l'enfant exposé qui passe les premières années de sa vie avec ses parents d'origine peut développer un sentiment d'insécurité dû à l'irrégularité de la disponibilité du parent consommateur (en raison de son mode de vie désorganisé), ce qui peut avoir une influence subséquente sur le développement d'un lien d'attachement entre l'enfant et ses parents adoptants (Lecompte et al., 2002). D'autre part, le fait que certains parents adoptants attribuent le moindre écart de comportement de leur enfant à son exposition prénatale à des substances toxiques peut engendrer de l'anxiété chez l'enfant et nuire à l'établissement d'une relation sécurisante entre lui et les parents (McCarty et al., 1999).

Les effets tératogènes et autres de la consommation d'alcool durant la grossesse sont bien documentés (Lecompte et al., 2002; Marcellus, 2004), comme par exemple, dans le cas du syndrome d'alcoolisation fœtale (Brown, Sigvaldason et Bednar, 2005). Toutefois, tel que mentionné précédemment, il subsiste de nombreuses incertitudes quant aux effets réels de l'exposition prénatale aux drogues. D'une part, les recherches portant sur les effets de la consommation de certaines drogues durant la grossesse (p. ex. amphétamines, PCP, marijuana) sont peu nombreuses et comportent certaines failles méthodologiques (p. ex. petite taille de l'échantillon, absence de contrôle sur certaines variables confondantes) qui rendent les résultats réfutables (Brady et al., 1994; dans Freundlich, 2000). D'autre part, la plupart des recherches faites de manière longitudinale ou sur des échantillons représentatifs de grande taille suggèrent que les effets sur l'enfant peuvent varier malgré les similitudes observées au plan de l'exposition prénatale (Freundlich, 2000).

Néanmoins, selon les études recensées par Freundlich (2000), il semble que parmi les enfants vivant des difficultés liées à l'exposition prénatale, ceux qui sont adoptés voient une amélioration de leur état aux plans social, personnel et scolaire, dans la mesure où l'environnement familial d'adoption répond adéquatement à leurs besoins. Des résultats similaires sont obtenus par Brown et al. (2004), qui ont observé qu'à l'âge de deux ans, les enfants exposés *in utero* à la consommation maternelle de cocaïne qui sont placés ou adoptés se développent mieux aux plans cognitif, social et affectif que ceux qui restent avec leur mère d'origine. Toutefois, selon une autre étude sur le développement d'enfants exposés *in utero* à la consommation combinée de substances telles que opiacés, cannabis, amphétamines et benzodiazépines, même si ces enfants sont adéquatement stimulés par leur famille d'accueil ou d'adoption, l'accumulation de facteurs de risque biomédicaux liés à l'exposition prénatale demeure un facteur d'influence important sur certaines sphères de développement, notamment au plan perceptuel et visuomoteur (Moe, 2002). Également, selon McNichol et Tash (2001), les enfants exposés *in utero* à la consommation de drogues et placés en famille d'accueil font preuve d'un niveau de problèmes de comportement plus élevé que les autres enfants placés. Selon ces auteurs, il est possible que les parents d'accueil, malgré toutes leurs bonnes intentions, ne soient pas en mesure d'aider l'enfant à retrouver un niveau de développement correspondant aux normes de son groupe d'âge, ou à diminuer l'intensité de ses problèmes de comportement. L'accès à des services tout au long du processus d'adoption pourrait éventuellement les aider à surmonter ces difficultés.

Les besoins des parents qui adoptent un enfant exposé peuvent être de plusieurs ordres. Ils ont d'abord besoin d'information sur les risques que peut présenter l'exposition pré et post-natale aux drogues ou à l'alcool afin de mieux répondre aux besoins spécifiques de l'enfant (Lecompte et al., 2002), de même que pour ajuster leurs attentes par rapport aux capacités réelles de l'enfant lorsque son développement est affecté (Brown et al., 2005). Des parents d'accueil rapportent également qu'il leur serait bénéfique d'avoir accès à du soutien, et ce, tant par les pairs que par des professionnels (Brown et al., 2005), de même qu'à des services spécialisés pour l'enfant (psychologiques, psychiatriques, éducatifs ou médicaux) qui soient bien coordonnés (Brown et al., 2005; McCarty et al., 1999).

Des données de recherche appuient l'importance d'offrir aux parents adoptants des services adaptés à leur réalité. Par exemple, l'absence de programmes éducatifs sur les particularités de l'adoption d'enfants exposés et le manque de soutien peuvent avoir de graves conséquences sur certains parents adoptants, allant de l'augmentation des risques d'essoufflement ou d'épuisement de ces derniers jusqu'à la décision de ne plus adopter l'enfant (Edelstein *et al.*, 2000). En revanche, plus les parents sont préparés aux difficultés que peut présenter l'accueil d'un enfant exposé, plus les chances de succès de l'adoption sont grandes et plus l'enfant dont le développement est affecté risque d'évoluer normalement (Brown et al., 2005; Edelstein et al., 2000).

Actuellement au Québec, il n'existe aucun programme répondant aux besoins des parents qui adoptent un enfant exposé. Dans le but de combler cette absence de service, une équipe de chercheurs en service social s'est associée aux intervenants du service d'adoption du CJM-IU afin de développer un programme d'intervention s'adressant à ces parents. La première étape de ce projet a été de réaliser une recension des programmes nord-américains spécifiques à l'adoption ou à l'accueil d'un enfant exposé. Le présent article vise à rendre compte des résultats de cette recension.

## Méthode de recension des programmes

La recension des programmes s'est effectuée entre juin et novembre 2005. Quelques moteurs de recherches (*Google, Google Scholar*) et des bases de données spécialisées (*Medline, PubMed, SWAB, PsycInfo*) ont été consultés. Les mots-clés utilisés lors des recherches sont : *adoption, infant with special needs, family foster care and adoption, prenatal substance abuse and adoption, caring for drug exposed infant, post-adoption programs, services or groups*. Suite à une première exploration des écrits, les critères d'inclusion suivants ont été établis : (1) l'écrit doit porter, entièrement ou en partie, sur un programme d'intervention visant la problématique des enfants exposés placés en famille d'accueil ou adoptés; (2) ce programme doit s'adresser aux parents qui accueillent ou adoptent un enfant exposé; (3) un minimum d'informations doit être disponible sur le programme : objectifs, description des activités ou services, etc..

Les quatre programmes identifiés, dont trois sont états-uniens et un canadien, sont présentés dans le tableau 1. Les pages qui suivent présentent une analyse critique des diverses composantes des programmes présentés dans l'optique d'une éventuelle adaptation de ces derniers à la réalité québécoise.

---

**Tableau 1.** *Programmes d'intervention s'adressant aux parents qui accueillent ou qui adoptent un enfant exposé à la consommation abusive de drogues ou d'alcool*

---

*Drug-Exposed Infant Project,* Children's Aid Society et Leake and Watts Services, New York (New York). Références : Leeds, 2001, 2005.
*Safe Babies Project,* Ministry of Children and Family Development et Vancouver Island Health Authority, Victoria (Colombie-Britannique). Références : Marcellus, 2000, 2004.
*STAFF Project* (Support and Training for Adoptive Foster Families), Center for Child and Family Studies, College of Social Work, University of South Carolina, Columbia (Caroline du Sud). Références : Burry, 1999; Burry et Noble, 2001.
*TIES for Adoption* (Training, Intervention, Education, and Services), L.A. County Department of Children and Family Services, Adoption Division, UCLA Center for Healthier Children, Families and Communities, UCLA Psychology Department, Los Angeles (Californie). Références : Edelstein et al., 2000; McCarty et al., 1999.

## Analyse des programmes

Les aspects suivants ont été documentés pour les quatre programmes sélectionnés : 1) modalités, soit contexte d'émergence, clientèle, objectifs, et 2) activités, services offerts et évaluation du programme.

### Modalités et objectifs

La mise en place des trois programmes états-uniens s'appuie sur le même constat : l'augmentation considérable du nombre d'enfants exposés et placés en famille d'accueil ou admissibles à l'adoption depuis les années '80. Dans le cas du programme canadien, une plus grande préoccupation des intervenants et des décideurs de la santé et des services sociaux face aux enfants exposés placés en famille d'accueil a amené le gouvernement de la Colombie-Britannique à se mobiliser. Pour chacun des programmes, il est reconnu que ces enfants peuvent avoir des besoins particuliers en raison de leur exposition à la consommation abusive de drogues ou d'alcool de leur mère et aux conditions de vie difficiles qui l'accompagnent. Pourtant, la majorité des parents qui les accueillent ou qui les adoptent n'y sont pas adéquatement préparés. De plus, le fait que les intervenants manquent d'une formation spécifique en lien avec cette problématique ajoute à la difficulté de leur rôle lorsqu'ils doivent soutenir et informer les parents adoptants.

Parmi les documents consultés, un seul programme semble avoir été développé selon un cadre théorique spécifique. En effet, le *Safe Babies Project* s'appuie sur un modèle de développement communautaire, inspiré du programme *Healthy Communities* du Ministère de la Santé de la Colombie-Britannique. Concernant les programmes états-uniens, aucune information n'a été trouvée quant au modèle théorique sous-jacent à chacun d'entre eux.

Le tableau 2 présente les principaux objectifs poursuivis par chacun des programmes. De prime abord, ils visent tous à assurer à l'enfant

| Tableau 2. *Principaux objectifs des programmes* | |
| --- | --- |
| *Programmes* | *Principaux objectifs* |
| *Drug-Exposed Infant Project* | • Faciliter la réunification familiale, suite à un placement |
| | • Si la réunification familiale est impossible, faciliter le processus d'adoption |
| | • Prévenir la récurrence des placements |
| *Safe Babies Project* | • Recruter, former et soutenir les familles d'accueil |
| | • Fournir des services d'éducation et de soutien aux parents concernant les besoins de l'enfant dans sa première année de vie |
| *STAFF Project* | • Assurer aux enfants une stabilité tôt dans leur vie |
| *TIES for Adoption* | • Assurer aux enfants un placement réussi dans une famille adoptante |
| | • Faciliter le processus d'adoption |

exposé un maximum de stabilité dans son milieu familial. Toutefois, selon le programme, le milieu familial visé diffère. Par exemple, le *Drug-Exposed Infant Project* et le *Safe Babies Project* ont pour but de réunifier l'enfant avec son milieu familial d'origine. Dans le cas du *Safe Babies Project*, l'éducation et le soutien s'adressent aussi bien aux parents d'origine qu'aux parents d'accueil. Ainsi, la formation des familles d'accueil afin qu'elles soient aptes à s'occuper de jeunes enfants exposés est primordiale pour ce programme. Lorsque la réunification familiale devient impossible, le *Drug-Exposed Infant Project* vise à faciliter le processus d'adoption en accompagnant les parents d'origine dans la renonciation de leurs droits parentaux. Cependant, il n'offre pas de services aux parents adoptants, comme c'est le cas pour les trois autres programmes[5]. Concernant le *STAFF Project* et le *TIES for Adoption*, leur principal objectif est de faciliter le processus d'adoption. Alors que le *STAFF Project* soutient et forme tant les parents d'accueil que les parents adoptants dans la réponse aux besoins spécifiques des bébés exposés, le *TIES for Adoption* est le seul des quatre programmes à s'adresser uniquement aux parents adoptants.

Concernant la clientèle visée, il importe de spécifier que chacun des programmes comporte un volet de formation spécifique s'adressant aux intervenants (travailleurs sociaux, infirmières, etc.). Celle-ci devrait leur permettre d'avoir une plus grande compréhension de la réalité des familles, qu'elles soient d'origine, d'accueil ou d'adoption.

## Services offerts et évaluation d'efficacité

Le tableau 3 résume les différents services offerts par les programmes. Le premier constat à tirer est qu'ils offrent tous des services d'information, d'éducation/formation et de soutien. Toutefois, ces services prennent différentes formes. Dans le cadre du *Drug-Exposed Infant Project*, par exemple, un livret s'adressant aux parents d'accueil et portant sur les soins à administrer à un nourrisson exposé a été publié. Concernant le *Safe Babies Project*, une bibliographie annotée de même qu'une série de feuillets d'information sur les drogues ont été développées pour le grand public. Le *STAFF Project* offre une ligne d'écoute aux parents d'accueil ou adoptants. Tous ces programmes, hormis le *Drug-Exposed Infant Project*, offrent également de l'information sur la consommation de drogues ou d'alcool durant la grossesse ainsi que ses effets sur le développement du fœtus et de l'enfant, dans le cadre des formations offertes aux parents d'origine, d'accueil ou adoptants.

Diverses formations s'adressant aux parents et aux intervenants font partie de chacun des programmes. Elles se donnent toutes en groupe fermé, mais leur durée et les thèmes abordés diffèrent. Par exemple, le *Safe Babies Project* permet aux parents d'accueil ou adoptants de suivre une formation de 16 heures abordant les thèmes suivants : la collaboration avec les parents d'origine, le sevrage chez le nouveau-né, le développement neurologique et la santé du nourrisson, les soins à administrer à l'enfant. Des techniques de réanimation cardiaque du jeune enfant sont également enseignées, puisque le risque de mort subite du nourrisson est plus grand chez les enfants exposés que chez les enfants de la population générale. Le *STAFF Project*, dans le cadre d'une formation de 6 heures offerte aux parents d'accueil ou adoptants, traite de sujets tels que l'attachement, la confidentialité ainsi que les connaissances et habiletés nécessaires pour s'occuper d'un enfant exposé. De plus, les parents

**Tableau 3. *Services offerts par les programmes***

| Services | Clientèles visées | Formes | Programmes |
|---|---|---|---|
| Information | Parents d'origine Parents d'accueil Parents adoptants Intervenants Population générale | Feuillets d'information Livrets éducatifs Bibliographies Ligne téléphonique | *Drug-Exposed Infant Project* *Safe Babies Project* *STAFF Project* *TIES for Adoption* |
| Éducation/Formation | Parents d'origine Parents d'accueil Parents adoptants Intervenants | Groupes éducatifs Formations (entre 6 heures et 16 heures...) | *Drug-Exposed Infant Project* *Safe Babies Project* *STAFF Project* *TIES for Adoption* |
| Soutien | Parents d'origine Parents d'accueil Parents adoptants | Groupes de pairs Soutien à domicile | *Drug-Exposed Infant Project* *Safe Babies Project* *STAFF Project* *TIES for Adoption* |
| Services professionnels | Parents d'origine Parents d'accueil Parents adoptants | Logement Juridique Médical | *Drug-Exposed Infant Project* *TIES for Adoption* |
| Counselling | Parents adoptants Enfants | Individuel Thérapie par le jeu | *TIES for Adoption* |
| Service de répit | Parents d'accueil | | *Safe Babies Project* *STAFF Project* |

apprennent à identifier les différentes ressources spécialisées pouvant leur venir en aide en cas de besoin. Finalement, par le biais de 9 heures d'ateliers, le *TIES for Adoption* permet aux futurs parents adoptants d'identifier la représentation sociale qu'ils se font des parents consommateurs de drogues ou d'alcool et de se préparer à l'adoption de ce type d'enfants par l'acceptation de l'incertitude face aux effets à long terme de l'exposition prénatale à la consommation abusive de drogues ou d'alcool, par le développement de stratégies susceptibles de prévenir la consommation abusive de drogues ou d'alcool chez l'enfant et par l'identification des ressources d'aide existantes si le besoin s'en faisait sentir.

Chacun des programmes offre un service de soutien par les pairs sous forme de groupes ouverts qui se réunissent sur une base régulière. Ces groupes sont homogènes, en ce sens que les parents d'origine, d'accueil et adoptants ne se retrouvent pas au sein d'un même groupe. Dans le cas du *Drug-Exposed Infant Project*, des groupes distincts sont formés selon que les parents d'accueil ont ou non un lien familial avec l'enfant. Concernant le *TIES for Adoption*, les parents adoptants et les parents d'accueil qui désirent adopter un enfant placé chez eux disposent chacun d'un groupe de soutien différent. Aucune information ne permet toutefois de statuer si ces groupes de soutien sont entièrement gérés par les pairs ou si un professionnel anime les rencontres. Le *Drug-Exposed Infant Project* offre également un service de soutien à domicile pour les parents d'origine et d'accueil. En effet, des intervenants peuvent se déplacer et les conseiller pour tout ce qui concerne l'adaptation de l'enfant à son nouvel environnement.

D'autres services sont offerts par chacun des programmes. Par exemple, le *TIES for Adoption* met des médecins et des psychologues à la disposition des futurs parents adoptants qui souhaitent se faire expliquer l'information contenue dans le dossier de l'enfant avant de l'adopter. Il s'agit également du seul programme à offrir un suivi thérapeutique aux parents adoptants et aux enfants, par suite de l'adoption. Finalement, le *Safe Babies Project* et le *STAFF Project* mettent un service de répit à la disposition des parents d'accueil .

Selon les informations disponibles au moment de rédiger cet article, seul le *TIES for Adoption* n'a pas fait l'objet d'une évaluation systématique. L'évaluation du *Drug Exposed Infant Project* documente l'impact du programme sur le temps de placement et le taux de réunification familiale ou d'adoption. Ainsi, il est impossible de statuer à partir de cette évaluation si le programme répond adéquatement aux besoins des parents adoptants. Le *Safe Babies Project* n'a été soumis qu'à une évaluation d'implantation jusqu'à maintenant, ce qui signifie que l'efficacité du programme n'a pas encore été mesurée. Enfin, concernant le *STAFF Project*, deux évaluations ont été effectuées afin de 1) mesurer son impact sur différentes attitudes des parents adoptants (Burry, 1999) et 2) mesurer la cohérence entre les services offerts et les objectifs du programme (Burry et Noble, 2001). Toutes deux montrent que les parents adoptants ont de meilleures habiletés à prendre soin de l'enfant exposé et une meilleure connaissance de l'exposition prénatale à la consommation abusive de drogues ou d'alcool, par suite de la formation reçue. Toutefois, selon Burry (1999), le fait d'avoir suivi ou non la formation n'a pas d'impact sur le sentiment d'efficacité des parents adoptants, sur leur perception du soutien reçu, ou même sur leur intention de poursuivre le placement de l'enfant exposé.

## Adaptation de ces programmes à la réalité québécoise

En somme, les programmes recensés semblent tenir compte des besoins des parents adoptants tels qu'identifiés dans les écrits scientifiques, soit leur besoin d'être informés, d'être soutenus et d'être formés à la réalité particulière de l'adoption d'un enfant exposé. Toutefois, le manque d'évaluation portant sur l'efficacité des programmes fait en sorte qu'il est difficile d'établir si ces derniers parviennent réellement à combler les besoins des parents adoptants et à diminuer les difficultés rencontrées, particulièrement lorsque l'enfant exposé présente des problèmes de développement, de comportement ou d'attachement.

Parmi les programmes recensés, le *TIES for Adoption* semble être celui qui tient le mieux compte des multiples facettes de l'adoption d'un enfant exposé. D'une part, dans le but de faciliter le processus d'adoption des enfants exposés, des services sont offerts avant même l'arrivée de l'enfant dans la famille et peuvent se poursuivre après l'adoption, et d'autre part, ce programme offre une gamme complète de services, soit formation pour les parents adoptants, sessions individuelles de consultation psychologique pour les parents et de thérapie par le jeu pour les enfants, consultations par des professionnels sensibles à la réalité de l'adoption, soutien par les pairs.

Ainsi, la mise sur pied d'un programme d'intervention québécois pourrait très bien s'inspirer du *TIES for Adoption*. Ce dernier ne pourrait toutefois être implanté sans tenir compte de la réalité particulière du programme Banque-mixte. En effet, les parents adoptants engagés dans ce programme doivent jouer le rôle de famille d'accueil, ce qui signifie qu'ils doivent accepter que les parents d'origine conservent leurs droits parentaux et puissent avoir des contacts avec l'enfant tant et aussi longtemps que l'adoption n'est pas finalisée. De plus, lorsque les parents adoptants accueillent un enfant, il est possible que celui-ci ne soit jamais admissible à l'adoption si les parents d'origine se reprennent en main et réclament l'enfant par exemple. Bien que cette éventualité puisse être dans le meilleur intérêt de l'enfant, un programme d'intervention devrait prendre en considération le stress et l'anxiété qu'une telle situation peut entraîner chez les parents adoptants. Enfin, un des éléments jugés incontournables si l'on veut favoriser le succès d'un programme d'intervention est la formation offerte aux intervenants au sujet de l'exposition à la consommation abusive de drogues ou d'alcool. En effet, cette réalité doit d'abord être démystifiée auprès des intervenants afin que ces derniers soient mieux outillés pour accompagner les parents adoptants.

Il importe de mentionner que les programmes d'intervention s'adressant aux parents qui adoptent un enfant exposé, tels que ceux présentés ici, doivent s'arrimer aux programmes offerts aux parents d'origine, qui sont multiples et diversifiés. Par exemple, le *Vulnerable Infants Program* du Rhode Island vise entre autres à réduire le nombre de placements d'enfants exposés et à améliorer les services permettant de renforcer le lien d'attachement parent-enfant (pour plus de détails, voir Twomey, Soave, Gil et Lester, 2005). Au Québec, le programme d'intervention JESSIE (Centre Dollard-Cormier/CJM-IU), ainsi que le programme mère-enfant du centre de traitement de la toxicomanie PORTAGE proposent des services psychosociaux aux parents consommateurs afin que ces derniers puissent conserver la garde de leurs enfants. Également, le projet *Main dans la main* (Centre des naissances du Centre hospitalier universitaire de Montréal/CJM-IU/Institut de recherche pour le développement social des jeunes/École de service social de l'Université de Montréal) a comme principale mission de développer une pratique novatrice auprès des mères consommatrices (de même que leurs partenaires et leurs enfants), qui consiste à faire travailler ensemble la protection de la jeunesse et le service social en milieu hospitalier le plus tôt possible au cours de la grossesse dans le but de permettre aux parents de vivre avec leur enfant tout en modulant leur consommation et en modifiant leur style de vie.

La présente recension de programmes n'est pas la seule étape dans le développement d'un programme d'intervention s'adressant aux parents qui adoptent un enfant exposé. En effet, l'évaluation des besoins constitue une étape préalable incontournable visant à identifier les problèmes vécus par la clientèle ainsi que les solutions envisageables pour y remédier. Ainsi, des *focus groups* ont été réalisés avec des parents adoptants, de même qu'avec des intervenants en adoption. L'analyse de ce matériel est en cours et fera l'objet d'une publication sous peu.

## ABSTRACT

*The authors consider the objectives and services offered by several intervention programs specifically destined to adoptive or foster parents who are facing the many needs of children who were prenatally and in their young age exposed to substances or alcohol. The analysis show that information, education and support of adoptive parents are the main concerns of these programs. This review is comprised as a first step in the development of such a program to answer needs of adoptive parents of exposed children in Quebec.*

## Notes

1. Dans le cadre du présent article, l'appellation 'enfant exposé' désigne un enfant exposé in utero ou durant les deux premières années de sa vie à la consommation abusive de drogues ou d'alcool de son ou de ses parent(s).
2. Dans le cadre du présent article, l'appellation 'parents adoptants' désigne autant les parents dont le processus d'adoption est en cours que les parents pour qui le projet d'adoption est terminé.
3. Peu d'études ont été faites sur les impacts de la consommation abusive de drogues ou d'alcool sur le développement des enfants au-delà de l'âge scolaire.
4. Plus de 50 % des enfants de l'échantillon sont âgés de moins d'un an au moment du placement pour adoption; environ 20 % sont âgés de 3 ans et plus.
5. Malgré l'écart apparent entre les objectifs et la clientèle du *Drug-Exposed Infant Project* et l'objectif poursuivi dans l'actuel projet de recherche, ce programme a été retenu dans la présente recension en raison de certains services offerts aux parents qui accueillent un enfant exposé.

# Références

**Barth RP, Brooks D.** Outcomes for drug-exposed children eight years postadoption. In : **Barth RP, Freundlich M, Brodzinsky D.** (eds) *Adoption & Prenatal Alcohol and Drug Exposure : Research, Policy, and Practice*. Washington, D.C.: Child Welfare League of America, 2000: 23-58.

**Berger LM, Waldfogel J.** Prenatal cocaine exposure : Long-run effects and policy implications. *Social Service Review* 2000; 74 : 28-54.

**Brown JD, Sigvaldason N, Bednar LM.** Foster parent perceptions of placement needs for children with a fetal alcohol spectrum disorder. *Children and Youth Services Review* 2005; 27 : 309-327.

**Brown JV, Bakeman R, Coles CD, Platzman KA, Lynch ME.** Prenatal cocaine exposure : A comparison of 2-year-old children in parental and nonparental care. *Child Development* 2004; 75 : 1282-1295.

**Burry CL.** Evaluation of a training program for foster parents of infant with prenatal substance effects. *Child Welfare* 1999; 78(1) : 197-214.

**Burry CL, Noble LS.** The STAFF Project : Support and training for adoptive and foster families of Infant with prenatal substance exposure. *Journal of Social Work Practice in the Addictions* 2001; 1(4) : 71-82.

**Edelstein SB, Waterman J, Burge D, McCarty C, Prusak J.** T.I.E.S. for Adoption: Supporting the adoption of children who were prenatally substance exposed. In : **Barth RP, Freundlich M, Brodzinsky D.** (eds) *Adoption & Prenatal Alcohol and Drug Exposure : Research, Policy, and Practice*. Washington, D.C.: Child Welfare League of America, 2000 : 115-145.

**Freundlich M.** The impact of prenatal substance exposure : Research findings and their implications for adoption. In : **Barth RP, Freundlich M, Brodzinsky D.** (eds) *Adoption & Prenatal Alcohol and Drug Expo-* sure : Research, Policy, and Practice*. Washington, D.C.: Child Welfare League of America, 2000: 1-22.

**Lecompte J, Perreault E, Venne M, Lavandier KA.** *Impacts de la toxicomanie maternelle sur le développement de l' enfant et portrait des services existants au Québec*. Montréal : Comité permanent de lutte à la toxicomanie, 2002.

**Leeds S.** *Final Evaluation of the Drug-Exposed Infant Project*. New York : Leake and Watts Services, 2001.

**Leeds S.** *Final Evaluation of the Drug-Exposed Infant Project* (2001-2005). New York : Leake and Watts Services, 2005.

**Marcellus L.** Safe babies : One community's response. *The Canadian Nurse* 2000; 96(10) : 22-26.

**Marcellus L.** Developmental evaluation of the Safe Babies Project : Application of the COECA Model. Issues in *Comprehensive Pediatric Nursing* 2004; 27 : 107-119.

**McCarty C, Waterman J, Burge D, Edelstein SB.** Experiences, concerns and service needs of families adopting children with prenatal substance exposure : Summary and recommendations. *Child Welfare* 1999; 78 : 561-577.

**McNichol T, Tash C.** Parental substance abuse and the development of children in family foster care. *Child Welfare* 2001 ; 80 (2) : 239-256

**Moe V.** Foster-placed and adopted children exposed in utero to opiates and other substances : Prediction and outcome at four and a half years. *Dev & Behav Ped* 2002; 23 : 330-339.

**Twomey J, Soave R, Gil L, Lester BM.** Permanency planning and social service systems : A comparison of two families with prenatally substance exposed infant. *Infant Mental Health Journal* 2005; 26(3) : 250-267.

POLÉMIQUES ET
PLAIDOYERS

no 46

# Pratiques en adoption internationale :
## comment franchir le Rubicon américano-européen

**Jean-François Chicoine**
**Johanne Lemieux**

Professeur adjoint de pédiatrie à l'Université de Montréal, Dr Chicoine est pédiatre à la Clinique de Santé internationale du CHU Sainte-Justine, consultant au Programme d'intervention du Secrétariat à l'adoption internationale du Québec et consultant auprès du Ministère de la famille, communauté française Wallonie-Bruxelles. Mme Lemieux est travailleuse sociale associée au Bureau de consultation en adoption du Québec et conceptrice d'*Adopteparentalité*. Elle est consultante auprès de *Le monde est ailleurs*, et du Ministère de la famille et de l'intégration du Luxembourg.

Adresse :
3175, Côte Sainte-Catherine
Montréal (Québec) H3T 1C5
Courriel :
*doc.chic@meanomadis.com*

*Le vieux continent est encore trop empreint de son histoire, de sa gloire ancienne et de sa toute-puissance passée. Il faut sans doute avoir abandonné la terre de ses ancêtres, s'être vu abandonné par eux, avoir dû presque renoncer à ses racines, à sa langue, avoir résisté pour renaître, pour parler bien de l'abandon. Il faut sans doute avoir été la terre de départ, la tête de pont entre le Royaume de France et la Louisiane pour ne pas être écartelé entre la France et les États-Unis, pour être le lien entre l'Europe et l'Amérique, pour partir à la découverte du monde, ailleurs... Et il faut avoir une première histoire douloureuse et enfouie, une renaissance en terre inconnue, et s'enrichir des deux pour parler bien de l'Adoption.*

Danielle Housset, présidente d'*Enfance et Familles d'Adoption*

Entre l'Europe francophone et notre « Terre d'Amérique », il existe une réelle différence de perception du travail professionnel à instituer en adoption internationale : imaginons cet écart comme un Rubicon pour donner à penser qu'en provoquant un croisement des regards, il sera possible de franchir la distance honorable pour simplifier les arrimages académiques ainsi que les soins conséquents aux populations concernées d'enfants et de familles adoptives.

Les divergences de conception se retrouvent à la fois dans la manière d'accueillir l'enfant dans son individualité - face à ces conditions que sont notamment le kwashiorkor, les déficits sensoriels ou les effets psychosociaux des ruptures – et dans l'encadrement de la famille adoptive dans l'exercice de sa parentalité à options, en regard notamment du deuil de l'enfant biologique ou de l'ouverture ethnique nécessaire à l'accueil d'un enfant venu d'ailleurs. Entre les pays et les continents, les « manières » familiales et sociales sont différentes, et d'autant plus difficiles à modeler entre les espaces ruraux des uns et la vie urbaine des autres. Les pratiques pédiatriques et psychologiques

## RÉSUMÉ

*Entre l' Europe francophone et la «Terre d' Amérique», les différences de perception du travail professionnel à instituer en adoption internationale sont bien réelles. Les auteurs considèrent successivement les particularités du contexte socio-médical prédominant en Europe francophone et au Québec, avant de discuter des conditions d' évaluation des parents candidats à l' adoption et de celle de l' enfant en pré-adoption. La revue de l' accueil médico-nursing et psychosocial en post-adoption met en évidence des pratiques originales où priment les rôles de l' infirmière et du pédiatre ou du médecin de famille auprès de ces populations d' enfants et de familles adoptives. Les actions souhaitées et pratiquées étant profondément influencées par des facteurs culturels, il appert que les professionnels québécois pourraient servir de lien avec l' Europe francophone et de relais des modèles et des pratiques en adoption développés en Amérique du Nord.*

courantes face à des comportements adaptatifs, pensons par exemple aux colères et aux troubles de sommeil, ou encore face à des problématiques prévalentes quand on examine des enfants victimes d'abandon ou de négligence, tel le déficit d'attention avec ou sans hyperactivité (nommé hyperkinésie en Europe), le syndrome post-traumatique (en émergence dans les diagnostics reconnus) ou les troubles de l'attachement (autrement nommé selon les écoles, les disciplines ou les nationalités), viennent d'autant accentuer ces différences.

En 2006, les défis posés par l'adoption d'enfants carencés sont pour le moins complexes puisque toutes les sphères pédiatriques se trouvent quotidiennement interpellées, de l'infectiologie à l'ethno-psychiatrie. Les comparaisons atlantiques constructives, d'ailleurs fort peu documentées, sinon par la rumeur, y trouvent certainement l'un de leurs plus grands défis pratiques dans la volonté d'exercice « tout en ouverture » de la médecine et des disciplines reliées (Chicoine, 2004; Zeisser et Enfance et familles d'adoption, 2001; Chicoine et Chicoine, 1998).

Notre expertise nationale et outre-Atlantique auprès des professionnels, au sein des associations familiales et auprès des ministères étrangers, nous aura permis de mesurer à quel point, malgré des prémisses éthiques généralement communes, tout au moins dans les discours et les conventions de protection de l'enfance, les actions

souhaitées et pratiquées par les acteurs en place en adoption internationale étaient profondément influencées par des facteurs
culturels qui modifient les attitudes auprès des familles autant que
les interventions consécutives. Pour l'adopté, les répercussions en
matière de santé physique, affective, scolaire et identitaire sont
directes; pour sa famille adoptive, ses pairs, ses professeurs, ses
soignants, si elles ne sont pas toujours avouées, les implications
sont tout au moins souterraines. Dans la foulée de nos observations
cliniques et pédagogiques, nous présentons ici des pistes de réflexion
que nos relations étroites avec nos confrères et consoeurs d'outre-
Atlantique auront rendu possibles (Chicoine, 2004 ; Zeisser et Enfance
et familles d'adoption, 2001; Chicoine et Chicoine, 1998 ; Lemieux,
2006 ; Chicoine, 2001).

## Particularités du contexte socio-médical

Il faut d'abord reconnaître que l'imprimatur des groupes bénévoles
et caritatifs est prédominant dans le tableau de l'aide à l'enfance en
France, en Belgique et en Suisse, y compris en matière de projet
de vie des enfants venus de l'étranger. Les traditions d'adoption des
« vieux pays » comportent ainsi d'importantes résonances associa-
tives et sociales qui contrastent avec la rareté des services professionnels spécialisés disponibles en adoption. En France, notamment,
des groupes de parents adoptants et d'adultes adoptés siégeaient
récemment au Conseil Supérieur de l'adoption, alors qu'aucun
service d'accueil post-adoption multidisciplinaire n'existait encore
dans le Tout-Paris. En général, l'approche à l'européenne donne lieu
à beaucoup de principes, de règlements et d'arrêtés, souvent fort
valables, il va sans dire, mais comparativement à notre vécu clinique
nord-américain, à peu de protocoles d'accueil, que ce soit en matière
de dépistage anticipé – par exemple, pour la surdité, l'hépatite B ou le
retard développemental – ou de guides de bonne pratique (Chicoine,
2004; Zeisser et Enfance et familles d'adoption, 2001; Chicoine, 2000;
Enfance et familles d'adoption, 2001).

Autre constat : dans ce domaine, comme dans d'autres, les spécia-
lités hospitalières en France, en Belgique et au Luxembourg ne sont
pas articulées au communautaire avec autant de déploiement que
dans nos centres de services canadiens. Ainsi, nos habitudes évaluatives nord-américaines, globalement fondées sur l'interdisciplinarité,
semblent mieux répondre aux multiples besoins de l'enfant adoptif
et de « ses familles », selon l'expression du psychanalyste Nazir

Hamad. La position stratégique de l'infirmière, notamment comme dispensatrice de soins cliniques, en lien privilégié avec les milieux ou sinon comme référence en immunisation, n'a pas connu la même évolution en France et en Belgique où son rôle est parfois limité à celui d'exécutante. Entre les attitudes hiérarchiques, les organigrammes administratifs et la densité des cas de figure proposés aux Européens qui adoptent en moyenne des enfants plus âgés ou plus « à particularités » que les Québécois, les difficultés coopératives des différents services prenant en charge des aspects particuliers de la santé des adoptés sont d'autant plus surprenantes qu'il existe globalement en France, par exemple, une proximité et une disponibilité de soins qui se perdent énormément au Canada (Chicoine, 2000; Hamad, 2001).

Des querelles de chapelles impressionnantes, entre certains traditionalistes psychanalytiques et les néo-défenseurs de l'approche *attachementiste*, marquent également la pratique clinique. L'approche narrative ou analytique coutumièrement mise en place se dit bousculée par les thérapies familiales interventionnistes aux assises préverbales, et injustement taxées de « forçage », telles que mises de l'avant par les Anglo-Saxons, les Hollandais et les Scandinaves. La théorie de l'attachement et ses bases anatomiques et physiologiques, de plus en plus vérifiables en imagerie cérébrale, exposent pourtant clairement certaines difficultés rencontrées en adoption internationale ainsi que les solutions affectives et structurantes qui en découlent dans la concrétisation du conseil parental. Les relations thérapeutiques pédopsychiatriques « serrées » portées sur l'écoute, et dont sont souvent exclus les nouveaux parents, semblent privilégiées dans certains milieux européens au détriment d'une approche éducative parentale, attitude par ailleurs charnière dans la mise en famille de l'enfant abandonné, selon nos préceptes nord-américains. À moins d'une pathologie grave ou d'un éclairage diagnostique requis chez un enfant souffrant de dépression ou de phobies par exemple, où la consultation et le suivi pédopsychiatrique s'imposent, le clinicien québécois fera plus facilement appel dans sa pratique quotidienne à l'éducateur, qu'il soit orthopédagogue, psychologue, travailleur social ou psychoéducateur. Au Québec, des approches essentiellement cognitivistes ou purement lacaniennes s'interrogent sur les manières de faire des pédiatres, des travailleurs sociaux ou des juristes québécois en matière d'attachement ou de conseil parental, mais les oppositions intra-muros ne nous semblent pas avoir de commune mesure avec les discours usuels en francophonie européenne où les consensus ne sont pas en vue. Les flous diagnostiques qui persistent sur le terrain entre les troubles sévères du comportement, les troubles de l'attachement et la pathologie dite du lien, l'incongruité transcontinentale de certaines attitudes thérapeutiques en matière d'attachement ne facilitent pas la clarification du débat (Cohen Herlem, 2000; Enfance et familles d'adoption, 1992; Wilbush, 1995; Guedeney et Guedeney, 2002).

## L'évaluation des parents candidats à l'adoption

Notre travail éducatif mené auprès des familles adoptives en Europe, les commentaires souvent amers des parents en démarche adoptive, leurs reproches, voire leurs deuils face à leurs systèmes nationaux d'apparentement d'enfants et leurs actions publiques consécutives, nous portent à présupposer que le désir d'adopter est globalement perçu par les autorités en place de façon plus « suspecte » qu'au Québec. À titre d'exemple circonstanciel, lors d'assises françaises sur un projet de réforme de la protection de l'enfance, des intervenants du milieu, dont le psychiatre Maurice Berger, critiquaient encore récemment le quasi dogme français voulant que seul, le lien parental de sang puisse incarner une figure d'attachement pour l'enfant. Tout incite pourtant à penser qu'il n'y a pas de différence intrinsèque dans le désir d'enfant chez un parent biologique et chez un parent adoptif. Plusieurs auteurs suggèrent d'ailleurs que le désir d'enfant serait même plus intense chez les futurs parents adoptants, principalement parce qu'entravé au départ. Les déboires, les constatations psychologiques ainsi que les difficultés familiales ou scolaires reliées au projet ne remettent généralement pas en question le geste d'adoption en lui-même (De Mallevoue, 2006; Maury, 1999; Provost, 2005).

Convenons néanmoins que la suspicion professionnelle a ses vertus, notamment celle de protéger des enfants de familles candidates qui auraient insuffisamment mentalisé les valeurs, les responsabilités, la disponibilité physique et psychique ainsi que les contraintes inhérentes à l'accueil d'un enfant par adoption. Au Québec par contre, la facilitation du processus risque parfois de plonger les parents dans le processus d'adoption avec précipitation ou superficialité. Malgré la disponibilité d'associations parentales comme la *Fédération des parents adoptants du Québec* (FPAQ), trop de parents se regroupent au sein des organismes responsables de leur processus d'adoption et se contentent ainsi non pas d'échanges sur les fondements de la parentalité adoptive, mais de procédures à suivre ou non selon le cas. Les groupes de paroles, tels qu'institués par les associations parentales européennes, font donc ici relativement défaut. La disponibilité des livres, des références sur Internet, des cours de préparation à l'adoption ne réussissent pas au Québec à contrer les effets douloureux, mais parfois hautement constructifs, du temps d'attente. Entre vouloir un enfant et devenir son parent, il existe de fait un monde psychique à actualiser. En Europe, l'adoption ayant pendant longtemps servi à la transmission des titres et du patrimoine d'une lignée, plusieurs juristes ou spécialistes des droits de l'enfant considèrent à raison que l'adoption comme système de protection de l'enfance a encore ses « preuves » à faire face au poids de la tradition et des volontés urgentes d'adoption (Enfance et familles d'adoption, 1992; Provost, 2005; Dumaret et Rosset, 1996; Mission famille et droits de l'enfant, 2005).

La suspicion a du bon également, notamment pour protéger les enfants de filières documentées de trafic d'enfants, d'ingérence financière sous toutes ses formes, bref d'une « quête de l'enfant instantané », comme l'affirme la juge et spécialiste des droits de l'enfance Claire Brisset. L'adoption est une démarche qui ne doit bénéficier d'aucun passe-droit ou accommodement. À l'instar d'autres pays comme la Belgique ou les États-Unis, persisterait-il en la matière une façon française de faire que d'aucuns jugeront colonialiste? Délicat pour nous d'en juger. Dans une chronique diffusée à France-Inter à l'occasion d'une dénonciation par les familles adoptives françaises de passe-droits au sein de l'adoption cambodgienne, la journaliste Danièle Messager, elle-même maman adoptive, soulignait récemment les manques de transparence de l'Hexagone :

> La France oublie-t-elle l'éthique en matière d'adoption ? L'UNICEF, la France et d'autres pays se sont engagés à aider les autorités cambodgiennes à mettre en place une législation pour qu'il n'y ait plus justement de cas suspects mais tant que ce n'est pas terminé, il ne doit pas y avoir d'adoptions. Or, quelques Français se seraient rendus au Cambodge à la recherche d'un enfant et auraient pu le ramener en France avec forcément l'appui de représentants de l'autorité française, sinon il leur aurait été impossible de franchir les frontières. Alors que des couples sont en attente, que des parents qui ont déjà un enfant cambodgien espèrent un frère ou une

*sœur, que cette attente est douloureuse, pourquoi certaines personnes bénéficient-elles d'une aide privée qui leur permettrait de contourner une législation. (...) Il ne suffit pas de forcer la porte d'un orphelinat à l'étranger. Pourquoi faire ici ce que l'on ne se permettrait pas en France ? (...) Que diront ces parents demain à leur enfant qui demandera comment il est arrivé en France et est devenu Français?* (Mission famille et droits de l'enfant, 2005; Messager, 2005; Peyre, 2005)

Toutes les injustices potentiellement commises en France à l'égard de la volonté d'adoption ne sont cependant pas licenciables. Notamment, lors de l'agrément - procédure d'évaluation psychosociale d'un couple ou d'une personne souhaitant fonder une famille par adoption -, certains professionnels, dont des psychologues, des travailleurs sociaux et des psychiatres semblent trouver pathologique le désir d'adopter. Aussitôt que le désir d'enfant se transforme en vouloir, les futurs parents adoptants réalisent combien ils ne sont pas au bout de leurs peines. L'appréciation de leurs motivations profondes à adopter prend infiniment de place, laissant, comparativement à notre habituelle manière de faire, peu d'espace à l'inventaire de leurs capacités parentales. L'outillage nécessaire des candidats à l'adoption s'en trouvant négligé, le parent, à son tour, et déjà paralysé par les doléances administratives, se retrouve en quelque sorte « abandonné » en cours de processus.

Conséquemment, l'adoption est souvent métaphorisée en France comme « un parcours du combattant », concept inexistant au Québec, malgré les nombreuses démarches techniques à entreprendre. En France, sur les 25 000 familles demandeuses évaluées positivement par les autorités en place, moins de 4 000 se retrouveront chaque année face à un enfant réel. Au Canada, le taux annuel d'adoptions est d'environ 2 000 par année avec près de 1 000 d'entre elles effectuées au Québec. Dans le cas de la Chine, d'Haïti ou de la Corée notamment, c'est près de 100 % des familles qui finiront par s'agrandir en moins de 12 à 18 mois. En France toujours, en raison des attentes prolongées, les autorités évaluent l'attrition des parents candidats à 30 % sur cinq ans, période après laquelle les postulants sont conviés à une réévaluation de leur projet familial. Le militantisme des mouvements associatifs n'y est donc que plus soutenu et compréhensible (Enfance et familles d'adoption, 2001; Edselward, 2005; Chicoine et al., 2005; Miller et Hendrie, 2000; Chicoine et Tessier, 2004; Rey et al., 2002; Benoit et al., 1996; Chicoine et al., 1999; Rutler et al., 1998; Verhulst et al., 1992; Faber, 2000; Marx et al., 2002; Pommerleau et al., 2005; Gunar et coll. 2003; Citoyenneté et Immigration, 2003).

Autre singularité du processus parfois difficile à assumer pour les parents: un couple ayant reçu un agrément positif par des compétences professionnelles, comme au Québec lors de l'évaluation psychosociale, aura, contre toute attente, à être réévalué par l'*Œuvre agréée d' adoption française* (OAA) qui se réserve un droit de sélection des candidats selon des valeurs humanitaires, des critères d'âges, de pratique religieuse ou d'autres principes entérinés par un conseil d'administration bénévole, et ce, même si le pays d'origine de l'enfant n'applique ou ne souhaite aucunement ces mêmes critères. L'évaluation psychosociale (ou agrément) fait déjà vivre beaucoup d'anxiété aux futurs parents adoptants, aussi quand l'« arbitraire » semble être au rendez-vous, les postulants découvrent, désabusés, qu'on les a induits en erreur, et ils en arrivent parfois à se questionner sur leurs réelles aptitudes à devenir parents ou encore à se laisser entraîner dans des dérives financières ou juridiques, notamment dans des pays *fragiles* (Peyre, 2005; Servan-Schreiber, 2005; Chicoine, Germain et Lemieux, 2002).

Entre autres conséquences pratiques, si au Québec 95 % des adoptions se réalisent grâce aux services des organismes d'adoption, seulement 40 % des adoptions seront ainsi réalisées sur le territoire de l'Hexagone. Ceci amène 60 % des autres familles potentielles, souvent les plus à risque en termes de compétences ou de cheminement – ce qu' il ne faudrait pas nier - à se diriger vers un processus d'adoption beaucoup plus téméraire (nous ne disons pas mauvais ou illégal), celui de l'adoption par filière libre, en d'autres mots, sans passer par un organisme d'adoption. Cette procédure désignée au Québec comme adoption par contact privé, est rendue presque impossible depuis le 2 février 2006, journée de la ratification de la Convention de La Haye, sauf dans des circonstances exceptionnelles, notamment lors de l'adoption d'un enfant apparenté, pour des raisons humanitaires ou lors de l'adoption dans les provinces et territoires canadiens, chez les Inuits par exemple (administrativement un processus d'adoption internationale).

Pour le Service social international, l'intervention d'un organisme d'adoption agréé dans le pays d'accueil et autorisé dans le pays d'origine est en général de loin la voie préférable. Faute de disponibilité ou de moyens, les OAA européens traitent un nombre insuffisant de dossiers pour satisfaire les demandes. La Belgique francophone a à cet effet pris un virage et travaille à reconstruire son système d'accueil législatif, médical et social d'adoption. La France vient pour sa part de créer une *Agence Française de l'Adoption* (AFA), sorte de troisième voie adoptive qui serait, selon Yves Nicolin, président du Conseil Supérieur de l'adoption, « non pas le guichet unique, mais le guichet supplémentaire, ouvert aux couples qui ne peuvent ou ne veulent pas passer par une démarche individuelle, ou à ceux qui ne peuvent ou ne veulent pas passer par un OAA ». Dans ce contexte législatif encore insuffisamment concrétisé (mai 2006), une certaine émulation pour gagner « ses jalons » est perceptible chez plusieurs parents européens qui bravent l'attente en lorgnant du côté des adoptions indépendantes (Mission Famille et droits de l'enfant, 2005; Peyre, 2005; Servan-Schreiber, 2005; Chicoine, Germain et Lemieux, 2002; Ministère de la famille et de l'Enfance, Rép. Française, 2004; SSI/CIR, 2006).

Si, aux États-Unis, l'adoption n'échappe pas à la sphère du privé, donc de l'argent, en Europe, bien qu'elle soit reconnue comme une mesure incontournable de protection sociale, l'adoption est trop souvent instrumentalisée par des lobbies diplomatiques, politiques, électoraux ou autre, constate le Service Social international. C'est ainsi que les célébrités de la chanson ou du cinéma se retrouvent parents avant d'autres : par le privé sur un continent, par la diplomatie sur l'autre. Toutes les associations parentales ou professionnelles dénoncent et l'un et l'autre. Et tandis qu'en France, les associations qui se portent à la défense des parents et de leurs enfants en appellent activement au « parler vrai », les parents québécois continuent de *surfer* sur des adoptions relativement faciles à concrétiser. Plusieurs pays d'origine, dont la Biélorussie, la Roumanie, le Guatemala, sont pourtant devenus des avenues impossibles pour l'adoption d'enfants au Canada. D'autres, comme la Fédération de Russie ou le Vietnam se sont fermés, puis de nouveau ouverts pour œuvrer avec le Québec et le Canada. De tous les pays possibles pour l'adoption internationale (plus d'une quarantaine), autour d'une dizaine seulement restent encore possibles pour les candidats québécois. C'est la Chine qui vient brouiller les cartes. Il suffirait pourtant d'une fermeture des Chinois à l'adoption québécoise via les trois organismes d'adoption responsables, et agréés par notre ministère, pour que les futurs parents adoptants du Québec rentrent en résonance affective avec les difficultés vécues par les postulants français (Peyre, 2005; Citoyenneté et Immigration, Canada, 2003; Secrétariat à l'adoption internationale du Québec; Ministère de la famille et de l'Enfance, Rép. Française, 2004; Enfance et familles d'adoption, 2000; SSI/CIR, 2006).

## L'évaluation médicale de l'enfant en pré-adoption

Toutes ces énergies à faire reconnaître la légitimité du désir d'adopter et à trop longtemps ignorer les enjeux bio-psychosociaux participent à notre avis au retard de certains intervenants européens – pourtant hautement spécialisés en santé infectieuse, nutrition-nelle, développementale ou mentale – à s'occuper activement de la santé physique et familiale des enfants adoptés en tant qu'entité particulière. En France, l'étiquette de l'acharnement « pathologique » apposée au couple en procédure d'adoption nous paraît d'autant plus remarquable que les procédures et démarches de fertilisation in vitro y sont remboursées par la Sécurité sociale et ne font l'objet d'aucune limite de tentatives. Les raisons profondes de cette diffé-rence culturelle nous échappent, mais expliquent probablement pourquoi les acteurs francophones intervenant en adoption mettent beaucoup d'énergie (dans des articles, conférences et colloques) à articuler et argumenter la légitimité et la normalité du lien affectif qu'ils nomment très justement « filiation », en omettant toutefois trop souvent d'aborder la nécessité de s'équiper face aux blessures physiques et psychiques chez ces enfants venus de loin.

Dans cette même ligne de pensée, pendant longtemps en France, la question de l'évaluation de la santé de l'enfant adopté est restée non seulement négligée, comme ponctuellement au Québec, mais carrément taboue : « parce qu'elle fait peur », mais aussi « parce qu'elle est susceptible de déranger tout le monde – la société, les pouvoirs publics, les futurs parents », fait remarquer Janice Peyre, présidente actuelle d'*Enfance et familles d'adoption* (EFA), la plus grande association de parents adoptants en Europe (Lévy-Soussan, 2002; Peyre, 2006).

Au début des années 2000, un séminaire d'EFA auquel nous parti-cipions, démarre d'ailleurs dans la controverse. On se demande alors si, en France, on a le droit de parler publiquement de la santé de l'enfant adopté. Là-bas, la question de l'avortement pour motif théra-peutique ou du placement en vue d'adoption d'un enfant handicapé, tel l'enfant trisomique, est généralement empreinte de sympathie et de compréhension par le personnel soignant des maternités. Mais le discours chez un futur parent adoptif exprimant ouvertement qu'il souhaiterait avoir un enfant en bonne santé n'est pas encore parfai-tement convenu. Le geste d'adopter n'est pourtant pas une action humanitaire, c'est une action pour un enfant en recherche de famille non pour le sauver, mais bien pour le parenter. Une action empa-thique au-dedans de soi, non une preuve de sympathie fournie au dehors de soi (Zeisser et EFA, 2001; EFA, 2003; Chicoine, 1997).

Aux États-Unis, Dr Margaret Hostetter, Dr Jerry Jenista, Dr Dana Johnson, Dr Laurie Miller parlent ouvertement de santé de l'enfant adopté à coup d'articles scientifiques et de colloques depuis la fin des années 1970. Au Québec, le sujet gagne en importance vers la fin des années 1980. Des publications de la Clinique de santé interna-tionale ont influencé directement nos milieux cliniques et conduit à des changements de procédure. En France, vingt-cinq ans après les États-Unis, le sujet est non seulement peu documenté, sinon notam-ment par J.J. Choulot de Pô ou Jean de Monleon de Dijon, mais il n'a pas encore droit légitime de cité. Ce sont les associations parentales qui « autorisent » la thématique. Les universitaires s'y intéressent peu, sinon, et en contrepartie avec beaucoup d'avancées scienti-fiques, uniquement sous l'angle de la filiation et de la psychopa-thologie. Il aura d'ailleurs fallu attendre jusqu'en 2005 pour que l'Association des pédiatres de langue française ajoute le sujet de l'adoption internationale au programme de son congrès (Chicoine et Tessier, 2004; Choulot, 1997; De Monleon, 2000; Laplane, 1989; Hostetter et al., 1989).

C'est face à ce décalage, et en toute collégialité, que les associations parentales et des responsables politiques européens font signe à nos équipes, bien avant les milieux de soins ou les milieux acadé-miques. Les freins éthiques face à l'adoption à l'états-unienne sont évidents, mais notre francophonie leur semble un atout. Le fait est que la recherche en pédiatrie sociale ou familiale pour laquelle les États-Unis ont une avance considérable n'a absolument pas pénétré dans le discours européen francophone et nous devenons en quelque sorte le messager de pratiques développées dans le monde anglo-saxon. En Belgique notamment, notre principe d'évaluation médicale des enfants a été récemment discuté par le ministère de la famille de la Wallonie avant d'être présenté et entériné comme modèle d'accueil et de soins par les équipes médicales et psychosociales ciblées par le politique. La Convention de La Haye stipule la nécessité de l'engagement bilatéral des parties à faire de la mise en famille un succès. En accord avec nos principes éducatifs, l'adoption internationale *trouve* les enfants *perdus* avant que les professionnels soient appelés à guider les nouveaux parents à *retrouver* les enfants dans leurs similitudes et leurs différences adoptives (Hostetter et al., 1989; Chicoine, 2005).

L'idée de procéder à des examens de santé en pré-adoption (pour dépister des paralysies cérébrales sévères), à des investigations biologiques (pour dépister l'hépatite B, la syphilis congénitale ou le VIH/SIDA) et qui plus est, l'idée d'obtenir des vidéos ou des photographies au cours de la démarche pré-adoptive - pour se faire une idée du développement psychomoteur de l'enfant - est d'abord jugée par nos interlocuteurs européens comme irrecevable, en Suisse tout particulièrement où le dépistage du VIH en pré-adoption se trouve, sinon interdit, du moins découragé. Non sans certaines raisons, le postulat européen a longtemps prévalu qu'une évaluation sous toutes ses coutures d'un candidat à l'adoption procédait plus de la consommation que de l'ouverture parentale. En la matière, les conséquences pour la famille adoptive, la fratrie, les services de santé sont pourtant extraordinairement importantes, de nombreuses études ayant démontré la nécessité d'un éclairage professionnel pré-adoption qui dépasse les limites de l'avis des responsables bénévoles des OAA (Adoption Medical News, 2000, 1999; Mars et al., 1998; Boone, 2003; Jenista, 2000; Adoption Medical news, 1999).

En recentrant l'évaluation médicale en pré-adoption sur l'intérêt de l'enfant plutôt que sur celui de ses parents, il devient possible de contourner les impasses éthiques et les dangers du merchandising d'enfant - d'ailleurs nouvellement nommé l'*Adoption safari*. Il suffit de se rendre compte qu'une évaluation médicale précoce permet aussi l'adoption de candidats qui, autrement, en raison de leurs différents antécédents, n'auraient pas passé le test à l'immigration ou risqueraient de « débarquer » dans des familles mal outillées pour faire face à leurs besoins particuliers. Dans le non-dit, la tentation eugénique et ses dérives paraîtraient plus prenantes dans le discours d'interdiction européen alors qu'au Canada, cette tentation aurait moins de précédents historiques et sociologiques. L'évaluation médicale en pré-adoption permet aussi d'éviter des échecs prévisibles en permettant à des enfants autistiques ou présentant des troubles de conduite ou porteurs du syndrome d'alcoolisation fœtale (SAF), difficiles à prendre en charge en dehors d'un cadre institutionnel, de continuer à grandir dans leur patrie d'origine, de ne pas tout perdre en quelque sorte (Chicoine, 2001; EFA, 2001).

## L'accueil médico-nursing de l'enfant et sa famille

Des centaines d'auteurs, certains de l'Europe francophone de surcroît, ont démontré le caractère incontournable de l'encadrement médical et familial en post-adoption. Cette première évaluation dans le pays d'accueil permet de soulager les inquiétudes des parents adoptants ou, au contraire, de mettre en relief des diagnostics passés sous silence. Cet examen pose des bases objectives qui permettront ensuite de suivre les progrès développementaux de l'enfant, que sa famille ou lui, ait ou non, besoin d'une consultation ou d'un suivi en santé familiale ou mentale (Chicoine, 2001; De Monleon et Huet, 2000). À cet effet, pour convaincre les différents paliers décisionnels ou académiques de l'importance du bilan de santé, Dr Jean-Vital De Monleon, responsable de la consultation d'adoption outremer à Dijon, a réalisé en 2000 une enquête auprès des médecins des services de consultations externes de pédiatrie des 63 principaux hôpitaux français, dont 36 centres hospitaliers universitaires. Le tiers des répondants médecins y jugent la consultation hospitalière peu utile ou complètement inutile. Dans 16 hôpitaux seulement (31 %), il est proposé aux parents français une consultation auprès d'un praticien, identifié comme habitué aux risques médicaux de l'adoption (De Monleon et al., 2000).

Nous ne disposons pas de chiffres exacts sur les consultations pour adoption au Québec mais, à l'instar de la pratique états-unienne, nous croyons que plus de 90 % des enfants adoptés ont maintenant droit à un passage par un centre spécialisé. Dans les années 1990 déjà, entre 450 et 650 enfants nouvellement adoptés transitaient par les services d'accueil et de santé internationale au CHU Sainte-Justine, soit les deux tiers de tous les arrivants de l'étranger au Québec. Notre modèle d'accueil des enfants et des familles a été développé à partir de l'expérience des centres nord-américains d'expertise, mais avec des spécificités québécoises, notamment en ce qui a trait aux liens avec la médecine humanitaire qui sont directement imputables à une coopération bipartite avec des partenaires, des ministères ou des O.N.G. canadiennes et européennes tels *Unicef Canada, Terre des hommes Canada, Médecins du monde France, Enfance et familles Suisse, Mission de l'adoption internationale France,* etc. Nous soignons les enfants de l'abandon, dont ceux de l'adoption, mais non uniquement ceux-ci (Chicoine, 2001; Chicoine et coll., 1999, 2002).

Au CHU Sainte-Justine, l'évaluation anthropométrique de l'enfant, son statut vaccinal, son milieu de vie, l'appréciation de l'état de fatigue ou d'ouverture de ses parents, toutes ces compétences relèvent d'abord du travail de l'infirmière en santé internationale. Les antécédents de la famille biologique, tout comme les antécédents personnels de l'enfant, sont habituellement colligés dans le dossier médical de l'orphelinat et c'est l'infirmière qui assure ensuite le suivi téléphonique ou en clinique; elle est la mieux placée pour inscrire ces informations dans le génogramme de la famille adoptive. Elle intervient aussi directement dans le soin. Elle est par ailleurs le point de ralliement entre le consultant médical, les consultants paramédicaux et les intervenants du réseau responsable de l'encadrement des familles. Ces spécialistes de la mise en famille distribués aux quatre coins du Québec, majoritairement des psychologues et des travailleurs sociaux, ont été formés pour accompagner les parents, au besoin pour intervenir avec les enfants en cas de colère, d'isolement, d'anxiété ou face à des conflits de loyauté et des révélations identitaires. Ce sont aussi de formidables dépisteurs capables d'articuler les consultations pédopsychiatriques régionales dans le respect de l'intervention clinique médico-nursing tertiaire. À leurs compétences de base, ils ont joint l'expertise clinique et l'appartenance à des groupes de parents, mais aussi des formations spécifiques qui tiennent comptent des « options » pédiatriques et parentales reliées à l'adoption, dont l'*Adopteparentalité* de Johanne Lemieux. La clinique de Santé internationale vient d'ailleurs d'être mandatée par le ministère de la Santé et des Services sociaux du Québec pour colliger les différentes approches d'accueil en adoption internationale afin de les intégrer dans un plan d'interventions éducatif à l'échelle de la province (Citoyenneté et Immigration Canada, 2003; Lemieux, 2004; CHU Ste.-Justine, 2006).

Au travail de l'infirmière s'ajoute celui du pédiatre ou du médecin de famille intéressé par la médecine de l'adoption. Outre ses connaissances pédiatriques de base, il doit acquérir au moins trois compétences transversales : des connaissances en médecine tropicale, des intérêts en médecine développementale et une ouverture en matière de droits et protection de l'enfance internationale. Le modèle de soin théorique enseigné à la clinique de santé internationale s'inspire du système « *Points forts* » de Brazelton que nous avons adapté aux besoins de la consultation en adoption. Par exemple, dès l'examen de santé initial, nous annonçons aux parents qu'une consultation professionnelle sera nécessaire dans quelques semaines pour endiguer les colères comme les troubles de l'appétit ou du sommeil qui sont attendus à mesure que l'enfant bâtit un lien de confiance avec ses parents par adoption. Des auteurs ont également pu démontrer que la persistance de comportements d'hospitalisme dans les deux à trois mois suivant l'adoption était un signe d'alerte développementale au même titre que l'est l'absence de reprise de croissance du périmètre crânien. Toujours selon le principe de Brazelton, le thérapeute médecin sert d'enveloppe à la dyade parents-enfant, permettant, malgré les besoins de santé primaire extrêmement pressants de l'enfant, de ne jamais négliger concurremment la position, les forces et les faiblesses du parent, ses bons et mauvais fantômes en quelque sorte (Chicoine, 2001; Benoit et al., 1996; Chicoine, 2005; Brazelton, 1997; Doherty et Baird, 1983-87).

Au-delà des enjeux biomédicaux, le médecin doit avoir un intérêt certain pour le stress et les émotions familiales ainsi qu'à orchestrer des rencontres multidisciplinaires autour des enjeux familiaux. Avec l'aide d'une équipe en santé mentale, il peut participer à des thérapies familiales ou destinées à favoriser le lien à construire entre l'enfant carencé et ses parents en attente de guidance. Par exemple, avec un peu de formation, il peut assister un couple de parents à « porter » et « contenir son enfant » selon les principes de la Thérapie du maintien de Martha Welch. Il peut les guider dans leurs routines quotidiennes auprès d'un enfant insécurisé en leur proposant des techniques comportementales appropriées, certaines validées, d'autres dérivées des principes de constance, de chaleur humaine à la base de la construction d'un attachement sain. Selon son intérêt pour les défis ou les troubles de l'attachement, le médecin peut intervenir, non seulement en prescrivant une médication stimulante ou psychotrope

- diméthylphénidate, rispéridone -, mais aussi en cours de consultation, en utilisant la musicalité de sa voix et une empathie magnifiée
selon le principe de l'intersubjectivité des affects valorisée par le
psychologue états-unien Dan Hughes. Il est ou médecin traitant ou
consultant et agit en interrelation avec les équipes de médecine du
développement, de pédopsychiatrie ou de protection de la jeunesse.
Il joue un rôle phare auprès de plusieurs associations parentales
interpellées par diverses problématiques touchant l'enfant adopté,
telles SAFERA, pour le syndrome d'alcoolisation fœtale, ou l'AQETA
pour les troubles d'apprentissage (Chicoine, 2005; Welch, 1988;
Hughes, 1997; Muir et coll., 1999; Cline et Fay, 1990; Randolph, 1999;
Frederici, 2000; Hughes, 1999; Gray, 2002; Ainsworth et coll., 1978;
Shore, 1996).

## L'accueil psychosocial en adoption

*Il est grand temps que les psychanalystes cessent de jeter un anathème sur
le concept d' attachement.*          Bernard Golse, pédopsychiatre (2005)

La vision psychologisante de l'enfance en France et, dans une mesure
décroissante, en Suisse, en Belgique, mais pas du tout au Luxembourg, est encore profondément teintée de l'approche psychanalytique avec ce que qu'elle peut apporter de meilleur - on pense à
Serge Lebovici, à Françoise Dolto et à Maurice Berger - et ce qu'elle a
d'essentiellement théorique. La position psychanalytique, son école
rigoriste du moins, est difficile à concilier avec les aspects biologiques inhérents au travail en abandon. Certains auteurs, comme
Bernard Golse, Sophie Marinopoulos font heureusement le pont
théorique pour arrimer les contenus pédopsychiatriques d'outre-mer
à la pratique psychosociale de la protection de l'enfance et de
l'adoption d'enfants québécoise (Chicoine, 2005 ; Drory et Frère,
2006 ; Marinopoulos et coll., 2003 ; Sulmoni, 2002 ; Berger, 1997).
La difficulté constatée ne vient pas que des Amériques. Les travaux
des Suédois, des Hollandais, notamment ceux de Hoksbergen sur les
populations d'enfants roumains, et des Danois, leurs approches
cliniques développementalistes, béhavioristes et attachementistes
sont à des lieues des attitudes thérapeutiques préconisées dans les
milieux européens francophones avec lesquels ils ont relativement
peu de contacts. Et la mesure constatée se fait d'autant plus importante quand on quitte le terrain de l'insécurité affective pour se soucier

de l'évaluation et de la thérapie des quelques enfants porteurs de plus graves séquelles neuropsychologiques, notamment en ce qui a trait aux syndromes post-traumatiques ou aux troubles de l'attachement ambivalents ou désorganisés.

De fait, si la majorité des enfants adoptés connaît une évolution relativement heureuse ou favorable, plusieurs vont présenter des troubles de comportement mixtes. Aux déficits d'intégration sensorielle se combinent des altérations des fonctions cognitives auxquelles s'associent des troubles plus ou moins importants du comportement, des apprentissages et de l'attachement. Compte tenu de l'âge relativement plus avancé des enfants adoptés par des familles européennes, les Français et les Belges se sont notamment retrouvés face à des enfants dont les dossiers au plan santé et scolaire paraissent plus chargés que la moyenne des enfants adoptés au Québec, souvent venus de Chine à l'âge d'un an environ. Ainsi, même pour des populations cliniques, les comparaisons précises sont probablement illusoires et compliquent le croisement des regards sur les pratiques (Chicoine et Tessier, 2004; Chicoine, Germain et Lemieux, 2002; Chicoine, 2005; Gwinnell, 1998; Hjern, 2002; Cederblad, 1999; Beckett et al., 2002; Verhulst et al., 1992; Hoksbergen et al., 2002).

La nécessité clinique de transmettre des connaissances à une clientèle donnée afin d'augmenter son sentiment de compétence et ainsi l'encourager à prendre en charge sa propre santé mentale et physique est connue et appliquée de façon si automatique dans les milieux de la santé en Amérique du Nord et dans les pays anglo-saxons, que l'idée même que ce concept ne fasse pas l'unanimité nous a d'abord pris par surprise. Apprivoiser, s'adapter, s'attacher à un enfant mal nourri, couvert de gale qui crie continuellement tellement il souffre de déficit d'intégration sensorielle n'est pas une sinécure et mérite une assistance. Sans une démarche d'enseignement, l'intervention sera marquée de beaucoup de résistance, d'incompréhension et de confusion chez les parents incapables de réaliser pourquoi l'enfant forgé aux ruptures semble résister aux gestes d'amour et de compréhension de sa famille (Lemieux, 2006; Delannoy, 2004).

Contrairement à d'autres problématiques observées en santé affective et mentale, les problèmes d'attachement reliés à l'adoption sont le plus souvent évitables, à condition de les reconnaître et les apprécier. La traduction récente en français par le Dr Françoise Hallet (fondatrice de l'association belge *PETALES Belgique* pour parents d'enfants avec troubles de l'attachement) du livre du brillant psychologue et éducateur danois, Niels Peter Rygaard, *L' enfant abandonné : Guide de traitement des troubles de l' attachement* commence à faire des vagues dans les milieux les moins systémiques, d'autant plus que l'essentiel de son approche, « la thérapie de milieu » s'adresse aux enfants adoptés de tous âges. Face aux troubles sévères de l'attachement et/ou du comportement, Rygaard tourne le dos à la psychothérapie qui « demande la motivation personnelle, la possibilité d'une relation et d'un certain attachement avec le client ainsi qu'un contact social ». Son approche, nullement psychanalytique, pas essentiellement attachementiste, plutôt sensori-perceptuelle et cognitive, fait d'autant plus parler que les prescriptions du psychologue, par exemple aussi bien dans la manière de faire habiller l'enfant le matin que dans l'élaboration physique d'une classe pour enfants avec troubles de l'attachement, sont extraordinairement pratiques. En Belgique, où le livre a été traduit, les deux solitudes habituelles, néerlandaises et wallonnes, commencent à partager sur la question des guides de pratique qui changent complètement la donne clinique et académique. Les parents sont ravis et réclament maintenant une participation active à la prise en charge pédiatrique, psychologique, psychiatrique et scolaire. Des ponts avec la psychanalyse se construisent, plusieurs autres se déconstruisent (Lemieux, 2006; Rygaard, 2005).

Sur l'ensemble de ces questions, le point de vue québécois nous paraît capable de réconcilier l'approche des pays européens francophones qui mettent globalement plus l'accent sur les aspects liés aux parents adoptants, les aspects psychosociaux et filiatifs plutôt que médico-sociaux, et d'autre part, l'approche anglo-saxonne ou états-unienne qui privilégie, elle, les aspects liés aux enfants en matière de développement et de santé, et cela tout en misant sur la mise en famille de l'enfant adopté et en s'inspirant des modèles de pédiatrie sociale et familiale. Il apparaît en tout cas certain que, de part et d'autre de l'océan, chaque professionnel concerné aurait avantage à se distancier momentanément de ses schémas habituels pour s'ouvrir à d'autres modèles, tout en s'attachant aux particularités de chaque situation, le but ultime étant d'appréhender le mieux possible le parcours de l'enfant avant et après l'adoption, de concert avec sa famille. Le Québec étant lui-même forgé de ses « deux solitudes », il se trouve en quelque sorte en position de compétence et d'expertise entre l'Europe et l'Amérique, et qui sait peut-être, et pour le dire autrement, apte à servir de passerelle pour franchir le Rubicon.

## ABSTRACT

*Differences in the perception of professional actions and initiatives designed in international adoption are real and visible in francophone european countries compared to modes of practices in North American countries. The authors discuss specificities of the sociomedical context and structures in Quebec and in French-speaking european countries, in particular the assessment procedures of families candidates and children seen in the pre adoption period. They outline original practices in nursing and psychosocial services to children and families in pre and post adoption in Quebec where the position of nurses and paediatricians or family doctors is proeminent. Since practices are influenced by sociocultural factors, the authors finally suggest that Quebec professionals could play a significant role in the transmission of models of practices as these are developed and serve as links between French-speaking european countries and North America.*

## Références

**Adoption medical news.** *The value of videotapes.* 2000; VI(1) : 1-6.

**Adoption medical news.** *Findings from foreign medical records.* 1999; V(10) : 1-6.

**Adoption medical news.** *Findings from foreign medical records.* 1999; V (10) : 1-6.

**Ainsworth M, et coll.** *Patterns of attachment: Assessed in the Strange situation at home.* Hillsdale, NJ : Lawrence Erlbaum Ass, 1978.

**Beckett C, Bredenkamp D, Castle J, et al.** Behavior Patterns Associated with Institutional Deprivation : A Study of Children Adopted from Romania. *Dev &Beh Pediat* 2002; 23 (5) : 297.

**Benoit TC, et al.** Romanian adoption: the Manitoba experience. *Arch Pediatr Adolesc Med* 1996; 150 : 1278-1282.

**Berger M.** *L' enfant et la souffrance de la séparation.* Paris : Dunod, 1997, 170 p.

**Boone JL.** The predictive accuracy of Pre-Adoption Video Review in Adoptees from Russian and Eastern European orphanages. *Clin Pediat* sept 2003.

**Brazelton TB.** Système Points forts. *Ped Clin North Amer* 1995, *Infants and young children* 1997; 10 : 74-84.

**Cederblad M.** Mental Health International Adoptees as Teenagers and Young Adults. *J Child Psychol* 1999; 40(8) : 1239-1248.

**Chicoine JF.** *La pédiatrie des enfants retrouvés. Séminaire de formation,* Ministère de la famille, Belgique Wallonie, mars 2005.

**Chicoine JF, Caron S, Greenaway C.** *Accueil interdisciplinaire des enfants adoptés à Haïti 2000-2004.*

Service des maladies infectieuses, Dépt de pédiatrie, Université de Montréal/Jewish General Hospital; Montréal, Congrès de l'Ordre des infirmières du Québec, 2005.

**Chicoine JF, Tessier D.** International adoption. In : **Keystone JS, et al.** *Textbook of Travel Medicine.* Londres : Mosby, 2004.

**Chicoine JF.** La capacité du cerveau de l'enfant à être adopté. *Annales des entretiens internationaux de Montpellier,* France, EFA, octobre 2004.

**Chicoine JF, Germain P, Lemieux J.** *L'enfant adopté dans le monde en quinze chapitres et demi.* Montréal : Éditions de l'hôpital Sainte-Justine, 2002.

**Chicoine JF.** Adoption étrangère : point de vue du pédiatre. *Médecine thérapeutique Pédiatrie* 2001; 2(3) : 342- 357.

**Chicoine JF.** International adoptions : the Quebec experience and other cultural shortcuts. *Adoption Med news* 2000; VI(5-6).

**Chicoine JF, Blancquaert I, Chicoine L, Raynault MF.** *Bilan de santé de 808 Chinoises nouvellement adoptées au Québec.* XXXIIᵉ Congrès de l'Association des pédiatres de langue française, Tours, 1999.

**Chicoine JF, Chicoine L.** Adoption internationale : contexte de la visite médicale en post-adoption. *Le Clinicien* août 1998 : 68-91.

**Chicoine JF.** La santé des enfants venus du Vietnam. *Enfance et familles d'adoption Accueil,* 1997.

**Choulot JJ.** La santé des enfants nés à l'étranger : une évaluation de leur état de santé en France. *Accueil* août 1997; 4-5 : 19-21.

**CHU Sainte-Justine.** *Intervention éducative en adoption internationale.* Secrétariat à l'adoption internationale du Québec, 2006, en développement.

**Cline FW, Fay J.** *Parenting with Love and Logic : Teaching children responsibility.* Colorado Springs : Pinon Press, 1990, 229 p.

**Cohen Herlem F.** *Idées reçues : l'adoption.* Paris : Le cavalier bleu, 2000.

**Delannoy C.** Au risque de l'adoption : une vie à construire ensemble. Paris : *La Découverte,* 2004.

**De Mallevoue D.** Polémique sur le maintien du lien entre l'enfant maltraité et sa famille. *Le Figaro,* Paris, 12 avril 2006.

**De Monleon JV, Huet F.** De l'utilité de la prise en charge des enfants adoptés à l'étranger. *Arch Pediatr* 2000; 7 : 1039-1040.

**De Monleon JV, Laurent-Atthalin BL, Housel A, Huet F.** Prise en charge des enfants adoptés à l'étranger dans les principaux services de pédiatrie français. *Arch Pediatr* 2000; 7 : 1127-1128.

**De Monleon JV.** Qui sont mes parents ? Filiation adoptive en fonction du temps et de l'endroit. *Arch Pediatr* 2000; 7 : 529-535.

**Doherty et Baird.** *Family centered medical care* 1983-87.

**Drory D, Frère C.** *Le complexe de Moïse.* Paris : Albin Michel, 2006.

**Dumaret AC, Rosset DJ.** *L'abandon des enfants trisomiques : de l'annonce à l'accueil.* Paris : CTNERHI, diffusion PUF, 1996.

**Edselward LM.** *Les problèmes rencontrés par les enfants adoptés à l'étranger.* Services à l'adoption internationale, Développement social Canada, 10 juin 2005.

**Enfance et familles d'adoption.** Santé et adoption. *Accueil,* fév. 2003, no 1.

**Enfance et familles d'adoption.** Adoption et éthique. *Accueil,* fév. 2001; 1 : 1-56.

**Enfance et familles d'adoption.** La procédure d'agrément. *Accueil,* 2000; 2-3 : 11-12.

**Enfance et familles d'adoption.** Réussir l'accueil de nos enfants. *Accueil,* fév. 1992; 1 : 1-36.

**Faber S.** Behavioral sequelae of orphanage life. *Ped Ann* 2000 ; 29 : 242-248.

**Frederici R.** Raising the post-institutionalized child. *The Signal* 2000, 8(4) : 1-20.

**Golse B.** cité par **Crine AM.** Document de travail : Introduction à la formation de Johanne Lemieux pour le Ministère de la Communauté Française de Belgique. Bruxelles, 2005.

**Gray DD.** *Attaching in Adoption : Practical tools for today's parents.* Indianapolis : Perspectives Press, 2002, 391 p.

**Guedeney N, Guedeney A.** *L'attachement : concepts et applications.* Paris : Masson, 2002.

**Gunar M, et coll.** International Adoption Project new arrival study. *Int Adoption News,* disponible à http://education.umn.edu/icd/iap, 2003.

**Gwinnell E.** Post-traumatic stress disorder in children. *Adoption Med News* 1998; IV(8) : 1-6.

**Hamad N.** *L'enfant adoptif et ses familles.* Paris : Denoël, 2001.

**Hjern A.** Suicide, psychiatric illness, and social maladjustment in intercountry adoptees in Sweden : a cohort study. *The Lancet* 2002; 360 : 443. www.the-lancet.com.

**Hoksbergen R, Dijkum CV, Jesdijk FS.** Experiences of Dutch Families Who Parent an Adopted Romanian Child. *Dev & Beh Pediat* 2002; 23(6) : 403.

**Hostetter MK, Iverson S, Dole K.** Unsuspected Infectious Diseases and Other Medical Diagnoses in the Evaluation of Internationally Adopted Children. *Pediatrics* 1989; 83(4) : 559-564.

**Housset D.** Mise en ligne d'Abandon, adoption, autres mondes. Le monde est ailleurs, *www.meanomadis.com,* Délégation générale du Québec à Paris, 7 nov. 2002.

**Hughes DA.** *Building the bound of attachement.* Northvale NJ : J. Aronson, 1997.

**Hughes DA.** Adopting children with attachment problems. *Child Welfare* 1999; 78(5) : 541-560.

**Issues in international adoptions.** The Internet and International Adoption Information. *Ped Ann* 2000; 29(4) : 249-250.

**Jenista JA.** Preadoption Review of Medical Records. *Ped Ann* 2000 : 29(4) : 212-215.

**Jenista JA.** A paediatrician's view of Adoption/Foster Care. *Adoption Med News* 1997; III(10) : 1-6.

**Laplane R.** L'adoption des enfants étrangers. *Annales de Pédiatrie* 1989; 36(3) : 179-184.

**Lemieux J.** *Adoption internationale : démystifier le rêve pour mieux vivre la réalité.* Montréal : Bureau de consultation en adoption de Québec/Le monde est ailleurs, réédition mars 2006.

**Lemieux J.** *Adopteparentalité. Intervention Ordre des travailleurs sociaux,* Montréal, avril 2004

**Lévy-Soussan P.** *Filiations à l'épreuve des adoptions : un parent ça n'existe pas.* Association Escabelle, Filiations à l'épreuve. Toulouse : Érès, 2002.

**Marinopoulos S, Sellenet C, Vallée F.** *Moïse, Oedipe, Superman : de l'abandon à l'adoption.* Paris : Fayard, 2003.

**Mars AE, Mauk JE, Dowrick PW.** Symptoms of pervasive developmental disorders as observed in prediagnostic home videos of infants and toddlers. *J of Pediat* 1998; 132(3) part I : 500-504.

**Marx Martin S, Chicoine JF, Alvarez F.** *Long term follow*-up of chronic Hepatitis B virus infection in children of different ethnic origin. *J Infect Dis* 2002; 186 : 295-301.

**Maury F.** *L'adoption internationale.* Paris : L'Harmattan/ Psychologiques, 1999.

**Messager D.** citée **par Peyre J.** France Inter, 17 décembre 2005.

**Miller L, Hendrie N.** Health of children adopted from China. *Pediat* 2000; 105(6).

**Ministère de la Famille et de l'Enfance.** *Orientations de la réforme de l'adoption internationale,* Paris, 16 juin 2004.

**Mission famille et droits de l'enfant.** *L'intérêt de l'enfant justifie-t-il de modifier les conditions pour adopter?* Intervention de Janice Peyré, Assemblée nationale française, 2 novembre 2005.

**Muir E, Lojkasek M, Cohen NJ.** *Watch, Wait and Wonder. A manual describing Dyadic infant-led*

*Approach.* Toronto : Hincks-Dellcrest Institute, 1999.

**Peyré J.** *Le guide marabout de l'adoption.* Paris : Marabout, rééd. 2006.

**Peyre J.** *Quand la France oublie l'éthique en matière d'adoption.* Communiqué, Enfance et Familles d'adoption, 13 décembre 2005.

**Pommerleau A, Malcuit G, Chicoine JF, Séguin R, Belhumeur C, Germain P, Amyot I, Jeliu G.** Health Status, Cognitive and Motor Development of Young Children Adopted from China, East Asia and Russia across the First Six Months after Adoption. *Int J Beh Dev* 2005; 29(35) : 445-457.

**Provost V.** *L'adoption d'enfants : vers une humanisation de la législation en communauté française?* CODE, Bruxelles, 2005.

**Randolph E.** *Children who Shock and Surprise : A guide to attachment disorder.* Salt Lake City : RFR Publ., 1999, 45 p.

**Rey M, Chicoine JF, et coll.** Adoption internationale. In : **Société de médecine des voyages.** *Médecine des voyages : guide d'information et de conseils pratiques.* Format utile, Paris, 2002.

**Rutter M, et al.** Developmental catch-up and deficit, following adoption after severe global early privation. English and Romanian adoptees. *J Child Psychol Psychiatr* 1998; 39 : 465-476.

**Rygaard NP.** *Problèmes de lien et troubles de l'attachement chez les enfants adoptés.* npr@ertivervspsykologerne.ok

**Rygaard NP.** *L'enfant abandonné : guide de traitement des troubles de l'attachement.* Bruxelles : De Boeck, traduit par F. Hallet, 2005.

**SAFERA** site visant la sensibilisation des effets de l'alcool sur le fœtus www.safera.qc.ca

**Secrétariat à l'adoption internationale du Québec,** www.adoption.gouv.qc.ca/site/accueil.phtml

**Servan-Schreiber S.** *Au coeur de l'adoption.* Paris : Hachette pratique, 2005.

**Shore B.** *Culture in mind. Cognition, Culture and the problem of meaning.* New York : Oxford University Press, 1996, 488 p.

**SSI/CIR Canada : Québec.** Publication des arrêtés sur l'agrément des organismes d'adoption et l'adoption d'un enfant sans l'aide d'un tel organisme. Genève, *Bulletin mensuel no 1,* janvier 2006.

**SSI/CIR** L'élaboration d'un projet de vie permanent : les principes à prendre en compte. Genève, oct. 2005.

**Sulmoni M.** *Les troubles de l'attachement : les comprendre, les repérer... les dépasser.* Mémoire présenté à l'École d'études pédagogiques de Lausanne, Suisse, 2002.

**Verhulst F, Althaus M, Versluis-Den Bieman HJM.**

Damaging backgrounds : Later adjustment of international adoptees. *J Am Acad Child Adolesc Psychiat* 1990; 29 : 420-428.

**Verhulst FC, Althaus M, Herma JM, et al.** Damaging Backgrounds : Later Adjustment of International Adoptees. *J Am Acad Child Adolesc Psychiat* 1992; 31 : 33.

**Welch M.** *Holding time.* New York : Simon & Shuster, 1988.

**Wilbush J.** Fostering adoption and other practices : an anthropological view point. *The Bioethics Bull* 1995; 10.

**Zeisser M, et Enfance et familles d'adoption.** La santé de l'enfant adopté en pré et post-adoption et guidance parentale : entretien avec le Dr Jean-François Chicoine. *Accueil* Août 2001; 3 : 31-34.

no 46

# Les nouveaux usages sociaux de l'adoption

**Françoise-Romaine Ouellette**

L'auteure est professeur titulaire à l'INRS Urbanisation, Culture et Société, et responsable scientifique du partenariat « Familles en mouvance et dynamiques intergéné-rationnelles».

Adresse :
3465, rue Durocher
Montréal (Québec) H2X 2C6.

Courriel : francoise-Romaine_Ouellette@INRS-Culture.UQuebec.CA

La famille d'aujourd'hui est d'abord valorisée pour ses dimensions relationnelles et affectives, ce qui a grandement contribué à dégager la famille adoptive du secret et de la marginalité. L'adoption est maintenant un projet parental ouvertement revendiqué, autant par des célibataires et par des conjoints de même sexe que par des couples hétérosexuels, et pour des enfants de profils très variés. Les professionnels et les autorités publiques en protection de l'enfance en font de plus en plus la promotion. Par contre, les effets juridiques de l'adoption font peu l'objet de questionnements ou de débats, comme s'ils allaient de soi ou étaient inévitables, alors même qu'ils modifient radicalement la filiation de l'enfant concerné et, de ce fait, ses principaux liens d'appartenance et son identité.

Dans cet article, je veux mettre en lumière le fait trop souvent banalisé que notre adoption implique toujours une rupture des liens antérieurs de l'enfant, alors même que les enfants adoptés n'ont pas tous prioritairement besoin d'une filiation de remplacement. En reprenant sous forme très condensée des analyses que j'ai publiées ailleurs[1], je décris brièvement le contexte de diversification des usages sociaux de l'adoption qui devrait nous inciter à reconsidérer l'encadrement législatif de l'adoption et les pratiques cliniques en protection de la jeunesse afin d'assurer, lorsque cela est possible et souhaitable, une certaine continuité des liens entre l'enfant et sa famille d'origine[2].

## L'adoption aujourd'hui... moins « fermée », mais toujours exclusive

Au Québec, l'adoption confère à l'enfant adopté les mêmes droits qu'à l'enfant biologique, mais elle rompt définitivement tous ses liens antérieurs. Cette adoption dite plénière est donc exclusive (ou substitutive), contrairement à d'autres formes inclusives (dites simples ou additives) d'adoption existant ailleurs dans le monde, qui donnent à l'enfant de nouveaux parents sans le rendre étranger à sa

( 152 )

famille d'origine[3]. Un nouvel acte de naissance est d'ailleurs rédigé où figurent les noms des seuls parents adoptifs, sans mention de l'adoption. De plus, seul le Directeur de la protection de la jeunesse peut choisir la famille à qui l'enfant sera confié, à moins que les parents aient signé un consentement à l'adoption en faveur d'un membre de leur proche parenté. Enfin, les dossiers administratifs et judiciaires relatifs à l'adoption sont strictement confidentiels. Cet ensemble de règles[4] reflète bien le fait que notre adoption légale a d'abord été instituée afin de procurer une famille à des nourrissons abandonnés tout en effaçant les traces de leur naissance illégitime. Sont-elles aujourd'hui toujours adéquates?

La « fermeture » de notre système d'adoption est depuis longtemps contestée[5], principalement par les adoptés devenus adultes qui demandent à connaître leurs origines et veulent avoir librement accès à leur dossier d'adoption, mais aussi par des parents biologiques et des candidats à l'adoption[6]. De plus, dans l'esprit de la Convention des Nations Unies sur les droits de l'enfant, qui lui reconnaît le droit de connaître ses parents, plusieurs pays d'adoption plénière ont mis fin au moins partiellement au secret des dossiers d'adoption et plusieurs n'interdisent pas (ou plus) les contacts directs entre parents biologiques et adoptants. Au Québec, la législation demeure toutefois restrictive, nettement plus que dans la plupart des autres provinces canadiennes. Un sommaire de ses antécédents sociobiologiques peut être délivré à l'adopté qui en fait la demande, mais l'identité de ses parents de naissance ne peut jamais lui être divulguée sans leur consentement (même s'ils sont décédés), ni les renseignements qui lui permettraient de retracer des frères et sœurs biologiques ou d'autres membres de sa parenté d'origine[7]. Les adoptions dites « ouvertes » où les parents d'origine et les adoptants ont l'occasion d'échanger des informations avant de prendre leur décision sont de plus en plus fréquentes, mais elles se réalisent en dehors de tout cadre formel et les travailleurs sociaux restent réticents à les soutenir[8].

Ces diverses atténuations du caractère fermé de l'adoption ne remettent aucunement en cause la rupture des liens avec la famille d'origine. Or, l'évolution des comportements familiaux et des pratiques d'adoption au cours des dernières décennies justifient maintenant d'envisager une telle remise en cause.

### L'adoption plénière d'enfants ayant déjà une filiation établie

De nos jours, l'enjeu de l'adoption n'est souvent pas d'inscrire dans le lien social un enfant de parents inconnus, mais plutôt de procurer de nouveaux parents à un enfant dont la filiation est déjà établie, qui est parfois déjà grand ou qui a déjà vécu assez longtemps dans sa famille d'origine pour y avoir tissé des liens significatifs. C'est souvent le cas de l'enfant adopté par son beau-père ou sa belle-mère ou par des conjoints de même sexe et de l'enfant qui a été retiré à des parents inadéquats, mais aussi celui de nombreux enfants adoptés à l'étranger. On fait alors appel à l'adoption plénière presque sans se demander, d'une part, si toutes les adoptions devraient être soumises au même moule et, d'autre part, si ce ne sont pas souvent d'autres intérêts que ceux de l'enfant qui se trouvent satisfaits par la rupture de ses liens d'origine.

*L'adoption de l'enfant du conjoint*

Les adoptions de l'enfant du conjoint représentent probablement la majorité des adoptions dites intrafamiliales. L'enfant né de père inconnu ou abandonné à la naissance par sa mère y gagne une filiation paternelle ou maternelle dont il était privé. Cependant, pour bénéficier d'une adoption par son beau-père ou sa belle-mère, celui qui avait déjà ses deux parents doit perdre l'un d'eux (le parent non gardien) ainsi que tous les liens de parenté dont il était le relais (frères et sœurs, grands-parents, oncles et tantes...). Son adoption ne vient pas tant combler un manque d'inscription généalogique que faire coïncider sa filiation légale avec les relations interpersonnelles qui tissent son quotidien. Elle élimine une situation de pluriparentalité car elle fait en sorte que ses parents au quotidien deviennent ses seuls parents, que sa famille de résidence devienne sa seule famille de référence, qu'elle se substitue entièrement à celle qui a éclaté.

Il est improbable que la rupture des liens avec le parent évincé et sa parenté soit toujours dans l'intérêt de l'enfant, même dans les cas où des contacts seraient à proscrire. De plus, d'autres avenues légales moins radicales que l'adoption plénière pourraient aussi consolider la relation d'un enfant avec son beau-père ou sa belle-mère. Mentionnons, à titre d'exemple, que la législation française ne permet l'adoption plénière de l'enfant du conjoint que si la filiation avec l'autre parent n'est pas établie ou s'il s'est vu retirer l'autorité parentale ou encore s'il est décédé sans laisser de grands-parents manifestement intéressés à l'enfant; dans les autres cas, le juge prononcera une adoption simple, qui ne rompt pas la filiation d'origine. Des formes de partage ou de délégation de l'autorité parentale pourraient aussi être envisagées.

## L'adoption par des conjoints de même sexe

Depuis juin 2002, le Code civil du Québec reconnaît explicitement la possibilité d'établir pour un enfant une double filiation maternelle ou paternelle. Un couple homosexuel peut donc se porter candidat à l'adoption ou encore l'un des conjoints peut adopter l'enfant que l'autre a conçu dans le cadre d'une précédente union hétérosexuelle ou qu'il a adopté en tant que célibataire. L'établissement d'une telle filiation adoptive soulève des enjeux complexes, mais elle a été rendue possible presque sans réflexion approfondie sur ses multiples incidences[9].

Ces adoptions sont une expression limite de l'idée selon laquelle la filiation légale d'un enfant devrait se fonder sur le projet parental des adultes désireux de lui offrir une famille (idée qui permet aussi de dissocier d'une position de père ou mère toute personne qui nie avoir un tel projet ou dont le projet n'est pas jugé réaliste). Par ailleurs, elles s'appuient sur un principe démocratique d'égalité des droits individuels et de non discrimination en fonction du sexe et de l'orientation sexuelle qui se trouve nécessairement en décalage par rapport à la logique de différenciation des âges, des sexes et des générations qui structure notre système de parenté. La déconstruction de ce dernier a des implications très difficiles à cerner car il interagit inévitablement avec les autres registres de notre vie sociale et culturelle. Comment juger qu'il est dans l'intérêt d'un enfant d'être identifié sur son acte de naissance comme ayant deux parents de même sexe ? La prudence ne serait-elle pas d'introduire la possibilité d'une filiation adoptive qui n'efface pas la trace des origines sexuelles de la personne et qui n'évacue pas de son histoire l'un ou l'autre de ses parents biologiques? L'exemple des Pays-Bas est souvent apporté pour lever les réticences à ce type d'adoption plénière. On oublie toutefois souvent de mentionner que, dans ce pays, l'acte de naissance de l'enfant concerné est annoté pour y inscrire les noms de ses parents adoptifs, sans que les noms de ses parents biologiques soient effacés. De plus, il y est possible de déléguer des responsabilités parentales au conjoint de même sexe sans procéder à l'adoption[10].

*L'adoption d'enfants retirés à la garde de leurs parents et placés en famille d'accueil*[11]

Au cours des dernières années, dans les milieux de protection de l'enfance, l'emphase a beaucoup été mise sur l'élaboration d'un «projet de vie» permanent pour les enfants qui ont dû être retirés à la garde de parents absents ou gravement inadéquats. Si un retour dans leur famille ne s'avère pas possible ou souhaitable, l'adoption, la tutelle ou un placement à long terme en famille d'accueil ou dans la famille élargie doivent être envisagés dans les meilleurs délais. Bien qu'elle soit la solution la plus radicale et que la plupart des parents concernés refusent d'y consentir, l'adoption est alors privilégiée. Les récents travaux ministériels et parlementaires pour une révision de la Loi sur la protection de la jeunesse ont d'ailleurs mis en évidence la volonté des décideurs publics d'augmenter le nombre d'adoptions d'enfants placés. En effet, l'adoption a l'avantage de garantir la stabilité formelle du nouvel ancrage familial (un échec éventuel de la relation ne compromettra pas le lien légal) et, parce qu'elle transfère aux nouveaux parents l'entière charge de cet enfant, elle représente un important allègement des coûts sans cesse croissants des services aux familles en difficulté.

Planifier ainsi une adoption plénière est une décision très grave qui s'appuie sur l'évaluation des capacités des parents, sur la sensibilisation des adoptants potentiels aux besoins des enfants concernés et, de plus en plus, sur la conviction que l'adoption doit survenir le plus rapidement possible dans la trajectoire d'un enfant. Le programme québécois d'adoption en «banque mixte» permet aux intervenants des Centres jeunesse de prendre le temps nécessaire à une démonstration des incapacités parentales tout en plaçant immédiatement l'enfant auprès des futurs adoptants – qui acceptent de jouer provisoirement le rôle d'une famille d'accueil rémunérée – avec lesquels il pourra développer un lien d'attachement avant même que le tribunal se prononce sur son admissibilité à l'adoption. Tant que cette étape légale n'est pas franchie (ce qui peut prendre plusieurs mois ou années), les candidats à l'adoption sont invités à devenir des « parents psychologiques », mais dans l'insécurité quant à l'avenir et sans aucun droit parental ni aucune autonomie. Ils n'aspirent donc qu'à la destitution rapide et définitive des parents, dont ils se font souvent une image effrayante et que plusieurs refusent de rencontrer. De crainte de les voir se démobiliser et abandonner à leur tour l'enfant, les intervenants qui ont élaboré le projet d'adoption et qui font le suivi du placement en banque mixte partagent cette aspiration, ce qui peut nuire aux obligations de transparence à l'égard de la famille d'origine et du tribunal en cours d'intervention.

L'enfant placé en banque mixte n'a droit à des parents d'adoption qu'au prix d'une perte définitive de sa famille d'origine, peu importe la complexité des circonstances expliquant qu'il ait dû être retiré à ses parents et éloigné de ses frères et sœurs, grands-parents, oncles et tantes. Comme dans l'adoption de l'enfant du conjoint, c'est le sens donné aux mots « famille » et « parent » qui permet de penser une telle rupture : la famille d'un enfant, dans ce contexte, est le milieu de vie où lui sont dispensés adéquatement les soins, l'affection et l'éducation correspondant à ses besoins; ses parents, quant à eux, sont les personnes qui assument adéquatement le rôle de parents psychologiques au sein d'une telle famille. Il en découle que l'homme ou la femme qui ne vit plus quotidiennement avec son enfant et qui le néglige gravement n'est plus perçu comme faisant partie de sa « vraie » famille, n'est plus reconnu comme étant en position de père ou de mère par rapport à lui. À la limite, dans certaines argumentations cliniques et juridiques, les liens familiaux et leur portée sont réduits à la seule dimension psychologique de l'attachement, comme si les dimensions sociales, culturelles et légales de la filiation ne devaient intervenir que subsidiairement dans les délibérations sur la pertinence ou non de procéder à l'adoption plénière d'un enfant.

*L'adoption internationale*

Contrairement aux idées reçues, les adoptions internationales ne concernent pas seulement des enfants seuls au monde et sans attache pour lesquels l'adoption plénière serait d'emblée la modalité idéale. L'identité de leurs parents de naissance est souvent connue. Certains enfants sont déjà grands et ont vécu avec leurs parents assez longtemps pour en avoir un souvenir précis. Ces derniers sont pauvres, mais ils n'ont pas toujours été des parents inadéquats ou abusifs, même si cela arrive aussi. Il arrive qu'ils confient leurs enfants en adoption internationale en s'inspirant de stratégies traditionnelles d'entraide et de survie génératrices de relations durables entre les deux familles. Ils s'attendent parfois à ce que l'orphelinat par lequel a transité leur enfant les tienne au courant et fasse le lien avec la famille adoptive, ce que certains adoptants acceptent, mais que d'autres évitent à tout prix. En ce sens, l'adoption internationale s'organise souvent sur la base d'un malentendu[12]. Ajoutons que dans plusieurs pays d'origine, la loi ne prévoit d'ailleurs qu'une adoption sans rupture de liens et celle-ci doit être convertie en adoption plénière, une fois l'enfant entré au Québec (la Convention internationale de La Haye sur la protection des enfants et la coopération en matière d'adoption internationale exige que les signataires du consentement à l'adoption dans le pays d'origine aient été informés des effets juridiques de cette conversion)[13]. De plus, une proportion notable des adoptions internationales (7.2 % en 2000) concernent des Québécois d'origine haïtienne, philippine, indienne ou congolaise, notamment, qui adoptent un enfant de leur réseau de parenté (qui devient ainsi le fils de sa sœur ou de son oncle, par exemple), souvent pour se conformer aux lois canadiennes sur l'immigration qui exigent d'adopter l'enfant qui n'est pas orphelin[14]. Enfin, ajoutons que la CLH stipule que l'enfant doit pouvoir, dans la mesure du possible, bénéficier de continuité dans son éducation et par rapport à son origine ethnique, culturelle, religieuse et linguistique.

## Conclusion

L'adoption est une mesure de protection de l'enfant, mais elle est aussi une institution juridique qui a pour effet de modifier radicalement sa filiation et, donc, l'ensemble de ses droits et devoirs et les principaux repères de son identité. L'intérêt de l'enfant qui a besoin d'une nouvelle famille ne doit donc pas être considéré uniquement en fonction de son âge et de ses besoins immédiats, mais aussi en fonction de sa position généalogique de fils ou de fille et des diverses affiliations qui en découlent. Ces deux angles d'appréhension ne devraient pas s'exclure mutuellement dans la recherche de son meilleur intérêt. Il faut pouvoir en même temps tenir compte des risques actuels pour sa sécurité et son développement et du fait que le jeune bambin d'aujourd'hui deviendra un jour un adolescent, puis une personne adulte qui entretiendra un rapport différent à ses familles d'origine et d'adoption, à son nom, à son passé.

Le choix législatif d'une adoption plénière relativement «fermée» est loin d'être universel ou inévitable et il est possible de le remettre en question. L'encadrement législatif de l'adoption dite «ouverte» et la levée de la confidentialité des dossiers d'adoption pourrait constituer une reconnaissance explicite du parcours très singulier d'un enfant adopté et lui donner les moyens de se relier à son passé. Néanmoins, ce compromis ne modifierait aucunement la logique de son appropriation exclusive par ses parents adoptifs (et ses conséquences en matière de nomination, succession, nationalité...). Dans bien des situations évoquées ici, la piste de l'adoption simple (inclusive, additive) pourrait être plus praticable que certains semblent le croire, à la condition que ses effets juridiques soient fixés de telle manière qu'ils ne désavantagent pas l'enfant par rapport à celui qui est adopté plénièrement. Enfin, d'autres formes de reconnaissance de droits parentaux à l'égard d'un enfant (tutelle, délégation d'autorité parentale, droits de garde...) mériteraient d'être étudiées et, lorsque c'est possible et pertinent, proposées comme alternatives à l'adoption.

## Références

**Carp EW.** *Family Matters. Secrecy and Disclosure in the History of Adoption.* Cambridge : Harvard University Press, 2000.

**Collard C.** La politique du fosterage et de l'adoption en Haïti. In : **Leblic I.** (dir) *De l'adoption. Des pratiques de filiation différentes.* Presses Universitaires Blaise Pascal, 2004 : 239-268.

**Collard C.** L'adoption internationale d'un enfant apparenté au Québec. In : **Ouellette FR, Joyal R, Hurtubise R.** (dir.) *Familles en mouvance : quels enjeux éthiques?* Sainte-Foy : PUL/IQRC 2005a : 121-140.

**Collard C.** Les adoptions internationales d'un enfant apparenté ou adoptions « famille ». In : **Ouellette FR, Collard C, Lavallée C, et al.** *Les ajustements du droit aux nouvelles réalités de l'adoption internationale.* Rapport au FQRSC, Montréal : INRS Urbanisation, *Culture et Société,* 2005b : 53-76.

**Delaisi de Parseval G, Verdier P.** *Enfant de personne.* Paris: Odile Jacob, 1994.

**Fine A.** Problèmes éthiques posés par l'adoption plénière. In : **Ouellette FR, Joyal R, Hurtubise R.** (dir.) *Familles en mouvance : quels enjeux éthiques ?* Sainte-Foy : PUL/IQRC, 2005 : 141-154.

**Fonseca C.** La circulation des enfants pauvres au Brésil. Une pratique locale dans un monde globalisé. *Anthropologie et sociétés* 2000 ; 24(3) : 53-73.

**Gore C.** *Enfants délaissés, adoptions tardives en France et en Europe.* Paris : ESF, 2001.

**Goubau D.** Open adoption in Canada. In : **Fine A, Neirinck C.** (dir.) *Parents de sang, parents adoptifs. Approches juridiques et anthropologiques de l'adoption – France, Europe, USA, Canada.* Paris : Maison des Sciences de l'Homme / LGDJ, *Droit et société,* 2000 : 63-85.

**Goubau D, Beaudoin S.** Adoption ouverte : quelques enjeux et constats. *Service social Québec* 1996; 45(2).

**Goubau D, Ouellette FR.** L'adoption et le difficile équilibre des droits et des intérêts : le cas du programme québécois de la «Banque Mixte». *Revue de droit de McGill* 2006; no 2.

**Joyal R.** Comment et pour qui modifier les lois, ou l'art d'oublier le quoi et le pourquoi. L'exemple récent des modifications au droit québécois de la parenté et de la filiation. In : **Ouellette FR, Joyal R, Hurtubise R.** (dir.) *Familles en mouvance : quels enjeux éthiques ?* Sainte-Foy, PUL/IQRC, 2005 : 157-176.

**Lallemand S.** *La circulation des enfants en société traditionnelle. Prêt, don, échange.* Paris : L'Harmattan, 1993

**Lammerant I.** Les fondements éthiques et juridiques de l'adoption en France et dans les pays occidentaux. In : **Actes du colloque Devenir adoptable.** *Être adopté,* 13 et 14 novembre 2003, Paris, p. 17-31 (cf. guienne. f@wanadoo.fr)

**Lavallée C.** *L'enfant, ses familles et les institutions de l'adoption. Regards sur le droit français et le droit québécois.* Montréal : Wilson et Lafleur, 2005a.

**Lavallée C.** Éthique et droit en matière d'adoption. In : **Ouellette FR, Renée Joyal R, Hurtubise R.** (dir.) Familles en mouvance : quels enjeux éthiques?, Sainte-Foy, PUL/IQRC, 2005b : 209-224.

**Modell JS.** Open Adoption : Extending Families, Exchanging Facts. In : **Stone L.** (dir.) *New Directions in Anthropological Kinship.* New York / Oxford : Rowman & Littlefield Publ, 2001 : 246-263.

**Ouellette FR.** L'adoption devrait-elle toujours rompre la filiation d'origine? Quelques considérations sur la recherche de stabilité et de continuité pour l'enfant adopté. In : **Ouellette FR, Joyal R, Hurtubise R.** (dir.) *Familles en mouvance : quels enjeux éthiques?,* PUL/IQRC, 2005a : 103-120.

**Ouellette FR.** La filiation et ses remises en cause. L'adoption et la nouvelle loi québécoise sur l'union civile. In : **Saillant F, Gagnon E.** (ss la dir.) *Communautés et socialités. Formes et forces du lien social dans la modernité tardive.* Montréal : Liber, 2005b : 111-130.

**Ouellette FR.** L'intérêt de l'enfant adopté et la protection de ses droits. *Éthique publique* 2001 ; 3(1) : 148-159.

**Ouellette FR.** Les usages contemporains de l'adoption. In : **Fine A.** (dir.) *Adoptions. Ethnologie des parentés choisies.* Paris / Toulouse : Éditions de la Maison des sciences de l'homme, 1998 : 155-176.

**Ouellette FR.** *L'adoption. Les acteurs et les enjeux autour de l'enfant.* Québec : IQRC/PUL, 1996.

**Ouellette FR, Méthot C, Paquette J.** L'adoption, projet parental et projet de vie pour l'enfant. L'exemple de la «banque mixte» au Québec. *Informations sociales* 2003; 107 : 66-75.

**PHILIPS-NOOTENS S, LAVALLÉE C.** De l'état inaliénable à l'instrumentalisation. La filiation en question. In : **Lafond PC, Lefebvre B.** (dir.) *L'union civile, nouveaux modèles de conjugalité et de parentalité au 21ᵉ siècle.* Cowansville : Les Éditions Yvon Blais, 2003 : 337-358.

**Tahon MB.** *Vers l'indifférence des sexes? Union civile et filiation au Québec.* Montréal : Boréal, 2004.

## Notes

1. J'ai développé plus en détail les principales idées avancées ici, principalement dans Ouellette, 1996, 1998, 2001, 2005a et 2005b.

2. D'autres auteurs soulignent cet enjeu et font des propositions semblables, par exemple Delaisi et Verdier, 1994, Collard, 2005a et b, Gore, 2001, Lammerant, 2003, Lavallée, 2005a et b, Fine, 2005.

3. En France et en Belgique, qui privilégient l'adoption plénière, celle-ci coexiste avec l'adoption simple qui permet que la filiation adoptive s'ajoute à la filiation d'origine. Sur la diversité des modalités de circulation d'enfants et d'adoption, voir la synthèse anthropologique de Lallemand (1993). Pour une ethnographie détaillée d'un cas concret, celui d'Haïti d'où proviennent de nombreux enfants québécois adoptés, voir Collard, 2004.

4. Les principales dispositions législatives sur l'adoption se retrouvent dans le *Code civil du Québec* et dans la Loi sur la protection de la jeunesse.

5. Les mêmes contestations existent ailleurs. Voir par exemple, pour la France, Delaisi et Verdier, 1994 et, pour les États-Unis, Carp, 2000 et Modell, 2001.

6. En Angleterre, par exemple, l'adopté âgé de 18 ans ou plus peut consulter son acte de naissance initial.

7. De même, du côté de la famille d'origine, seul le parent biologique peut faire une demande pour retrouver son enfant donné en adoption si ce dernier y consent.

8. Voir Goubau, 2000, et Goubau et Beaudoin, 1996.

9. Voir, sur le sujet, notamment : Joyal, 2005, Tahon, 2004.

10. Philips-Nootens et Lavallée, 2003.

11. Voir Goubau et Ouellette, 2006, Ouellette, 2005a et Ouellette, Méthot et Paquette, 2003.

12. Sur ce malentendu, voir par exemple Fonseca, 2000.

13. Voir l'analyse du droit interne et du droit conventionnel en adoption internationale dans Lavallée, 2005a.

14. Voir Collard, 2005a et b, et les statistiques du Secrétariat à l'adoption internationale disponibles sur le site *http://www.msss.gouv.qc.ca/adoption/_fr/index.html*.

## Commentaires sur
# Les nouveaux usages sociaux de l'adoption

*« La fermeture de notre système d'adoption est depuis longtemps contestée »,* ceci est tout à fait vrai, mais partiel. Ce qui est essentiellement contesté, c'est le secret et la stricte confidentialité restrictive qui entourent les parents et les liens de parenté biologique. Si l'adoption plénière, en ce qu'elle a comme effet juridique de rupture de filiation et de nouvelle filiation, est contestée par certains chercheurs et penseurs, elle ne l'est pas par la très grande majorité des adoptés. Ceux-ci souhaitent la levée d'une confidentialité restrictive, mais ne parlent guère des liens de filiation et d'identité.

Il est faux de dire que *« les adoptions dites 'ouvertes' où les parents d'origine et les adoptants ont l'occasion d'échanger des informations avant de prendre leur décision sont de plus en plus fréquentes, mais elles se réalisent en dehors de tout cadre formel et les travailleurs sociaux restent réticents à les soutenir ».* En effet, il est de plus en plus fréquent, et même proposé au parent, généralement la mère, qui abandonne, lorsque cette démarche est planifiée, de rencontrer les postulants éventuels pour l'adoption de son enfant. Les échanges d'informations se font de façon ouverte, de façon formelle, dans le bureau de l'intervenant. Cependant, il n'y a jamais échange de noms, d'adresses, d'identité. Le tout reste anonyme. Le parent biologique peut ainsi se rassurer sur les valeurs des futurs parents de son enfant, leur mode de vie, leur profession, mais ne connaîtra pas leur identité ou leur lieu (au sens large) de résidence. Les futurs parents adoptifs connaîtront une partie du passé de l'enfant, du mode de vie, des goûts, des habiletés, des défauts de la mère biologique, mais non son identité ou son lieu de résidence. Il ne s'agit pas là d'adoption 'ouverte'. Ce qu'on appelle couramment, dans le réseau des services sociaux, adoption 'ouverte', c'est une adoption où chaque partie connaît l'identité et les coordonnées de l'autre, voire s'entend sur des modalités d'échanges d'informations, ou même de contacts qui auront lieu après l'adoption. Cette forme est effectivement illégale.

Cependant, une certaine forme d'adoption 'ouverte' voit le jour depuis quelques années. Elle concerne les enfants placés en «Banque-mixte», c'est-à-dire les enfants placés dans des familles d'adoption, en vue d'une adoption possible, mais non réalisable immédiatement. Ces familles acceptent d'être, pour un temps parfois assez long (plusieurs mois ou même années), familles d'accueil. Cela suppose généralement que l'enfant continue à avoir des contacts avec sa famille d'origine, des visites, supervisées ou non, fréquentes ou non, que le parent d'origine a le droit de connaître, à moins d'une décision contraire du juge, les coordonnées et l'identité de la famille d'accueil. Situation pas nécessairement facile, empreinte d'émotions et souvent d'ambiguïtés, qui perdure jusqu'à la décision finale d'adoption, lorsque cette décision peut se rendre.

Il est alors certain que les conditions de confidentialité restrictive n'existent plus, et que l'absence ou la présence de contacts directs ou indirects entre les deux familles de l'enfant, après l'adoption, est laissée au bon vouloir de chacun et à l'évolution de la vie.

En ce sens, les enjeux de l'adoption d'enfants qui ne sont plus des nourrissons, mais des enfants de 4, 5, ans ou plus âgés, ressemblent beaucoup plus aux enjeux de l'adoption internationale que de l'adoption des enfants abandonnés du siècle dernier. L'enfant arrive avec son bagage, son histoire, sa culture, son langage, verbal et non verbal, ses biens à lui (toutous, photos, linge, jouets...), ses particularités propres. Ce n'est pas 'une page blanche'. Les parents adoptifs se retrouvent dans la même situation que les parents de l'adoption internationale. Vont-ils accueillir l'enfant et son histoire, et lui permettre de l'intégrer, de la continuer avec eux, ou vont-ils essayer de « repartir à neuf » avec l'enfant, en niant l'existence d'un passé où ils n'existaient pas?

En somme, l'adoption légale ne résout pas les dilemmes affectifs. Qu'elle soit plénière est un choix de société qu'il est salutaire de questionner dans un monde de moins en moins monolithique. Mais il ne peut y avoir d'adoption complétée, et sans doute quelle que soit sa forme, plénière ou ouverte, sans une adoption « affective » de part et d'autre, enfant et parents. Si cela se passe ainsi, particulièrement pour les enfants plus âgés, si la connaissance de leur passé, de leur nom d'origine, de leurs parents d'origine leur est transmise dans les faits, alors l'adoption devient une réalité légale et affective, intégrée. D'autre part, il y a également lieu de se demander si l'adoption ouverte ne donne pas non plus, elle aussi, place à certains problèmes : ambivalence, ambiguïté que l'enfant peut vivre avec insécurité, place du parent biologique, maintien de liens jusque dans l'héritage avec des parents nécessairement jugés incompétents par la société... Est-ce que tout cela est aussi rose qu'il semble être présenté?

Enfin, le Québec a également d'autres possibilités d'offrir permanence et sécurité aux enfants dont les parents ne peuvent s'occuper. Malgré tous les défauts qu'on peut y trouver, de nombreux enfants vivent dans des familles d'accueil au moins jusqu'à leur majorité, et la plupart y trouvent « une vraie famille », même s'ils ne sont pas adoptés.

De plus, les modifications à la LPJ (Loi 125) devraient permettre de mettre sur pied des mesures peu utilisées car actuellement trop mal balisées et trop complexes, particulièrement les formes de tutelle, que le tuteur soit de la famille d'origine de l'enfant ou qu'il soit extérieur aux liens biologiques de l'enfant, l'utilisation du réseau de parenté, trop souvent peu mobilisable actuellement, car lui-même peu protégé dans les situations difficiles. L'adoption pourra ainsi ne plus être la seule façon de donner un projet de vie permanent à un enfant, et ouvrira sur un certain nombre de perspectives nouvelles.

Ce que met bien en évidence l'article, et particulièrement dans les adoptions spécifiques ou particulières (enfant du conjoint, conjoints de même sexe, famille d'accueil), c'est que le projet d'adoption se fonde sur un projet d'adulte, dont les adultes sont les premiers bénéficiaires, projet qui les comble, ou qui leur rend la vie familiale plus facile. Le vrai enjeu de l'adoption est effectivement celui-là : que l'enfant soit mis au centre de son adoption, ou de son projet de vie permanent, et qu'on puisse construire pour chacun de ces enfants un projet qui lui corresponde et qui respecte son monde affectif et son identité. C'est en quelque sorte du respect de l'intégrité de l'enfant qu'il s'agit, peu importe qu'il s'agisse d'une adoption plénière, ouverte, d'une tutelle, d'un droit de garde, etc. À cet effet, il est certain que plus les travailleurs sociaux et les acteurs du système judiciaire auront de cordes à leur arc, plus le respect de chaque enfant et la possibilité de lui bâtir un projet à sa mesure risquent d'être possibles.

C'est l'espoir que donnent actuellement les amendements à la Loi sur la Protection de la Jeunesse, non pas tant parce que cette loi définit de nouvelles réalités, mais parce qu'elle permet une réouverture sur une réflexion approfondie, avec une possibilité de mettre en place des moyens différents. Il faudra cependant que notre société, et particulièrement les systèmes sociaux et judiciaires, aient le courage de « penser autrement », et prennent le temps de le faire.

*Denise Trano*

**Directrice des services professionnels au Centre Jeunesse des Laurentides, l'auteure travaille en Protection de la Jeunesse depuis 1979 où elle a été en charge des programmes d'adoption, puis DPJ substitut avant d'être nommée DPJ. Elle est actuellement sur le comité de l'ACJQ qui travaille de concert avec les Directions de la Protection de la Jeunesse sur la question de l'attachement.**
**Adresse :** 500, bd des Laurentides St-Jérôme (Québec) J7Z 4M2
**Courriel :** Denise Trano/CJ Reg15/SSSS

## Réponse aux commentaires de Denise Trano

La revue *PRISME* nous donne l'occasion de partager nos points de vue et je m'en réjouis. Dans le court texte que j'ai soumis, j'ai concentré mon propos sur la nécessité de repenser aujourd'hui notre adoption plénière tout à fait exclusive en tenant compte de la diversité de ses nouveaux usages. J'ai voulu souligner qu'il n'est pas inévitable de toujours rompre la filiation d'origine d'un enfant pour assurer son intégration dans une nouvelle famille et j'ai suggéré que, dans l'intérêt de l'enfant, l'éventail des solutions légales actuellement disponibles pourrait être élargi. Cela implique d'examiner la piste d'une adoption dite « simple » (inclusive, additive). Denise Trano réagit somme toute positivement à ces réflexions puisqu'elle dit que *« l' adoption plénière est un choix de société qu' il est salutaire de questionner dans un monde de moins en moins monolithique »* et aussi que *« plus les travailleurs sociaux et les acteurs du système judiciaire auront de cordes à leur arc, plus le respect de chaque enfant et la possibilité de bâtir un projet à sa mesure risquent d' être possibles »*. Néanmoins, ses commentaires ne parlent que d'adoption plénière (plus ou moins ouverte) et d'autres formes de placement permanent qui ne remettent aucunement en cause le principe d'exclusivité selon lequel un enfant ne peut jamais avoir qu'un seul père et une seule mère (dont il découle que l'adoption doit toujours rendre l'enfant adopté étranger à sa famille d'origine). De plus, ils induisent une confusion en parlant d'adoption ouverte comme s'il s'agissait d'une alternative à l'adoption plénière. Étant donné que cette confusion se glisse assez souvent dans les discussions sur l'adoption, j'espère que les lignes qui suivent vont contribuer à clarifier mieux ce dont il est question.

L'entrée en matière du commentaire est polémique, mais identifie mal sa cible. Elle s'appuie sur une rhétorique du « vrai » et du « faux » pour placer certaines de mes affirmations du côté de l'erreur ou de l'ignorance, mais parce qu'elle les reprend hors contexte, ce qui en altère le sens. Ainsi, elle utilise le fait que les adoptés ne questionnent majoritairement pas l'adoption plénière, mais plutôt la confidentialité des dossiers, pour faire passer comme partiellement inexact que *« la fermeture de notre système d' adoption est depuis longtemps contestée »* (mon propre texte). Pourtant, la première partie de mon texte présente (brièvement, mais clairement) ce qu'est l'adoption plénière fermée et les contestations dont il s'agit ; je précise aussi leur portée de manière à bien en distinguer mon propre propos : *« Ces diverses atténuations du caractère fermé de l'adoption ne remettent aucunement en cause la rupture des liens avec la famille d'origine. Or, l'évolution des comportements familiaux et des pratiques d'adoption au cours des dernières décennies justifient maintenant d'envisager une telle remise en cause ».*

Quelques lignes plus loin, malgré que ce soit une réalité largement observable et reconnue, le commentaire affirme qu'il est « faux » de dire : *« les adoptions dites «ouvertes» où les parents d'origine et les adoptants ont l'occasion d'échanger des informations avant de prendre leur décision sont de plus en plus fréquentes, mais elles se réalisent en dehors de tout cadre formel et les travailleurs sociaux restent réticents à les soutenir »* (mon propre texte). Ce serait faux parce que les rencontres anonymes dans le bureau d'un intervenant n'entreraient pas dans la catégorie des adoptions ouvertes (et auraient un caractère formel). De plus, dans les cas des placements en banque mixte (visant l'adoption), la question de la confidentialité ne se poserait pas puisqu'il s'agit d'un placement en famille d'accueil, à moins d'une décision contraire du juge. Pour soutenir ses objections, l'auteure apporte des informations pertinentes sur la pratique en CJ, mais se trouve en même temps à dessiner les contours de la problématique de l'adoption ouverte d'une manière restrictive, ce qui n'est pas pour aider au débat sur le sujet, qui déborde largement le cadre québécois et les seuls enjeux de la protection de l'enfant. Je vais donc reprendre la question plus en détail; même si elle détourne l'attention du sujet central de mon article, elle permettra peut-être de limiter les malentendus.

En travail social, en droit ou en anthropologie, la définition reconnue de l'« adoption ouverte » est celle d'un continuum de pratiques impliquant un contact entre parents biologiques et adoptifs. Les échanges anonymes organisés et contrôlés par les intervenants sont reconnus comme appartenant à ce continuum, même s'ils s'écartent relativement peu de la stricte confidentialité et ne laissent presque pas d'espace d'autonomie aux parents. Ils se font de façon formelle, dans un bureau, j'en conviens sans peine, mais ce n'est pas à ce type de cadre que je pense quand je dis que les adoptions ouvertes se réalisent *« en dehors de tout cadre formel »* : je réfère plutôt à l'absence d'un cadre réglementaire ou législatif. En l'absence d'un tel cadre, les interprétations et les décisions sur le degré d'ouverture légitime des échanges que les intervenants peuvent favoriser varient d'un professionnel à l'autre, et d'un CJ à l'autre. Plusieurs ont d'ailleurs tendance à jouer sur les mots pour parler d'un « échange ouvert » et éviter ainsi de s'associer de quelque façon à une forme d'adoption ouverte où chaque partie connaît l'identité de l'autre, pratique à risque d'être jugée « effectivement illégale » (mais pas nécessairement, les opinions juridiques varient selon les circonstances particulières de l'ouverture). Les réticences des travailleurs sociaux à l'égard de l'adoption ouverte trouvent un terrain d'expression privilégié dans les situations de placement en banque mixte. Alors même que l'enfant concerné n'est pas encore admissible à l'adoption, les intervenants font souvent entrer en ligne de compte des impératifs de confidentialité de l'adoption pour limiter les informations qu'ils transmettent à sa famille d'accueil à propos de son passé et de ses parents. Si c'est possible, ils éviteront que ces derniers rencontrent la famille d'accueil et connaissent ses coordonnées. Ils privilégient les visites supervisées dans un milieu neutre et encouragent peu les futurs adoptants à soutenir des interactions directes avec les parents biologiques, s'ils ne les empêchent pas carrément de le faire ou ne les dégagent pas dès le départ de toute obligation de participer à ces visites. Ceci, malgré la grande détresse ressentie par certains enfants exposés à un tel cadre de visites en l'absence de leur mère d'accueil avec laquelle ils se sentent en confiance. Bien sûr, dans certains cas, il existe aussi une réelle ouverture, permettant à chacune des familles d'être reconnue positivement par l'autre sans que cette démarche soit entravée par les intervenants. Là encore, le continuum de pratiques est large allant d'une ou deux brèves rencontres très encadrées par les intervenants, en l'absence de l'enfant, jusqu'à des échanges spontanés entre les deux familles qui procèdent sans en demander l'autorisation (ou même malgré l'opposition du CJ).

Les réticences envers les contacts entre les deux familles s'expliquent notamment par les circonstances souvent peu favorables à une véritable collaboration entre elles, mais elles sont aussi liées à des valeurs et des croyances. L'une de ces croyances est que l'enfant sera mieux à l'abri d'un conflit de loyauté si ses parents biologiques sont le plus efficacement possible écartés de sa vie et de celle de ses parents adoptifs. Cependant, un tel conflit de loyauté ne s'ancre pas simplement dans la réalité des contacts familiaux ; il a des racines plus profondes. Les sentiments d'ambivalence, l'ambiguïté ou l'insécurité ne peuvent pas plus être éliminés par la meilleure volonté du monde de l'expérience de l'adoption que de toute autre expérience de la vie. Quand l'auteure de ces commentaires voit dans mon texte une présentation en « rose » de la reconnaissance des liens d'origine d'un enfant, elle me prête une vision que je n'ai pas et n'ai surtout pas voulu proposer.

À mon avis, les pratiques d'adoption ouverte qui se multiplient nous obligent enfin à redonner aux parents biologiques un statut de personnes adultes responsables et à admettre lucidement que l'adoption implique un échange inégal et troublant : le transfert d'un enfant d'une famille en difficulté vers une famille habituellement mieux nantie culturellement, socialement et économiquement. Elles obligent aussi les travailleurs sociaux à se dégager d'une position de pouvoir pour accepter de s'investir plutôt dans un rôle de médiateur et d'accompagnateur. La grande limite de l'adoption ouverte est cependant d'échapper au droit et à ses effets sociaux et symboliques. C'est d'ailleurs pourquoi j'insiste pour dire qu'il faut penser au-delà de l'adoption plénière telle qu'on la connaît et examiner sérieusement la possibilité de permettre une adoption qui n'efface pas les liens d'origine. Une adoption à travers laquelle les places et les statuts de chacune des familles pourraient être reconnus, mais clairement différenciés.

Enfin, je trouve important de revenir sur l'idée que l'adoption, quelle que soit sa forme, n'est jamais complétée sans adoption « affective » de part et d'autre. Je pense qu'il faut certainement espérer que toute relation parent-enfant s'ancre dans une relation affective structurante et faire notre possible pour que cela se produise. Il serait cependant regrettable que le désir de lier parenté et affection pour chaque enfant nous amène à ne plus voir le droit de la filiation et l'adoption légale que sous cet angle et à perdre de vue la complexité des enjeux qui s'y rattachent. Car, comme il est dit aussi dans le commentaire, une famille d'accueil peut constituer pour un enfant une véritable famille (qui coexiste avec sa famille d'origine) ; de plus, même une adoption qui n'aboutit pas à une relation affective positive entre un enfant et ses nouveaux parents peut parfois avoir un impact déterminant sur son devenir en lui reconnaissant une place unique et incontestée à partir de laquelle se construire.

*Françoise-Romaine Ouellette*

no 46

# L'adoption d'un enfant résultant de la défaillance parentale : point de vue jurisprudentiel

**Jacques A. Archambault**

L'auteur est directeur du
Contentieux du Centre
jeunesse de Montréal –
Institut Universitaire.

**Adresse :**
410, rue Bellechasse est
Montréal (Québec) H2S 1X5

**Courriel :**
jarchambault@mtl.centres
jeunesse.qc.ca

La déclaration d'admissibilité à l'adoption [ci-après appelée déclaration d'admissibilité] fondée sur le défaut des père et mère d'assumer de fait le soin, l'entretien ou l'éducation de leur enfant (article 559 (2) C.c.Q.), a donné lieu, au fil des ans, à une interprétation jurisprudentielle contradictoire des tribunaux de première instance et de la Cour d'appel qui, encore récemment, rendait deux décisions contradictoires[1]. Cette autre controverse illustre encore une fois la difficulté pour certains juges, dans l'évaluation objective de cette première condition, de tenir compte de la situation réelle de l'enfant et de le considérer comme un être concret et non abstrait. Notre communication traite de ces contradictions sous deux aspects déterminants : la prise en compte ou non des liens affectifs parent-enfant dans l'appréciation judiciaire de la première condition relative à l'admissibilité à l'adoption (art. 559 (2) C.c.Q.) et l'évaluation de la suffisance ou non de l'exécution des devoirs parentaux lorsqu'une ordonnance restreint les contacts parents-enfant.

Nous tracerons d'abord succinctement l'historique du cadre légal de la déclaration d'admissibilité afin de démontrer l'intention manifeste du législateur de venir en aide à l'enfant dont les parents ne maintiennent plus de liens avec lui ou encore sont inaptes à le faire, en lui donnant la possibilité de s'identifier de façon permanente à une nouvelle famille affective qui lui procurera la stabilité et la sécurité nécessaires à son développement harmonieux. Le rôle du directeur de la protection de la jeunesse (ci-après appelé le D.P.J.) et son obligation d'assurer à l'enfant protégé un plan de vie permanent, y seront évoqués. Ensuite, un bref rappel[2] des controverses jurisprudentielles que nous avons connues quant à l'interprétation des termes « ne pas assumer le soin, l'entretien ou l'éducation depuis au moins six mois » (art 559 (2) C.c.Q), la « probabilité de reprise en charge » (art. 561 C.c.Q.) ainsi que l'utilisation de l'« intérêt de l'enfant » comme condition autonome lorsque la probabilité d'une

(168)

## RÉSUMÉ

*Considérant la controverse entourant le recours en déclaration d'admissibilité à l'adoption, l'auteur retrace l'historique du cadre légal de cette notion en évoquant le rôle du directeur de la protection de la jeunesse auprès de l'enfant et de sa famille dans un tel contexte. Rappelant les controverses jurisprudentielles récentes dans l'interprétation des termes de cet article, il fait état de l'utilisation de la notion d'« intérêt de l'enfant » et la prise en compte du lien d'attachement aux parents lorsque la probabilité d'une prise en charge de l'enfant par ses parents naturels est invraisemblable.*

reprise en charge de l'enfant par ses parents est invraisemblable, précédera la présentation du courant jurisprudentiel actuel et ses éventuels risques de dérive. Sous ce dernier rapport, nous nous attarderons essentiellement aux aspects de la prise en compte du facteur « lien d'attachement » entre les parents et l'enfant lors de la vérification de la première condition de l'article 559 (2) C.c.Q., et la portée de l'expression « depuis au moins six mois » énoncée au même article. Nous conclurons en rappelant le rôle de la Cour d'appel d'assurer la pérennité du droit de l'adoption, en favorisant une interprétation conforme à l'intention du législateur, et en s'assurant de tenir compte de la situation concrète de l'enfant à toutes les étapes conduisant à l'adoption.

## Historique du cadre légal du recours en déclaration d'admissibilité à l'adoption

Les règles de droit régissant l'adoption firent leur entrée au *Code civil du Québec* lors de la réforme du droit familial de 1980[3]. Ces changements attestaient d'une évolution remarquable de l'adoption qui passait de l'œuvre de bienfaisance vers un moyen d'établir une filiation répondant au meilleur intérêt de l'enfant[4] et qui consacrait l'évolution jurisprudentielle faisant de l'enfant un véritable sujet de droit.

Rappelons que l'article 32 C.c.Q. faisait écho à la *Charte des droits et libertés de la personne*[5] reconnaissant explicitement le droit pour l'enfant d'avoir des parents qui s'occupent de lui. Quant à l'article 33 C.c.Q. reconnaissant l'intérêt de l'enfant, il se voyait consacrer, par la Cour Suprême, pierre angulaire de toutes les décisions prises à son sujet[6]. À cette occasion le législateur introduisit également une procédure de déclaration d'adoptabilité[7] donnant ouverture à la requête pour ordonnance de placement en vue de l'adoption et, ultimement, à la requête en adoption. Il s'agissait en définitive de la réponse du législateur à l'inquiétant phénomène des abandons tacites d'enfants[8].

Dans cette perspective, d'importantes responsabilités en matière d'adoption étaient confiées au D.P.J., représentant de l'État en vertu de la *Loi sur la protection de la jeunesse*[9] (ci-après appelée la *L.P.J.*). En vertu de cette loi, s'il considère que l'adoption est la mesure la plus susceptible d'assurer le respect des droits de l'enfant, le D.P.J. doit prendre tous les moyens raisonnables pour la faciliter dont, le cas échéant, faire déclarer l'enfant judiciairement admissible à l'adoption[10].

En vertu de la L.P.J., les parents sont les premiers responsables de leur enfant mais s'il n'est pas dans l'intérêt de l'enfant protégé de le maintenir ou le retourner dans son milieu familial, on doit lui assurer la continuité et la stabilité dans un milieu familial normal, compte tenu de ses besoins et de son âge[11]. Telle décision et toute autre décision prise par les intervenants sociaux ou judiciaires en vertu de cette loi, doivent l'être dans l'intérêt de l'enfant et le respect de ses droits. Ce faisant, on devra tenir compte notamment de « ses besoins moraux, intellectuels, affectifs et physiques...»[12]. Ces règles de droit sont d'ailleurs en harmonie avec la *Convention internationale relative aux droits de l'enfant* qui stipule que dans toutes les décisions le concernant «[...] *l'intérêt supérieur de l'enfant* doit être une considération primordiale»[13] (notre souligné). Rappelons enfin que la L.P.J. énonce que la notion de temps n'est pas la même chez l'enfant que chez l'adulte[14], ce qui oblige tant les intervenants sociaux que judiciaires à agir avec diligence pour assurer sa protection.

À cette base législative se greffent des études et des rapports de recherche spécialisés mettant en lumière le droit, pour chaque enfant, d'avoir un projet de vie permanent[15], le premier à considérer étant le maintien de celui-ci auprès de ses parents. Cependant, lorsqu'un enfant est placé dans un milieu familial substitut et que ses parents font défaut d'assumer soin, éducation et entretien à son égard depuis au moins six mois, l'adoption pourra être le projet de vie à privilégier[16] mais ne pourra avoir lieu que dans l'intérêt de l'enfant et aux conditions prévues par la loi (art. 543 C.c.Q.), ces deux exigences étant cumulatives[17]. L'adoption plénière[18] éventuellement prononcée assurera à l'enfant la stabilité et la continuité lui permettant de s'identifier d'une façon permanente à une nouvelle famille affective.

En définitive, les dispositions relatives à l'adoption contenues tant au *C.c.Q.* et au *C.p.c.* qu'à la *L.P.J.* témoignent éloquemment de l'importance de l'enfant pour le législateur, de «[...] son besoin de protection, [et] son droit à un développement normal dans un milieu sain»[19]. Selon un auteur, la philosophie de cette législation est protectionniste et inspirée en partie de la tradition de la *common law*[20]. Son influence sur le droit québécois de l'adoption est indéniable et s'illustre par le recours fréquent de nos tribunaux, dans leurs jugements en matière d'admissibilité à l'adoption, à la jurisprudence de la Cour Suprême du Canada autour de la notion de l'intérêt de l'enfant[21]. Pourtant, une incursion au cœur des premières controverses jurisprudentielles sur l'interprétation des conditions à l'admissibilité à l'adoption, présentée à la section suivante, nous permettra de saisir les enjeux actuels.

## Les premières controverses jurisprudentielles relatives aux conditions à rencontrer en matière de déclaration d'admissibilité à l'adoption et au rôle du critère de l'intérêt de l'enfant

Le législateur québécois pose deux conditions à l'admissibilité à l'adoption fondée sur la défaillance parentale. D'abord, le constat factuel de l'inexécution, depuis au moins six mois, des principaux devoirs parentaux de « soin, entretien ou éducation » décrits à l'article 559 (2) C.c.Q., dont la preuve fait naître une présomption d'improbabilité de reprise en charge. La deuxième condition permet de vérifier si la reprise en charge de l'enfant par les parents est possible, en leur offrant l'opportunité de renverser la présomption d'improbabilité de l'article 561 C.c.Q., pour faire obstacle à l'admissibilité à l'adoption.

### Le défaut d'assumer de fait le soin, l'entretien ou l'éducation de l'enfant

La première condition posée par le législateur, bien que rédigée en termes clairs, a soulevé certaines difficultés. Que signifie véritablement l'expression « assumer de fait »? Quel degré peut être considéré comme suffisant? Le défaut d'assumer doit-il être intentionnel ? Les contraintes externes qui rendent plus difficile le fait d'assumer effectivement le devoir parental doivent-elles êtres prises en compte? L'analyse des circonstances factuelles entourant le défaut d'assumer doit-elle se faire à partir de la réalité de l'enfant ou celle de ses parents?

Une analyse de la jurisprudence permet de conclure que les devoirs parentaux de « soin», d'« entretien », ou « d'éducation » formaient un tout cohérent ayant pour objectif ultime le bien-être de l'enfant[22]. Conséquemment le seul paiement de la contribution parentale, exigible en raison du placement de l'enfant (entretien) a été jugé insuffisant pour conclure que le parent assumait ses obligations au sens de l'article 559 (2) C.c.Q.[23]. Le courant majoritaire utilisait une analyse _objective_ de la condition énoncée à l'article 559 (2) C.c.Q. sans considérer l'élément intentionnel[24], procédant à un examen attentif des gestes concrets des parents à l'égard de l'enfant sur la base de « relations dynamiques » permettant à l'enfant de trouver réponse à ses besoins et à ses attentes[25].

La quasi-totalité des demandes en déclaration d'admissibilité initiées par le D.P.J. ont pour toile de fond un jugement préalablement rendu en vertu de la _L.P.J._[26] auquel s'ajoutent parfois les aptitudes limitées des parents en raison d'une déficience intellectuelle ou d'une maladie mentale. À cet égard, les tribunaux ont tenu compte, dans l'analyse objective de l'article 559 (2) C.c.Q., des capacités parentales « restreintes » dans le cas de l'ordonnance de protection, et/ou des capacités parentales « restantes » lorsqu'il s'agit de la déficience intellectuelle et/ou de la maladie mentale du parent.

Dans le cas des capacités « restreintes », les tribunaux tenaient compte de la conduite des parents bien qu'ils ne puissent invoquer les restrictions découlant de l'ordonnance pour justifier leur inaction parentale[27]. Notons toutefois que certains juges minoritaires ont excusé les parents du défaut d'assumer leurs obligations parentales à l'égard de leur enfant, en raison de leur vie personnelle perturbée ou malheureuse[28], approche qui sera définitivement écartée par la Cour d'appel comme nous le verrons plus loin.

La théorie des « capacités restantes » fut développée par les tribunaux pour tenir compte des limitations résultant de la déficience intellectuelle ou d'une maladie mentale des parents, bien que ne constituant pas en soi un motif permettant de conclure automatiquement à la défaillance parentale ni justifier leur inaction à l'égard de l'enfant[29]. Elle permit au tribunal de vérifier l'exécution suffisante des devoirs parentaux pour faire obstacle à la déclaration d'admissibilité à l'adoption. Ce courant jurisprudentiel fut cependant infirmé par la Cour d'appel par l'introduction du critère de délaissement ou d'abandon volontaire[30].

En 1992 la Cour d'appel, constituée exceptionnellement d'un banc de cinq juges, renversa cette décision alors que quatre juges rejetèrent l'élément intentionnel ou volontaire en adoptant une analyse objective de la situation factuelle, pour décider si le parent a fait défaut d'assumer soin, entretien ou éducation à l'égard de son enfant, peu importe le motif[31]. Depuis le tribunal doit vérifier si les parents, dans chaque situation (y inclus un handicap mental), se sont occupés suffisamment de leur enfant, à partir des gestes posés, dont l'importance et la fréquence sont déterminantes quant à l'issue du litige.

### L'improbabilité de reprise en charge

À la lecture des articles 559 (2) et 561 C.c.Q., il est manifeste que l'improbabilité de reprise de la garde de l'enfant en vue d'assumer ses besoins a été édictée dans le seul intérêt de l'enfant, puisqu'elle est fondée sur la défaillance parentale déjà constatée judiciairement. Le comportement passé des parents fera présumer un comportement futur identique. Chose rare, le fardeau de preuve est renversé et repose désormais sur le parent qui devra persuader le tribunal du caractère accidentel de son désintérêt et présenter de façon concrète les correctifs envisagés pour se conformer à son devoir de soin, d'entretien et d'éducation[32].

L'interprétation de l'article 561 C.c.Q. a donné lieu à deux tendances jurisprudentielles : l'une, minoritaire, limitait l'analyse de la probabilité de reprise en charge de l'enfant exclusivement aux capacités parentales[33], alors que l'autre estimait que toute reprise de la garde de l'enfant devait être évaluée en fonction de ses divers besoins (art. 33 C.c.Q.) et de la capacité des parents à les satisfaire[34]. Selon la Cour d'appel, l'appréciation devait être faite en fonction de la situation physique, psychologique, financière et morale des parents, non pas dans l'abstrait mais en regard de l'enfant, qui fait l'objet du litige[35].

Deux autres décisions de la Cour d'appel complètent le tableau des critères guidant le tribunal dans l'évaluation de la possibilité d'une réelle reprise en charge : celui de vérifier si la reprise de contact souhaité est dans le meilleur intérêt de l'enfant[36] et que cette analyse s'effectue sans référence à l'intention des parents de reprendre leur enfant[37]. Cette tendance majoritaire à l'origine est aujourd'hui reçue unanimement tant par les tribunaux de première instance que par la Cour d'appel.

### L'intérêt de l'enfant

L'article 543 (1) C.c.Q. pose comme principe que « l'adoption ne peut avoir lieu que dans l'intérêt de l'enfant et aux conditions prévues par la loi », de sorte que le seul critère de l'*intérêt de l'enfant* ne permet pas de passer outre aux autres conditions de l'adoption. L'article 33 (2) C.c.Q. énonce que devront être pris en considération « les besoins moraux, intellectuels, affectifs et physiques de l'enfant, son âge, sa santé, son caractère, son milieu familial et les autres aspects de sa situation ». Cet article de portée générale vise tant les décisions judiciaires que non judiciaires prises à l'égard d'un enfant[38] et fait ressortir deux aspects singuliers : l'importance donnée à la notion de « *besoins* » et la prise en compte des besoins « *affectifs* » qui sont, avec ceux relatifs à l'éducation, fondamentaux en matière d'adoption. Au surplus, le terme « besoins » a un sens précis et incite à une analyse concrète de la situation de l'enfant.

Encore une fois, la Cour d'appel est à l'origine d'une controverse jurisprudentielle portant sur le rôle du critère de l'*intérêt de l'enfant* dans l'appréciation des conditions relatives à la déclaration d'admissibilité et son rôle, une fois les conditions en question rencontrées, ainsi que de l'établissement d'une troisième condition à l'admissibilité à l'adoption.

En 1987, après avoir précisé que le processus conduisant à l'adoption de l'enfant comporte deux étapes distinctes (soit la déclaration judiciaire d'admissibilité à l'adoption et le jugement d'adoption à proprement parler - lequel est précédé de l'ordonnance de placement à cette fin), la Cour d'appel, sous la plume du juge Vallerand, affirme que la décision en admissibilité ne concerne que son statut juridique et non son bien-être[39], conférant à l'admissibilité un statut de question préliminaire. Cette approche a été reprise par la même Cour dans *Droit de la famille – 231*, estimant que l'intérêt de l'enfant ne doit pas être considéré à cette étape[40]. Toutefois, en 1992 dans *Droit de la famille – 1544*, le juge Beaudouin affirmait la nécessité de tenir compte de l'intérêt de l'enfant à toutes les étapes conduisant à un jugement d'adoption[41]. Plus tard, sous la plume du juge Tourigny, la Cour d'appel estimera que le bien-être de l'enfant s'applique à l'admissibilité à l'adoption, tout en précisant que c'est surtout à l'occasion de l'analyse de la preuve relative à la probabilité de la reprise en charge que l'intérêt de l'enfant « doit prendre toute sa place »[42].

Il est possible de réconcilier ces apparentes contradictions. D'une part, la Cour d'appel soutient que l'intérêt de l'enfant ne peut ni ne doit servir à déterminer laquelle, de sa famille «adoptive» ou sa famille biologique, serait la plus apte à s'occuper de lui, position parfaitement légitime à cette étape du processus d'adoption. D'autre part, elle reconnaît que l'on doit tenir compte de l'intérêt de l'enfant (dont les critères sont énoncés à l'article 33 (2) C.c.Q.) pour déterminer s'il y a eu défaillance parentale et la capacité des parents de le reprendre en charge, ce qui exige de tenir compte de la situation de l'enfant dans l'appréciation judiciaire des deux conditions des articles 559 (2) et 561 C.c.Q, c'est-à-dire ses besoins et ce qu'il est devenu en définitive. Comme le rappelait la Cour Suprême il y a déjà fort longtemps, l'autorité parentale existe au profit des enfants[43] et les responsabilités parentales visent à satisfaire les besoins « moraux, intellectuels, affectifs et physiques » de l'enfant (ou son intérêt). Conséquemment, la satisfaction ou non de ces besoins éclairera objectivement le tribunal sur la question de la défaillance parentale et, dans l'affirmative, si l'improbabilité de reprise en charge qui en résulte a été renversée ou non.

En 1996 la Cour d'appel introduisait l'*intérêt de l'enfant*, à titre de critère autonome pouvant tenir en échec la demande d'admissibilité à l'adoption[44]. Elle ajoutait ainsi une troisième condition à la preuve de la défaillance parentale depuis au moins six mois et de l'incapacité des parents d'établir une possible reprise en charge, conditions déjà appréciées sur la base de l'intérêt de l'enfant, car sous l'éclairage de la satisfaction de ses besoins[45]. L'ajout de cette troisième condition, nonobstant la clarté et la portée de l'article 33 C.c.Q., est possiblement à l'origine de la controverse actuelle opposant différents bancs de la Cour d'appel au sujet de la prise en compte ou non de l'existence d'un lien significatif parents-enfant lors de l'examen de la première condition.

Dans l'appréciation des conditions de l'admissibilité des articles 559 (2) et 561 C.c.Q., la discrétion judiciaire s'exerce dans le cadre de ces dispositions, y compris la prise en compte de la réalité de l'enfant, c'est-à-dire de ses besoins. Au contraire, celle fondée sur l'intérêt de l'enfant, lors de l'ultime étape, ne bénéficie d'aucun encadrement à proprement parler. Elle ne doit pas pour autant devenir un exercice « discrétionnaire » où l'intérêt de l'enfant devient le vecteur des conceptions personnelles ou des préjugés du juge saisi, puisqu'il s'agit d'un critère juridique énoncé par le législateur dont l'appréciation, par le tribunal, doit être conforme à la loi et à ses objectifs[46]. Les décisions subséquentes de la Cour d'appel[47] ont accordé beaucoup d'importance, lors de l'appréciation de la troisième condition, à trois facteurs : la durée de la défaillance parentale à l'égard de l'enfant, l'existence de liens significatifs entre l'enfant et sa famille d'accueil et, corollairement, l'absence de liens significatifs entre l'enfant et ses parents. Or, nous le rappelons, ces facteurs ont déjà été pris en compte par le tribunal lors de l'examen de la deuxième condition. À ce jour, et sans grand étonnement puisque la discrétion judiciaire exercée sous ce rapport a été «épuisée» lors de l'appréciation des deux premières conditions, aucune déclaration d'admissibilité n'a été rejetée au motif qu'il n'était pas dans l'intérêt de l'enfant (troisième condition) de l'accueillir.

## Vers une nouvelle controverse jurisprudentielle

Encore récemment, deux jugements de la Cour d'appel se contredisaient sur deux aspects importants : la prise en compte ou non des liens affectifs parent-enfant dans l'appréciation judiciaire de la première condition relative à l'admissibilité (art. 559 (2) C.c.Q.), et les critères guidant l'évaluation de la suffisance ou non de l'exécution des devoirs parentaux, alors qu'une ordonnance restreint les contacts parents-enfant. Ajoutons la question du délai de six mois de défaillance parentale qui retiendra également notre attention. Nous analyserons ces décisions, sous l'angle, implicitement abordé dans les jugements sous examen mais sans le nommer comme tel, de l'intérêt de l'enfant. Il s'agit bien sûr de prendre en compte la situation et les besoins concrets de l'enfant dans l'appréciation judiciaire de la première condition conduisant à l'admissibilité à l'adoption.

176

Tout d'abord, certains constats s'imposent, à partir du corpus jurisprudentiel constitué au fil des vingt-cinq dernières années en matière d'admissibilité à l'adoption. Le premier est que chaque cas constitue véritablement un cas d'espèce. Ensuite, la presque totalité des jugements portant sur la déclaration judiciaire d'admissibilité fondée sur la défaillance parentale (article 559 (2) C.c.Q.) concerne un enfant pris en charge par le D.P.J., en exécution d'une ordonnance de protection le confiant à une famille d'accueil et restreignant notamment les contacts parents/enfant. Enfin, dans l'appréciation de l'exécution suffisante ou non des devoirs parentaux, on tient compte du jugement en protection, sans que les parents puissent invoquer les contraintes judiciaires imposées pour justifier leur défaillance. Cependant, les gestes posés par le délégué du D.P.J. dans le cadre de la prise en charge de l'enfant sont pris en compte, le cas échéant, si son attitude constitue un réel empêchement à l'exercice des attributs parentaux.

Dans le premier jugement[48], les faits se résument ainsi : l'enfant, âgé de cinq ans, a fait l'objet de plusieurs jugements en protection le confiant à une famille d'accueil « Banque-mixte » et assujettissant la fréquence et les modalités de contacts mère-enfant à la supervision du D.P.J.. Âgé seulement de quatre mois lors du premier jugement en protection, le dernier jugement le maintenait dans sa famille d'accueil jusqu'à sa majorité. Totalement absente de la vie de l'enfant durant les neuf mois qui suivirent son placement initial, la mère mit près de deux ans à vaincre ses problèmes de toxicomanie. L'exercice de ses devoirs parentaux consistait essentiellement en contacts supervisés une fois par mois, puis une fois aux deux mois, suite à une décision de l'intervenante sociale au dossier, s'appuyant sur le jugement rendu en protection. Le Tribunal de première instance, prenant en compte les progrès réels de la mère au plan «personnel» et estimant que les liens affectifs mère-enfant ne s'étaient pas développés en raison du cadre imposé des visites, rejetait la déclaration d'admissibilité au motif que la mère avait assumé ses responsabilités parentales. Porté en appel par le D.P.J., le pourvoi fut rejeté.

Dans ses motifs, le juge Dalphond rappelle à bon droit que l'expression « assumer de fait le soin, l'entretien ou l'éducation » de l'article 559 (2) C.c.Q. renvoie à un test objectif qui s'évalue en fonction du contexte propre à chaque affaire et précise, s'appuyant sur la doctrine et la jurisprudence, quels sont les critères ou faits objectifs à prendre en compte, dans le cadre restreint d'une ordonnance en vertu de la *L.P.J*[49]. Pour la Cour, si ces « faits objectifs sont généralement une indication du désir sincère de maintenir ou d'établir des liens avec l'enfant », elle estime que le « maintien d'un lien significatif avec l'enfant » ne doit pas être retenu comme un critère à considérer au moment d'apprécier la première condition (article 559 (2) C.c.Q.)[50], bien que la doctrine sur laquelle prend appui et une jurisprudence largement majoritaire estiment au contraire que ce critère doit être pris en compte à cette étape. Cette exclusion surprend d'autant plus que la Cour précise que les gestes concrets posés par les parents doivent l'être dans « [...] un esprit sincère d'affection et de tendresse et être la manifestation de l'intérêt qu'un parent porte envers son enfant [...] orientés vers [ses] *besoins* [...] et non l'inverse »[51] (notre souligné). Selon la Cour « [...] exiger *dans tous les cas* la présence d'un tel lien ('attachement significatif' ou 'lien affectif') [...] semble aller à l'encontre de l'interprétation contextuelle de l'article 559 C.c.Q. favorisée par la Cour. En effet, il ne faut pas exclure *ex cathedra* la possibilité que des restrictions imposées aux parents dans le cadre de mesures de protection mises en place dès la naissance n'aient pas permis la naissance d'un lien affectif»[52].

À l'évidence, la Cour est mal à l'aise d'exclure le critère du « lien affectif » qui témoigne de la satisfaction ou non des besoins affectifs de l'enfant, et plus encore, de tenir compte de l'absence de tout lien significatif mère-enfant, vu le cadre imposé des visites supervisées et les efforts importants de la mère pour améliorer sa situation « personnelle ». Pourtant, si la preuve révélait que la déléguée du D.P.J., par ses agissements, avait empêché directement l'exercice de l'autorité parentale en contravention de la *L.P.J.* ou du jugement de protection, les juges pouvaient rejeter la déclaration d'admissibilité pour ce seul motif. La difficulté venait probablement du fait que les agissements de la déléguée, bien que pouvant être perçus comme peu charitables ou peu empathiques à l'égard de la mère, n'en étaient pas moins conformes à l'ordonnance de protection en vigueur et à la *L.P.J.*. Pourtant, tant en 1987 qu'en 1992, la Cour avait établi l'importance d'analyser les articles 559 et 561 C.c.Q. à la lumière des besoins de l'enfant[53], de façon objective et en s'assurant que le parent démontre « *qu'il assume l'essentiel de cette prise en charge* »[54]. Le juge Dalphond lui-même est du même avis, dans le jugement sous examen, lorsqu'il affirme que les gestes du parent doivent être orientés vers les besoins de l'enfant et non l'inverse.

Sous l'éclairage de ces principes, avec égards pour l'opinion contraire, nous estimons que ce qui a été retenu par les juges comme constituant un « exercice suffisant des devoirs parentaux » dans les circonstances sont, au contraire, des gestes insuffisants, surtout que la majorité d'entre eux ne constituent pas une réponse aux *besoins* de l'enfant. Rappelons que l'impact majeur de l'absence prolongée de la mère dans la vie de l'enfant avait conduit le tribunal siégeant en protection de la jeunesse à écarter tout retour de l'enfant auprès d'elle pour sécuriser les liens affectifs forts tissés avec ses «parents psychologiques».

En pareilles circonstances (générées par sa propre conduite, rappelons-le), la mère devait poser tous les gestes possibles, en sus des contacts, pour concrétiser une réelle préoccupation à l'égard des besoins de son enfant, ce qu'elle n'a pas fait. L'envoi occasionnel de petits cadeaux et le paiement de la contribution parentale exigible ne sont pas suffisants. Le parent défaillant ne peut non plus invoquer les restrictions imposées par ordonnance pour justifier son inaction. À cet égard, il est révélateur que la Cour d'appel, lorsqu'elle énumère les dispositions législatives applicables et pertinentes au litige, omette de mentionner les deux très importants articles 33 et 543 C.c.Q.. Encore une fois, l'exclusion du critère de l'intérêt de l'enfant dans l'appréciation des conditions relatives à la déclaration d'admissibilité à l'adoption, dénature celles-ci et ouvre la porte aux excuses parentales qui ne tiennent pas compte des besoins concrets de l'enfant.

Un dernier élément commande des nuances importantes lorsque la Cour affirme péremptoirement qu'à la lecture de l'article 559 (2) C.c.Q. et de la jurisprudence, « la seule période vraiment *pertinente* est celle des six mois antérieurs à la signification »[55]. Avec égards encore une fois, nous estimons que cette interprétation est inexacte ou incomplète et que la jurisprudence n'est pas à cet effet. L'article 559 (2) C.c.Q. énonce que la défaillance parentale doit exister « depuis *au moins* six mois », indiquant sans plus la durée minimale de défaillance parentale requise pour donner ouverture au recours en déclaration d'admissibilité à l'adoption. S'il est évident que la défaillance parentale doit exister depuis au moins six mois au moment du dépôt de la procédure au greffe du tribunal[56], cela ne signifie aucunement qu'on ne puisse pas tenir compte de la période antérieure, bien au contraire[57].

Environ un mois après le prononcé de la décision que nous venons d'aborder, un autre banc de la Cour d'appel rendait une décision contradictoire unanime[58] sur la même question, sous la plume de la juge Rousseau-Houle. Les faits de l'espèce peuvent se résumer ainsi : quelques jours après sa naissance, l'enfant fut confié à une famille d'accueil en raison des difficultés personnelles de sa mère. Cette dernière le visitait régulièrement et ils ont même cohabité en famille d'accueil pendant un mois. Lors de la première ordonnance de protection, la mère visitait son enfant deux fois par semaine. À la deuxième et malgré l'opposition du D.P.J. préconisant la voie de l'adoption, la mère fut autorisée à visiter son enfant minimalement trois fois par semaine. Ces contacts ont permis à l'enfant d'établir un certain *lien affectif* avec sa mère. Les visites se déroulaient bien et ne suscitaient pas de réactions négatives chez l'enfant, ni ne nuisaient aux liens tissés avec sa famille d'accueil. De plus, la mère avait contribué à l'entretien de son enfant de diverses façons. Par contre, au cours des six derniers mois précédant le dépôt de la procédure, les difficultés personnelles de la mère ont augmenté, marquées par des périodes d'incarcération et une hospitalisation ponctuelle en psychiatrie. Coopérative avec le D.P.J., elle était beaucoup plus réticente à recevoir une aide personnelle. Le juge de première instance a rejeté la déclaration d'admissibilité estimant que la mère de l'enfant avait exercé de façon tangible ses responsabilités parentales *non restreintes* afin de maintenir un lien affectif significatif avec son enfant. Le D.P.J. porta cette cause en appel et le pourvoi fut rejeté par la Cour d'appel.

D'abord, elle rappelle que les articles 33 et 543 C.c.Q. s'appliquent au litige et, s'appuyant sur *Droit de la famille – 1544*, affirme que la situation de l'article 559 (2) C.c.Q. doit être évaluée « [...] objectivement du *point de vue de l'enfant* »[59]. Puis passant en revue les critères objectifs à considérer alors que l'enfant est pris en charge par le D.P.J., elle retient les critères suivants à l'égard des parents : participation active au plan d'intervention sociale pour mettre fin à la situation de compromission ; intérêt démontrant une réelle préoccupation pour le bien-être de l'enfant ; gestes concrets et répétés dénotant une véritable attention à l'égard de l'enfant ;

contribution financière pour l'entretien et l'éducation de l'enfant lorsque la situation le permet; développement d'un lien affectif avec l'enfant[60].

La juge Rousseau-Houle se démarque de son collègue Dalphond de la Cour d'appel en retenant le critère du lien affectif parent-enfant et en ne retenant, à l'exception du premier critère, que des critères liés à la situation de l'enfant et ses besoins particuliers. Ainsi elle évite le piège de l'analyse subjective de la situation du parent ayant donné ouverture, dans le passé, à la prise en compte des excuses ou justifications parentales résultant des circonstances de la vie. Rappelant à nouveau le devoir du tribunal « [...] d'apprécier avec soin et discernement si, à partir des faits de chaque espèce, le parent assume l'*essentiel de cette charge* même s'il est à l'écart du quotidien [il lui paraît difficile] de concevoir que des parents qui n'exercent que des droits d'accès ponctuels, même s'ils les exercent à la perfection, assument *l' essentiel de leur charge* »[61] (notre souligné). Le pourvoi sera quand même rejeté car, en l'espèce, le degré d'implication concrète de la mère dans la vie de son enfant, le *lien affectif* les unissant et le fait que leurs rencontres ne portaient pas atteinte au développement de ce dernier en famille d'accueil autorisaient de toute façon le tribunal, à l'une ou l'autre des deux étapes restantes, à ne pas déclarer l'enfant judiciairement admissible à l'adoption.

## Conclusion

L'adoption met en œuvre des conceptions et des émotions auxquelles ni les intervenants sociaux ou judiciaires, ni les personnes directement concernées (parents, enfants, adoptants) ne peuvent échapper. D'où l'importance de bien comprendre les origines des dispositions législatives, d'en dégager la philosophie qui les anime et, ce faisant, de cerner le plus clairement possible la volonté exprimée par le législateur.

La Cour du Québec, Chambre de la jeunesse, exerce une compétence exclusive en matière d'adoption[62]. L'expertise qu'elle développe depuis bientôt vingt-cinq ans s'appuie sur une fréquentation assidue des règles législatives et de leur application aux faits, sous l'éclairage d'experts en sciences humaines, permettant de mieux saisir les véritables enjeux pour l'enfant. Cette expertise a conduit à un corpus jurisprudentiel riche, nuancé et surtout respectueux de l'intérêt de l'enfant et du respect de ses droits. À ce titre, elle devrait être reconnue comme un véritable tribunal spécialisé. À cet égard, lorsque la Cour d'appel est saisie d'un litige en admissibilité à l'adoption, elle ne réformera le jugement que si elle constate une erreur manifeste et dominante[63], selon la norme reconnue d'intervention. Cependant, par l'autorité qu'elle incarne et le respect qu'elle commande, elle doit assurer la pérennité du droit de l'adoption par des décisions qui font évoluer ses fondements et son interprétation. Elle doit jouer ce rôle d'une façon cohérente et respectueuse de la volonté du législateur et non, en toute déférence, nous éloigner de ses objectifs en rendant des décisions qui, par leurs impacts, précarisent les interventions faites auprès des enfants et de leurs parents. Cette constance requise de notre Cour d'appel devrait s'inspirer de la cohérence de la Cour Suprême du Canada, depuis plus de 70 ans, à propos du critère de l'intérêt de l'enfant et sa conciliation avec l'autorité parentale en matière de garde et d'adoption. L'exercice de ce devoir de constance et de cohérence dans l'interprétation des objectifs poursuivis par le législateur, non seulement assurera la pérennité souhaitée, mais surtout garantira que l'enfant soit véritablement au cœur du processus conduisant à l'admissibilité à l'adoption, car, comme le rappelait avec beaucoup de justesse madame la juge L'Heureux-Dubé, alors juge à la Cour Suprême, «[l]es enfants ne sont pas seulement les bénéficiaires d'une décision, *mais ils en portent aussi le fardeau réel* »[64].

## ABSTRACT

*After tracing the legal context presiding to the declaration of admissibility to adoption for children placed in foster care under the protection of Youth Services, the author reviews actual controversy with regard to the utilization of the concept of « best interest of the child » and the interpretation of the terms « defect to assume the care and education since at least six months », in view of the specific criteria of the quality of « attachment » between the natural parents and their child. Two cases brought to the Court of Appeal serve to illustrate various applications of these concepts in judgments recently rendered.*

# Notes

1   Décisions rapportées respectivement à [2005] R.J.Q. (C.A.) 1398 et [2005] R.J.Q. (C.A.) 1692.

2   Pour une analyse approfondie, consulter J.A. Archambault, C. Boisclair, « L'interprétation de l'abandon et de la probabilité de reprise en charge de l'enfant dans une demande en déclaration d'admissibilité à l'adoption », (1994) 25 R.D.U.S. 27.

3   *Loi instituant un nouveau code civil et portant réforme du droit de la famille*, L.Q., 1980, c. 39, sanctionnée le 19 décembre 1980 et entrée en vigueur le 2 avril 1981 (proclamation) (1981) 113 G.O. II 769.

4   M. Ouellette, « *Le nouveau droit de la famille et l'adoption* », (1982) 13 R.G.D. 111.

5   L.R.Q. c. C-12., art. 39.

6   Voir C. (G.) c. V-F. (T.) [1987] 2 R.C.S. 244 Dans cette affaire, la Cour Suprême affirme que «[...] l'intérêt de l'enfant est devenu en droit civil québécois la pierre angulaire de toutes les décisions prises à son endroit » (Juge Beetz), p. 269.

7   Art. 611 C.c.Q. devenu l'article 559 C.c.Q. lors de la mise en vigueur du nouveau Code civil du Québec le 1er janvier 1994; on parle dorénavant de la déclaration judiciaire d'admissibilité à l'adoption.

8   Office de révision du Code civil, *Rapport sur le Code civil du Québec*, Vol. II, Commentaires, t. I, Éditeur officiel du Québec, Québec, 1977, p. 122. «On s'est ensuite attaché à éliminer le plus possible les cas d'«abandon tacite» assez nombreux en pratique. Il s'agit d'enfants qui ne peuvent faire l'objet d'une adoption car leurs parents <u>n'ont pas manifesté l'intention de les abandonner</u>, bien que, <u>dans les faits, ils ne s'en occupent plus</u>». (nos soulignés)

9   *Loi sur la protection de la jeunesse*, L.R.Q., c. P-34.1, [ci-après appelée L.P.J.].

10  *L.P.J. art.* 72.1 et 32 h).

11  *Ibid*, art. 4.

12  *Ibid*, art. 3.

13  A/RES/44/25 (1989), R.T. CAN. 1992, N° 3 (20 novembre 1989), art.3 (1). Elle précise également que si un enfant, dans son propre intérêt, ne peut être laissé dans son milieu familial, il a droit à une protection et à une aide spéciales de l'État, cette protection de remplacement pouvant « notamment avoir la forme du placement dans une famille [ou] l'adoption [...] ». *Ibid*, art. 20 (1) et (3). (notre souligné).

14  L.P.J., *supra* note 10, art. 2.4.5°.

15  Centre jeunesse de Montréal – Institut Universitaire, *Le programme d'intervention « À chaque enfant son projet de vie permanent»*, Dépôt légal, Bibliothèque nationale du Québec et du Canada, 2003. Dans ce document, on définit à la page 2, l'expression «projet de vie» comme étant une situation dans laquelle l'enfant est placé de façon stable et permanente. Cette situation comporte deux dimensions : l'une physique, correspondant à un milieu de vie, un lieu d'appartenance, l'autre, dynamique et qui réfère à une personne significative avec qui l'enfant vit et peut développer un lien d'attachement.

16  Ministère de la santé et des services sociaux et Ministère de la Justice, *La protection de la jeunesse, plus qu' une loi,* Rapport du groupe de travail sur l'évaluation de la *Loi sur la protection de la jeunesse* (Rapport Jasmin), Groupe de travail Jasmin, Québec, 1992. Ce groupe de travail a abordé l'importance de stabiliser les enfants abandonnés ou à risque d'abandon et souligné la nécessité d'élaborer un projet de vie à plus long terme, un projet de vie permanent pour ces enfants : «Si la plupart des parents arrivent à se remettre en marche quant à leurs obligations envers les enfants, pour un certain nombre, la possibilité d'établir des liens affectifs structurants est fort aléatoire, ou encore, le type de liens que ces parents sont capables d'établir s'avère nocif pour l'enfant. Certains parents, prenant conscience de leurs difficultés, confieront leurs enfants à l'adoption, mais d'autres ne s'avoueront jamais leur incapacité. D'autres, démunis, sont simplement dans l'ignorance de leur inaptitude. Ils la traduiront par leur désengagement ou encore par une ambivalence dont la conséquence est une succession de placements. À l'égard des enfants abandonnés et des enfants ballottés, l'État a la responsabilité de les orienter vers un projet de vie permanent. L'État a le devoir de leur donner une appartenance. Il doit mettre fin aux situations susceptibles de créer un vide affectif, dans des délais qui ne compromettent pas définitivement la capacité d'évolution de l'enfant. Il faut se rappeler l'importance de la notion du temps, de la continuité relationnelle avec un adulte significatif et les torts irrémédiables causés par la privation affective continue», à la p. 20. Voir également Gouvernement du Québec, Ministère de la Santé et des Services Sociaux, Direction de l'adaptation sociale, *L' adoption : un projet de vie,* mai 1994, Bibliothèque Nationale du Québec, 87 pages, qui constitue l'énoncé des orientations ministérielles en matière d'adoption au Québec.

17  *Droit de la famille* – 231 (C.A.) 1988-01-07; SOQUIJ AZ 880 11155.

18  Notre droit ne connaît qu'une seule forme d'adoption soit l'adoption plénière, laquelle comme l'énonce impérativement l'article 577 C.c.Q. : «... confère à l'adopté une filiation qui se substitue à sa filiation d'origine ».

19  M. Ouellette, *supra* note 4, p. 111.

20  C. Lavallée, *L'enfant, ses familles et les institutions d'adoption – Regards sur le droit français et le droit québécois*. Wilson et Lafleur,

21  Voir *Racine c. Woods*, 1983] 2 R.C.S. 173, p. 185 et *King c. Low* ,[1985] R.C.S. 87, pp. 101 et 104. Voir également *Young c. Young*, [1993] 4 R.C.S. 3, pp. 66 et 84 et C.M. c. *Catholic Childrens Aid Society of Metropolitan Toronto and the Official Guardian*, [1994] 2 R.C.S. 165, pp. 201-203.

22  *Adoption – 15*, [1982] T.J. 2003, p. 2006; Droit de la famille – 362, [1987] 2 R.J.Q. 1215, p. 1217.

23  *Protection de la jeunesse – 635*, [1993] R.D.F. 451, p. 455 ; voir aussi J.E. 2004-393 (C.A.). On a également précisé les devoirs de « soin », d' «éducation » avaient « [...] une connotation de « lien personnel et intime, de relation humaine, de communication directe, chaleureuse et affective et non pas seulement une connotation de « responsabilité » comme ça semble être dans le critère « entretien » » (p. 455) (les guillemets sont dans le texte).

24  À titre d'illustration, voir *Droit de la famille – 1101*, (1987) R.D.F. 244, p. 250.

25  *Protection de la jeunesse*, T.J. Québec 200-43-000051-843, 25 janvier 1985, p. 6.

26  L.P.J., *supra* note 10, articles 2.3 et 91. Le jugement comporte des restrictions à l'exercice des attributs parentaux et exige la participation active des parents de l'enfant pour mettre fin à la situation de compromission et éviter qu'elle ne se reproduise.

27  Voir entre autres, *Protection de la jeunesse*, T.J. Kamouraska 250-43-000010-893, 20 septembre 1989, p. 6. et Chambre de la jeunesse, C.Q. Montréal, 500-43-000117867, 3 juillet 1987: « [...] de maintenir un lien significatif avec l'enfant et de manifester à ce dernier leur amour et leur affection » (p. 7).

28  À titre d'illustration, voir *Droit de la famille – 132*, [1984] T.J. 2036.

29  *Protection de la jeunesse*, T.J. district de l'Abitibi 615-43-000018-83, 615-43-000019-83, 18 janvier 1985, p. 34, confirmé par *Droit de la famille – 1078* [1987] R.D.F. 81 (C.A.), pp. 81 et 82.

30  *Droit de la famille – 256*, [1988] R.D.F. 397 (C.A.), p. 400. Cette décision amènera certains juges à rejeter la déclaration d'admissibilité à l'adoption, en présence d'un parent atteint d'une maladie mentale, malgré la présence d'une preuve révélant que les capacités parentales restantes n'avaient pas été exercées par le parent ou qu'il n'avait pas de capacités parentales en raison de la précarité de son état. À titre d'illustration, voir Chambre de la jeunesse, C.Q. Joliette 705-43-000046-874, 31 janvier 1990.

31  *Droit de la famille – 1544*, [1992] R.J.Q. 617 (C.A.). (Le juge Vallerand à la page 631 et le juge Beaudoin à la page 638).

32  M. Ouellette, *supra* note 4, p. 131.

33  Cette tendance considérait l'article 561 C.c.Q. comme une dernière chance donnée aux parents de préserver les liens du sang avec leur enfant, appréciant les capacités parentales strictement à partir des parents eux-mêmes, faisant fi de la réalité vécue par l'enfant. Interprétant la portée de cet article, la Cour déclarait : « Le législateur a considéré que l'intérêt naturel d'un enfant c'est d'être sous la garde de ses parents à moins qu'il soit démontré qu'il est "improbable qu'ils puissent le faire" ; comme un jugement d'adoptabilité rend à tout jamais impossible la reprise de la garde par les parents, l'article 613 (devenu l'article 561 C.c.Q.) a pour but d'éviter tout geste irréparable s'il y a encore une lueur d'espoir que les parents naturels pourraient reprendre le rôle que la nature leur a confié ». Voir *Droit de la famille – 23*, *supra* note 17, à la p. 234, confirmant *Droit de la famille – 231* [1985] T.J. 2044. (notre parenthèse et nos italiques).

34  *Droit de la famille – 376*, [1987] R.J.Q. 1235. (C.A.), où la Cour d'appel, à propos de l'interprétation de la probabilité de reprise en charge, énonçait ce qui suit : « *Assumer le soin, l'entretien ou l'éducation* n'est pas une notion abstraite qu'on puisse apprécier uniquement en fonction des disponibilités de celui qui assume. Tout disposé qu'il soit à offrir, il ne pourra assumer que si l'enfant est en mesure de recevoir utilement. Et ce qui est vrai du point de vue matériel l'est tout autant du point de vue psychique, psychologique et affectif. Imaginons le cas de cet enfant qui profondément traumatisé, vouerait une haine incurable à sa mère qui l'a "abandonné". Il va de soi que celle-ci ne pourrait espérer un instant en assumer le soin et l'éducation », à la p. 239.

35  « L'âge, la santé physique et mentale, ses besoins particuliers doivent également être considérés non pas pour décider quel est le milieu le plus favorable à son intérêt, mais comme des facteurs pouvant conduire à une probabilité de prise en charge ». *Ibid*, p. 1239 (les guillemets sont dans le texte).

36 *Droit de la famille* – 1741, [1993] R.J.Q. 647 (C.A.). La Cour précisait, à propos du fardeau de la preuve, qu'il incombait au parent de renverser la présomption d'improbabilité de reprise en charge en établissant que lui et son enfant puissent reprendre contact dans le meilleur intérêt de l'enfant. À cet égard, il fallait évaluer la situation du parent et de l'enfant à la lumière de « [...] la possibilité d'offrir de la part du parent qui cherche à recréer le lien et la possibilité de recevoir de la part de l'enfant qui a vu factuellement ce lien rompu », p. 654.

37 *Droit de la famille* – 1628, C.A. Québec 200-08-000024-878, 28 mai 1992, p. 5.

38 Son contenu est incidemment repris intégralement à l'article 3 de la L.P.J.

39 *Droit de la famille-376*, supra note 34, aux pp. 1237 et 1238. Cette position en apparence claire, est pourtant nuancée par le juge Vallerand lui-même dans cette même décision : « j'ai dit [...] que l'intérêt de l'enfant est sans pertinence aucune à la détermination de son adoptabilité et pourtant, statuant en matière d'adoptabilité, je retiens et j'évalue des considérations qui n'ont trait qu'au bien-être de l'enfant. Les conditions que mettent les articles 611 et 613 (devenus les articles 559 et 561 C.c.Q.) à la déclaration d'adoptabilité sont bien sûr toutes marquées au coin de l'intérêt de l'enfant » *Ibid*, p. 1239.

40 *Droit de la famille* – 231, supra note 17, p. 231 (le Juge Tourigny) et p. 234 (le Juge Dubé). Cependant, dans cette même décision, le juge Dugas, lequel concourt pourtant à la décision rendue, estime que le critère de l'intérêt de l'enfant doit s'appliquer au moins à la condition énoncée à l'article 561 C.c.Q. *Ibid*, p. 232.

41 *Droit de la famille* – 1544, supra note 31, p. 654.

42 *Droit de la famille* – 1741, supra note 36, p. 654.

43 *Dugal c. Lefebvre,* [1934] R.C.S. 501, p. 510. Dans cet arrêt, la Cour Suprême déclare « [...] qu'il est maintenant admis par la doctrine que les droits et pouvoirs du père et de la mère sur la personne des enfants mineurs ne leur sont accordés que comme conséquence des lourds devoirs qu'ils ont à remplir et n'ont d'autre but que de leur rendre possible l'entretien et l'éducation de l'enfant».

44 *Droit de la famille* – 1914 , [1996] R.J.Q. 219, p. 228.

45 Avant cette décision certains juges, au moment de déclarer l'enfant admissible à l'adoption, disaient le faire dans l'intérêt de ce dernier, sans fournir de précisions à cet égard, alors que d'autres se référaient expressément à ce critère. Certaines autres décisions abordaient brièvement le critère de l'intérêt de l'enfant en constatant à la fois l'absence d'un lien affectif entre les parents et l'enfant et le fait que les parents d'accueil soient devenus les parents psychologiques de l'enfant. Voir J. A. Archambault, C. Boisclair, supra note 3, pp. 128-129.

46 *Young c. Young, supra* note 21, p. 117.

47 Cour d'appel, greffe de Montréal, 500-08-000121-998, 7 juin 2000 (Juge Fish, Robert et Philippon) 5 pages, à la p. 4; *Droit de la famille* – 3745 [2000] R.D.F. 604, p. 614; les tribunaux de première instance ont bien entendu adopté la même ligne de conduite.

48 [2005] R.J.Q. (C.A.) 1398.

49 Ces critères non exhaustifs sont : 1) l'attitude du parent envers l'intervention sociale et son niveau de collaboration avec les différents intervenants; 2) l'attitude et la ponctualité lors des visites supervisées; 3) le sérieux des mesures prises pour remédier aux problèmes à l'origine du placement; 4) les manifestations d'entretien (par exemple le versement d'une contribution parentale au DPJ), de soin (par exemple le consentement à des soins médicaux) et d'éducation (par exemple le suivi de l'évolution scolaire de l'enfant par des questions aux intervenants). *Ibid*, pp. 1406 et 1407.

50 *Ibid*, p. 1407.

51 *Ibid*, p. 1406.

52 *Ibid*.

53 *Droit de la famille* – 376, supra note 34, p. 1239.

54 *Droit de la famille* -1544, supra note 31, p. 631.

55 *Droit de la famille* – 1398, supra note 1, p. 1404.

56 *Droit de la famille* -1741, supra note 42, p. 654.

57 La jurisprudence regorge d'exemples où le tribunal a considéré une période plus ou moins longue, précédant immédiatement la période de six mois de défaillance parentale de la date du dépôt de la procédure en admissibilité. D'ailleurs, la durée de la défaillance parentale aura un impact certain sur le développement de l'enfant et, corollairement, influencera ses besoins qui doivent être pris en compte par le tribunal dans son appréciation de la condition énoncée à l'article 559 (2) C.c.Q.

58 [2005] R.J.Q. (C.A.) 1692.

59 *Ibid*, p. 1697.

60 *Ibid*.

61 *Ibid*, p. 1698.

62 *Code de procédure civile,* art. 36.1 et Loi sur les tribunaux judiciaires (L.R.Q. c. T. – 16), art. 83 4°.

63 *Housen c. Nikolaisen*, [2002] 2 R.C.S. 235.

64 *Young c. Young* , supra note 21, p. 79 (notre souligné).

no 46

# L'adoption d'un enfant par le conjoint de son parent : enjeux juridiques et éthiques

**Alain Roy**

Docteur en droit et
professeur à la Faculté de
droit de l'Université de
Montréal, l'auteur est
chercheur régulier au sein
du partenariat *Familles en
mouvance et dynamiques
intergénérationnelles* de
l'INRS-Urbanisation,
Culture et Société. Il vient
de publier *Le droit de
l'adoption au Québec.
Adoption interne et
internationale* paru aux
Éditions Wilson & Lafleur
en 2006.

**Adresse :**
C.P. 6128, succ. Centre-ville
Montréal (Québec) H3C 3J7

**Courriel :**
*alain.roy@umontreal.ca*

Au cours des dernières années, l'adoption est devenue l'un des sujets de prédilection des chercheurs et des intervenants oeuvrant dans le domaine de la famille et de l'enfance. Les causes susceptibles d'expliquer cet intérêt sont multiples. Pensons simplement à l'entrée en vigueur de mesures législatives permettant l'adoption d'un enfant par un couple de même sexe[1]. Pensons également à la transformation des finalités de l'adoption, une institution dont l'État se prévaut aujourd'hui non plus seulement pour offrir à l'orphelin une famille de substitution, mais également pour protéger l'enfant délaissé ou maltraité par ses parents d'origine[2]. Pensons enfin au phénomène de l'adoption internationale, dont la popularité sans cesse croissante a mené plus de 69 pays à entériner les principes d'une convention internationale principalement destinée à simplifier les procédures d'adoption entre États contractants[3].

Au-delà de ces problématiques fortement médiatisées, d'autres facettes de l'adoption, pourtant fondamentales, demeurent peu étudiées. Tel est le cas de l'adoption d'un enfant par le conjoint de son parent, objet du présent article. En apparence anodin, ce type d'adoption sur consentement spécial soulève d'importantes questions juridiques et éthiques[4]. Compte tenu des conséquences découlant d'un jugement d'adoption en droit québécois, l'arbre généalogique de l'enfant ainsi adopté sera redessiné, parfois au prix d'une importante rupture identitaire.

À cet égard, deux scénarios méritent d'être analysés. Nous nous intéresserons d'abord au consentement donné par un parent en faveur de son nouveau conjoint postérieurement à la disparition de l'autre parent, pour ensuite aborder le consentement donné par les deux parents en faveur du nouveau conjoint de l'un d'eux. En conclusion, nous formulerons certaines propositions susceptibles d'alimenter les discussions sur le sujet, alors que plusieurs voix s'élèvent pour réclamer une réforme globale du droit québécois de l'adoption[5].

(186)

## RÉSUMÉ

*L'adoption d'un enfant par le conjoint de son parent soulève d'importantes questions juridiques et éthiques. Compte tenu des conséquences découlant d'un jugement d'adoption en droit québécois, l'arbre généalogique de l'enfant ainsi adopté sera redessiné, parfois au prix d'une importante rupture identitaire. Dans le cadre du présent article, l'auteur se penche sur les deux scénarios que suppose cette problématique. Le premier concerne le consentement donné par un parent en faveur de son nouveau conjoint postérieurement à la disparition de l'autre parent, alors que le second traite du consentement donné par les deux parents en faveur du nouveau conjoint de l'un d'eux. En conclusion, l'auteur formule certaines propositions susceptibles d'alimenter les discussions sur le sujet, au moment même où plusieurs voix s'élèvent pour réclamer une réforme globale du droit québécois de l'adoption.*

## Le consentement d'un parent en faveur de son conjoint

L'adoption de l'enfant par le conjoint d'un parent survient générale-ment à la suite de la disparition de l'autre parent, disparition provoquée par un décès, une absence[6] ou un jugement en déchéance d'autorité parentale[7]. Prenons le cas, par exemple, de la mère d'un jeune enfant qui, après le décès du père, consentirait à l'adoption de cet enfant en faveur de son nouveau conjoint, dans le but de forma-liser la reconstitution familiale.

À première vue, un tel projet paraît tout à fait raisonnable. Peut-on légitimement dénoncer la volonté d'un parent et de son nouveau conjoint d'assurer à l'enfant un milieu de vie stable, assorti des pro-tections juridiques que procure la création d'un nouveau lien filial ? Au terme de l'adoption, l'enfant obtiendra des droits alimentaires et successoraux à l'égard de son « beau-père », comme s'il était son enfant biologique[8]. Par l'adoption, le beau-père s'engagera donc volontairement à l'égard de l'enfant de sa conjointe, comblant ainsi les lacunes qui caractérisent le droit québécois en matière d'autorité parentale. En effet, contrairement aux autres provinces canadiennes, le Québec refuse depuis toujours de sanctionner l'existence d'un rapport juridique entre l'enfant et celui qui, au quotidien, assume des responsabilités de nature parentale à son profit ou, en termes plus formels, qui agit in loco parentis à l'égard d'un enfant qui n'est pas le sien[9]. Que l'adoption permette à l'enfant de bénéficier de nouveaux droits susceptibles de consolider son bien-être matériel constitue donc, en apparence, un développement réjouissant.

Il importe toutefois d'aller au-delà des dimensions instrumentales de l'institution en s'intéressant davantage aux conséquences qui en résultent. Aux termes des articles 577 et 579 C.c.Q. :

*577. L'adoption confère à l'adopté une filiation qui se substitue à sa filiation d'origine. L'adopté cesse d'appartenir à sa famille d'origine, sous réserve des empêchements de mariage ou d'union civile.*

*579. Lorsque l'adoption est prononcée, les effets de la filiation précédente prennent fin [...]. Cependant, l'adoption par une personne, de l'enfant de son conjoint ne rompt pas le lien de filiation établi entre ce conjoint et son enfant.*

La lecture combinée de ces dispositions permet de cerner la situation filiale dont héritera l'enfant à la suite de son adoption par le nouveau conjoint. Conformément à l'article 579 C.c.Q., l'enfant conservera sa filiation biologique avec le parent à l'origine du consentement, mais aux termes de l'article 577 C.c.Q., le lien nouvellement créé par le jugement d'adoption avec son beau-parent se substituera à celui qui existait jusqu'alors entre l'enfant et le parent disparu.

Si, pour reprendre l'exemple précédent, l'adoption fait suite au décès du père, le nom de ce dernier sera tout simplement effacé de l'acte de naissance de l'enfant pour être remplacé par celui du beau-parent adoptant[10]. Par le fait même, l'enfant perdra tout lien juridique avec les ascendants et les autres personnes apparentées au défunt. Les grands-parents paternels de l'enfant, de même que ses cousins, cousines, oncles, tantes, neveux et nièces appartenant à la lignée du défunt deviendront, du moins sur le plan juridique, de purs étrangers à l'égard de l'enfant[11]. Si l'enfant est en bas âge, il pourrait bien en perdre la trace pour toujours.

Ces conséquences sont pour le moins troublantes. Les objectifs à la base du projet d'adoption du parent et de son nouveau conjoint justifient-ils une telle rupture dans l'histoire généalogique de l'enfant ? Pourquoi la création d'un lien formel entre l'enfant et son beau-parent devrait-elle entraîner la disparition d'une lignée complète? Évidemment, il se peut fort bien que l'enfant n'ait pu développer de relations significatives avec les membres de cette lignée depuis le décès de son parent. Mais qu'importe. La filiation s'inscrit bien au-delà des relations factuelles qui meublent le quotidien d'un enfant. Lourdement chargée sur le plan symbolique, la filiation participe de l'identité même des personnes. Une identité qu'on ne saurait déconstruire sans craindre, à plus ou moins long terme, d'importants déchirements psychoaffectifs[12]. La volonté d'un parent et de son nouveau conjoint de consolider le statut juridique de l'enfant relève certainement d'une intention vertueuse, mais elle ne saurait légitimer le déplacement d'axe généalogique que provoque tout jugement d'adoption, quel que soit le contexte applicable.

Bien que nous ne disposions pas de données empiriques pour appuyer nos propos[13], la consécration du droit à la connaissance des origines dans les conventions internationales[14], conjuguée à l'importance du nombre de recherches d'antécédents sociobiologiques et de demandes de retrouvailles annuellement présentées aux autorités compétentes[15], devraient suffire à démontrer au législateur québécois la nécessité d'une réflexion approfondie sur les conséquences liées à la suppression d'une des lignées dont l'enfant est issu.

## Le consentement d'un parent en faveur du conjoint de l'autre parent

Dans l'hypothèse où les parents de l'enfant ont seulement cessé de faire vie commune et que l'un d'eux partage désormais sa vie avec un nouveau conjoint, ce dernier pourra-t-il adopter l'enfant sur la base d'un consentement spécial fourni par chacun des parents? En d'autres termes, la loi permet-elle à un parent de consentir à l'adoption de son enfant en faveur du nouveau conjoint de l'autre parent?

En interprétant l'article 555 C.c.Q. de manière littérale et technique, on peut répondre à la question par l'affirmative[16]. Toutefois, nous avons peine à croire que le législateur ait véritablement voulu permettre à l'un des parents de se défaire unilatéralement de son lien de filiation, généralement à la suite d'une rupture conjugale[17]. Contrairement à l'hypothèse précédente où le consentement fourni par le parent en faveur de son propre conjoint ne compromet en rien le maintien de son lien de filiation avec l'enfant[18], le consentement donné par le parent en faveur du conjoint de l'autre équivaut à un désistement volontaire de sa part. Or, toute forme de désistement à la filiation, au statut parental et aux obligations qui en découlent contrevient à l'esprit général du Code civil[19].

Certes, l'adoption sur consentement général entraîne elle aussi une certaine forme de désistement volontaire, mais le contexte qui sous-tend le consentement général présente des différences fondamentales avec le scénario envisagé ici. En principe, le consentement général fait suite à l'accompagnement des intervenants sociaux du service d'adoption qui, par leur démarche, auront amené les parents à voir l'adoption de leur enfant comme étant le meilleur moyen de lui assurer la stabilité et les soins qu'ils ne sont malheureusement pas en mesure de lui procurer en raison de leurs carences[20]. Leur consentement s'apparente davantage à un acte de renoncement qu'à un acte de désistement, le renoncement étant le fruit d'un effort de volonté consenti au profit d'une valeur jugée supérieure[21]. En revanche, le consentement d'un parent donné en faveur du conjoint de l'autre parent suggère l'idée d'un abandon aux effets libératoires. Si toute forme d'adoption comporte le risque d'une brisure existentielle chez l'enfant[22], il y a tout lieu de croire qu'un consentement fondé sur des considérations de cette nature en accentuera la gravité.

À la lumière des jugements rendus sur la question, force est d'admettre que les tribunaux québécois ne se soucient guère de ces distinctions, jugeant recevables les demandes qui leur sont présentées sans même soulever le moindre questionnement sur leur légalité ou leur légitimité. Ainsi, dans l'affaire *O.F. c. J.H.*[23], la Cour du Québec a accepté de prononcer une ordonnance de placement en faveur du conjoint du père, sur la base des consentements obtenus par ce dernier et la mère biologique de l'enfant. Dans l'affaire *E.W. c. B.B.*[24], la Cour supérieure a souligné, en obiter dictum, qu'une procédure d'adoption par le nouveau conjoint de la mère pouvait avoir lieu sur consentement spécial de la mère et du père de l'enfant, ce dernier étant toujours en vie et non déchu de son autorité parentale. Une opinion similaire a été exprimée dans les affaires *C.H. c. J.-F.L.*[25], *S.P.* (Dans la situation de)[26] et *G.(D.) c. M.(A.)*[27].

Cela dit, même si l'on reconnaît la possibilité ou la légalité d'un tel scénario, un juge pourra toujours faire échec au processus sur la base du principe fondamental énoncé à l'article 543 *C.c.Q.*, c'est-à-dire l'intérêt de l'enfant[28]. En toute hypothèse, le tribunal devra s'assurer que l'adoption de l'enfant par le nouveau conjoint d'un parent et, incidemment, la rupture du lien de filiation résultant du consentement de l'autre parent, est conforme à l'intérêt de l'enfant[29]. Compte tenu des effets irréversibles du jugement d'adoption sur la filiation originale, l'enjeu revêt une très grande importance. La rupture pourrait non seulement entraîner une perte identitaire chez l'enfant, mais elle le privera également de droits. Déchargé de son lien de filiation, le parent consentant n'aura plus aucune obligation alimentaire envers l'enfant[30]; qui plus est, l'adoption provoquera, comme dans l'hypothèse précédente, l'effacement des membres appartenant à la lignée de ce parent, notamment des grands-parents. Fort heureusement, certains juges québécois semblent conscients des difficultés que soulève la problématique et ont tenté de les contourner en s'en remettant au meilleur intérêt de l'enfant[31]. Ainsi, dans l'affaire *A.B.F.* (Dans la situation de)[32], la juge Françoise Garneau-Fournier s'appuie sur ce principe pour rejeter la requête en adoption déposée par le grand-père maternel de l'enfant en vertu de l'article 555 C.c.Q., malgré l'obtention des consentements spéciaux du père et de la mère de l'enfant. « Prononcer l'adoption en faveur du grand-père maternel, écrit la juge, aurait pour effet de faire perdre le lien de filiation entre l'enfant et sa mère. Tous ces éléments ne militent certainement pas en faveur de l'intérêt de l'enfant »[33].

Il est par ailleurs possible qu'un parent soit tenté de monnayer son consentement. À la suite de la séparation, le nouveau conjoint de l'autre parent pourrait vouloir « acheter » le consentement du premier. Dans un contexte de rupture familiale, on peut imaginer divers scénarios où le parent ayant obtenu la garde de l'enfant et son conjoint cherchent à négocier l'obtention du consentement de l'autre parent en renonçant, par exemple, à exiger de lui le partage des biens lui appartenant ou une pension alimentaire, le cas échéant. Il va sans dire que de tels arrangements seraient nuls de nullité absolue, la filiation de l'enfant ne pouvant faire l'objet de marchandage[34].

Le consentement spécial ne pourrait davantage être utilisé pour consacrer ou valider une entente que le droit interdit. Pensons au couple gai qui, en marge de la loi, aurait demandé à une femme d'agir à titre de mère porteuse[35]. Dans la mesure où l'un des conjoints déclarerait sa paternité dans la déclaration de naissance[36], la mère ne pourrait valablement, par la suite, donner un consentement à l'adoption en faveur du conjoint du père, dans le but de parfaire le contrat de mère porteuse préalablement établi. Partant, on voit mal comment un tribunal pourrait sanctionner un tel arrangement, les parties ne pouvant faire indirectement ce que la loi ne leur permet pas de faire directement. En somme, le consentement spécial ne saurait devenir l'instrument par lequel les conjoints contournent les prohibitions législatives, quelle qu'en soit la nature.

## Conclusion

Les questions juridiques et éthiques que soulève l'adoption d'un enfant par le conjoint d'un parent démontrent bien les lacunes du droit québécois en matière d'adoption. Le droit québécois ne connaît qu'une seule forme d'adoption, soit l'adoption plénière. Selon ce modèle, l'enfant cesse d'appartenir à sa famille biologique, une fois le jugement d'adoption prononcé. Sa filiation d'origine est effacée et remplacée par la filiation adoptive. Au registre de l'État civil, un nouvel acte de naissance mentionnant le nom des nouveaux parents de l'enfant sera substitué à l'acte primitif dont le contenu ne pourra plus être divulgué à qui que ce soit, sous réserve des exceptions prévues par la loi[37].

L'adoption plénière a été instituée à l'époque où les enfants destinés à l'adoption étaient confiés aux orphelinats dès leur naissance. Dans un tel contexte, il pouvait paraître légitime d'entrevoir la famille adoptive comme un milieu se substituant totalement à la parenté d'origine, non seulement dans les faits, mais également dans les registres de l'état civil.

Au cours des dernières décennies, toutefois, les réalités de l'adoption ont profondément évolué. Aujourd'hui, les enfants adoptables ne sont plus des nouveau-nés, mais des jeunes âgés de plus de deux ans qui ont vécu quelques années auprès de leurs parents biologiques et, dans certains cas, ont développé des relations significatives avec certains membres de leur parenté. Dans cette perspective, il y a tout lieu de s'interroger sur la légitimité du couperet qui accompagne le jugement d'adoption plénière. En dépit des carences et des manquements dont les parents biologiques auront pu faire preuve à l'endroit de l'enfant, ceux-ci incarnent bien souvent ses seuls et uniques repères identitaires. Qui plus est, l'effacement du paysage généalogique de l'enfant des membres de sa parenté d'origine, notamment ses grands-parents, oncles, tantes, cousins et cousines, risque d'accentuer la « crise existentielle » que plusieurs enfants adoptés sont appelés à traverser un jour ou l'autre.

Dans certains États comme la France et la Belgique, on reconnaît une deuxième forme d'adoption, l'adoption simple[38], qui permet la coexistence des liens de filiation biologiques et adoptifs. Contrairement à l'adoption plénière, l'adoption simple n'efface pas le passé de l'enfant. En fait, on ajoute simplement le nom des parents adoptifs à l'acte de naissance original. Au terme de la procédure d'adoption, l'enfant ne cesse pas d'« appartenir » à sa famille d'origine, mais hérite d'un autre lien de filiation.

À notre avis, ce modèle de filiation additive conviendrait davantage à l'adoption de l'enfant par le conjoint d'un parent, du moins dans ces grandes lignes. Ainsi, en toutes circonstances, l'enfant demeurerait-il le descendant de ses deux parents d'origine, mais se verrait attribuer un nouveau parent. Dans la mesure où l'adoption fait suite à la disparition de l'autre parent, le nom de ce dernier demeurerait inscrit sur l'acte de naissance. L'enfant conserverait donc ses deux lignées généalogiques et, incidemment, resterait membre à part entière de la parentèle qui les compose[39]. Si l'adoption est prononcée sur la base d'un double consentement parental, le parent qui ne partage pas la vie du conjoint adoptant conserverait son nom sur l'acte de naissance de l'enfant[40]. Sans pouvoir prétendre aux droits et prérogatives relevant du statut parental, il pourrait néanmoins demeurer tenu à une obligation alimentaire envers l'enfant[41].

En apportant d'importantes modifications au chapitre de la filiation en 2002[42], le législateur québécois a institué ce que plusieurs ont qualifié de « droit à l'enfant »[43]. Il lui faudrait maintenant revenir à la base en priorisant le « droit de l'enfant » dans toutes ses dimensions. À cet égard, le modèle de l'adoption simple nous semble constituer une piste de réflexion fort prometteuse, en ce qu'il permettrait de concilier la volonté d'un parent et de son nouveau conjoint de procurer à l'enfant la stabilité dont il a besoin à court et moyen terme, sans pour autant le priver de ses repères identitaires[44].

## ABSTRACT

*The adoption of a child by the spouse of his/her parent raises important legal and ethical questions. In view of the consequences of an adoption order under Québec law, the family tree of the child will be modified, sometimes to the point of creating an important fracture in his/her identity sequence. In this article, the author develops the two scenarios such a situation entails. The first one deals with the consent given by a parent in favor of the new spouse after the disappearance of the other parent, while the other deals with the consent given by both parents in favor of the new spouse of either one of them. The author concludes by submitting various proposals for discussion purposes, at a time when several voices are asking for an exhaustive reform in Québec adoption laws.*

## Notes

1. *Loi instituant l'union civile et établissant de nouvelles règles de filiation,* L.Q. 2000, c. 6, introduisant au *Code civil du Québec* [ci-après cité « C.c.Q. »] les nouveaux articles 115 et 578.1.

2. À preuve, de nombreuses dispositions en matière d'adoption se trouvent dans la *Loi sur la protection de la jeunesse,* L.R.Q. c. S-4.2. Sur le sujet, voir Carmen LAVALLÉE, *L'enfant, ses familles et les institutions de l'adoption. Regards sur le droit français et le droit québécois,* Montréal, Éditions Wilson & Lafleur, 2005, p. 323 et suiv.

3. *Convention sur la protection des enfants et la coopération en matière d'adoption internationale,* (1993) 82 R.C.D.I.P. 506. Notons que la Convention est entrée en vigueur au Québec le 1er février 2006 : *Loi assurant la mise en œuvre de la Convention sur la protection des enfants et la coopération en matière d'adoption internationale et modifiant diverses dispositions législatives en matière d'adoption,* L.Q. 2004, c. 3.

4. Contrairement au consentement général aux termes duquel les parents confient au Directeur de la protection de la jeunesse le soin de trouver une famille d'adoption à leur enfant, le consentement spécial leur permet de choisir eux-mêmes l'adoptant, parmi les personnes spécifiquement identifiées par le législateur à l'article 555 C.c.Q.: « Le consentement à l'adoption peut être général ou spécial. Le consentement spécial ne peut être donné qu'en faveur d'un ascendant de l'enfant, d'un parent en ligne collatérale jusqu'au troisième degré ou du conjoint de cet ascendant ou parent; il peut également être donné en faveur du conjoint du père ou de la mère. *Cependant, lorsqu'il s'agit de conjoints de fait, ces derniers doivent cohabiter depuis au moins trois ans* » [nos italiques].

5. Il semble bien que ces voix aient été entendues. En effet, le 16 mai dernier, le ministre de la Justice du Québec, M. Yvon Marcoux, et la ministre déléguée à la Protection de la jeunesse et à la Réadaptation, Mme Margaret Delisle, émettaient un communiqué annonçant la création d'un groupe de travail chargé d'évaluer de façon globale le régime québécois d'adoption. Voir le texte intégral du communiqué à http://communiques.gouv.qc.ca/gouvqc/communiques/GPQF/Mai2006/16/c9298.html.

6. Selon l'article 84 C.c.Q., « [l]'absent est celui qui, alors qu'il avait son domicile au Québec, a cessé d'y paraître sans donner de nouvelles, et sans que l'on sache s'il vit encore ».

7. Art. 552 C.c.Q. : « Si l'un des deux parents est décédé ou dans l'impossibilité de manifester sa volonté, ou s'il est déchu de son autorité parentale, le consentement de l'autre suffit ». Selon l'article 606 C.c.Q. : « la déchéance de l'autorité parentale peut être prononcée par le tribunal, à la demande de tout intéressé, à l'égard des père et mère, de l'un d'eux ou du tiers à qui elle aurait été attribuée, si des motifs graves et l'intérêt de l'enfant justifient une telle mesure [...] ». Voir *A.B. c. R.P.*, [2004] R.D.F. 875 (C.S.) où la mère cherchait à obtenir la déchéance de l'autorité parentale du père, présumément dans le but de pouvoir ensuite consentir à l'adoption de son enfant en faveur de son nouveau mari. Notons que le parent déchu devra toutefois recevoir signification des procédures, le jugement en déchéance n'étant pas irréversible : *Droit de la famille — 3757,* [2000] R.D.F. 810 (C.Q.). Pour une opinion contraire, voir Michel TÉTRAULT, *Droit de la famille*, 3e éd., Cowansville, Éditions Yvon Blais, 2005, p. 1191, et les références citées par l'auteur aux notes 32 et 33.

8. Art. 522 : « Tous les enfants dont la filiation est établie ont les mêmes droits et les mêmes obligations, quelles que soient les circonstances de leur naissance ». Notons que selon l'article 549 C.c.Q., le tribunal ne peut prononcer l'adoption sans avoir préalablement consulté l'enfant si ce dernier est âgé de dix ans ou plus. S'il est âgé de 14 ans ou plus, l'enfant dispose d'un droit de véto. Sur le consentement de l'enfant, voir Alain ROY, *Le droit de l'adoption au Québec. Adoption interne et internationale*, Montréal, Éditions Wilson & Lafleur, 2006, p. 31-32.

9. Notons que, en matière de droit privé, la notion *in loco parentis* existe toutefois dans la Loi [fédérale] sur le divorce (L.R.C., 1985, c. 3 (2e suppl.), art. 2(2)). Ainsi, l'époux qui, durant le mariage, a agi à titre de parent auprès de l'enfant de son conjoint pourra, au moment du divorce, en revendiquer la garde ou faire valoir des droits d'accès. En contrepartie, le tribunal pourrait l'obliger à verser une pension alimentaire au bénéfice de l'enfant.

10. L'article 132 C.c.Q. traduit ainsi cette réalité : « Un nouvel acte de l'état civil est dressé, à la demande d'une personne intéressée, lorsqu'un jugement qui modifie une mention essentielle d'un acte de l'état civil, tel le nom ou la filiation, a été notifié au directeur de l'état civil [...]. Le nouvel acte se substitue à l'acte primitif; il en reprend toutes les énonciations et les mentions qui n'ont pas fait l'objet de modifications. De plus, une mention de substitution est portée à l'acte primitif ». Notons que, en principe, les renseignements relatifs au parent d'origine demeureront confidentiels. Ainsi, l'article 149 C.c.Q. précise : « [...] en cas d'adoption [...], il n'est jamais délivré copie de l'acte primitif, à moins que, les autres conditions de la loi étant remplies, le tribunal ne l'autorise. L'article 585 C.c.Q. complète la disposition en ces termes : « Les dossiers judiciaires et administratifs ayant trait à l'adoption d'un enfant sont confidentiels et aucun des renseignements qu'ils contiennent ne peut être révélé, si ce n'est pour se conformer à la loi [...] ». Sur la portée des exceptions légales au principe de la confidentialité, voir infra, note 37.

11. Les grands-parents biologiques ainsi concernés perdront les privilèges que leur accorde l'article 611 C.c.Q. en matière de droits d'accès : « Les père et mère ne peuvent sans motifs graves faire obstacles aux relations personnelles de l'enfant avec ses grands-parents. À défaut d'accord entre les parties, les modalités de ces relations sont réglées par le tribunal ».

12. Sur les dimensions « psychologiques » de la filiation, voir Irène THÉRY, « Le contrat d'union sociale en question », (1997) 236 *Esprit* 159, 179 à la page 182; Pierre LEGENDRE, « Analecta », dans Leçons IV, suite 2, Filiation – *Fondement généalogique de la psychanalyse*, Paris, Fayard, 1990, p. 187; Françoise HÉRITIER-AUGER, « De l'engendrement à la filiation. Approche anthropologique », (1989) 44 *Topique – Revue Freudienne* 173, 174; Daniel GUTMAN, « Le sentiment d'identité », Paris, L.G.D.J., 2000; Catherine LABRUSSE-RIOU, « La filiation en mal d'institution », (1996) 227 *Esprit* 91, 92; Pierre LÉVY-SOUSSAN, « Facteurs de risques filiatifs dans la situation adoptive », (2005) 35 *R.D.U.S.* 407; Renée JOYAL, « Comment et pour qui modifier les lois ou l'art d'oublier le quoi et pourquoi. L'exemple récent des modifications au droit québécois de la parenté et de la filiation », dans Françoise-Romaine OUELLETTE, Renée JOYAL et Roch HURTUBISE (dir.), *Familles en mouvance : Quels enjeux éthiques ?*, Sainte-Foy, P.U.L., 2005, p. 157, 165, à la page 166 et,

dans le même ouvrage, Agnès FINE, « Problèmes éthiques posés par l'adoption plénière », p. 141, aux pages 145 et 146.

13. On peut toutefois rapporter deux causes très récentes où il était question de personnes ayant été adoptées en bas âge par le conjoint de leur mère. Devenues majeures, elles ont, dans les deux cas, réclamé le rétablissement de leur filiation d'origine avec leur père biologique, depuis décédé. Leur demande a toutefois été refusée, en raison des effets irréversibles du jugement d'adoption : *A.P.-M.* c. *G.R.*, *J.E.* 2006-712 (C.S) et *J.H.* c. *B.G.*, *J.E.* 2006-761 (C.S.).

14. Ainsi, l'article 7 de la Convention relative aux droits de l'enfant reconnaît le droit d'un enfant de connaître ses parents : « L'enfant est enregistré aussitôt sa naissance et a dès celle-ci le droit à un nom, le droit d'acquérir une nationalité et, dans la mesure du possible, le droit de connaître ses parents et d'être élevé par eux » : Voir Rés. AG 44/25, Doc. Off. AG NU, 44e sess., supp. n° 49, Doc. NU A/44/49 (1989) 167. Voir également le préambule de la *Convention sur la protection des enfants et la coopération en matière d'adoption internationale*, (1993) 82 R.C.D.I.P. 506 (en vigueur au Québec depuis le 1er février 2006, suivant l'article 1 de la *Loi assurant la mise en œuvre de la Convention sur la protection des enfants et la coopération en matière d'adoption internationale et modifiant diverses dispositions législatives en matière d'adoption*, L.Q. 2004, c. 3.). Sur l'importance du droit à la connaissance des origines, voir Pierre VERDIER, « Ce que l'adoption nous apprend à propos des enfants qui ne sont pas nés de la sexualité de leurs parents», dans Martine GROSS (dir.), *Homoparentalités, état des lieux. Parentés et différence de sexe*, *Issy-les-Moulineaux*, ESF, 2000, p. 33 et Geneviève DELAISI de PARSEVAL, «Qu'est-ce qu'un parent suffisamment bon?», dans Martine GROSS (dir.), *Homoparentalités, état des lieux. Parentés et différence de sexe, Issy-les-Moulineaux*, ESF, 2000, p. 207, à la page 212. Par ailleurs, le Rapport sur l'examen de 2005 de la Loi ontarienne sur les services à l'enfance et à la famille (LSEF) fait état de la tendance observable au Canada, aux États-Unis, en Australie et au Royaume-Uni de favoriser une plus grande ouverture du processus d'adoption et, incidemment, de préserver les liens avec la famille biologique : Ministère des services à l'enfance et à la jeunesse de l'Ontario, Rapport sur l'examen de 2005 de la *Loi ontarienne sur les services à l'enfance et à la famille* (LSEF), Mars 1005, Toronto, p. 8.

15. Pour l'année 2004-2005, 1 502 demandes de recherche d'antécédents sociobiologiques et 3 023 demandes de retrouvailles ont été présentées aux Centres jeunesse du Québec. Comparativement aux deux années antérieures, on peut noter une certaine diminution du nombre de demandes : Association des Centres Jeunesse du Québec, *Bilan des Directeurs de la protection de la jeunesse* – 2006, Montréal, 2006, p. 16. Cela dit, on doit souligner l'existence de services parallèles aux processus officiels. Ainsi, le Mouvement Retrouvailles permet aux personnes intéressées d'émettre, sur son site Internet, une demande de retrouvailles, via son «Livre d'invités ». À ce jour, on retrouve 6 700 messages inscrits au Livre d'invités. Voir http://www.mouvement-retrouvailles.qc.ca/fr/livre_invites.asp.

16. On se rappellera que l'article 555 C.c.Q. prévoit la possibilité d'un consentement « en faveur du conjoint du père ou de la mère de l'enfant », ce qui permet d'inclure le consentement d'un parent en faveur du conjoint de l'autre parent. Cela dit, dans ses commentaires sur l'article 555 C.c.Q., le ministre de la Justice ne fait aucune allusion à cette hypothèse, se limitant à expliquer la portée de la disposition qu'en seule référence au consentement donné par un parent en faveur de son propre conjoint : *Commentaires du ministre de la Justice,* tome 1, Québec, Publications du Québec, 1993, p. 333. Par ailleurs, les tribunaux ont déclaré à quelques reprises que l'article 555 C.c.Q. devait faire l'objet d'une interprétation restrictive : T.D. (Dans la situation de), [2004] R.D.F. 703 (C.Q.); S.P. (*Dans la situation de*), [2004] R.D.F. 1005 (C.Q.) et A.L. (*Dans la situation de*), J.E. 2004-1408 (C.Q.). Pour une opinion appuyant l'interprétation littérale de l'article 555 C.c.Q., voir Marie PRATTE, « Le nouveau Code civil du Québec : Quelques retouches en matière de filiation », dans Ernest CAPARROS, *Mélanges Germain Brière*, Montréal, Wilson & Lafleur, 1993, p. 283, à la page 302 et Renée JOYAL, «La filiation homoparentale, rupture symbolique et saut dans l'inconnu», dans Pierre-Claude LAFOND et Brigitte LEFEBVRE (dir.), *L' union civile : nouveaux modèles de conjugalité et de parentalité au 21e siècle,*

Cowansville, Éditions Yvon Blais, 2003, p. 307, à la page 308. Sur la question, voir également Michèle RIVET, « La vérité et le statut juridique de la personne », (1987) 18 R.G.D. 843, 852.

17. Évidemment, on peut imaginer d'autres circonstances, mais celles-ci demeureront sans doute exceptionnelles. Pensons par exemple au cas d'un enfant né d'une relation extramaritale que l'épouse du père accepterait d'adopter sur consentement de la mère, par amour pour son mari. Tel était le cas dans l'affaire *Ev.S.* c. *St.K.*, [2005] R.D.F. 1 (C.A.), plus amplement décrite à la note 29.

18. Voir C.c.Q., art. 579 ci-dessus reproduit.

19. Dans l'affaire *C.H.* c. *J.-F.L.*, [2004] R.D.F. 369 (C.S.), un père a tenté de se défaire de ses liens parentaux en présentant à la Cour une demande de déchéance d'autorité parentale. À l'appui de sa demande, il a invoqué le fait qu'il ne voyait plus l'enfant depuis plus de deux ans et qu'il n'entendait pas entretenir de contacts avec lui dans l'avenir. La Cour a rejeté la requête du père, considérant que la déchéance de l'autorité parentale ne peut être prononcée que dans l'intérêt de l'enfant et sur preuve d'un manquement grave, injustifié et volontaire aux devoirs parentaux (voir d'ailleurs *A.B.* c. *R.P.*, [2004] R.D.F. 875 (C.S)). Or, tel n'était pas le cas en l'espèce. La Cour a également pris soin de mentionner que si de tels manquements avaient été démontrés, le parent fautif n'aurait pu valablement invoquer sa propre turpitude pour obtenir sa déchéance. Voir également *Droit de la famille* — 2802, [1997] R.D.F. 891 où le tribunal a déclaré illégal l'« acte de cession finale de droits de maternité, d'autorité parentale et d'abandon de garde » signé par la mère devant un avocat notaire, à Sosua Puerto Plata, République Dominicaine.

20. À défaut pour les parents incapables de prendre soin de leur enfant de consentir volontairement à l'adoption, une déclaration d'admissibilité à l'adoption pourra être prononcée par le tribunal contre leur gré : Art. 544 C.c.Q. : « L'enfant mineur ne peut être adopté que si ses père et mère ou tuteur ont consenti à l'adoption ou s'il a été déclaré admissible à l'adoption ». Art. 559 C.c.Q. : « Peut être judiciairement déclaré admissible à l'adoption [...] l'enfant dont ni les père et mère ni le tuteur n'ont assumé de fait le soin, l'entretien

ou l'éducation depuis au moins six mois ».

21. Voir *Grand dictionnaire encyclopédique Larousse*, t. 9, Paris, 1982, p. 8870. Notons que les adoptants feront l'objet d'une évaluation psychosociale par le Directeur de la protection de la jeunesse destinée à vérifier les aptitudes parentales. Au contraire, l'adoption par le conjoint d'un parent s'effectue en marge du contrôle ordinairement exercé par le Directeur de la protection de la jeunesse. Aucune évaluation psychosociale du conjoint n'est requise par la loi.

22. Voir Anne DECERF, *L' adoption. D' une fracture à une renaissance*, Sainte-Foy, P.U.L., 2001.

23. *O.F.* c. *J.H.*, [2005] R.D.F. 475 (C.Q.). Voir également *Ev.S.* c. *St.K.*, B.E. 2004BE-765 (C.Q.) et [2005] R.D.F. 1 (C.A.).

24. *E.W.* c. *B.B.*, J.E. 2003-2242 (C.S.). Voir également *T.D.* (*Dans la situation de*), [2004] R.D.F. 703 (C.Q.) où le père [consentant à l'adoption en faveur du conjoint de la mère de l'enfant] n'avait vu son fils qu'à trois reprises depuis sa naissance.

25. *C.H.* c. *J.-F.L.*, [2004] R.D.F. 369 (C.S.).

26. *S.P.* (Dans la situation de), [2004] R.D.F. 1005 (C.Q.).

27. *G.(D.)* c. *M.(A.)*, REJB 2003-45672 (C.Q.). Voir également M. (C.) et C. (P.) et P. (C.) et C. (M.), REJB 2003-38960 (C.Q.); *Droit de la famille - 2427*, [1996] R.J.Q. 1451, (C.Q.) et *Ev.S.* c. *St.K.*, [2005] R.D.F. 1 (C.A.).

28. Art. 543 C.c.Q. : « L'adoption ne peut avoir lieu que dans l'intérêt de l'enfant et aux conditions prévues par la loi [...] ».

29. On peut imaginer certains cas où l'adoption par le conjoint pourrait, en apparence, sembler conforme à l'intérêt de l'enfant. Pensons, par exemple, à un enfant né d'un acte d'adultère du père. La mère biologique de l'enfant et le père pourraient vouloir consentir à l'adoption en faveur de la conjointe de ce dernier, afin de procurer au nouveau-né une famille et, incidemment, d'effacer toute trace des circonstances « honteuses » de sa naissance. Tel fut d'ailleurs le cas dans l'affaire *Ev.S.* c. *St.K.*, [2005] R.D.F. 1 (C.A.) où la Cour d'appel, considérant la volonté de la conjointe du père d'adopter l'enfant alors âgée de 14 mois et, conséquemment, le secret dans lequel celle-ci pourrait être éventuellement maintenue

quant à ses véritables origines, déclare : « le moins que l'on puisse dire à ce dernier sujet, est qu'il serait probablement moins traumatisant pour l'enfant d'apprendre inopinément un jour qu'elle a été adoptée à sa naissance que d'apprendre les véritables circonstances de celle-ci ». C'est là, à notre avis, une façon bien naïve, voire simpliste, d'aborder la problématique et d'évaluer l'intérêt de l'enfant en cause. Nous partageons entièrement l'avis de la juge Lucille Beauchemin qui, en première instance, avait refusé la demande en considérant l'intérêt de l'enfant de connaître les circonstances de sa naissance, et ce, quelle que soit la volonté du père et de sa conjointe : « [l]'évaluation psychosociale questionne la capacité de la requérante [la conjointe] et du père de l'enfant de comprendre les enjeux majeurs de l'adoption pour l'enfant, en particulier en regard de son identité, de son histoire et de la perte de sa mère naturelle. Cette façon de camoufler son identité réelle à l'enfant parle de la façon de ces adultes de « négocier » avec les situations délicates de la vie. [...] Le Tribunal ne sait [...] pas comment un jour cette enfant apprendrait qu'elle a été adoptée. Par quelle « indiscrétion » de l'entourage de la famille déjà informé de la situation? Quels sous-entendus des adultes entre eux amèneront l'enfant à se poser des questions sur son origine? Quels traits physiques particuliers la convaincront que la requérante ne peut pas être sa mère? Quelle curiosité, aujourd'hui imprévisible, ramènera, un jour, la mère biologique dans l'entourage de l'enfant? Quel prochain conflit conjugal sera le prétexte de remettre sur le nez du père l'infidélité d'où est issue cette enfant? [...] Le père et la requérante font porter à l'enfant leur duplicité. Le Tribunal ne veut pas y participer. Ce constat n'est pas une sanction de la conduite du père ni de la requérante. L'ensemble de la situation va à l'encontre de l'intérêt de l'enfant, simplement ». Voir B.E. 2004BE-765 (C.Q.).

30. Dans S.P. (*Dans la situation de*), [2004] R.D.F. 1005, 1009 (C.Q.), le Tribunal déclare en ce sens : « Le père qui accepte que le nouveau conjoint de la mère adopte son enfant n'aura plus de droits à l'égard de ce dernier; et de son côté, l'enfant ne

pourra pas dans le futur demander support à son père biologique ».

31. Art. 543 C.c.Q.: « L'adoption ne peut avoir lieu que dans l'intérêt de l'enfant et aux conditions prévues par la loi [...] ». Il semble que certains tribunaux américains appliquent un raisonnement similaire: voir Agnès MARTIAL, *S'apparenter. Ethnologie des liens de familles recomposées,* Paris, Maison des Sciences de l'Homme, 2003.

32. *A.B.F.* (*Dans la situation de*), J.E. 2004-436 (C.Q.).

33. Id., n° 23 du texte intégral.

34. François TERRÉ et Dominique FENOUILLET, *Droit civil – Les personnes – La famille – Les incapacités,* 6ᵉ éd., Paris, Dalloz, 1996, n° 128, p. 110.

35. Art. 541 C.c.Q., « Toute convention par laquelle une femme s'engage à procréer ou à porter un enfant pour le compte d'autrui est nulle de nullité absolue ».

36. Voir art. 114, 130 et 523 C.c.Q.

37. Les exceptions concernent la consultation du dossier à des fins d'études, d'enseignement, de recherche, ou d'enquête publique (art. 582 C.c.Q), la consultation à des fins médicales (art. 584 C.c.Q.) et les retrouvailles (art. 583 C.c.Q.). Voir Alain ROY, *Le droit de l'adoption au Québec. Adoption interne et internationale,* Montréal, Éditions Wilson & Lafleur, 2006, p. 75-82.

38. Voir art. 360 et suiv. Code civil français et art. 353/1 et suiv. Code civil belge. Sur le sujet, voir Isabelle LAMMERANT, *L'adoption et les droits de l'Homme en droit comparé,* Paris / Bruxelles, L.G.D.J. / Bruylant, 2001.

39. En France, explique Agnès Fine : « [...] le législateur [français], conscient des effets radicaux de l'adoption plénière, l'a interdite en 1993 lorsque l'enfant avait déjà une filiation déjà établie à l'égard de son propre parent [...]. La loi du 6 juillet 1996 est cependant revenue sur cette première décision, en l'autorisant dans certaines circonstances : [...] lorsque, à la suite de son décès, il [le parent défunt] n'a pas laissé d'ascendants au premier degré ou lorsque ceux-ci se sont manifestement désintéressés de l'enfant. Dans tous les autres cas, l'adoption simple est requise

pour l'enfant du conjoint » : Agnès FINE, « Problèmes éthiques posés par l'adoption plénière »,
dans Françoise-Romaine OUELLETTE, Renée
JOYAL et Roch HURTUBISE (dir.), *Familles en
mouvance : Quels enjeux éthiques?*, Sainte-Foy,
P.U.L., 2005, p. 141, à la page 147. Voir art. 345-1
Code civil français.

40. En France, lorsqu'un parent consent à l'adoption
de son enfant en faveur du conjoint de l'autre
parent, seule l'adoption simple est autorisée. On
évite ainsi la rupture définitive que provoque
l'adoption plénière. L'adoption plénière est
cependant permise si le conjoint qui entend se
défaire de son lien de filiation en consentant à
l'adoption de son enfant s'est vu retirer l'autorité
parentale : art. 345-1 al. 2. Code civil français.

41. Une analogie peut être faite avec le jugement de
déchéance d'autorité parentale. À la suite du
jugement, le parent déchu perd tous ses droits
parentaux, dont celui de participer aux décisions
qui concernent l'enfant, mais il demeure néanmoins tenu à une obligation alimentaire envers lui :
art. 609 C.c.Q.

42. Par ces modifications, rappelons-le, le législateur
a autorisé la création d'un lien de filiation entre
un enfant et deux conjoints de même sexe, tout
en réorientant les finalités de la procréation
assistée. Voir Alain ROY, « La filiation homoparentale : Esquisse d'une réforme précipitée »,
(2004) 1 *Enfances, Familles, Générations – Revue
Internationale*, diffusé en ligne à http://www.
erudit.org/revue/efg/2004/v/n1/008896ar.html

et « Le nouveau cadre juridique de la procréation
assistée en droit québécois ou l'œuvre inachevée
d'un législateur trop pressé », (2005) 23 *L'Obser-
vatoire international de la génétique*, 15 pages,
disponible en ligne à http://www.ircm. qc.ca/
bioethique/obsgenetique/zoom/zoom_05/z_no
23_05/z_no023_05_01.html.

43. Françoise HÉRITIER-AUGÉ, « De l'engendrement à
la filiation. Approche anthropologique », (1989)
44 *Topique – Revue Freudienne* 173, 176. Voir
également Irène THÉRY, « Pacs, sexualité et différence des sexes », (1999) 257 *Esprit* 139, 181.

44. Une opinion que semble partager certains magis-
trats. Ainsi, dans l'affaire A.P.-M. c. G.R., J.E. 2006-
712 (C.S.), précité, note 13, les enfants adoptés
par le conjoint de leur mère suite au décès de leur
père étaient demeurés en lien avec les membres
de leur famille paternelle, notamment un oncle et
leur grand-mère, mais n'avaient jamais entretenu
de relation significative avec leur père adoptif,
divorcé de leur mère quelques années après le
prononcé du jugement d'adoption. Devenus
majeurs, ils ont demandé le rétablissement du
lien de filiation biologique avec leur père décédé,
ce qui leur fut refusé, en raison des dispositions
législatives applicables. Le juge a toutefois pris
soin de souligner le caractère apparemment « dur,
voire inhumain » du droit, tout en incitant le
législateur à « s'ouvrir les yeux » afin de modifier
les règles en vigueur, vraisemblablement pour y
intégrer une forme d'adoption simple (par. 46 et
55 du texte intégral).

no 46

# L'adoption internationale sert-elle le meilleur intérêt de l'enfant?

**Nicole Nadeau**
**Jean Alain Corbeil**

Dr Nadeau est
pédopsychiatre au
Département de psychiatrie
du CHU Sainte-Justine et
professeur adjoint au
Département de psychiatrie
de l'Université de Montréal
et Jean Alain Corbeil est
avocat en pratique privée.
Les deux auteurs sont
parents adoptants à
l'internationale et membres
du c.a. de l'organisme
d'adoption internationale et
de développement
humanitaire, *Terre des
Hommes pour les enfants.*

**Adresse** : 3100, Ellendale
Montréal (Québec) H3S 1W3

**Courriel** :
nicole.nadeau.hsj@ssss.
gouv.qc.ca
j.a.corbeil@videotron.ca

*Le but de tout placement d'enfant, qu'il ait lieu automatiquement par certificat de naissance ou de façon plus délibérée, suivant une intervention des autorités ou par ordre du Tribunal, est le même (...) soit d'assurer que chaque enfant fasse partie et devienne membre d'une famille où il soit désiré par au moins un des parents. Il s'agit d'offrir à l'enfant et ses parents une occasion de maintenir, d'établir ou de rétablir des liens psychologiques entre eux qui soient dégagées de tout risque d'interruption par l'État.*

Goldstein, Solnit, Goldstein et Freud
*The best interests of the child* (1998, p. 88)

Dans le domaine de l'enfance abandonnée et du placement d'enfant, la définition du meilleur intérêt de l'enfant proposée par Goldstein et coll (1998) tombe naturellement sous le sens et rallie aisément l'opinion de la majorité : les spécialistes comme le grand public s'entendent généralement pour reconnaître qu'il en va du meilleur intérêt de l'enfant d'appartenir à une famille et de développer un lien d'attachement réciproque et permanent avec des parents. Lorsque la question du meilleur intérêt de l'enfant concerne les décisions à prendre en matière d'adoption internationale, il en va différemment : des considérations politiques et idéologiques surgissent et viennent parfois embrouiller l'horizon de la pensée. Ainsi, la définition du meilleur intérêt de l'enfant orphelin susceptible d'être « candidat à l'adoption internationale » est loin de faire l'unanimité, tant chez les experts que dans la population générale, que ce soit localement ou internationalement.

Phénomène relativement récent, l'adoption internationale s'est développée au décours de la Seconde Guerre mondiale. D'abord envisagée comme un geste charitable envers les orphelins de guerre (Seconde Guerre mondiale, Guerre de Corée, Guerre du Vietnam), l'adoption internationale était au cours des années 50 et 60 surtout le fait de familles déjà constituées. À partir des années 70, la motivation à adopter s'est modifiée pour devenir une « transaction » entre certains pays en voie de développement, au taux de natalité très élevés, et des pays de l'Ouest, en déclin démographique, en vue de permettre à des couples infertiles de fonder une famille (Tizard, 1991). Ce désir parental est-il légitime? L'adoption internationale sert-elle le meilleur intérêt de l'enfant? Ce sont ces deux grandes questions, indissociables l'une de l'autre, dont nous débattrons ici.

Cet essai trouve sa source première d'inspiration dans l'expérience des auteurs comme parents adoptants à l'internationale, ainsi que dans leur implication dans la « mécanique de l'adoption interna-tionale » par le biais de leurs responsabilités au sein du c.a. d'un organisme d'adoption internationale. Cette expérience personnelle a servi de catalyseur à un processus de réflexion que nous souhaitons proposer tant aux spécialistes de la question qu'au public en général. Nous croyons que ce champ de connaissance en pleine émergence qu'est celui de l'adoption internationale ne peut que s'enrichir d'angles d'analyse et de points de vue multiples et c'est dans cet esprit que nous ajoutons notre voix à ce « concert des nations ».

Pour étayer notre propos, nous nous référons tout au long de ce texte à l'ouvrage de Goldstein, Solnit, Goldstein et Freud cité en introduc-tion. Fruit du travail conjoint de quatre grands penseurs et cliniciens issus des domaines du droit, de la pédiatrie, de la psychologie et de la psychanalyse, cet ouvrage énonce les principes qui sont devenus aux États-Unis des standards de référence dans la prise de décision concernant le placement d'enfant. Bien qu'il ne traite pas exclusive-ment de l'adoption, cet ouvrage englobe ce sujet dans la thématique plus large du placement d'enfant, dont il énonce les principes essen-tiels. Il servira à étayer notre réflexion sur la question de la légitimité de l'adoption internationale en regard du meilleur intérêt de l'enfant.

## Le meilleur intérêt de l'enfant: « the least detrimental alternative »

*Un sain réalisme requiert que nous recherchions plutôt le placement le moins nocif, défini comme étant « en accord avec le sentiment du temps qu'a l'enfant et fondé sur des prévisions à court terme »... ce placement et cette procédure de placement maximisent les chances pour l'enfant d'être désiré et pouvoir établir, de façon continue, inconditionnelle et permanente, une relation avec au moins un adulte qui est en fait, ou qui est capable de le devenir, son parent psychologique.* ibid (p. ix)

Nous connaissons depuis longtemps le rôle essentiel joué par la relation d'attachement entre un enfant et ses parents. Cette notion trouve son fondement dans les travaux de recherche entrepris par

René Spitz et John Bowlby dès les années 40 et 50 (Spitz, 1949; Bowlby, 1954, 1978), lesquels ont mis au jour le rôle primordial des relations d'attachement dans la trajectoire développementale du jeune enfant en dévoilant les conséquences désastreuses des défauts d'investissement et des ruptures prolongées. Ces notions connues depuis plus d'un demi-siècle sont constamment ré-actualisées par les travaux de très nombreux chercheurs qui continuent d'élargir ce champ de connaissance.

Le meilleur intérêt de l'enfant en situation de placement se fonde sur le principe de base énoncé ci-haut : tout enfant devrait pouvoir se sentir désiré de façon inconditionnelle par au moins un adulte prêt à devenir son parent psychologique sur une base permanente. L'acceptation inconditionnelle de l'enfant et la permanence du lien entre parent(s) et enfant sont deux paramètres essentiels à l'établissement d'une relation d'attachement mutuelle, favorable au développement de l'enfant. Dans ce contexte, l'adoption offre à l'enfant une seconde chance, la réassignation à de nouveaux parents, différents de ses parents de naissance, ayant pour but d'établir ou de rétablir dans la vie de l'enfant des liens d'attachement permanents.

On remarquera que la position de Goldstein et al. est empreinte de pragmatisme et reconnaît que tout placement, y inclus l'adoption, coïncide avec la recherche d'une solution de rechange, la moins nuisible possible (« *the least detrimental* »), en vue de pallier l'absence ou la perte des liens entre l'enfant et sa famille d'origine, lesquels sont par nature très difficiles à remplacer adéquatement. Ajoutons que l'adoption internationale, en plus d'offrir à l'enfant de nouveaux parents, le réassigne à un nouveau pays. Cette réassignation a des implications juridiques d'autant plus complexes que le processus implique deux pays souvent très différents sur les plans culturel, social, politique, juridique et administratif.

La *Convention sur la protection des enfants et la coopération en matière d'adoption internationale,* dite « Convention de La Haye » (1993), dont le Canada est signataire, et dont le Québec a mis en vigueur les dispositions dans son droit interne, régit le processus d'adoption internationale dans les pays qui y sont signataires. Les intervenants de l'adoption, et en dernier recours le Tribunal, font appel aux lumières que peuvent leur apporter l'état actuel des connaissances pour parvenir à la détermination du « meilleur intérêt de l'enfant », en tenant compte tout à la fois des besoins affectifs de l'enfant et de son besoin de protection juridique.

Malheureusement, les instances décisionnelles ont trop souvent tendance à réduire la notion du meilleur intérêt de l'enfant à une protection de celui-ci contre diverses formes d'abus, escamotant la question essentielle que sont les droits fondamentaux de l'enfant à avoir une famille, des parents et un foyer. Cette conception des choses n'incite pas les autorités à être proactives dans la recherche ou le soutien de véritables solutions qui répondent aux besoins des enfants abandonnés. Des enjeux politiques et diplomatiques viennent souvent s'ajouter au tableau et compliquer, voire empêcher l'accès à l'adoption internationale pour de nombreux enfants. Plus souvent le fait des pays d'origine des enfants, ces enjeux politiques peuvent aussi concerner les pays d'accueil (les pays des parents adoptants), comme ce fut le cas tout récemment avec le Canada.

### La polémique du traité Canada-Vietnam

*Le Canada a mis trois ans à conclure et mettre en application un traité international permettant la reprise des adoptions au Vietnam. Ce long moratoire aura eu des conséquences telles que : perte du soutien financier aux orphelinats, diminution des capacités d'accueil de ceux-ci, diminution du nombre total d'enfants qui auraient pu être adoptés pendant cette période, etc. La « machine gouvernementale fédérale » a fonctionné en vase clos et a évité de prendre conseil auprès des instances concernées qui auraient pu lui fournir de précieuses informations sur les conséquences réelles des délais encourus. Le dossier a été considéré comme un dossier essentiellement politique en dépit de sa dimension humanitaire ; de plus il est devenu l'objet d'une querelle fédérale-provinciale, laquelle aurait pu être évitée si l'intérêt supérieur de l'enfant avait été réellement pris en compte. Il aura fallu une mobilisation intensive des médias et de l'opinion publique pour parvenir à forcer le gouvernement canadien à régler le dossier à la satisfaction de toutes les parties concernées. Ainsi en prétendant vouloir protéger légalement les enfants vietnamiens en attente d'adoption et en justifiant ainsi tous les délais encourus, le gouvernement canadien aura empêché, ou aura retardé indûment leur accès à des familles canadiennes prêtes à les accueillir.* (La Part des choses, 2005; Pratte, 2005; Nadeau et coll., 2005)

## La capacité parentale et son évaluation

*Etre un adulte en droit, c'est être reconnu comme étant libre de prendre des risques, et posséder la capacité et l'autorité de décider de ce qui est « le mieux » pour soi sans passer par la volonté des parents. Etre un adulte et un parent implique par suite d'être reconnu par la loi comme ayant la capacité, l'autorité et la responsabilité de déterminer et de faire ce qui est «bien» pour ses enfants et ce qui convient «le mieux» à toute la famille.* ibid (p. 89)

L'État n'intervient pas dans la parentalité naturelle. En effet, point n'est besoin, au Québec, d'obtenir une permission de l'État pour se reproduire. Cette idée répugne naturellement à l'esprit. On présume donc au départ de la capacité parentale de toute personne qui veut devenir parent, du fait de son désir de concevoir un enfant, et l'État n'est susceptible d'intervenir qu'après coup s'il y a preuve de dysfonctions importantes au sein de la famille.

En matière d'adoption, il en est tout autrement. Le lien potentiel unissant les parents adoptifs à leur enfant est d'abord soumis, avant même que d'exister, à l'examen de plusieurs intervenants, agissant comme experts à l'évaluation de la capacité parentale. En ce qui concerne plus spécifiquement l'adoption internationale, le futur parent adoptant québécois doit d'abord rencontrer un professionnel, travailleur social ou psychologue, responsable de mener à bien une évaluation psychosociale qui sera ensuite transmise pour approbation à la Direction de la Protection de la Jeunesse (D.P.J.), au Secrétariat à l'Adoption Internationale (S.A.I.) et finalement aux autorités du pays de l'enfant. es procédures, exigées tant par les pays d'accueil que par les pays d'origine, sont incontournables sur le plan juridique. Elles trouvent leur justification dans le fait que l'enfant orphelin a été confié à la tutelle de l'État d'origine, et que celui-ci ne peut se soustraire de ses obligations envers lui en le confiant aux premiers venus, *a fortiori* s'il s'agit d'étrangers.

Pour l'enfant confié en adoption, le risque qu'on souhaite d'abord éviter par le biais de l'évaluation psycho-sociale est celui de le confier par inadvertance à des parents inaptes, qui lui imposeraient une souffrance égale, voire supérieure à celle qu'il aurait vécue s'il était resté dans les circonstances précédant son adoption : un abandon éventuel, la répétition du trauma initial. *Mais un autre risque est également associé au processus d'évaluation psycho-sociale : l'exclusion de parents potentiels qui auraient pu s'avérer être de bons parents.*

Dans la foulée de la mise en œuvre du Traité de La Haye (1993), le S.A.I. a coordonné le *Comité de Révision des critères d'Évaluation Psychosociale en matière d'Adoption Internationale,* qui a clôturé ses travaux en février 2006 (de Bellefeuille, 2006). Dans leur rapport, les membres du Comité posent un ensemble de constats justifiant la révision du processus d'évaluation psychosociale auquel sont soumis tous les parents postulants. Le document produit par le Comité fournit en annexe la « grille révisée d'évaluation psychosociale », un outil jugé essentiel aux professionnels chargés d'évaluer les candidats à la parentalité. Cette grille suggère l'examen de questions tout à fait pertinentes portant sur la motivation du projet d'adoption, sur l'histoire personnelle des postulants, l'évolution de leur relation conjugale, leur relation personnelle parents-enfants, leur attitude face à l'adoption internationale et l'impact de leur projet d'adoption sur leur vie.

Cependant, l'évaluation de la « capacité parentale » n'est pas, en soi, une mince entreprise. Toute évaluation psychosociale, fut-elle élaborée à l'aide de la meilleure des grilles d'évaluation, ne peut être construite à partir de données parfaitement objectives. Elle dépendra nécessairement en partie des valeurs de l'évaluateur et des 'modes du jour' en matière de compétence parentale. Par suite, elle n'est malheureusement pas non plus à l'abri d'erreurs ou d'excès, et ne peut certainement pas échapper totalement à la subjectivité de l'évaluateur et des instances décisionnelles.

Or, le Comité de révision piloté par le S.A.I. propose un « *screening* » plus étroit des parents candidats qu'il croit justifié par le fait, entre autres, qu'on observerait depuis quelques années une augmentation du nombre de ruptures entre enfants et parents adoptants à l'adoption internationale. Pourtant, de son aveu même, cette tendance n'est pas scientifiquement démontrée au Québec. En effet, l'étude de Tessier et al. (2005), expert scientifique cité en introduction au document du Comité de révision, et dont l'étude avait été « commandée » à l'époque par le S.A.I, fournit des données à ce sujet. Selon les résultats de cette enquête intitulée « *L'adoption internationale au Québec de 1985 à 2002* », le taux global d'échecs en adoption internationale, i.e. les enfants qui ont dû être déplacés de leur famille adoptive pour être confiés au Centre Jeunesse, est de 1.1 %, taux jugé faible en regard des nombreux facteurs de risque associés à cette population. Ce résultat ne semble donc pas à lui seul justifier une révision en profondeur du processus d'évaluation des parents candidats à l'adoption internationale

D'autre part, les besoins des enfants abandonnés et/ou en attente d'adoption dans leurs pays d'origine sont, dans ce contexte, des données jugées non pertinentes par les autorités du pays d'accueil, et ne sont pas pris en compte par ces autorités. En effet, ces enfants, et leurs besoins, « n'existent » pas vraiment encore aux yeux des autorités du pays d'accueil, tant et aussi longtemps que ces autorités n'en ont pas la responsabilité administrative et juridique, ce qui ne viendra qu'à la fin du processus d'adoption, à l'arrivée de l'enfant dans le pays d'accueil. Le risque d'un échec possible de l'adoption dans le pays d'accueil l'emporte donc, dans l'esprit des autorités, sur le risque moins visible mais non moins pernicieux de la diminution de l'accès à une famille pour la multitude d'enfants abandonnés à travers le monde.

Pourtant, le nombre d'enfants abandonnés excédera toujours, et de loin, le nombre de parents prêts à les accueillir. La mise de côté de parents potentiels, motivée en quelque sorte par un principe de précaution, participe-t-elle vraiment de l'intérêt supérieur de l'enfant? Parallèlement à la montée du phénomène de l'adoption internationale, la famille « en général » a subi des transformations profondes, au point où « actuellement une minorité d'enfants résidera de façon continue avec ses deux parents biologiques, de la naissance jusqu'à l'âge adulte » (Okun, 1996). La famille non traditionnelle est en voie de surpasser, en termes de nombre, la famille traditionnelle et les individus désireux d'adopter un enfant ont un profil de plus en plus hétérogène.

À cet effet, Brodzinsky (1998) rapporte une progression dans la pratique des agences américaines chargées d'évaluer les parents candidats à l'adoption : d'une politique antérieure d'exclusion (*screening out),* on tend désormais vers une politique d'inclusion (*screening in)*. Plutôt que de rechercher des parents idéaux en fonction d'un ensemble de critères subjectifs, on recherche des parents plus «réels» correspondant au contexte socio-démographique actuel.

Tel que suggéré par Brodzinsky (1998), une approche informative et éducative de l'évaluation psychosociale nous semble plus souhaitable et moins risquée qu'une approche de *« screening »*, essentiellement évaluative. L'évaluation psychosociale devrait, à notre avis, viser davantage l'information des postulants sur les réalités de l'adoption internationale et de même être l'occasion d'une réflexion approfondie sur leur projet avec un expert compétent plutôt que d'être un outil d'investigation et de discrimination des compétences parentales.

## Le meilleur intérêt de l'enfant et le désir des parents : une antithèse?

*Nous espérons avoir fourni une base qui permette d' arriver à une vision plus nuancée du problème et à une plus juste réglementation des procédures et des décisions visant à assurer, au plus grand nombre possible d' enfants, une place permanente au sein d' une famille aimante.*     ibid (p. 228)

Une formule servant à définir le meilleur intérêt de l'enfant circule dans plusieurs milieux qui traitent d'adoption internationale, que ce soit à un niveau administratif, décisionnel ou clinique. Cette formule apparaît notamment dans le document émanant du S.A.I cité plus haut : « Il importe donc de bien circonscrire les habiletés et les limites des postulants lors de l'actualisation de l'évaluation car on ne « fournit » pas un enfant à une famille mais on « propose » une famille à un enfant » (de Bellefeuille, 2006).

Sans doute cette formule a-t-elle pour but de mettre l'accent sur l'importance de l'acceptation inconditionnelle de l'enfant par ses parents adoptifs et à cet égard elle rejoint le « besoin essentiel de l'enfant de se sentir désiré par ses parents » cité à plusieurs reprises dans l'ouvrage de Goldstein et coll (1998). L'adoption internationale implique que les parents acceptent la proposition d'enfant qui leur est faite, le corollaire étant qu'ils ont aussi la liberté de la refuser, divers motifs pouvant être invoqués pour ce refus. Sans entrer dans cette délicate thématique de l'acceptation de la proposition d'enfant, qui mériterait à elle seule un chapitre entier, nous la mentionnons comme un élément de réalité duquel les autorités responsables doivent répondre, à savoir que l'adoption internationale ne devrait pas s'apparenter à un processus de sélection d'enfants, mais plutôt à un processus d'accueil.

Mais à force d'être utilisée en toutes circonstances et à tout propos, le sens de cette formule de l'accueil a fini par être déformé. Il nous est apparu qu'elle correspond à un courant de pensée de plus en plus prégnant chez certaines autorités responsables en matière d'adoption internationale, soit une tendance à placer en opposition le meilleur intérêt de l'enfant et le désir du parent adoptif.

Le désir parental nous apparaît être un meilleur garant pour le bien-être psychique de l'enfant qu'une forme quelconque de charité humaine qui pousserait des parents à « offrir une famille à un enfant », plaçant ainsi subtilement l'enfant adoptif à qui on aurait fait cette charité dans une position de reconnaissance obligée. Mieux vaut pour tout enfant, adopté ou non, des parents en chair et en os devant lesquels il pourra s'affirmer comme sujet désirant, plutôt que des êtres angéliques mais insaisissables, « inaffrontables ».

La formule servant à définir le meilleur intérêt de l'enfant devrait témoigner de la mutualité de la relation entre parents adoptants et enfant adoptif, et ainsi transmettre une vision plus équilibrée de l'adoption, en gardant toujours à l'esprit l'objectif ultime, celui d'assurer pour le plus grand nombre possible d'enfants un lien d'appartenance permanent au sein d'une famille aimante.

## L'adoption : tabous et paradoxes au sein de notre société

*Que certains parents puissent vouloir se dégager de leurs responsabilités vis-à-vis de leur enfant va à l'encontre de l'idée entretenue dans nos sociétés, à savoir que l'amour d'un parent peut surmonter toutes les épreuves. Cette croyance rend par suite difficile de reconnaître les faits réels.*
Goldstein, Freud et Solnit, 1970

La notion d'orphelin semble réduite dans nos sociétés aux enfants qui ont perdu leurs parents dans des circonstances accidentelles et l'idée même qu'une mère ou que des parents désirent abandonner volontairement leurs droits parentaux pour donner leur enfant en adoption relève presque du tabou. L'idée même de l'abandon serait, en quelque sorte, immorale, ne pouvant d'aucune façon être cautionnée par la société. Le maintien du lien biologique entre une mère et son enfant fait partie de l'idéal des sociétés occidentales prêtes à consentir beaucoup, en principe, pour souscrire à cet idéal. Le libre choix à l'avortement fait par ailleurs aussi partie des valeurs du monde contemporain et reflète l'émancipation de la femme, son droit de disposer de son propre corps. En principe ces deux courants coexistent au sein de la société mais, lorsque poussés à l'extrême, ils deviennent contradictoires.

Dans sa chronique du 16 septembre 2004 au quotidien *La Presse,* la journaliste Lysiane Gagnon commente une décision prise par le ministre de la santé et des affaires sociales d'introduire la pratique de l'avortement tardif (interruption volontaire de grossesse non requise pour des motifs médicaux après la 24[ième] semaine de grossesse) au Québec, et pour ce faire de recruter un médecin spécialisé en la matière. Cette décision a de quoi surprendre quand on sait que le plus célèbre défenseur du droit à l'avortement au Québec, le Dr Henry Morgentaler, refuse de pratiquer ce type d'avortements et recommande plutôt la poursuite de la grossesse à terme et le recours à l'adoption dans ce type de situations.

La référence à l'adoption comme étant l'une des options lors d'une grossesse non désirée ne fait pas partie des courants de pensée et des pratiques officielles. À notre connaissance, le système de santé public québécois ne s'intéresse pas à cette question de la pertinence de développer des services d'information et de soutien concernant l'option de l'adoption dans le cas de grossesses non désirées. Pourtant cette même société québécoise se hisse au sommet mondial lorsqu'il s'agit du taux d'adoptions internationales au prorata de sa population.

Deux courants contradictoires co-existent donc au sein de notre société et reflètent ce paradoxe non résolu: les sociétés modernes au sein desquelles on ne s'attend pas à voir une femme donner son enfant en adoption, se tournent vers les sociétés plus traditionnelles, reflet de leur propre passé, pour pouvoir adopter des enfants. L'enfant orphelin a droit d'existence et de reconnaissance à l'étranger mais très peu chez nous. Pourtant nous savons que la réalité de l'enfant abandonné existe tout autant au sein de nos sociétés occidentales, mais cette réalité sans doute moins visible tend à être masquée dans les débuts de la vie de l'enfant pour se révéler plus tardivement dans des circonstances où il sera plus difficile d'y remédier.

### L'histoire de Cédric

*Cédric, 7 ans, est issu d'une relation sexuelle non consentie, décrite par sa mère comme un viol. Depuis le début de sa grossesse, la mère a ressenti une profonde ambivalence à l'égard de cet enfant. D'une part elle a choisi de mener sa grossesse à terme, d'autre part, elle avoue n'avoir jamais réussi à s'attacher réellement à son enfant.*

*Se décrivant elle-même comme « une enfant des services sociaux » où elle a gravité depuis sa tendre enfance jusqu'à sa majorité, elle réalise qu'elle n'a pas ce qu'il faut pour élever un enfant. Elle a fait à plusieurs reprises des demandes de placement définitif, et même d'adoption pour son fils, pour se récuser par la suite, puis réitérer la même demande quelques mois plus tard. Son entourage a toujours cherché à la dissuader de placer son enfant, pire encore de le donner en adoption, « parce que ça ne se fait pas ». Elle a consulté toutes les ressources disponibles, et bien qu' elle ait toujours fait preuve d' une collaboration exemplaire avec les services, elle s' est trouvée incapable de mettre en application les conseils reçus. Après des années d' efforts et de misère, le jeune Cédric est placé en famille d' accueil à l' âge de 4 ans et la recommandation est à l' effet qu' il soit placé jusqu' à sa majorité.*

On est en droit de s'interroger sur la possibilité pour cet enfant d'avoir accès à une autre vie, un autre sort, si sa mère avait pu, au cours de sa grossesse, examiner l'option de l'adoption avec le soutien d'un professionnel compétent. Mais ce type de consultation ou de mandat professionnel existe-t-il dans notre société? On l'a vu, pour une mère fragile, facilement ballotée et résistant mal aux pressions de son entourage, le choix précoce de l'adoption est difficile à assumer, même s'il pourrait correspondre au meilleur intérêt de l'enfant. L'option de l'adoption s'estompe au profit d'autres, voire s'efface complètement lorsqu'elle est évoquée trop tardivement, que des liens, si problématiques soient-ils, se sont tissés entre mère et enfant.

## Pour une étude des aspects bénéfiques de l'adoption

*A propos de la requête en abandon faite par les parents de l' enfant (...) Cette situation commande de chercher à répondre aux besoins qu' a l' enfant d' aimer et d' être aimé. L' adoption, si elle se présente comme une solution possible, offre à ces enfants la meilleure 'seconde chance' de former une relation permanente, qui est vitable pour leur développement.* ibid. (p. 102)

Des études épidémiologiques d'envergure, menées notamment par des équipes scandinaves et néerlandaises, ont établi un portrait des enfants de l'adoption internationale, de leur adaptation psychosociale et leur évolution dans la société d'accueil. Tout en ayant le mérite de dresser un portrait épidémiologique de ces enfants et d'identifier les besoins spécifiques de certains d'entre eux en termes de services, ces études ont, comme toutes les études, leurs limites. Ainsi, aucune de ces études ne touche à la question du bénéfice « absolu » de l'adoption pour les enfants adoptés à l'international, les groupes de comparaison utilisés ne permettant pas de répondre à une telle question. En effet ces études « mesurent » l'adaptation psychosociale des *enfants adoptés* internationalement en la comparant à des *enfants non adoptés*, qu'il s'agisse d'enfants de la population générale, d'enfants « naturels » des familles adoptives ou encore d'enfants de familles migrantes, lorsque le facteur migratoire de l'adoption internationale est pris en compte. À cet égard, ne devrait-on pas également comparer les enfants adoptés internationalement à un groupe contrôle d'enfants non adoptés de même statut socio-économique que leur milieu d'origine? Ou encore les comparer à des enfants placés en institution dans leur pays d'origine?

---

### L'orphelinat exemplaire

*Parmi les orphelinats que j'ai visités dans une douzaine de pays, l'endroit le plus extraordinaire que j'aie vu se trouve dans un coin reculé de Chisinau, en Moldavie. L'orphelinat en question accueillait environ 50 enfants et était dirigé par une femme qui portait le nom de «Big Mama». En fait c'était son cœur qui était grand, dans la mesure où elle avait fait de cet orphelinat un véritable foyer qui abritait une très grosse famille.*

*La porte de son bureau n'était jamais fermée, et il était évident que toutes ses autres tâches étaient secondaires à celle d'être disponible pour chacun des enfants. Fière comme le sont les mères de leurs enfants, elle avait des histoires à raconter à propos de chacun d'entre eux, et elle le faisait avec une tendresse qui n'aurait pu se trouver chez un simple directeur d'orphelinat. Les enfants venaient chercher auprès d'elle des caresses et des baisers, ils interagissaient entre eux, les plus âgés entourant affectueusement les plus jeunes, et j'ai même eu le privilège d'assister à une petite fête improvisée où les enfants réunis dans une grande salle s'étaient mis à chanter, accompagnés de la guitare, et à s'amuser en profitant de chaque moment passé ensemble.*

*Après la tournée que j'effectuai des pièces de la maison, chaleureuse et bien tenue, qui étaient d'abord organisées en fonction des besoins des enfants, notre discussion se porta sur le sujet de l'adoption. Je ne pus m'empêcher de lui faire remarquer que ce serait une honte de retirer ces enfants d'un endroit aussi accueillant où ils recevaient autant d'amour, et formaient des liens si riches entre eux et avec le couple en charge de l'orphelinat. La directrice se tut pendant un moment puis me répondit : « Oui, ces enfants sont très aimés, et ils sont heureux ici. Mais si vous demandiez à chacun d'eux quel est son plus grand désir, ce serait sans équivoque (et ici elle pointa vers elle) que « tu sois ma mère, ma vraie mère réellement à moi ». Ils veulent que je les amène chez moi, pour être avec moi et avoir une partie de moi qui soit à eux, et à eux seuls. Et c'est ce qu'aucun orphelinat, aussi bon et accueillant soit-il, ne pourra jamais offrir à un enfant ».*

Témoignage recueilli auprès de Dorinda Cavanaugh
Directrice, T. D. H. pour les Enfants

---

De tels groupes de comparaison ont été utilisés dans certaines études américaines et européennes portant sur les résultats à long terme de l'adoption « locale » (*in country*). L'évolution d'enfants adoptés «localement» a été comparée à celle d'enfants non adoptés, de même origine et vivant dans des conditions semblables à celles qu'ils auraient connues s'ils n'avaient pas été adoptés : institution-nalisation, pauvreté, formes d'abandon diverses. Ces études ont largement démontré que les enfants adoptés évoluaient beaucoup mieux que ceux qui n'avaient pas eu accès à l'adoption, mettant en évidence l'effet protecteur de l'adoption dans la trajectoire d'enfants issus de circonstances socio-économiques et familiales très défavorables (Bohman, 1990 ; Fergusson et al., 1995 ; Maugharn et Pickles, 1990).

Selon Brodzinsky (1998), de façon générale, la recherche sur l'adoption a été trop exclusivement orientée vers la pathologie et les facteurs de risque associés à ce statut. Sans dénier l'importance de ce type de recherches, cet auteur considère qu'elles tendent trop souvent à perdre de vue le but premier de l'adoption, soit celui de procurer un environnement familial permanent, « sécuritaire » et aimant à des enfants dont la famille d'origine ne peut prendre soin.

Pour continuer de faire évoluer la question de l'adoption internationale, et par ricochet celle de l'adoption « tout court », les chercheurs de même que les autorités administratives auraient intérêt à recueillir des données auprès d'interlocuteurs privilégiés qui, de fait, sont rarement interrogés de façon systématique : les enfants eux-mêmes, les parents adoptants, les directeurs d'orphelinat.

Au Québec comme dans toutes les sociétés occidentales où se pratique l'adoption internationale, la montée de ce type d'adoption correspond à la diminution de l'accès à l'adoption locale. Même si certains estiment que l'adoption internationale est trop visible, trop bruyante, occupe une trop grande place en regard du peu d'intérêt soulevé par les enfants abandonnés de notre propre société, nous croyons au contraire que l'adoption internationale a permis d'élargir nos horizons et notre vision de l'adoption en réintroduisant cette réalité dans notre discours, sinon dans nos pratiques.

## ABSTRACT

*Referring to the seminal texts of J. and S. Goldstein, Anna Freud and A.J. Solnit, the authors consider the notion of ' best interest of the child' in its relation to adoption, and specifically international adoption, with regard to its legitimacy to install permanency in the child's life and permanent links of attachment with parental figures. Considering the child's reassignation to a new country, they state the Convention of La Haye and its role in the protection of children' legal rights. After their critical review of assessment procedures of parents candidates and some taboos and paradoxes involving adoption as protective measure, they finally plead for a reexamination of the benefits of adoption and the continued appraisal of psychosocial status and evolution of adopted children through various samples and research procedures.*

# Références

**Bohman M.** Outcome in adoption : Lessons from longitudinal studies. In : **Brodzinsky D, Schechter M.** (eds) The psychology of adoption. New York : Oxford University Press, 1990 : 93-106.

**Bowlby J.** *Soins maternels et santé mentale.* (2e éd.) Genève : OMS, 1954.

**Bowlby J.** *Attachment and Loss.* New York : Penguin Books, 3e éd., 1978.

**Brodzinsky DM, Smith DW, Brodzinsky AB.** *Children's adjustment to adoption : developmental and clinical issues.* Thousand Oaks : Sage Publ., 1998.

**Convention sur la protection des enfants et la coopération en matière d'adoption internationale.** (Convention Internationale de La Haye) conclue le 29 mai 1993.

**de Bellefeuille L.** *Travaux du Comité de Révision des critères d'Évaluation Psychosociale en matière d'Adoption Internationale.* Rapport final, Secrétariat à l'Adoption Internationale, février 2006.

**Fergusson DM, Lynskey M, Horwood LJ.** The adolescent outcomes of adoption : A 16-year longitudinal study. *J Ch Psychol & Psychiat* 1995; 36 : 597-615.

**Gagnon L.** La 24$^{ième}$ semaine. *La Presse,* 16 septembre 2004.

**Goldstein J, Freud A, Solnit AJ.** *Before the best interests of the child.* New York : The Free Press, 1970 : 34.

**Goldstein J, Solnit AJ, Goldstein S, Freud A.** *The best interests of the child.* New York : The Free Press, 1998.

**Maugharn B, Pickles A.** Adopted and illegitimate children growing up. In : **Roberts L, Rutter M.** (eds) *Straight and devious pathways from childhood to adulthood.* New York : Cambridge University Press, 1990 : 36-61.

**Nadeau N, Cavanaugh D, Deakin D, Rodriguez C, Chicoine JF.** Adoption au Vietnam : les parents québécois sont traités injustement. *Le Devoir,* 15 juillet 2005.

**Okun B.** *Understanding diverse families : What practitioners need to know.* New York : Guilford Press, 1996.

**Part des Choses (La)** Le conflit de compétences fédéral/provincial concernant l'adoption internationale au Vietnam a suscité l'intérêt du grand public et généré une importante couverture médiatique à l'été 2005. Citons : Différend fédéral-provincial sur l'adoption internationale. Simon Durivage discute avec Monique Gagnon-Tremblay, ministre québécoise des Relations internationales, Pierre Pettigrew, ministre fédéral des Affaires étrangères, et Nicole Nadeau, mère adoptante., *R.D.I.,* édition du 29 juin 2005.

**Pratte A.** Du « gossage » fédéral. *La Presse,* 6 juillet 2005.

**Spitz RA.** Hospitalisme. Une enquête sur la genèse des états psychopathiques de la première enfance. *Rev Franç Psychan* 1949; 13 : 397-425.

**Spitz RA, Wolf KM.** Anaclitic depression : an inquiry into the genesis of psychiatric condition in early childhood. *Psychoan St Ch* 1949; 2 : 313-342.

**Tessier R, Larose S, Moss E, Nadeau L, Tarabulsy G.** Secrétariat à l'Adoption Internationale du Québec. L'adoption internationale au Québec de 1985 à 2002 : l'adaptation sociale des enfants nés à l'étranger et adoptés par des familles du Québec. Rapport final. Dépôt légal à la Bibliothèque Nationale du Québec, 2005. ISBN : 2-922825-00-0. A noter : La statistique tirée de cette étude et rapportée dans cet article est une communication personnelle de l'auteur principal.

**Tizard B.** Intercountry adoption : a review of the evidence. *J Ch Psychol & Psychiat* 1991; 32(5) : 743-756.

no 46

# Les couples de même sexe et la parentalité

**Bill Ryan**
**Danielle Julien**

Bill Ryan, M.S.W., M.Ed.
enseigne à l'École de
service social de
l'Université McGill, et
Danielle Julien, Ph. D. est
professeure au
Département de
psychologie de l'Université
du Québec à Montréal.

**Adresse :** 3506, Université
Montréal (Québec) H3A 2A7

**Courriel :** wjr@videotron.ca
julien.danielle@uqam.ca

Au cours des dernières décennies, l'augmentation des divorces et des séparations, l'augmentation du nombre de familles monoparentales et de familles reconstituées ont favorisé l'émergence de nouvelles formes familiales que l'on voit naître dans les espaces ouverts par la dissociation entre sexualité et procréation, entre conjugalité et parentalité ainsi que par les technologies de reproduction. Parallèlement à ces changements, le passage d'une société basée sur les valeurs religieuses à une société basée sur les droits et libertés civiles a favorisé une visibilité croissante des personnes homosexuelles et de leurs réalités familiales.

L'amalgame « famille et homosexualité » est un thème relativement nouveau dans l'univers conceptuel des chercheurs sur l'homosexualité, des chercheurs sur la famille et des intervenants familiaux. Les familles avec parents homosexuels, tout en reproduisant le plus souvent le noyau couple-enfants, remettent en cause certains paramètres fondamentaux du modèle nucléaire traditionnel, à savoir son substrat biologique, la conjugalité hétérosexuelle et la complémentarité des rôles masculin et féminin, paternel et maternel inscrite dans la norme biparentale. Elles suscitent des résistances et soulèvent des questionnements uniques : d'un côté, elles bousculent les représentations de la famille, de l'autre, elles se développent en référence aux modèles existants, tant pour ce qui est de leur dynamique interne que pour leur inscription dans l'environnement familial élargi, social et institutionnel. Dans ces familles, la recomposition des aspects biologiques, légaux et sociaux du lien parent-enfant donne lieu à des arrangements parentaux diversifiés et complexes présentant des similarités et des différences avec d'autres types de nouvelles familles.

En 2002, au Québec, l'adoption de la Loi 84 sur l'union civile incluant les couples de même sexe et instituant de nouvelles règles de filiation, et en 2005, la redéfinition fédérale canadienne du mariage

$\left(214\right)$

## RÉSUMÉ

*Si selon l'Enquête sociale et de santé 1998, 23% des femmes homosexuelles et 11 % des hommes homosexuels et bisexuels sont parents d'enfants dont ils ont la garde, les données sur l'état de ces familles et de ces enfants sont encore largement manquantes. Les auteurs repassent les recherches existantes, anglo-saxonnes pour la plupart, tout en signalant leurs limites et les questions qu'elles posent, dont celle de la généralisation des résultats à l'ensemble de cette population. Ils considèrent ensuite les facteurs de résilience et de risque qui sont uniques aux familles homoparentales et concluent en discutant de l'adaptation de la formation professionnelle afin d'assurer de meilleurs services à ces familles.*

incluant les couples de même sexe, sont des exemples des avancées légales ayant des implications directes sur la visibilité des réalités familiales des personnes homosexuelles dans notre culture. Ainsi, impensables il y a à peine 15 ans, les familles avec parents homosexuels, biologiques, adoptifs ou sociaux, sont désormais une réalité incontournable du paysage des familles en Occident.

Dans un premier temps, cet article présente l'état des recherches empiriques sur la famille homoparentale, leurs limites et les questions qu'elles soulèvent. Dans un deuxième temps, nous examinons les facteurs de résilience et de risque uniques aux familles homoparentales. Enfin, nous terminons en ouvrant la question de l'adaptation de la formation professionnelle des personnes qui, dans nos institutions publiques, assurent les services à la famille homoparentale.

## Dénombrer les familles homoparentales

D'une manière générale, il est difficile de relever le nombre de gais et de lesbiennes qui sont parents, en partie parce que le dévoilement de l'identité homosexuelle entraîne encore des conséquences négatives, et en partie parce que les grandes enquêtes nationales ont ignoré cette question jusqu'à récemment. Au Canada, selon le recensement de 2001, près de 3 000 couples de même sexe vivaient avec un enfant de moins de 18 ans (ces estimés excluaient les enfants vivant avec un père gai ou une mère lesbienne qui ne vivait pas en couple). Au Québec, notre analyse des données de l'Enquête sociale et de santé 1998 (Daveluy et al., 2000) montre que 23 % des femmes homosexuelles et bisexuelles et 11 % des hommes homosexuels et bisexuels étaient parents d'enfants dont ils avaient la garde. Ces parents représentent respectivement 1.3 % et 0.2 % des Québécoises et Québécois qui ont la garde pleine ou partagée d'un enfant de moins de 18 ans (Julien et al., accepté). Pour les mères, les estimés sont légèrement supérieurs à ceux obtenus en Grande-Bretagne (0.2 %, Golombok et al., 2003) et aux États-Unis (0.6 %, Patterson et Friel, 2000) à partir du National Health and Social Life Survey (NHSLS; Laumann et al., 1994). La différence peut être attribuée à des mesures différentes de l'orientation sexuelle dans l'enquête québécoise (mesure référant aux relations sexuelles) et les enquêtes anglo-saxonnes (mesures référant à l'identité lesbienne).

## Qu'est-ce qu'une famille homoparentale?

La famille que nous appelons *homoparentale* comprend au moins un parent homosexuel et peut prendre plusieurs formes. Elle peut résulter : 1) d'une recomposition familiale avec un partenaire de même sexe à la suite de la dissolution d'une union hétérosexuelle, 2) d'une adoption par une personne ou un couple homosexuel, 3) d'un recours à l'insémination artificielle du sperme d'un géniteur inconnu (banques de sperme) pour une femme lesbienne, seule ou en couple lesbien, et enfin 4) elle peut s'établir au moyen d'un système de co-parentalité entre une femme lesbienne et un homme (généralement gai), ou (plus rarement) entre une femme hétérosexuelle et un homme gai, au moyen le plus souvent de techniques de procréation assistée (e.g., services de gestation pour autrui).

## Que savons-nous de ces familles?

La famille homoparentale demeure relativement peu connue. Par exemple, si l'on considère l'ensemble de la production scientifique sur la famille en psychologie dans les meilleures revues scientifiques nord-américaines de 1980 à 2000, la proportion d'études traitant de la famille en rapport avec l'homosexualité varie, selon la recension, entre 0,006 % et 0,01 % (e.g., Famili@; Allen et Demo, 1995; Ossana, 2000). Précisons d'emblée qu'en dehors des écrits théoriques ou cliniques, si nous avons près de trente ans de recherche empirique sur la famille homoparentale, la presque totalité de ces études sont anglo-saxonnes (États-Unis, Grande-Bretagne, Belgique) et que le Canada commence à peine à produire des données empiriques sur ces questions. Plusieurs études canadiennes sont en cours dans diverses provinces canadiennes, mais il est souvent trop tôt pour avoir accès aux résultats publiés.

Ceci dit, la très grande majorité des études sur les familles homo-parentales ont utilisé des échantillons comportant une bonne variabilité de formes familiales homoparentales. Toutefois, les échantillons de ces études étant généralement très petits, la plupart des auteurs n'ont pas comparé les différentes formes et analysé leurs effets sur les dynamiques familiales et le développement des enfants. Les nouvelles technologies de reproduction et l'accès des personnes homosexuelles à ces services et aux services d'adoption étant historiquement fort récents, il est raisonnable de penser qu'encore aujourd'hui la majorité des enfants vivant dans une famille homoparentale sont issus d'un couple hétérosexuel divorcé ou séparé dans lequel la mère lesbienne ou le père gai a obtenu la garde complète ou partagée de l'enfant. Ainsi, la plupart de ces enfants ont un deuxième parent qui est hétérosexuel et, vraisemblablement, une bonne proportion d'entre eux demeurent en contact avec celui-ci (voir la synthèse des travaux américains sur cette question: Dubé et Julien, 2000).

À côté des difficultés qui leur sont spécifiques et que nous verrons plus loin, la famille homoparentale issue d'une recomposition s'apparente en plusieurs points à la famille hétéroparentale recomposée. Une étude qualitative que nous avons menée auprès de mères lesbiennes ex-hétérosexuelles (Julien et al., 2002) montre que ces femmes vivent les mêmes difficultés reliées au contexte d'une séparation: jalousie, doutes, colère et ressentiment, prise d'enfant en otage, conflits reliés à la garde, etc. Les enfants vivent aussi les mêmes sources de stress (e.g., déménagement, perte du réseau d'amis, perte économique, séparation partielle du père ou de la mère biologique, cohabitation avec de nouveaux enfants, un beau-parent, etc.). De même, tant chez les familles recomposées lesbiennes que les familles recomposées gaies, les difficultés de la nouvelle conjointe ou du nouveau conjoint à définir son rôle dans la nouvelle constellation familiale ne sont pas très différentes de celles du beau-parent dans toute famille recomposée (pour une revue critique de ces études, voir Chamberland et al., 2003).

Avec l'accès récent aux techniques de procréation assistée et à l'adoption, de plus en plus de femmes lesbiennes et d'hommes gais choisissent de devenir parent après avoir reconnu publiquement une identité homosexuelle. L'ampleur relative du phénomène est telle qu'on le qualifie communément de « *gayby boum*». Au Québec, l'accès aux banques de sperme pour les femmes lesbiennes est contrôlé par les cliniques de fertilité. Dans le cas des couples lesbiens faisant appel à un donneur anonyme, une seule des mères est biologiquement reliée à l'enfant, mais les deux femmes peuvent maintenant avoir un statut légal de parent, tout comme chez les couples hétérosexuels faisant appel au sperme d'un donneur anonyme.

D'autres couples de femmes préféreront avoir recours au sperme d'un géniteur connu, soit un homme de leur entourage, le plus souvent gai, qu'elles connaissent. Si les raisons qui motivent ce choix peuvent parfois être en partie d'ordre pratique (par ex., plus accessible et moins coûteux), elles sont souvent basées sur l'importance, dans leur système de valeurs, de permettre à l'enfant de connaître ses origines biologiques et d'avoir accès à une figure paternelle. Cependant, ce choix implique des structures familiales plus complexes où le rôle et l'implication de chacun demandent à être définis. Dans ce type de famille, parfois deux parents en résidence séparée exercent des rôles parentaux pour un même enfant (ex., une lesbienne et un gai), parfois trois ou quatre parents sont impliqués (projet co-parental d'un couple de femmes lesbiennes avec un couple gai). Toutefois, la loi ne reconnaît que deux parents. Au Québec, la Loi 84 prévoit que le géniteur connu a un an, à compter de la naissance de l'enfant, pour revendiquer son lien de paternité. Dans le cas où celui-ci revendique une paternité juridique, la conjointe de la mère biologique n'aura aucun statut légal de mère face à l'enfant (ni d'ailleurs le conjoint du père s'il s'agit d'un homme gai). Dans le quotidien, cela signifie que les parents sociaux (mais non légaux) n'ont aucune autorité parentale face aux institutions médicales et scolaires encadrant l'enfant et ne sont assurés d'aucun droit en cas de séparation conjugale. Ces structures familiales complexes issues de co-parentalités multiples obligent les « parents » légaux et sociaux à négocier le partage du pouvoir et des responsabilités parentales.

Certains couples de lesbiennes préféreront avoir recours aux banques de sperme afin d'éviter les conflits potentiels liés au partage des rôles et les problèmes juridiques pouvant découler de la présence de plusieurs parents (pour deux études récentes sur cette question, voir

Leblond de Brumath et Julien, sous presse ; Leblond de Brumath et al., sous presse). Enfin, d'autres couples gais ou lesbiens préféreront l'adoption, maintenant une option possible pour les individus homosexuels et les couples de même sexe. L'adoption permet à deux partenaires de couple homosexuel d'avoir les mêmes statuts parentaux face à l'enfant. À notre connaissance, à l'exception de l'étude américaine de Ryan et Cash (2006) qui rapporte des données sur la visibilité des familles homoparentales adoptives dans l'État de la Floride, il n'y a présentement aucune étude portant spécifiquement sur l'adoption par des parents homosexuels. Trois études américaines (Schachter, 2002; Sbordone, 1993; Silverstein et al., 2002) examinent des groupes composés de pères gais ayant ou bien adopté un enfant, ou bien conçu un enfant avec les services de gestation pour autrui ; dans leurs analyses, toutefois, les chercheurs ne distinguent pas ces deux sous-groupes.

## Que savons-nous des enfants?

Les premières recherches empiriques sur les familles homoparentales ont été motivées par le besoin d'expertises psycho-légales afin d'évaluer les mères et les enfants dans le contexte de mères lesbiennes divorcées dont les conjoints contestaient la garde des enfants sur la base de l'orientation sexuelle de la mère. Les interrogations ont donc porté sur une évaluation de la santé psychologique des mères et du développement psycho-sexuel, affectif et social des enfants, toujours dans une approche comparative avec la famille hétéroparentale. Les principales questions ont été : Les parents homosexuels sont-ils d'aussi bons parents que les parents hétérosexuels? Leurs enfants ont-ils davantage de problèmes d'identité de genre (e.g., identification propre à son sexe biologique), de rôles sexuels conformes aux normes culturelles (e.g., les filles sont-elles *tomboy*, les garçons efféminés)? Les enfants sont-ils plus nombreux que les enfants de parents hétérosexuels à devenir gais ou lesbiennes, une fois devenus adultes ? Sont-ils plus à risque d'agression sexuelle que les enfants de parents hétérosexuels? Ont-ils davantage de problèmes d'anxiété, de comportement et d'intégration sociale?

Au cours des années 1980, les procédures de recherche ont le plus souvent comparé un groupe de mères lesbiennes divorcées d'un homme et leurs enfants à un groupe de mères hétérosexuelles divorcées et leurs enfants, sur une série de mesures relatives aux questions précédemment évoquées. Au cours des années 1990, des enfants de couples lesbiens ayant eu recours aux services de procréation assistée avec géniteur anonyme (banque de sperme) ont été comparés à des enfants de couples hétérosexuels ayant aussi utilisé les services de procréation assistée pour raisons d'infertilité dans leur couple. Quelles que soient les procédures utilisées, les résultats des études montrent que l'hypothèse de la plus grande vulnérabilité des parents et des enfants n'est pas vérifiée (pour une revue en français : Julien, 2003, et Dubé et Julien, 2000; en anglais : Patterson, 2000; Perrin, 1997, et méta-analyse d'Allen et Burrell, 1996) : la santé mentale des mères lesbiennes et leurs compétences parentales sont comparables à celles des mères hétérosexuelles. Leurs enfants n'éprouvent pas plus ni moins de problèmes d'identité de genre et de problèmes de rôle sexuel que ceux de parents hétéro-sexuels. Les filles de mères lesbiennes, comparées aux filles de parents hétérosexuels, affichent une plus grande variabilité de choix de jeux durant la petite enfance et, durant leur adolescence, une exploration plus poussée d'expériences bisexuelles. Une fois adultes, les enfants ne sont pas plus ni moins nombreux à déve-lopper une identité homosexuelle. Par ailleurs, les enfants ne sont pas plus ni moins vulnérables psychologiquement que les enfants de parents hétérosexuels et ils ne manifestent pas plus ni moins de problèmes de comportement et d'adaptation sociale sous la forme de victimisation par leurs pairs. Enfin, ils ne sont pas plus ni moins souvent victimes d'agression sexuelle de la part de leurs parents ou d'adultes dans leur entourage. Bref, aucune de ces recherches ne permet de conclure que l'homosexualité en tant que trait des parents est source directe de vulnérabilité pour les enfants.

## Limites de ces recherches

Bien sûr, ces recherches, comme toutes les recherches, comportent des limites méthodologiques. Les plus sérieuses visent la repré-sentativité des échantillons de répondants. Ces derniers ont été sélectionnés le plus souvent dans une sous-population de parents particulièrement résilients (e.g., militants travaillant au sein de groupes communautaires), avec des niveaux de scolarité élevés (plus grandes proportions de diplômes universitaires), et appar-tenant à des classes socio-économiques avantagées (e.g., pouvant assumer le coût de démarches d'adoption internationale, d'assis-tance à la procréation ou de la gestation pour autrui). Il est très important ici de préciser que cette limite n'invalide pas les résultats de comparaison : le fait que des familles homoparentales (socialement avantagées) ne diffèrent pas de familles hétéroparentales (socialement avantagées) sur les variables comparées montre bien que l'homosexualité en soi, comme caractéristique des parents, ne conduit pas à des dysfonctions, puisque les familles et les enfants ne diffèrent pas sur les variables de dysfonction. Il se peut toutefois que des caractéristiques associées à l'homosexualité (comme, par exemple, des réactions négatives chroniques par rapport à l'homosexualité dans l'entourage social immédiat de la famille) affectent des familles homoparentales par ailleurs exposées à d'autres sources de stress non spécifique à l'homoparentalité (e.g., pauvreté, perte d'êtres chers, perte d'emploi, discrimination en raison de l'origine ethnique, etc.). Ces stresseurs liés à l'homophobie, uniques aux familles homoparentales, pourraient théoriquement, dans certaines conditions, être source de plus grande vulnérabilité des familles.

Par contre, ces études soulèvent la question, à savoir si les résultats de ces recherches sont généralisables à l'ensemble de la population. Des études comparatives récentes basées sur des échantillons probabilistes représentatifs de larges populations ont corrigé en grande partie pour les limites d'échantillonnage des études auprès de répondants recrutés dans la communauté (pour une revue des personnes GLB en général, voir la recension de Julien et Chartrand, 2005). Au Québec, une analyse secondaire de la banque de données de l'Enquête sociale et de santé 1998, qui a utilisé un vaste échantillon représentatif de la population québécoise, montre que les mères homosexuelles et bisexuelles étaient, toutes proportions gardées, moins nombreuses que les mères hétérosexuelles à vivre en couple, montraient des prévalences plus élevées d'abus d'alcool et de drogues illégales, et des prévalences plus élevées d'idéation suicidaire et de détresse psychologique (Julien et al., accepté). L'étude n'a pas inclus les pères homosexuels et bisexuels en raison de leur trop petit nombre. Dans cette étude, toutefois, les mères homosexuelles et bisexuelles n'avaient pas plus de problèmes avec leurs enfants que les mères hétérosexuelles : indépendamment de l'orientation sexuelle, toutes les mères avec de faibles niveaux d'intégration sociale avaient trois fois plus de risques d'avoir des problèmes avec leurs enfants que les autres mères.

Contrairement aux études basées sur des échantillons sélectifs en provenance de la communauté, ces résultats basés sur un échantillon probabiliste montrent donc une plus grande vulnérabilité de certains parents homosexuels et bisexuels. Il est fort important de souligner qu'en plus des questions d'échantillonnage, l'un des facteurs ayant possiblement permis de détecter cette vulnérabilité consiste dans la définition même de l'orientation sexuelle. Alors que les études de communautés ont pratiquement toujours recruté des « pères gais » ou des « mères lesbiennes », c'est-à-dire des personnes qui déclarent publiquement une identité sexuelle marginale, les études de grandes populations ont le plus souvent classifié l'orientation sexuelle des répondants sur la base de relations sexuelles déclarées avec des personnes de même sexe ou de sexe opposé. Or, les études qui utilisent les identités déclarées (« je suis gai », « je suis lesbienne ») en plus des conduites sexuelles déclarées montrent que les personnes avec identités déclarées constituent un sous-groupe particulièrement résilient au sein d'une plus grande population pratiquant des sexualités marginales (voir l'étude de population de Laumann et al., 1994). Autrement dit, pour notre propos, les résultats de plus grande vulnérabilité obtenus avec les données de l'Enquête de Santé Québec reposent en partie sur une population de mères homosexuelles et bisexuelles qui n'ont pas fait leur *coming out*, alors que les résultats obtenus avec les études de communautés reposent presque entièrement sur des parents ayant fait leur *coming out*.

Ces données suggèrent que des expériences uniques aux personnes des minorités sexuelles seraient porteuses d'une plus grande vulnérabilité chez une partie de cette population. Des chercheurs en psychologie et en sociologie soulignent que la concentration des recherches sur les questions relatives à « l'intérêt de l'enfant », bien que justifiée par les questions de droit entourant la parentalité homosexuelle, a retardé le développement de recherches précisément sur le caractère unique de ces familles comparées à d'autres formes familiales (Patterson, 2000; Stacey et Biblarz, 2001). En focalisant l'attention sur la question de la « normalité » des familles homoparentales (e.g., les enfants sont-ils plus... ou moins... que les enfants de parents hétérosexuels?), on a exclu les questions relatives à ces facteurs uniques qui appartenaient à des domaines non comparables (e.g., *coming out*). Or, pour le propos d'aujourd'hui, nous postulons que les réalités familiales homoparentales sont uniques principalement pour deux raisons : premièrement, ces familles sont influencées par l'intersection de deux déterminants structuraux majeurs des inégalités en santé: a) l'hétérosexisme, corollaire de l'orientation sexuelle, qui avantage socialement la forme hétéroparentale au détriment de la forme homoparentale, et b) le sexisme, corollaire du sexe/genre, qui avantage la maternité lesbienne au détriment de la paternité gaie. Deuxièmement, comparées aux familles avec couples de sexe opposé, ces familles sont caractérisées par une plus grande équité des partenaires relativement à la division du travail parental.

## L'hétérosexisme

Les résistances exprimées dans notre société à propos de la famille homoparentale s'étayent sur la notion de *famille*, laquelle est présumée procéder d'un ordre naturel du masculin et du féminin. Nous qualifions ces résistances d'hétérosexistes parce qu'elles réfèrent à un système idéologique qui confère à l'hétérosexualité un statut de supériorité par rapport à l'homosexualité (Eribon, 2003), ou qui ignore, dénie, dénigre et stigmatise toute forme non hétérosexuelle de comportement, d'identité, de relation ou de communauté (Herek, 1991). Ces résistances font partie des obstacles quotidiens que combattent les minorités sexuelles. Or, si une partie d'entre elles ont su créer leur famille sur fonds de résilience, une autre partie de ces familles, plus fragiles et vulnérables, en subissent les contrecoups sous forme de dépression, d'idéations suicidaires, d'abus de substance et de conduites sexuelles à risque : bref, l'autre pôle de la dimension identitaire homosexuelle nous renvoie immanquablement à des problématiques de santé publique. Nous avons des connaissances sur les liens entre discrimination, victimisation, vulnérabilité et santé mentale chez les personnes de minorités en général. Toutefois, nous connaissons peu les représentations et les dynamiques des familles homoparentales, dans le contexte de liens parentaux biologiques et adoptifs, légaux et non légaux, de même que leurs effets socio-affectifs sur les acteurs. Comment le statut de minorité sexuelle et les résistances rencontrées au sein des diverses institutions en lien avec la famille (l'école, la garderie, la clinique de fertilité, l'hôpital, le travail) affectent-ils la communication familiale, la nature des conflits entre les parents ou entre les parents et les enfants, les relations de soutien en cas de stress, les modes de décision, l'expression de l'affection et du bien-être? Quand et comment un enfant de famille homoparentale apprend-il que sa famille se distingue des autres? Comment un enfant développe-t-il une compréhension du concept de discrimination et de ses réalités? Quand, à quel âge et comment un parent qui divorce d'un mariage hétérosexuel doit-il informer son enfant de son orientation sexuelle? Quels en sont les risques? Dans quels contextes? Comment un enfant de famille homoparentale gère-t-il les manifestions flagrantes d'homophobie dans sa cour d'école en face du silence des adultes qui les surveillent ? Comment les parents homosexuels préparent-ils leurs jeunes enfants à gérer ces situations? Le font-ils tous? Comment devrait-on le faire ? Où trouver les ressources, les modèles? Qu'en est-il de la dynamique des liens intergénérationnels, puisque les liens avec les familles d'origine des personnes homosexuelles sont souvent perturbés ? La naissance ou l'adoption d'un enfant change-t-elle cette dynamique? Comment certains parents en arrivent-ils à bâtir des familles alternatives et comment l'enfant s'y intègre-t-il? En bénéficie-t-il? Quels sont les effets, sur les enfants, du genre et du nombre de ses parents, de la diversité des routes biosociolégales pour accéder à la parentalité? Pourquoi des familles sont-elles plus résilientes que d'autres? Plus vulnérables que d'autres? Les services de soutien à la famille et les intervenants auprès des familles sont-ils préparés à intervenir face à des problèmes liés à ces questions? Voilà autant d'interrogations pour lesquelles nous avons présentement besoin de réponses.

## Le sexisme

Nous postulons aussi que la discrimination fondée sur le sexe exacerbe les effets négatifs sur la santé de la discrimination basée sur l'orientation sexuelle. Nous avons peu de connaissances sur les manifestations de l'intersection entre sexisme et hétérosexisme. Les différences reliées au genre dans la trajectoire de vie des hommes et des femmes de minorités sexuelles suggèrent que l'orientation sexuelle vient complexifier les formes de la discrimination basée sur le sexe et ses effets sur le développement des individus. Par exemple, si les adolescentes homosexuelles arrivent à négocier l'expression physique d'affection à l'école sans pour autant afficher leur orientation sexuelle, les adolescents gais trouveront plus sûr de vivre leur sexualité de manière clandestine et anonyme avec des hommes plus âgés (e.g., Diamond et al., 1999). À long terme, ces expériences augmentent les difficultés à intégrer sexualité et intimité chez les couples gais comparés aux lesbiennes (Ossana, 2000), sans compter les difficultés reliées aux ententes de monogamie dans le contexte de l'épidémie du SIDA (Peterkin, 2003), ou celles reliées à une plus grande résistance de la population face à la paternité gaie qu'à la maternité lesbienne (Schachter, 2002).

Les hommes gais qui décident de réaliser un projet de parentalité vivent une situation de double contrainte. D'une part, en s'investissant auprès d'un enfant, ils s'inscrivent en faux par rapport aux stratégies identitaires de leur communauté d'hommes gais qui ont rejeté la famille vue comme obstacle au développement d'une culture qui veut s'éloigner de la norme hétérosexuelle. D'autre part, ceux qui font le choix délibéré de la parentalité en l'absence de femmes – ou dans le contexte d'un rapport exclusivement co-parental avec des femmes – multiplient les niveaux d'implication parentale et s'approprient des terrains occupés jusqu'ici par les femmes. En intégrant des responsabilités inédites, ils abandonnent la centralité absolue des rôles spécifiques au sexe (homme pourvoyeur avec le contrôle de la cellule familiale comme bénéfice, femme donneure de soins avec le lien émotionnel étroit avec l'enfant comme bénéfice). Ce faisant, ils remettent en cause les paramètres fondamentaux du modèle familial traditionnel, son substrat biologique, la conjugalité hétérosexuelle et la complémentarité des rôles masculin et féminin, paternel et maternel inscrite dans la norme hétérosexuelle. Du point de vue des sciences de la famille, des théories du développement de l'enfant et des pratiques d'intervention familiale, cette entreprise interpelle de manière radicale les modèles soutenant les contributions dites 'uniques' du père et de la mère au développement normal des enfants. La reconfiguration que les hommes gais opèrent des diverses composantes de leur identité s'inscrit dans un processus large, au sein de notre société actuelle, de questionnements sur les rapports entre sexe et genre et leurs effets structurants sur la famille.

Bien sûr, cette reconstruction identitaire n'est pas unique aux hommes gais. Des pères hétérosexuels opèrent aussi cette reconstruction (Cabrera et al., 2000). Toutefois, non seulement le projet homoparental gai la met en évidence sans ambiguïté, mais aussi, le contexte hétérosexiste dans lequel cette reconstruction s'opère en multiplie les embûches et en augmente la complexité. Par leurs aspirations à être reconnus dans leur double identité (père et gai), ces hommes confrontent les présupposés culturels relatifs à la parentalité et à l'homosexualité. Pour les pères gais, ces dimensions de leur identité ne vont pas de soi, tant dans l'univers intime des relations familiales, où ils doivent conjuguer les rôles de parent et de conjoint, que dans les rapports sociaux avec l'univers du travail, la famille d'origine, le réseau social et les institutions qui encadrent et/ou complémentent le couple et la famille.

Les études sur les pères gais ont surtout porté sur les hommes qui ont eu des enfants dans le cadre d'une relation hétérosexuelle. Pour ces hommes, le risque de perdre leurs enfants est la plus grande difficulté entraînée avec la décision d'un *coming out*. Dès les premières études (e.g., Bozett, 1981; Dunne, 1987) et encore aujourd'hui (Morrison, 2003), des pères gais se séparant d'une conjointe rapportent craindre la perte de leurs enfants en faisant leur *coming out*. Le silence génère inconfort et anxiété chez le parent par rapport à l'enfant, distance psychologique avec leur enfant et diminution d'implication avec l'enfant. Une étude auprès d'enfants adultes ayant vécu leur enfance et leur adolescence avec un parent homosexuel au cours des années 1950 et 1960 montre que, de la même manière, du point de vue de l'enfant, le silence des parents entourant leur orientation sexuelle (qu'ils avaient identifiée par ailleurs!) et non l'orientation sexuelle en soi, avait été la plus grande source d'une distance psychologique particulièrement souffrante pour les enfants (Lavoie et al., 2005). Ce silence est particulièrement lourd et souffrant à porter pour l'enfant lorsque, à l'école, l'enfant est publiquement pointé du doigt par ses pairs (« Son père est une tapette! » Hi Hi!) : aucun espace de dialogue n'est possible entre le parent et l'enfant sur ce type d'événements à l'école lorsqu'il existe un contexte de silence à la maison.

Par ailleurs, en dehors des difficultés spécifiques aux hommes gais ayant défini un projet de parentalité en dehors d'un couple hétérosexuel, nous connaissons fort peu de choses des particularités de ces hommes dans le développement du projet de parentalité et dans leur dynamique familiale.

## Division du travail au sein des couples de même sexe

Au-delà des facteurs de vulnérabilité, l'émergence des structures familiales composées de personnes de même sexe a permis d'examiner la division du travail parental, pierre angulaire des trajectoires de vie différentes des hommes et des femmes dans notre culture. Dans une étude sur les données de Statistique Canada portant sur la répartition des tâches familiales, Boily (2004) rapporte que les femmes, avec ou sans enfants, passent 56 % plus de temps à accomplir des tâches domestiques que les hommes, même si l'écart s'est réduit entre 1986 et 1998. La répartition des rôles se polarise encore davantage après la naissance du premier enfant : malgré la volonté d'équité ante-partum des parents, les mères hétérosexuelles assument relativement plus de tâches domestiques qu'avant la naissance de l'enfant et plus de tâches parentales que ce qu'elles avaient initialement souhaité et planifié (Cowan et Cowan, 2000). Des chercheurs suggèrent que ce clivage serait en partie attribuable aux employeurs qui ne sont pas favorables aux congés de paternité. Aussi, les femmes et les hommes sont socialisés pour assumer des rôles parentaux spécifiques dès leur enfance, et les médias de masse persistent à maintenir une image polarisée des rôles de genre (Conseil québécois de la famille et de l'enfance, 2002; Haddock, Zimmerman et Lyness, 2001).

Le cas des familles homoparentales est intéressant, car les deux parents étant de même sexe, la catégorie 'sexe' devient factice comme base de division du travail parental et, théoriquement, la répartition devrait être équitable. Selon une étude américaine comparant la répartition des tâches domestiques au sein des couples lesbiens, gais et hétérosexuels sans enfants (Kurdek, 1993), les hétérosexuels divisent le travail selon un patron ségrégationniste (un des partenaires, généralement la femme, assume une plus grande proportion des tâches); les gais répartissent les tâches en se spécialisant dans certains domaines (e.g., un partenaire fait les repas et l'autre fait la vaisselle) mais accordent l'un et l'autre autant de temps au travail domestique. Quant aux couples de femmes, elles adoptent un patron de partage équitable sans spécialisation de tâches. Dans le même sens, des études américaines et belges ont observé que les couples de femmes ayant des enfants partagent les tâches domestiques et parentales de manière plus équitable que les couples hétérosexuels (Brewaeys et al., 1995, 1997; Chan, et al., 1998; Fulcher et al., 2003; Patterson et al., 2004).

L'intérêt que nous portons à l'étude de la division du travail parental s'étaye sur les résultats d'une étude de Fulcher et coll. (2003) sur les liens entre la division du travail parental et le développement de

l'identité sexuelle des enfants chez les enfants de famille lesbopa-
rentales et hétéroparentales. La mesure de l'identité sexuelle des
enfants s'appuie sur la dimension de rôle sexuel, par le biais des
aspirations de carrière des enfants classifiées comme typiquement
féminines, neutres, ou masculines. Tant chez les familles lesboparen-
tales qu'hétéroparentales, les auteurs observent qu'une division des
tâches parentales plus équitable est associée à une plus grande
variabilité des aspirations de carrière des filles et des garçons. Mais
comme dans les études antérieures, on observe aussi un partage
plus équitable chez les couples de lesbiennes comparés aux hétérosexuels. L'exposition de l'enfant à l'adoption de rôles non spécialisés
selon le sexe et la flexibilité de rôles de la part des deux parents, quel
que soit leur sexe, pourrait en partie contribuer à la plus grande
variabilité des rôles de genre observée (en moyenne) chez les enfants
de mères lesbiennes comparés aux enfants de parents hétérosexuels.

### Adaptation de la formation professionnelle des personnes qui, dans nos institutions publiques, assurent les services à la famille

Puisque le développement d'un projet parental en dehors du couple
hétérosexuel ne va pas de soi, on ne peut passer sous silence la
nature des problèmes rencontrés par les femmes lesbiennes et les
hommes gais avec les services à la famille. Ces services constituent
une dimension capitale de l'interface société/famille homoparentale
qui a pour effet d'en soutenir la formation ou, au contraire, de créer
des obstacles hétérosexistes à sa formation. Ces rapports d'intervention ont à leur tour des conséquences sur les dynamiques conjugale
et parentale. Ils affectent le bien-être des parents et des enfants.
Depuis les changements de législation québécoise en 2002, les
cliniques de fertilité québécoises ouvrent leurs portes aux individus
homosexuels et les services d'adoption acceptent d'évaluer des
couples de même sexe pour adoption d'enfants. Des cas particuliers
de discrimination vécue par des couples de même sexe en demande
d'adoption mettent en évidence l'homophobie qui, sous des formes
diverses, est encore présente chez les intervenants québécois auprès
des familles homoparentales, en dépit des avancées législatives au
niveau des droits civils des minorités sexuelles au Canada (AML,
2006). En dehors des rapports cliniques de membres des communautés sexuelles qui portent plainte pour des expériences flagrantes
de discrimination, nous ne connaissons pas de recherche empirique

spécifique québécoise ou canadienne sur les obstacles rencontrés par les parents gais et lesbiennes dans les services publics de soutien à la formation familiale. Aux États-Unis, pays de forts contrastes en terme d'attitudes sociales en lien avec les sexualités marginales, malgré le fait qu'en 1973 l'American Psychiatric Association (APA) ait retiré l'homosexualité de sa classification des désordres mentaux, plusieurs intervenants de la santé continuent de considérer l'homosexualité comme un désordre mental (Harrison et Silenzio, 1996; Jones et Gabriel, 1999). À titre d'exemple, un sondage national auprès de 1 500 gais, lesbiennes, bisexuels et transsexuels montre qu'un quart des répondants ayant sollicité des soins en santé mentale rapportent avoir reçu des soins inappropriés ou de piètre qualité à cause de leur orientation sexuelle (Nystrom, 1997). De même, une étude auprès de 2 544 psychologues âgés de 26 à 86 ans (dont 69% étaient des femmes et 85% s'identifiaient comme hétérosexuels) rapporte que 58% des répondants avaient eu connaissance de cas où des praticiens définissaient les gais et lesbiennes comme malades, stipulaient que les gais et lesbiennes devaient suivre une thérapie de conversion, et de cas où l'orientation sexuelle du client se substituait au motif de consultation (Garnets et al., 1991). Dans le même sens, une étude auprès de 187 travailleurs sociaux hétérosexuels montre que 10% des répondants (plus particulièrement des hommes) endossaient des propos homophobes (plus particulièrement à l'endroit des hommes gais) et que la majorité d'entre eux endossait des propos hétérosexistes (Berkman et Zinberg, 1997). Les mêmes réticences des intervenants sont observées auprès de leurs propres collègues gais ou lesbiennes (Martin, 1995; Ramos et al,. 1998; Yom, 1999)

Selon les différentes études consultées, nous constatons que les travailleurs sociaux (Murphy, 1992; Faria, 1997), les médecins (Bhugra, 1990), les infirmières, les psychiatres (Jones et Gabriel, 1999), les psychologues (Murphy, 1992), les dentistes (Charbonneau et al., 1999) reçoivent peu ou pas de formation sur la sexualité humaine et encore moins sur l'homosexualité et ses liens avec les questions familiales. Bien que le Canada et le Québec fassent figure de proue au regard des droits civils des minorités sexuelles, il est raisonnable de penser que des attitudes hétérosexistes persistent chez certains intervenants du Québec dont la très grande majorité n'a jamais eu de formation relative aux réalités psycho-sociales en lien avec l'homo-sexualité (Ryan, 2003). Une étude québécoise (Moore et al., 1994) rapporte que si les attitudes d'intervenants face à l'homosexualité sont plutôt positives, ces mêmes intervenants ont un faible niveau de connaissances sur la question, se sentent modérément compétents lorsqu'il s'agit d'intervenir, et affirment que les services actuels répondent peu aux besoins de ces clientèles. Or, les études auprès de professionnels de la santé ayant reçu une formation adaptée montrent que ces intervenants endossent moins de stéréotypes négatifs irrationnels à l'endroit des minorités sexuelles et leurs attitudes sont davantage positives envers cette population (Harris et al., 1995).

## Conclusion

Cet article a fait état des recherches empiriques sur la famille homoparentale, de leurs limites et des questions qu'elles soulèvent. Nous avons aussi examiné des facteurs de résilience et de risque uniques aux familles homoparentales. Même si pour certaines personnes les conclusions semblent contre-intuitives, les résultats de ces recherches sont non équivoques.

Premièrement, il n'y a présentement aucune évidence empirique que l'homosexualité des parents amène les enfants à développer des problèmes de l'identité sexuelle, des problèmes de développement psycho-social et des problèmes d'adaptation dans leur milieu social. De plus, ils ne sont pas plus à risque d'abus sexuel et d'abus psychologique que les autres enfants. Endosser tout stéréotype à l'encontre de ces évidences empiriques relève de la croyance irra-tionnelle ou de l'hypothèse non fondée.

Deuxièmement, les études de population montrent que si la plus grande partie des personnes de minorités sexuelles ne diffèrent pas des populations hétérosexuelles sur un vaste ensemble de facteurs de risque et d'indicateurs de santé, on observe des prévalences plus élevées de facteurs de risque chez les minorités sexuelles, y compris chez les mères homosexuelles/bisexuelles québécoises. Le contraste entre ces résultats et ceux des études auprès des communautés sexuelles montre que dans l'ensemble des minorités sexuelles, si certains individus sont résilients, d'autres sont plus vulnérables. Ces résultats soulèvent un vaste ensemble de questions sur lesquelles il faudrait se pencher. Mais ils suggèrent aussi que

le *coming out* des parents est une voie de résilience facilitant l'intégration à des communautés d'appartenance, qui sont sources de
soutien social et de résistance à l'adversité. Le *coming out* des
parents est source de rapprochement entre les parents et les enfants
et ouvre des espaces de dialogue où le parent et l'enfant peuvent
ouvertement discuter de la diversité des formes familiales dans notre
société et des raisons pour lesquelles des personnes, adultes ou
enfants, ont des difficultés à vivre en harmonie avec cette diversité.
Enfin, nous avons terminé en ouvrant la question de l'adaptation de
la formation professionnelle des personnes qui, dans nos institutions publiques, assurent les services à la famille. Nous avançons
qu'une société qui a démocratiquement choisi l'égalité civile de ses
ressortissants en développe les pleines conséquences dans les
antichambres cliniques des rapports entre ses institutions et ses
ressortissants. Les couples de même sexe questionnent les fondements de la famille d'hier. Nous croyons que si de très nombreux
intervenants familiaux avancent en phase avec ces changements
sociaux, les réponses irrationnelles de certains d'entre eux ne sont
pas étrangères au risque de rendre plus vulnérables, de manière
unique, certaines familles homoparentales.

## ABSTRACT

*Until recently, child development and parenting in the context of gay
or lesbian-headed families have received very little research attention except in anglosaxon countries. The authors review existing
research and discuss findings, their limitations and the many questions still unanswered. They address heterosexism and sexism and
their consequences on same sex couples and families, they consider
protective factors unique to these families and the risk factors that
could exacerbate vulnerabilities in this population. In their conclusion, they plead for a revision of professional training for physical
and mental health professionals to better answer the needs of
children and adults in these families.*

# Références

**Allen K, Demo DH.** The families of lesbians and gay men : a new frontier in family research. *Journal of Marriage and the Family* 1995; 57 : 11-127.

**AML.** *Rapport de la conférence de Michel Carignan, chef du Service adoption, Centre jeunesse de Montréal, section francophone, Programme de la Banque mixte,* Montréal, 27 septembre 2006.

**Berkman CS, Zinberg G.** Homophobia and heterosexism in social workers. *Social Work* 1997 ; 42 : 319-332.

**Bhugra D.** Doctors' attitudes to male homosexuality. *Sexual and Marital Therapy* 1990; 5 : 167-174.

**Boily F.** (2004). *Les rôles père, mère ou la répartition des temps quotidiens.* Page consultée le 30 mars 2005, http://www.cofaq.qc.ca/documents/role_pere_mere_-icdec2004.pdf

**Bozett FW.** Gay fathers : Evolution of the gay-father identity. *Am J Orthopsychiat* 1981; 51 : 552-559.

**Brewaeys A, Devroey P, Helmerhorst FM, Van Hall EV, Ponjaert I.** Lesbian mothers who conceived after DI : A follow up study. *Human Reproduction* 1995; 10 : 2731-2735.

**Brewaeys A, Ponjaert I, Van Hall EV, Golombok S.** Donor insemination : Child development and family functioning in lesbian mother families. *Human Reproduction* 1997; 12 : 1349-1359.

**Cabrera NJ, Tamis-LeMonda CS, Bradley RH, Hofferth S, Lamb ME.** Fatherhood in the twenty-first century. *Child Dev* 2000; 71, 127- 136.

**Chamberland D, Jouvin E, Julien D.** Familles recomposées homoparentales et hétéroparentales. *Nouvelles pratiques sociales* 2003; 16 : 94-112.

**Chan RW, Brooks RC, Raboy B, Patterson CJ.** Division of labor among lesbian and heterosexual parents association with children's adjustment. *Journal of Family Psychology* 1998; 12(3) ; 402-419.

**Cowan CP, Cowan PA.** *When partners become parents : The big life change for couples.* Mahwah, NJ: Erlbaum, 2000.

**Crosbie-Burnett M, Helmbrecht L.** A descriptive empirical study of gay male stepfamilies. *Family Relations* 1993 ; 42 : 256-262.

**Daveluy C, Pica N, Audet R, Courtemanche F, Lapointe F.** *Enquête sociale et de santé 1998.* Québec: Institut de la Statistique du Québec, 2000.

**Dubé M, Julien D.** Les enfants de parents homosexuels: État des recherches et prospectives. In : **Simard M, Alary J.** (eds) *Comprendre la famille.* Montréal : Presses de l'Université du Québec, 2000 : 1631-180.

**Dunne EJ.** Helping gay fathers come out to their children. *Journal of Homosexuality* 1987; 14 : 213-222.

**Eribon D.** *Dictionnaire des cultures gays et lesbiennes.* Tours (France): Larousse/VUEF, 2003.

**Faria G.** The challenge of health care social work with gay men and lesbians. *Social Work in Health Care* 1997; 25(1/2) : 65-72.

**Fulcher M, Stutfin EL, Patterson CJ.***Parental sexual orientation, parental division of labor, and children's sex-typed occupational aspirations.* Paper presented at the Society for Research on Child Development, Tampa, FL., avril 2003.

**Garnets L, Hancock KA, Cochran SD, Goodchilds J, Peplau LA.** Issues in psychotherapy with lesbians and gay men. *American Psychologist* 1991; 46 : 964-972.

**Golombok S, Perry B, Burston A, Murray C, Mooney-Somers J, Stevens M, Golding J.** Children with lesbian parents: A community study. *Developmental Psychology* 2003; 33: 20-33.

**Green R, Mandel JB, Hotvedt ME, Gray J, Smith L.** Lesbian mothers and their children : A comparison with solo parent heterosexual mothers and their children. *Archives of Sexual Behavior* 1986; 7 : 167-184.

**Hand SI.** *The lesbian parenting couple.* Unpublished doctoral dissertation, The Professional School of Psychology, San Fransisco, 1991.

**Harris MB, Nightengale J, Owen N.** Health care professionals' experience, knowledge, and attitudes concerning homosexuality. *Journal of Gay & Lesbian Social Services* 1995; 23 : 91-107.

**Harrison AE, Silenzio VMB.** Comprehensive care of lesbian and gay patients and families, Primary Care. *Models of Ambulatory Care* 1996; 23 : 31-46.

**Herek GM.** Stigma, prejudice, and violence against lesbians and gay men. In : **Gonsiorek JC, Weinrich JD.** (eds) *Homosexuality: Research implications for public policy.* Thousand Oaks, CA: Sage Publ., 1991 : 60-80.

**Jones MA, Gabriel MA.** Utilization of psychotherapy by lesbians, gay men and bisexuals : Findings from a nationwide survey. *Am J Orthopsychiat* 1999; 68 : 209-219.

**Julien D.** Trois générations de recherches empiriques sur les mères lesbiennes, les pères gais et leurs enfants. In : **Lafond PC, Lefebvre B.** (eds) *L' union civile : Nouveaux modèles de conjugalité et de parentalité au 21ème siècle.* Cowansville : Les Éditions Yvon Blais, 2003; 359-384.

**Julien D, Chartrand E.** Recension des études utilisant un échantillon représentatif de population sur la santé des personnes gaies, lesbiennes et bisexuelles. *Psychologie canadienne / Canadian Psychology* 2005; 46 : 235-250.

**Julien D, Jouvin E, Jodoin E, l'Archevêsque A, Chartrand E.** (accepté pour publication) Mothers Reporting Same-Gender Sexual Partners : A Study of a Representative Sample of the Population of Quebec Province (Canada). *Archives of Sexual Behavior.*

**Julien D, Tremblay N, Leblond de Brumath A, Chartrand E.** Structures familiales homoparentales et expériences parentales chez des mères lesbiennes. In : **Lacharité C, Pronovost G.** (eds) *Comprendre la famille.* Montréal : Presses de l'Université du Québec, 2002 : 103-120.

**Laumann EO, Gagnon HH, Michael RT, Michaels S.** *The social organization of sexuality: Sexual practices in the United States.* Chicago : University of Chicago Press, 1994.

**Lavoie S, Julien D.** Le rôle de l'affirmation de l'identité homosexuelle parentale dans l'expérience des enfants ayant un père gai ou une mère lesbienne. *Revue canadienne de santé mentale communautaire / Canadian Journal of Community Mental Health* 2006 ; 25 : 51-65.

**Leblond de Brumath A, Julien D.** (sous presse) Facteurs reliés au choix de la partenaire qui portera l'enfant chez les couples de femmes lesbiennes élaborant un projet commun de maternité. *Revue canadienne des sciences du comportement / Canadian Journal of Behavioral Sciences.*

**Leblond de Brumath A, Julien D, Fortin M, Fortier C.** (sous presse) Facteurs décisionnels reliés au statut biologique et au mode de procréation chez des futures mères lesbiennes. *Enfance, famille et génération.*

**Long JK.** Working with lesbians, gays and bisexuals : addressing heterosexism in supervision. *Family Process* 1996; 35(3) : 377-388.

**Martin JI.** Gay and lesbian faculty in social work : roles and responsibilities. *Journal of Gay & Lesbian Social Services* 1995; 3 : 1-12.

**McPherson DW.** *Gay parenting couples: Parenting arrangements, arrangement satisfaction, and relationship satisfaction.* Unpublished doctoral dissertation, Pacific Graduate School of Psychology, Palo Alto, CA, 1993.

**Moore D, Otis J.** Analyse des besoins de formation d'intervenants ayant à oeuvrer en prévention du sida auprès des jeunes homosexuels ou bisexuels. *Revue Sexologique* 1994; 1 : 111-143.

**Morrison OA.** *Adult sons of gay fathers : Cross-cultural perspectives on sexual identity and sex role development.* Unpublished doctoral thesis. Faculty of the Chicago School of Professional Psychology, 2003.

**Murphy BC.** Educating mental health professionals about gay and lesbian issues. *Journal of Homosexuality* 1992; 22 : 229-246.

**Nystrom N.** *Mental health experiences of gay men and lesbians.* Paper presented at the American Association for the Advancement of Sciences, Houston, 1997.

**Ossana SM.** Relationship and couples counseling. In : **Perez RM, DeBord KA, Bieschke KJ.** (eds) *Handbook of counseling and psychotherapy with lesbian, gay, and bisexual clients.* Washington DC : American Psychological Association, 2000 : 275-302.

**Patterson CJ.** Family relationships of lesbians and gay men. *Journal of marriage and the family* 2000; 62 : 1052-1069.

**Patterson CJ.** The family lives of children born to lesbian mothers. In : **Patterson CJ, D'Augelli AR.** (eds) *Lesbian, gay and bisexual identities in families : Psychological perspectives.* New York : Oxford University Press, 1998 : 154-176.

**Patterson C, Friel LV.** *Sexual orientation and fertility. Infertility in the modern world : Biosocial perspectives.* Cambridge : Cambridge University Press, 2000 : 238-260.

**Patterson CJ, Sutfin EL, Fulcher M.** Division of labor among lesbian and heterosexual parenting couples: Correlates of specialized versus shared patterns. *Journal of Adult Development* 2004; 11 : 179-189.

**Perrin EC.** Children whose parents are lesbian or gay. *Contemporary Pediatrics* 1998; 15 : 113-130.

**Peterkin A, Risdon C.** *Caring for lesbian and gay people: A clinical guide.* Toronto : University of Toronto Press, 2003.

**Ryan B.** *Nouveau regard sur l' homophobie et l' hétérosexisme au Canada.* Document inédit. Montréal: Université McGill, 2003.

**Ryan SD, Cash S.** Des parents gays ou lesbiens à la tête des familles adoptives : menace... ou ressource cachée? In : **Cadoret A, Gross M, Mécary C, Perreau B.** (eds) *Homoparentalités.* Paris : PUF, 2006.

**Ramos MM, Téllez CM, Palley TB, Umland BE, Skipper BJ.** Attitudes of physicians practicing in New Mexico toward gay men and lesbians in the profession. *Academic Medicine* 1998; 73 ; 436-438.

**Sbordone AJ.** *Gay men choosing fatherhood.* Unpublished doctoral dissertation. Department of psychology, City University of New York, 1993.

**Schachter S.** Fathering experiences of the 'new' gay fathers : A qualitative research study. Division 44: *The Society for the Psychological Study of Lesbian, Gay and Bisexual Issues* 2002; 18. Information extraite le 1er mai 2005 à partir de http://www.apa.org/divisions/-div44/vol18nu1.htm

**Silverstein LB, Auerbach CF, Levant RF.** Contemporary fathers reconstructing masculinity: Clinical implications of gender role strain. *Professional Psychology: Research and Practice* 2002; 33 ; 361-369.

**Stacey J, Biblarz TJ.** (How) does the sexual orientation of parents matter? *American Sociological Review* 2001; 66 : 159-163.

**Tasker F, Golombok S.** *Growing up in a lesbian family. Effects on child development.* New York : Guilford Press, 1997.

**Yom SS.** Gay men and lesbians in medicine: Has discrimination left the room? *JAMA* 1999; 13 : 1286.

# Paroles et Parcours
## de pratiques

# Gestation psychique et parcours d'adoptant

**Martin St-André**

*Nous n' appartenons à personne sinon au point d' or de cette lampe inconnue de nous, inaccessible à nous, qui tient éveillés le courage et le silence.*

René Char  *Fureur et mystère*

L'auteur est psychiatre à la clinique 0-5 ans et coordonnateur des activités académiques au programme de psychiatrie du CHU Ste-Justine. Il est professeur adjoint de clinique à l'Université de Montréal.

Adresse :

3100, rue Ellendale
Montréal (Québec) H3S 1W3

Courriel :

martin.st-andre@umontreal.ca

L'infertilité fait affront au désir normal de dépasser sa propre mortalité. Cette condition renvoie brutalement aux pertes anciennes que la parentalité permettrait de réparer. La question de la réparation se pose ainsi avec une acuité particulière au parent adoptant pour qui la 'voie royale' vers la parentalité biologique a été bloquée. Un parent adoptant devra surmonter des épreuves pour 'se mériter' sa parentalité. Ces épreuves pourraient être rapprochées de l'accouchement, passage obligé et même initiatique vers la parentalité biologique. Pour le parent adoptant, cette transition sera extraordinairement revitalisante dans la majorité des cas. Mais cette transition risque aussi, dans certaines situations, de puiser dans des réserves émotionnelles déjà fortement entamées par les épreuves autour de l'infertilité et du deuil.

Les futurs parents adoptants se font souvent dire, à juste titre, qu'il n'est pas possible d'investir psychiquement un autre enfant sans avoir préalablement fait le deuil de l'enfant biologique perdu. Cette sage recommandation s'appuie sur des observations cliniques d'enfants appelés à colmater des deuils pathologiques ou encore un attachement désorganisé chez leurs parents (Solomon et Georges, 1999). On oublie pourtant que le deuil d'enfant constitue toujours un élan brisé, un mouvement inachevé qui ne trouvera souvent son accomplissement qu'à travers la rencontre avec un enfant bien vivant – biologique ou adopté. Pour le clinicien appelé à évaluer des postulants ou à intervenir auprès de parents adoptants, le défi sera de reconnaître qu'une résolution plus complète du deuil de l'enfant biologique passera souvent par la rencontre avec un enfant vivant et en santé.

La réactivation du deuil chez le parent adoptant risquera plus particulièrement de survenir si l'enfant confié présente des difficultés développementales. Cette réactivation de deuil risquera alors de se manifester chez le parent de façon plus ou moins masquée. On retrouvera parmi les symptômes parentaux l'humeur dépressive, l'agitation, le recours à l'action, ou encore l'obsessionnalisation des conduites parentales. Les parents, dans ces circonstances, qui poseront le plus grand défi à accompagner seront ceux qui auront du mal à rendre compte de manière directe de leur peine ou qui se réfugieront dans une série d'actions éducatives déconnectées de leur propre affectivité.

## L'adoption comme révélateur de la parentalité

La crise développementale est le lot de toute parentalité et tout comme les 'douleurs de croissance' à l'adolescence, elle apporte des occasions importantes de transformation. L'adoption peut être envisagée comme un révélateur de cet état de crise retrouvé habituellement. Cet état se caractérise par une déstabilisation des repères identitaires anciens, par un besoin d'interdépendance accru envers l'entourage, par une sensibilité exacerbée à la vie relationnelle, de même que par une remise en question des héritages familiaux (Stern, 1997). Cette crise s'accompagne de moments d'incertitude intensément vécue où le parent en devenir se sent entre deux états – trop loin sur son chemin pour revenir en arrière mais non encore arrivé à destination. La crise se manifeste aussi par l'expérience éprouvante de sentiments ambivalents ou contradictoires envers l'enfant.

La démarche de 'requalification' pour le parent adoptant tend à entraîner une idéalisation du graal de la parentalité. Cette idéalisation ou sa forme plus achevée, l'idéalisme, est probablement de bon recours pour aider plusieurs parents à tenir le coup dans l'attente de l'adoption. Idéaliser la parentalité peut permettre de mobiliser des ressources considérables face aux démarches administratives interminables, aux évaluations de toutes sortes ainsi qu'à l'incertitude angoissante au sujet de la santé et des particularités de l'enfant adopté. Par la suite, le quotidien avec l'enfant adopté et les aspects parfois un peu âpres du métier de parent amèneront nécessairement une déflation de l'idéalisation initiale. Cette évolution pourra déboucher sur une capacité d'authenticité dans la relation parent-enfant. En plus, cette déflation pourra éventuellement faciliter la saine expression des sentiments positifs et négatifs envers l'enfant.

## Filiations, appartenances et métissage

Le terme filiation contient le mot fil, peut-être en référence au fil qui se poursuit, se rompt ou se retisse entre la génération qui nous précède et celle qui nous suit. Dans la grande majorité des cas, l'adoption implique une rupture de filiation biologique. Pour le parent adoptant, la rupture ou le métissage de ses filiations pourra être identifié à un sentiment d'arrachement, de trahison et de déloyauté envers ses origines. Parfois aussi, de manière plus silencieuse – voire culpabilisée, ce processus pourra être vécu comme une possibilité de s'affranchir de certains déterminismes de la famille d'origine : héritabilité réelle ou imaginée de certains traits de caractère, risque de transmission de problématiques médicales ou psychiatriques, possibilité 'd'inventer' sa manière propre d'être parent. Encore une fois l'adoption devient révélatrice de ce qui s'opère sur un mode plus caché dans la parentalité biologique : ce double mouvement de rapprochement et de distanciation des rapports avec la famille d'origine.

Pour le parent adoptant, c'est tout un pan de ses propres filiations et appartenances qui seront transformées par son contact avec l'enfant adopté. La présence symbolique des filiations biologiques de l'enfant adopté devra trouver sa juste place dans l'imaginaire familial. Le parent adoptant devra trouver un lieu intérieur pour 'accrocher' des éléments de l'héritage de son enfant, qu'il s'agisse de culture d'origine, de culture régionale ou encore de tout élément symbolique ou réel en lien avec l'héritage de son enfant. L'enfant adopté se trouvera ainsi protégé d'être écartelé dans des conflits de loyauté potentiellement nuisibles pour son développement. Il se trouvera aussi protégé des fantasmes angoissants de kidnapping et d'usurpation de la part de ses parents adoptants, sentiments qui risqueraient d'interférer avec sa sécurité intérieure au sein de sa famille adoptive.

Ces brusques prises de conscience des appartenances multiples d'un enfant entraîneront autant pour le parent que pour l'enfant de longs moments de joie, de fierté et d'émerveillement. Ces expressions affectives seront aussi associées à des sentiments de gratitude pour la famille biologique de l'enfant. Elles ne pourront toutefois empêcher des périodes d'interrogation et d'étrangeté dans le lien. La famille devra doucement apprendre à apprivoiser ces états d'étrangeté et se donner le temps que se construise progressivement le lien d'attachement avec l'enfant adopté. Soulignons à nouveau que ces phénomènes observés régulièrement dans l'adoption sont aussi présents à différents degrés dans toute relation intime. On retrouvera même davantage ces phénomènes dans la relation avec un très jeune enfant vers lequel converge tout un ensemble de représentations parfois contradictoires.

Du côté des grands-parents, l'expérience de transition à la parentalité offrira l'occasion aux membres du réseau élargi (grands-parents, tantes, amis) d'investir de nouveaux rôles. Ces rôles seront souvent acceptés avec joie et gratification mais parfois aussi avec résignation, refus, colère ou incompréhension. Pour l'enfant adopté, le réseau familial dans son ensemble pourra jouer un rôle intégrateur de son appartenance duelle à ses filiations biologiques tout autant que substitutives. À l'inverse, des difficultés d'acceptation par le réseau élargi pourront devenir une entrave additionnelle à l'intégration harmonieuse, pour l'enfant adopté, de son identité. Une fois encore, cette dimension de la parentalité biologique se trouvera révélée avec l'adoption.

L'accompagnement qu'un parent adoptant offrira à son enfant autour des questions identitaires sera très intimement lié à sa propre capacité de se questionner au sujet de sa démarche en tant que parent adoptant. C'est en réfléchissant, au fil des années, à sa propre identité qu'un parent adoptant peut cultiver son empathie pour les questions douloureuses qui vont inévitablement surgir chez son enfant en lien avec son adoption. Ces questions pourront être en lien avec la perte, les appartenances multiples, la différence, ou même la question de la 'normalité'. Les sources d'inspiration pour l'enfant adopté au sein de sa famille reposeront sur la capacité du parent adoptant d'intégrer la réalité du deuil de l'enfant biologique sans trop de nostalgie, de contenir les appartenances multiples de sa famille avec cohérence et aussi de vivre avec la différence sans la célébrer triomphalement ni non plus en avoir honte.

## Dépression post-natale et dépression parentale post-adoption

On sait que la dépression anténatale survient chez environ 10 % des femmes enceintes et que jusqu'à 21 % d'entre elles connaîtront à un moment ou l'autre de leur grossesse des niveaux cliniques d'anxiété (Heron et al., 2004). En post-natal, les taux de dépression grimpent jusqu'à 10-15 % chez les mères (Cohen et Nonacs, 2005). Des travaux récents ont aussi parlé de taux de dépression post-natale chez les pères allant jusqu'à 3.6 % (Ramchandani et al., 2005). On sait que la dimension biologique est étroitement reliée à la dépression - une histoire personnelle ou familiale de dépression augmente significativement le risque de dépression post-natale. Du point de vue psychosocial, on sait aussi que cette condition est associée à des niveaux élevés de stress dans l'environnement : absence relative du réseau de soutien, tensions conjugales, adversité socio-économique, vécu migratoire, difficultés tempéramentales ou médicales chez le nourrisson. À ces facteurs de risque s'ajouteront aussi les questions du réaménagement identitaire en lien avec la parentalité et les conflits avec la famille d'origine.

Chez les mères adoptantes, la dépression post-adoption, nettement moins étudiée dans la littérature, se retrouve souvent comme facteur significatif de morbidité (McCarthy, 1999). Le repérage de cette condition est souvent compliqué par la honte de la mère adoptante de se montrer vulnérable dans une situation de 'rêve enfin réalisé'. La mère adoptante accueille après tout un enfant sans même avoir eu à le 'mettre au monde' et son enfant n'est parfois 'même plus un bébé'... Parfois, la dépression tend à être minimisée et même ignorée par l'entourage qui souhaite voir dans la réalisation de l'adoption un happy ending. Par surcroît, la détresse est difficile à dévoiler aux intervenants devant lesquels il a fallu 'auditionner' et démontrer sa 'solidité' avant de devenir parent.

Les sentiments de détresse et de culpabilité sont souvent grands devant l'absence du coup de foudre qui avait été anticipé envers l'enfant adopté. Autant pour les enfants adoptés à la naissance que pour ceux ayant des expériences de vie antérieure, la construction progressive d'un lien d'attachement avec l'enfant devra se substituer au mythe, parfois entretenu par les intervenants, du *bonding* instantané. Des sentiments d'ambivalence face à l'enfant sont parfois difficiles à reconnaître et à tolérer par le couple parental, et ce encore davantage si l'enfant présente des retards significatifs ou des déficits particuliers. Les tensions parentales, qui sont classiques durant la première année après l'arrivée d'un nouvel enfant, sont vécues avec perplexité, culpabilité et anxiété. Le parent identifié comme à l'origine de l'infertilité du couple pourra aussi développer à nouveau des sentiments d'autodépréciation. À tout cela, viendra s'ajouter le stress posé par décalage entre la durée de la parentalité avec l'enfant et l'âge chronologique réel de ce dernier.

Le dépistage de la dépression post-adoption devrait être fait systématiquement. En plus d'être une source de vulnérabilité importante pour les mères, on sait que la dépression maternelle a été associée à des perturbations de la relation mère-enfant et à une augmentation des problèmes de santé mentale chez l'enfant (Goodman, 2003). En pré-adoption, les parents devraient être informés de ce risque et des moyens pour le prévenir : psychoéducation au sujet de l'apparition des symptômes dépressifs, déculpabilisation quant à la survenance de cette condition fréquente, information au sujet de la présence attendue de tensions conjugales durant la première année de la parentalité, identification d'un réseau de soutien, anticipation du stress de la rencontre avec l'enfant adopté, mise en place d'un 'plan de ressourcement' pour la famille. En post-adoption, le dépistage devrait être fait avec la même vigueur que celui de la dépression post-natale par les pédiatres, les intervenants sociaux et les équipes de première ligne en santé mentale oeuvrant auprès de cette clientèle. Une référence médicale ou psychiatrique pourrait être envisagée pour évaluer certaines mères (ou certains pères) qui présentent des symptômes dépressifs modérés à sévères.

On gardera aussi en tête que parmi les facteurs les plus 'déprimants' pour les parents adoptants, on retrouve présentement le manque de ressources intégrées en post-adoption pour les enfants qui présentent différents problèmes du développement ou de santé mentale. Il incombera donc au clinicien de faire un effort tout particulier pour repérer les facteurs de vulnérabilité constitutionnelle ou acquise chez l'enfant adopté. Ce repérage pourrait mener à des références de l'enfant vers des ressources qui lui permettront d'optimiser son développement.

## De certaines dérives du lien parent-enfant

La sensibilité exacerbée durant les premiers mois de la relation avec un enfant adopté exigera du parent qu'il trouve un équilibre entre l'hypervigilance et le laisser-faire. De même, la préoccupation autour de la capacité de nourrir la vie sera une question particulièrement névralgique dans les situations d'adoption. Le besoin d'être validé par son enfant fait partie de toute expérience de parentalité. On retrouvera toutefois dans les situations d'adoption une sensibilité particulière à être reconnu comme 'bon parent', parfois même sur le mode d'une confirmation constamment réclamée à l'enfant. À cette situation déjà à risque viendront s'ajouter les propres difficultés de l'enfant adopté à investir le parent adoptant comme le sien – parcours relationnel et traumatique antérieurs dans le cas d'enfants avec des parcours de vie complexes avant l'adoption, âge au moment de l'adoption, caractéristiques sensorielles, tempéramentales, développementales et médicales.

L'adoption est une expérience extraordinairement vivifiante pour une famille. Des revues récentes tout comme des articles de ce dossier font ressortir combien la majorité des situations d'adoption, et particulièrement l'adoption transraciale, mieux étudiée, est associée à des évolutions positives (par exemple, Hjern et al., 2002). Toutefois, des spirales d'interactions négatives et parfois néfastes pourront s'installer entre le parent et son jeune enfant adopté. Ces situations devraient faire l'objet d'un repérage et d'une intervention précoce de la part des intervenants. Par exemple, on retrouve assez fréquemment dans les premiers temps de la relation des aspects anxieux qui devront nécessiter une attention clinique particulière sans quoi un cercle vicieux risque de s'installer. Le parent présente sans le vouloir des difficultés à contenir sa propre anxiété de même que celle de son enfant. Il se sent mal assuré dans son rôle parental. Au contact de la fragilité réelle ou perçue de son enfant, il refait douloureusement l'expérience d'impressions lointaines – le plus souvent enfouies, de ne pas être 'fait' pour la parentalité. Il peut aussi se sentir incertain de la signification des comportements de son enfant et en attribuer les causes à des traumatismes imaginés ou à des protestations de l'enfant de se retrouver aux mains de parents 'qui ne sont pas vraiment les siens'.

À son insu, surtout si le conjoint partage ses perceptions, le parent peut en arriver à surcompenser ses présumées lacunes auprès de l'enfant. Par exemple, le parent peut se précipiter anxieusement vers l'enfant au moment du moindre pleur nocturne ou encore réagir avec anxiété et même agitation lorsque l'enfant paraît fragile au moment des transitions. Ceci ne fait qu'empirer la contagion anxieuse entre l'enfant et sa famille. Cette séquence risque d'exacerber une anxiété de base chez l'enfant et nuire à sa capacité de développer progressivement son autorégulation ainsi que sa sécurité intérieure dans sa famille.

Le parent peut aussi avoir du mal à établir des limites claires pour son enfant. Ceci compliquera l'établissement des routines de vie ou encore l'expression saine de la colère à l'intérieur de la famille. Toute manifestation d'inconfort de la part de l'enfant est immédiatement identifiée à sa souffrance plutôt qu'à ses protestations normales devant les aspects contraignants des règles de vie familiale. Les limites que le parent impose avec difficulté à l'enfant confrontent de plein fouet son besoin d'être validé comme bon parent. Les affects de colère et autres sentiments négatifs transitoires que le parent ressent envers l'enfant sont vécus de manière culpabilisée et ambivalente. En plus, ces affects sont ressentis comme incompatibles avec les 'critères' idéaux de tolérance et de générosité qui ont été longuement exprimés lors de l'évaluation du parent dans la démarche d'adoption. Les protestations de l'enfant devant les limites imposées peuvent même faire surgir la crainte de l'échec de l'adoption et la crainte d'être identifié par l'enfant et par l'entourage comme piètre remplaçant d'un parent idéalisé.

L'intervenant, dans sa formulation clinique, devrait être très prudent d'attribuer exclusivement les causes des problèmes présentés par un enfant adopté à des difficultés du lien ou à des difficultés d'adaptation du parent adoptant. On sait par exemple que les angoisses de séparation et les protestations qui les accompagnent sont fréquentes chez les jeunes enfants qui ont été déplacés et qu'elles témoignent paradoxalement d'une force très significative : la capacité de s'attacher. L'enfant de son côté pourra lui aussi présenter des prédispositions anxieuses ou même des tendances à réagir de façon désorganisée ou explosive aux stimuli. Des traumatismes antérieurs pourront entraîner une hypervigilance de l'enfant et des réactions de peur devant la figure parentale. De plus, l'histoire anténatale, les complications périnatales et les différents facteurs de morbidité médicale dont est porteur l'enfant pourront aussi avoir un effet sur sa régulation neurosensorielle, avec par exemple des manifestations d'hypo ou d'hypersensibilité dans différentes modalités sensorielles comme le bruit, le mouvement ou la proprioception.

Une autre polarité de problèmes d'interactions précoces entre l'enfant adopté et son parent, moins fréquente cliniquement, concerne des interactions qui prennent un caractère plus mécanique et instrumental. Le parent semble coincé dans une position qui se rapproche davantage de celle d'un intervenant éducatif que de celle d'un parent. Il manque de spontanéité avec l'enfant et sa relation semble être principalement axée sur les apprentissages cognitifs plutôt que sur le jeu. Le parent a des difficultés à laisser libre cours à son naturel avec l'enfant et manifeste de l'inhibition dans des tâches non structurées. La relation avec l'enfant est perçue principalement sous l'angle de l'enseignement et des apprentissages. Ces attitudes peuvent être malencontreusement renforcées par des conseils bien intentionnés d'intervenants soucieux que l'enfant 'rattrape ses retards au plus vite', tout comme par un certain climat sociétal actuel qui survalorise le développement cognitif précoce des jeunes enfants.

On retrouvera dans ces difficultés relationnelles des manifestations chez l'enfant d'une certaine rigidité cognitive de même que des expressions affectives assez opératoires et dévitalisées. La rigidité ou la relative pauvreté symbolique de l'enfant ne devrait pas exclusivement être comprise comme conséquente à l'interaction avec le parent; le clinicien devra particulièrement éliminer chez l'enfant la possibilité d'un trouble médical, développemental ou psychiatrique comme une dépression. On tentera alors d'aider les parents à trouver une juste place pour l'enseignement cognitif dans la relation avec leur enfant. Par exemple, on pourrait interpeller des professionnels spécialisés pour qu'ils offrent un avis tant sur le développement cognitif et langagier de l'enfant et aussi qu'ils aident le parent à élargir son répertoire de jeux symboliques. La dimension ludique de l'interaction parent-enfant pourra être réintroduite progressivement, en insistant sur le caractère non nécessairement éducatif du jeu. Il faudra aussi demeurer attentif aux sentiments et affects qui risquent de remonter à la surface chez l'un ou l'autre des partenaires au moment d'interactions moins rigidement structurées.

Avant de diriger ces familles vers des ressources complémentaires d'évaluation et de soin, l'intervenant gagnera à discuter ouvertement avec les parents des questions entourant leur perception des difficultés de l'enfant, leur sentiment de légitimité dans leur rôle parental ainsi que leurs craintes de ne pas être bons parents. Un travail spécifique auprès de l'enfant pourrait parfois être nécessaire et inclure une recommandation de psychothérapie qui visera à faciliter le décodage des signaux de l'enfant tout en facilitant la construction d'une base de sécurité pour l'enfant. À cette composante pourront aussi parfois s'ajouter la mise en place d'une diète sensorielle, un programme d'intervention sur le langage, une guidance dans l'organisation des routines de vie, un traitement psychopharmacologique d'appoint, des services médicaux complémentaires, de même que des services individuels en santé mentale pour les parents.

## En guise de conclusion

La tentation est grande, devant la complexité du travail clinique et la multiplicité des pistes étiologiques, de faire porter le poids du devenir d'un enfant ou d'une famille sur un nombre restreint d'événements. Les formulations cliniques en adoption n'échappent souvent malheureusement pas à ce réflexe. On peut toutefois se rappeler, tel que cela a été décrit si élégamment par le modèle transactionnel, que les influences entre le parent et l'enfant sont réciproques et se déploieront au fil du temps (Sameroff et Chandler, 1975). De façon très concrète et pratique, ceci veut dire que les caractéristiques initiales du parent adoptant, même si elles sont évaluées le mieux du monde par les équipes qui portent cette lourde responsabilité, ne se manifesteront véritablement que dans le contact quotidien avec un enfant particulier. De même, et sans nier le rôle extrêmement important des déterminismes génétiques et des empreintes neurobiologiques en lien avec les expériences périnatales et pré-adoption, on pourra aussi dire que le devenir d'un enfant sera puissamment modifié par la capacité d'adaptation du parent à ses caractéristiques. D'où l'importance du suivi proposé aux familles adoptantes et la valeur de tous les efforts actuellement mis en place pour favoriser des services post-adoption dans les Centres jeunesse, les services pédiatriques, certains CSSS et certaines équipes pédopsychiatriques.

La clinique en périnatalité et en adoption nous enseigne que si la situation d'adoption ne peut en aucun cas se réduire à une variante de la filiation biologique, elle sert cependant de révélateur aux enjeux de toute transition vers la parentalité. La sensibilité et l'efficacité de l'intervention clinique en adoption passeront donc par la reconnaissance du caractère paradoxalement 'universel' et 'particulier' de cette forme de parentalité. Et par-delà les considérations cliniques, la réflexion au sujet de l'adoption éclairera l'importance d'offrir à chaque enfant la possibilité d'interroger ses filiations, tout comme celle de l'aider à rencontrer courageusement, un jour, sa part d'inaccessible et d'inconnu.

## ABSTRACT

*This clinical paper reviews key developmental transformations during the transition to adoptive parenthood. Parallels and contrasts are drawn between adoptive and biological parenthood, with a particular emphasis on identity transformations and on filiations with the parent's family of origin. Clinical manifestations and risk factors involved in post adoption depression are described. Early adoption-related parent-child relationship difficulties are discussed with an emphasis on both parental and child risk factors as well as on transactional processes involved over time. The author suggests that clinicians should address the needs of adoptive families not only from the standpoint of specific adoption-related issues but also from the perspective of developmental processes that are part of any transition to parenthood.*

# Références

**Char R.** *Fureur et mystère.* Paris : Gallimard, 1966.

**Cohen LS, Nonacs RM.** (eds) *Mood and anxiety disorders during pregnancy and postpartum.* Washington, DC : American Psychiatric Publl., 2005.

**Goodman SH.** Genesis and epigenesist of psychopathology in children with depressed mothers : toward an integrative biopsychosocial perspective. In : **Cicchetti D, Walker E.** (eds) *Neurodevelopmental mechanisms in psychopathology.* Cambridge : Cambridge University Press, 2003 : 428-460.

**Heron J, O'Connor TG, Evans J, Golding J, Glover V.** The course of anxiety and depression through pregnancy and the postpartum in a community sample. *J Affect Dis* 2004; 80(1) : 65-73.

**Hjern A, Lindblad F, Vinnerljung B.** Suicide, psychiatric illness, and social maladjustment in intercountry adoptees in Sweden : A cohort study. *The Lancet* 2002; 360 : 443-448.

**McCarthy H.** (1999) *Post adoption depression, the unacknowledged hazard.* www.postadoptioninfo.org. consulté le 15 octobre 2006

**Ramchandani P, Stein A, Evans J, O'Connor TG, and the ALSPAC study team.** Paternal depression in the postnatal period and child development : a prospective population study. *The Lancet* 2005; 365 : 2201-2205.

**Sameroff AJ, Chandler MJ.** Reproductive risk and the continuum of caretaking casualty. In : **Horowitz FD, Hetherington M, Scarr-Salapatek S, Siegel G.** (eds) *Review of child development research.* Chicago : Chicago University Press, 1975; 4 : 187-244.

**Solomon J, George CC.** (eds) *Attachment disorganization.* New York : Guilford Press, 1999.

**Stern D.** *La constellation maternelle.* Paris : Calmann-Lévy, 1997.

no 46

# Construction de l'identité et filiation adoptive
## Quand le fil ne noue plus les fils

Pierre Lévy-Soussan

Pédopsychiatre et psychanalyste, l'auteur est médecin directeur, enseignant rattaché à la Faculté Paris VII.
Il vient de faire paraître *Éloge du secret* chez Hachette littérature.

**Adresse :**

16, Square de Port-Royal, 75013 Paris - France

**Courriel :**

*levysoussan@free.fr*

## L'axe psychique en tension

La filiation est une fiction qui opère au sein de chaque famille, secrètement, à l'insu de tous. Le plus souvent avec succès : chaque enfant est persuadé d'être l'enfant de ses parents; chaque parent ressent leur enfant comme son fils ou sa fille. Pourtant cela ne va pas de soi. C'est le fruit d'un long travail psychique se déroulant chez tous les membres de la famille.

La fiction familiale nécessite que l'illusion soit parfaite pour que tout le monde puisse y croire. Le moindre raté dans cette illusion et le caractère fictif de la construction apparaît au grand jour : la transformation de deux personnes adultes en « parent » est loin d'être facile. L'absence de construction de l'espace d'illusion familiale peut être la conséquence d'un travail filiatif jamais abouti ou qui n'a pu être mené à bien. Le travail de filiation aboutit alors à une véritable impasse filiative, où le sujet ne donne absolument aucun crédit à la notion de père, mère, frère ou sœur. La filiation ne le renvoie à aucun sentiment d'avoir une famille, partant d'être dans une famille. Il est possible alors de se sentir étranger dans sa propre famille, « étranger en terre étrangère ».

En cas d'échec, tout se passe comme si l'enfant n'était pas dupe de la fiction filiative. « Je sais bien, vous n'êtes pas mes parents ». Cela peut bien sûr survenir dans toutes les familles, quel que soit le mode d'accès à la filiation : mariage, hors mariage, par adoption ou par aide médicale à la procréation avec donneur anonyme. La filiation relève d'un sentiment subjectif d'appartenance à une famille. Elle n'est jamais acquise par le simple fait d'être née dans une famille car elle nécessite un travail psychique pour se construire. Travail susceptible de transformer des êtres en parent et fils ou fille.

La transformation d'un être de chair en enfant de ses parents nécessite un montage exceptionnel où la loi, la société, la culture, la biologie, l'inconscient sont convoqués pour faire advenir un sujet au sein

(248)

d'une famille, d'une société. Dans l'adoption, la création d'une filiation là où aucun lien n'existait auparavant est l'une des plus grandes originalités de la loi (Legendre, 1999). La création d'une filiation, fiction juridique pour Legendre, va permettre de nommer des parents, d'instituer des parents bien en l'absence de la « réalité » biologique. Gardons à l'esprit la valeur créatrice de cette fiction voulue par l'art du juriste. Le juriste a voulu faire apparaître des conséquences légales entre des personnes, une vérité, là précisément où il n'existait rien. « L'art imite la nature » est une maxime aristoté-licienne connue pour avoir inspiré le droit romano-canonique. Grâce à cette fiction, illusion légale, pourrait-on dire, la loi pourra opérer efficacement.

Mais toutes les illusions reposent sur un secret (Lévy-Soussan, 2006). Le secret dans la filiation adoptive serait celui-ci : « La fiction doit imiter la nature », et pour cette raison, « la fiction ne peut jouer que là où la vérité peut le faire », comme le rappelle Kantorowicz (1984). Ce secret que l'on devine aisément est bien le montage œdi-pien de toutes les filiations : cette illusion permet la transformation d'un être de chair en fils ou fille de l'un et l'autre sexe.

Ainsi la vérité de cette fiction fonctionnera pour autant que cette filiation soit crédible. Mais toutes les illusions, toutes les fictions ne sont pas possibles. Certaines familles sont embarrassées par cette fiction. L'effet est redoutable chez les enfants qui ne se sentent pas « familiariser » dans leur famille. Ils se tournent alors vers d'autres horizons, d'autres origines comme la quête des parents de nais-sance. L'origine biologique est chargée alors de fournir à l'adulte les repères filiatifs qui lui ont manqué.

Dans notre société où la biologie est fortement idéalisée dans le registre filiatif, où la « vérité biologique » est souvent mise en avant pour définir la parenté, il n'est pas facile de nos jours d'être parents adoptants (Lévy-Soussan, 2005). Dans la situation adoptive, l'axe biologique de la filiation n'est pas présent. L'enfant n'est pas « la chair de la chair ». Certains parents peuvent se sentir fragilisés par cette absence de liens biologiques avec leur enfant. Cette absence de liens biologiques inclut aussi l'absence de grossesse. Or nous savons à quel point le vécu psychique propre à la préparation à l'ar-rivée de l'enfant s'appuie sur le bouleversement corporel propre à la maternité. La construction du bébé imaginaire chez le futur père et la future mère s'étaye sur le déroulement de la grossesse, les examens subis et les premiers mouvements perçus. Le bébé arrive au monde précédé de multiples représentations imaginaires de ce qu'il a été et de ce qu'il doit être. Autant de représentations susceptibles d'aider les parents pour le travail de « familiarisation » qui permettra d'apprivoiser ce bébé venu d'un autre monde. « Je viens d'Utérus, planète des confins de la galaxie, mes intentions sont pacifiques, vous n'avez rien à craindre », pourrait-il nous dire, tant la peur inconsciente devant l'inconnu est toujours présente. Le jeu des ressemblances à la naissance n'a pas d'autre but que cela : rendre familier l'étrange étranger. Tout le monde doit trouver une ressemblance avec cet E.T. pour en avoir moins peur. Moins peur de l'étrange étranger. La capacité à dépasser cette peur du bébé aide la mère à s'identifier de plus en plus facilement à cet être, à comprendre le sens de ses cris, de son agitation, de ses angoisses, de ses larmes.

Identification à l'enfant, compréhension de ces besoins, mise en route des soins adaptés, telles sont les grandes étapes de la parentalisation précoce, du devenir parent. Étapes où les parents sont de plus en plus heureux de fournir les soins adaptés à leur enfant, où l'enfant découvre un monde finalement relativement bon pour lui sur lequel il pourra compter plus tard. Sentiment de « confiance dans le monde » si bien décrit par Winnicott. Sentiment partagé où chacun se sent à sa place, chacun se trouve relié aux autres par un fil solide, même s'il est invisible à l'œil nu. Tel se construit jour après jour le sentiment filiatif. Fort de ce sentiment, les difficultés propres à la croissance psychique de l'enfant seront traversées par tout un chacun sans que le fil ne se rompe. L'enfant aura beau se montrer par moment agressif, provocateur, insupportable, insolent, voire détestable, les parents réagiront par rapport à un enfant en processus de croissance recherchant des limites parentales. Quand bien même il agit de ces façons, il n'en demeure pas moins leur enfant. Le fil est solide, l'enfant peut toujours éprouver sa solidité à sa façon, fût-elle agressive ou violente.

Certaines mères adoptives vivront l'arrivée de l'enfant avec le même type de préoccupation maternelle qu'une jeune mère à l'égard de son nourrisson. D'autres auront plus de difficultés à fournir le travail psychique nécessaire pour interpréter, deviner, calmer, rassurer l'enfant, lui fournir un cadre précoce suffisamment sûr et continu pour que l'enfant puisse se reposer sur ce cadre, vital pour lui. Trop étrange, trop étranger, identification difficile voire impossible. À partir de là, tout le travail de parentalisation peut être entravé. Ineffi-cace à calmer l'enfant, à le comprendre, à interpréter ses gestes, ses paroles, les parents se voient comme incapables, mauvais parents. De là l'enfant risque d'être vécu comme « celui par qui les malheurs arrivent », dans ce cas l'absence de parentalisation, donc de filiation. Un enfant adopté qui n'est plus le prolongement narcissique de ses parents risque d'être vécu comme une menace pour la famille. Dans ce type de situation, les parents vivent comme une remise en cause personnelle les attaques de l'enfant alors même que ses provoca-tions étaient la partie visible du processus de croissance propre à l'enfant ou l'adolescent. Si le processus de parentalisation n'est pas relancé, si les raisons de ses errements ne sont pas éclaircies, l'enfant est peu à peu rejeté par la famille jusqu'à des tableaux de cliniques particulièrement bruyants au moment de l'adolescence.

Ainsi nous observons souvent à quel point l'absence de l'axe biologique sollicite fortement les deux autres axes de la filiation restant, l'axe juridique et surtout l'axe psychique. Nous rappelons que nous définissons l'axe biologique selon les travaux de Guyotat (1980). L'axe biologique de la filiation est celui de la procréation, par intervention des parties et des produits du corps, spermatozoïdes et ovocytes. C'est celui de la transmission des chromosomes, des gènes. Le bébé représente l'aboutissement d'une rencontre sexuelle procréatique, puis de la grossesse. La légitimité de cette filiation viendrait de la réalité de l'enfant comme résultant des produits du corps : « liens du sang ». Cette filiation favorise des représentations narcissiques du lien : capacité à procréer, inscription dans le corps, vécu de la grossesse, lien de corps à corps.

Mais l'axe biologique est parfois indépendant du désir d'enfant ou de grossesse, à ce titre il ne suffit pas à garantir une filiation psychique : le lien biologique n'est ni nécessaire ni suffisant pour être parent. Toute femme qui accouche ne se sent pas nécessairement mère. Elle peut être génitrice sans être mère. La maternité adviendra ou pas, se construira ou pas car les liens de sang sont incapables, à eux seuls, de créer une parentalité, une filiation psychique. L'axe biologique fournit l'occasion à ce sentiment de se développer. La naissance d'un enfant n'est jamais une condition suffisante pour être/naître parent, mais peut permettre de le devenir. Dans ce regis-tre là, le vécu de la grossesse peut aider la future mère à démarrer le processus psychique propre à la parentalité. Les bouleversements de son corps, la perception des mouvements du fœtus dans son corps peuvent aider la mère et le père à imaginer l'enfant à venir, à s'habituer à lui, à commencer à changer leurs habitudes en raison de sa venue.

C'est dire l'importance de la préparation psychique avant l'arrivée de l'enfant chez les couples adoptants. Préparation susceptible de permettre d'engager un processus psychique, comparable à celui précédant toutes les arrivées d'un enfant dans une famille.

Comment le fil psychique peut-il se dénouer, se fragiliser, se rompre La situation adoptive peut illustrer particulièrement bien cette notion comme dans la consultation suivante où les parents sont venus en plein désarroi, rapportant dès le début de l'entretien les propos de leur fille :

*« T' es pas mon père, t' es pas ma mère, vous n' avez rien à me dire, vous n' êtes pas mes vrais parents, eux m' attendent toujours. Même pas capable d' avoir des enfants tout seul, obligés de les voler à des pauvres. Avec de l' argent on peut tout acheter mais pas mon amour ».*

*Telles étaient les paroles que leur hurlait Fleur de Lotus, enfant de 12 ans, née au Vietnam, adoptée à 1 mois. Les parents étaient effondrés, ne comprenaient plus du tout leur enfant. Elle qui était si mignonne, si fragile jusque là : « une vraie porcelaine devenue une lionne ».*

*Les parents s' interrogeaient : « Comment en était-elle arrivée là, si agressive, insultante? » Pourtant ils avaient toujours été à sa disposition concernant son histoire. Son adoption? Ils en avaient parlé depuis le début et lui en parlaient presque tous les jours. Son abandon? Ils lui ont toujours dit que sa maman devait l' aimer, mais qu' elle était pauvre et ne pouvait pas s' occuper d' elle. Son pays d' origine? Ils le respectaient profondément, c' est pour cela qu' ils avaient voulu garder la traduction de son prénom en français.*

*D' ailleurs, n' étaient-ils pas prêts à retourner « dans son pays pour voir ses parents si elle le souhaitait »? Peut-être les choses se calmeront-elles après ce voyage, et puis « peut-être a-t-elle raison, nous ne sommes pas ses vrais parents après tout, nous l' avons seulement adoptée ».*

*Madame était effondrée, elle qui l' avait toujours gâtée depuis son arrivée, toujours là, prête à faire ses moindres caprices : « Son histoire est tellement terrible, vous rendez-vous compte à quoi a survécu ma princesse de Chine?»*

*Elle avait eu tant de mal à l'avoir, tant de démarches, tant de papiers pour en arriver là : « Avec tout ce que l'on a fait pour elle », répétait-elle inlassablement, recherchant dans mon regard une explication à une telle violence familiale.*

Cette consultation illustre bien comment dans une situation adoptive, la fiction familiale est soumise à rude épreuve. La qualité de la fiction familiale dépend de la capacité de ses membres à garder leur place (évitement de l'inceste), mais surtout d'avoir une place reconnue par tout un chacun. Dans cet exemple, l'illusion familiale disparaît par une sorte « d'excès de réalité », aboutissant au sentiment que peuvent partager parent et enfant, celui de ne pas être (ou avoir) des « vrais parents ». Les parents, comme l'enfant, sont ici piégés par l'attraction que constitue la « réalité historique » de l'adoption. Les parents sont alors sidérés par la violence des propos de leur enfant qui reprend à son compte cette « réalité historique » qu'elle déforme juste un peu : la remise en cause de la réalité du « geste d'adoption » comme insuffisant à créer des parents fait écho au sentiment des parents que l'adoption n'est pas suffisante pour être parent. L'incapacité à avoir des enfants renvoie à l'infertilité du couple et à la procédure d'adoption nécessitant de recourir à l'institution de l'adoption pour avoir des enfants. L'assimilation de l'adoption à un vol d'enfant est une réalité qui existe rarement et le plus souvent un fantasme classique dans ce type de situation qui peut ébranler tous les parents adoptants. La pauvreté du pays d'origine est souvent mise en avant par les adoptants pour justifier l'abandon. La culpabilisation par l'argent repose sur les dépenses propres engagées par l'adoption à l'étranger. Chaque reproche de l'enfant s'appuie sur une réalité objectivable, indiscutable, « c'est vrai, c'est possible » qui entraîne presque les parents à être d'accord avec leur enfant, « peut-être a-t-elle raison... ».

Le risque d'impasse filiative est majeur si les parents ne peuvent mettre en perspective ses propos et prennent « au mot » leur enfant : « Après tout, elle a raison, nous ne sommes pas ses vrais parents ». Tout se passe alors comme si les parents n'avaient pas survécu aux attaques agressives de l'enfant. Comme si l'enfant n'avait pas pu utiliser ses parents pour établir une relation avec eux suffisamment sûre. L'angoisse que ressent l'enfant lorsque ses parents renoncent réellement à leur position de parent face à lui est comme la disparition brutale du sol sous ses pieds : disparition des appuis, de la confiance dans le monde. L'enfant lutte alors contre ses sentiments de perte par une haine objectale encore plus grande et cette fois réelle, non plus fantasmatique, en raison de la non fiabilité de ses parents. Les fantasmes de destruction laissent alors la place à une réalité réellement destructrice pour les parents.

Parfois, devant une même fragilité parentale, l'enfant adoptera une attitude à l'inverse totalement passive. L'enfant peut s'enfermer dans une attitude pseudo-adaptée, avec des sentiments faux envers sa famille et le monde, vivant une « apparence » de vie, aboutissant à une pseudo-adoption. Ces enfants se sont chargés trop tôt de réparer sans cesse le/les parent(s) fragile(s), si vulnérables. En ne les remettant pas en cause, il les préserve de ses sentiments agressifs trop destructeurs. En les préservant dans la réalité, il les préserve dans sa tête. Son amour pour ses parents est uniquement bon, il n'est pas total, c'est à dire comprenant aussi des sentiments plus ambivalents, plus agressifs, plus haineux. Sa relation avec eux est uniquement réparatrice, jamais constructrice. La filiation est en péril de ne plus lier, de ne plus relier. Le fil devient cordon protecteur, réparateur.

## Conséquences cliniques

Dans cette consultation, la pauvreté est mise en avant ou l'abandon comme geste d'amour. Jamais les parents n'ont relié l'histoire de cette enfant à leur histoire. Si l'abandon n'est pas nommé, parlé, lié à l'histoire parentale, l'adoption ne peut être comprise par l'enfant. Les parents ne peuvent mettre en mot l'abandon. Jamais ils n'ont osé être parent de cet enfant qu'ils ont toujours considéré comme un bien exotique (porcelaine de chine, fleur de lotus), intouchable.

Sans doute peut-on parler de fascination pour décrire au mieux leur regard sur cette enfant. Enfant précieux, voire objet précieux? Ce regard a empêché tout travail filiatif, toute entrée de l'enfant dans la scène familiale. Comment se sentir dans une famille alors que tous les jours on parlait de son adoption?

La réalité du passé de l'enfant devient alors tabou. L'enfant est identifié à un ailleurs angoissant, inaccessible, lointain. La réalité de l'abandon (trop horrible) n'a jamais pu être assimilée, digérée par ses parents. Ce travail de « digestion » de la réalité est pourtant ce que demande tout enfant : comment son histoire est-elle en lien avec leur histoire?

À défaut de réponses, la fiction filiative ne pourra opérer car l'enfant en aura trop tôt dévoilé l'échec : « Je ne viens pas de mes parents car ils ne m'ont jamais transformé en leur enfant ». La fiction n'a pu opérer car le secret capable de transformer un enfant en fils ou fille n'a pas été utilisé. Il aurait fallu pour cela que les parents accèdent à leur propre secret, leurs propres blessures, leurs propres histoires. Une réalité difficile à parler, angoissante, ne peut apparaître à sa propre pensée. À défaut de cela, les mots ont manqué, l'histoire familiale n'a pu être dite. Les fils ne se sont pas noués entre eux, la filiation était en train de se délier... se dé-filer.

Pourtant les parents ont « toujours tout dit » à l'enfant, même plusieurs fois par jour. Des parents prêts à prendre même au mot les paroles de l'enfant. Pas de remises en cause, pas d'interrogations sur le sens caché des phrases, sur le secret des questions, sur les perspectives des demandes, des désirs. Non, les mots ne peuvent dire autre chose que ce qu'ils disent.

À cet enfant abreuvé de mots, il lui a aussi manqué l'essentiel : des paroles propres à lier symboliquement son existence à celle d'autrui. Sans symbolique, pas de place filiative, pas d'identité propre fiable.

## Le travail psychothérapique en consultation familiale

Sur le plan de la constellation familiale, Fleur de Lotus est la première d'une fratrie de deux enfants. L'autre enfant, de trois ans son cadet, n'a pas présenté à ce jour de difficultés particulières. Sur le plan des antécédents, on retrouve un eczéma du nourrisson et des troubles du sommeil à type d'insomnie. Ce trouble avait poussé les parents à laisser dormir leur enfant auprès d'eux pendant plusieurs mois, de l'âge d'un an à l'âge de deux ans. Sur le plan scolaire, elle a toujours été décrite comme une élève brillante, mais avec peu d'amies véritables.

Un travail psychothérapique effectué avec cette famille et leur enfant lors de plusieurs consultations a été nécessaire pour appréhender ensemble cette dimension si nécessaire au renouage des fils propres à la filiation. Il a fallu explorer ensemble le chemin qui les a menés vers leur enfant. Séances après séances, devant leur enfant ils ont raconté leur histoire, l'histoire de leur rencontre, de leurs projets. Ils ont dû évoquer leur effondrement après l'annonce de l'infertilité de leur couple. Ce moment douloureux au cours de la séance suscitera une curiosité surprise de leur enfant. Elle s'approchera de sa mère et lui tendra un mouchoir pour qu'elle essuie ses larmes. Monsieur pourra parler peu à peu de la difficulté qu'il a eu à accepter l'infertilité de leur couple, son ressentiment envers sa femme, pour lui, responsable de l'infertilité. Il évoquera la difficulté qu'il a eu à accepter l'adoption qui lui apparaissait au début comme un pis-aller, un échec de son rôle comme mari, donc comme père. Autant d'affects, d'émotions qu'il avait toujours gardés pour lui, sans jamais les exprimer.

Madame parlera ensuite des rapports très conflictuels avec sa mère, la grand-mère de Fleur de Lotus, femme extrêmement rigide et sévère. Pour elle sa fille était incapable d'avoir des enfants, que ce soit naturellement, par aide médicale à la procréation ou par adoption. Lors de l'arrivée de Fleur de Lotus, sa mère n'a été que reproches envers sa façon de s'occuper de sa fille. Tous les soins envers sa fille étaient analysés, critiqués, dévalorisés. L'arrivée de Fleur de Lotus était pour Madame comme une transgression de ce prédicat maternel, « tu es incapable d'avoir un enfant ». La forte culpabilité maternelle qui en découlait a eu un retentissement considérable sur sa position de mère envers son enfant.

Ainsi, on retrouve aussi bien du côté du père que de celui de la mère une blessure filiative propre à insécuriser leur position parentale. L'exploration de ces deux axes lors des consultations familiales a pu permettre peu à peu à Monsieur et Madame d'assumer leur propre filiation à l'égard de leur fille.

De son côté, Fleur de Lotus a pu se dégager de ses défenses caractérielles au prix d'une dépression survenue pendant son adolescence. Le travail auparavant avec sa famille a pu lui permettre d'accepter une psychothérapie, pour elle seule.

## Un fil que chacun doit tisser

Les avatars de cette question peuvent, comme chez tout un chacun, figer cette interrogation dynamique et structurante sur l'origine obscure de la vie dans une recherche sans fin d'une causalité originaire ignorée du sujet responsable de sa difficulté de vivre. Le biologique ne peut à lui seul créer l'illusion d'une famille. La quête est vaine sinon inutile (Marinopoulos, 2005). Les blessures de la filiation restent alors en attente d'une mise en mot, d'une mise en désir de leur origine. Car il s'agit bien de cela, là est le secret inconsciemment interrogé : « Qui m'a désiré pour que je vienne au monde? ». Question sur les origines à l'origine de toutes les questions à venir. Question que tout enfant se pose, question qui renvoie à d'autres questions plus angoissantes puisqu'il s'agit du désir à la base de sa conception. Ce secret cache un autre secret que tout enfant doit découvrir : « Aucun enfant n'a été désiré ». Aucun parent n'a jamais désiré leur enfant. Autre secret sur la conception que chaque enfant doit redécouvrir pour son propre compte!

En effet, les parents désirent un bébé, jamais cet enfant particulier avec telle caractéristique, telle personnalité. Les parents désirent un enfant, pas un sujet. Avec cette histoire de millions de spermatozoïdes qu'on lui a raconté, il découvre qu'il aurait très bien pu ne pas naître, lui. Sans parler de la rencontre fortuite entre son père et sa mère, quel incroyable hasard! Peu à peu l'enfant découvre ce terrible secret que sa naissance doit tout au hasard, très peu à la nécessité et dans le meilleur des cas, au désir, dans le pire, au besoin.

Cette vérité, l'enfant la découvre par le biais de questions innocentes comme « et si j'étais né ailleurs? ». Heureusement la famille est là pour le rassurer, le sécuriser, le désirer lui et lui seul, lui et pas un autre, tel qu'il a été, tel qu'il est, tel qu'il deviendra. Les paroles que l'enfant reçoit alors comme réponses le fondent alors pour vivre, lui donnent sa place de sujet, de fils ou de fille. Les paroles de ses parents relient alors leur désir d'un enfant à lui et lui seul. L'enfant entend alors à quel point il a eu de l'importance dans leur histoire passée et dans celle à venir. Son propre fil a été tissé bien avant sa venue, par des dizaines de brins autant de désirs, de projets porteurs d'avenir, de représentations imaginaires de sa personne. Il ressent alors sa place dans le maillage familial comme un motif unique que lui et lui seul pouvait apporter. L'enfant est alors persuadé de l'importance de sa place d'acteur de la scène familiale, dans le théâtre de la vie.

## Références

**Guyotat J, Bordarier V, Burloux G, Agossou T.** *Mort, naissance et filiation : études de psychopathologie sue le lien de filiation.* Paris : Masson, 1980.

**Kantorowicz EH.** Souveraineté de l'artiste. Notes sur quelques maximes juridiques et les théories de l'art à la renaissance. In : *Mourir pour la patrie et autres textes.* Paris : PUF, 1984.

**Legendre P.** *Essai sur l'ordre dogmatique en Occident.* Paris : Fayard, 1999.

**Lévy-Soussan P.** *Éloge du secret.* Paris : Hachette, 2006.

**Lévy-Soussan P.** Facteurs de risques filiatifs dans la situation adoptive. *Revue de Droit,* Université de Sherbrooke 2005 ; 35(2) : 408-416.

**Lévy-Soussan P.** Travail de filiation et adoption. *Rev Franç Psychan* 2002; LXVI(1) : 41-69.

**Marinopoulos S.** *Dans l'intime des mères.* Paris : Fayard, 2005.

no 46

# Répercussions d'un échec de l'adoption

## Comment intervenir précocement auprès des parents adoptifs d'enfants gardés en institution

**Miri Keren**
**Daphné G. Dollberg**
**Sam Tyano**

Les auteurs sont psychiatres associés au Geha Mental Health Center et à la Sackler Medical School de l'Université de Tel Aviv, où Dr Miri Keren est directrice de l'Unité de santé mentale des tout-petits.

**Adresse :**
POB 102 Petah-Tiqwa
49100 Israël

**Courriel:**
Ofkeren@zahav.net

La conception traditionnellement entretenue dans nos milieux sur le développement de l'enfant était fondée jusqu'à présent sur l'idée que l'environnement n'influence que les dimensions psychologiques du développement, telles que la formation de la mémoire et des habitudes de vie, cependant que la maturation du cerveau suivrait, elle, un ordre phylogénétique immuable. La découverte faite par E. Kandel en 1979, à savoir que l'apprentissage entraînait des modifications dans la puissance de synapses spécifiques et que la mémoire était associée à la persistance de ces changements, a révolutionné complètement notre approche du développement normal aussi bien qu'anormal chez l'enfant. Dans son célèbre essai, '*A new intellectual framework for psychiatry*', Kandel a montré comment la structuration du cerveau procède de l'interaction entre l'information génétiquement encodée et l'activité neuronale liée à l'expérience, alors que celle-ci entraîne une activation des gènes et, de façon contingente, la production des protéines nécessaires à la maturation du cerveau.

La notion même d'*expérience* sous-entend l'exposition de l'individu à un environnement physique aussi bien qu'humain. On reconnaît que les expériences d'interactions ont une influence directe sur les structures génétiques qui président à la croissance du cerveau (Schore, 1994, 2001), et plus important encore, que l'auto-organisation du cerveau advient dans le contexte d'une relation avec une autre personne, un autre cerveau (Aitken Trevarthen, 1993; Schore, 1996). L'expérience environnementale joue un rôle crucial dans la différenciation même du tissu cérébral. Par exemple, le test de résonance magnétique fonctionnelle dans le cas de nourrissons âgés de huit semaines a bien montré les substrats biologiques du sourire social au cours d'interactions en face à face : un changement métabolique rapide survient dans le cortex visuel du nourrisson, signant l'entrée dans une période critique au cours de laquelle les connexions

(258)

## RÉSUMÉ

*Sachant que les privations vécues dans la première enfance, surtout dans le cas d'enfants adoptés ayant vécu en institution, ont des répercussions sur la maturation du cerveau, les auteurs proposent que le domaine de la santé mentale du nourrisson devrait être un lieu privilégié d'application clinique de la nouvelle biologie du cerveau. Aussi, le dépistage de facteurs de risque tels que les patterns d'attachement insécure ou désorganisé chez l'enfant ou chez les parents devrait être une étape nécessaire à toute intervention visant à favoriser les comportements interactifs et les liens d'attachement entre les parents adoptifs et l'enfant. Les auteurs exposent le cadre de leur recherche auprès d'une population de parents adoptifs et d'enfants et ils font voir, à travers l'analyse d'un cas, la nécessité d'offrir une intervention précoce à ces familles et par conséquent de repenser les programmes cliniques et les politiques sociales en matière d'adoption.*

synaptiques situées dans le cortex occipital se trouvent modifiées par l'expérience visuelle (Yamada et al., 2000).

## Expérience émotionnelle précoce et maturation du cerveau

Durant les premières années de vie, les circuits centraux du cerveau se développent et sont le siège de divers processus mentaux impliqués entre autres dans l'expression et l'intégration des émotions, de la mémoire, du comportement et des rapports interpersonnels. Les expériences affectives précoces ont un effet critique sur la maturation du système limbique (gyrus cingulé, noyau septal, cortex orbito-frontal, amygdale, hippocampe, thalamus), qui est une aire associée à l'expression des émotions, à l'organisation de nouveaux apprentissages et à la capacité d'adaptation à des changements rapides dans l'environnement (Mesulam, 1998). Le système limbique qui s'étend dans l'hémisphère droit non verbal intervient principalement dans le processus inconscient lié aux composantes physiologiques et cognitives des émotions, ainsi que dans la communication émotionnelle (Blonder et al., 1991; Wexler et al., 1992; Spence et al., 1996). Tandis que l'hémisphère gauche est en cause dans la plupart des comportements linguistiques, l'hémisphère droit est associé à des aspects plus larges de la communication. Il est nettement dominant au cours des trois premières années de vie (Chiron et al., 1997).

Les expériences d'attachement, prédominantes au cours de la petite enfance, influent spécifiquement sur le développement du système limbique chez le nourrisson (Schore, 1994; Ryan et al., 1997; Keenan et al., 2001). Plus encore, on a observé que l'hémisphère droit chez la mère entrait en action dans les fonctions de réconfort. Ce processus par lequel la dyade parent-bébé, si l'interaction est bien accordée, engage une véritable « conversation entre systèmes limbiques », en même temps qu'est reconnue par l'autre l'expression comportementale liée à l'état interne de chacun des partenaires, a été conceptualisé sous le nom de « *contexte de résonance* » (Siegel, 1999). Dans la régulation des affects, il ne s'agit pas seulement de tempérer les émotions négatives, mais aussi de moduler et d'amplifier les émotions positives.

Enfin, la mémoire est intrinsèquement liée au développement, i.e. la manière selon laquelle les expériences passées sont encodées dans le cerveau et organisent le fonctionnement présent et futur de l'enfant. Kandel a démontré que la mémoire à long terme différait de celle à court terme en ce qu'elle exigeait l'activation d'une foule de gènes, entraînant la croissance de nouvelles connexions synaptiques. La mémoire se développe en deux temps : durant la première année de vie, le bébé dispose d'une mémoire implicite (inconsciente, sans capacité de rappel, mais qui enregistre les comportements et les émotions directement dans l'ici et maintenant). Apparaissant pour sa part vers un an et demi, la mémoire explicite se trouve bien établie vers l'âge de trois ans, avec le rappel conscient d'images ouvrant au sentiment de « je me rappelle de quelque chose maintenant ». On sait que la maturation de l'hippocampe dans le lobe temporal médian est nécessaire pour effectuer cette tâche.

En bref, la notion que les premières années de vie jouent un rôle unique dans le développement humain repose désormais sur des bases biologiques : les expériences vécues contribuent à la maturation du cerveau en renforçant, réduisant ou élaguant les synapses issues d'informations d'abord génétiquement encodées, en produisant de nouvelles connexions synaptiques et en multipliant les circuits neuronaux du fait de l'inscription répétitive (via la mémoire) de ces expériences. S'il intervient dans l'installation de la myélinisation et l'accroissement de la vitesse de conduction, l'environnement peut aussi nuire à la maturation du cerveau. Ainsi, des connexions synaptiques sont détruites par l'absorption de substances toxiques ou par l'exposition à des événements stressants, ou encore en raison de l'absence ou de la privation en bas âge de stimulations sensorielles et sociales appropriées.

En ce sens, on peut dire que les interventions visant à remédier à des expériences vécues dans la première enfance ont des répercussions certaines sur le développement du cerveau et, par suite, le domaine de la santé mentale du nourrisson peut être vu comme un lieu privilégié d'application clinique de la nouvelle biologie du cerveau. De même, le dépistage de facteurs de risque susceptibles de nuire à la maturation du cerveau chez le nourrisson devrait faire partie de la tâche des professionnels de la santé mentale en tant qu'étape nécessaire avant d'envisager des actions thérapeutiques. Ces interventions contribuent à la croissance du cerveau de façon directe, en accroissant les stimulations essentielles à la maturation du cerveau et au renforcement des circuits nerveux, mais aussi par voie indirecte, en améliorant l'expression des émotions et en favorisant les comportements interactifs entre le parent et l'enfant.

## L'adoption, une situation à haut risque?

Dans une récente méta analyse des références faites en santé mentale et des problèmes comportementaux rapportés chez des enfants de l'adoption internationale (Juffer et al., 2005), les auteurs ont relevé que la plupart des enfants s'adaptaient bien même s'ils utilisaient des services de santé mentale plus souvent que les sujets contrôles non adoptés. Toutefois, ceux qui avaient connu des conditions de vie adverses précédant leur adoption avaient plus de problèmes et de troubles externalisés que les enfants dont l'histoire ne comportait pas de privation sévère. Fait surprenant, ces auteurs ont noté que les enfants de l'adoption locale évoluaient moins bien que ceux adoptés à l'étranger. Ce résultat peut s'expliquer par le fait que les adoptés locaux sont souvent nés de parents affectés par des troubles mentaux ou des handicaps sévères, ou encore ils sont eux-mêmes porteurs de lourds déficits, tandis que les enfants de l'adoption internationale sont plus souvent le résultat de grossesses non désirées doublées de conditions de vie dues à un contexte économique ou social difficile dans leur pays d'origine.

Les orphelinats d'Europe de l'Est ont mauvaise réputation, référant ici au fait de passer les deux premières années de vie dans un cadre

« naturaliste » où sévissent diverses conditions – traumatismes précoces dus à l'absence de liens, à des privations, des pertes ou des séparations et une instabilité – qui risquent d'entraîner un développement anormal du cerveau. Ces expériences adverses influent sur la maturation du cerveau suivant les processus décrits plus haut, mais tout autant et de manière parallèle, il est aussi fréquent que la confiance de base soit altérée chez ces enfants, quels que soient es symptômes retrouvés par ailleurs dans cette population. Une fois réunies, ces conditions expliquent le potentiel de risques accru et les problèmes d'ordre développemental ou comportemental, dont l'état de stress post-traumatique, les troubles d'attachement, les états dépressifs, les troubles déficitaires de l'attention, les problèmes d'apprentissage, les troubles d'opposition à caractère défiant, et les troubles du spectre autistique, dont pourront souffrir ces enfants (Costello, 2005; Weitzman et al., 2005).

Dans leur étude sur des enfants adoptés de Roumanie, Rutter et al. (2004) ont montré que l'adoption avait une influence nettement bénéfique sur le fonctionnement cognitif et social dans la majorité des cas, à condition que l'enfant soit adopté avant l'âge de 42 mois, cependant que certains déficits persistants pouvaient être observés chez une minorité significative d'enfants. Il faut ajouter que des problèmes médicaux sont fréquemment rencontrés chez ces bébés, en particulier les maladies infectieuses telles que l'hépatite B et C, la tuberculose, la syphilis, l'hydrocéphalie, les problèmes de vision et d'audition, et les déficits au plan neuromoteur (Diamond et al., 2003). Ajoutons que plusieurs bébés adoptés gardent des séquelles d'une exposition prénatale à l'alcool et aux drogues (Davies et al., 2005). Divers problèmes d'intégration sensori-motrice ont été également identifiés chez des enfants adoptés d'Europe de l'Est (Lin et al., 2005), tels que discrimination sensorielle et praxies atypiques, modulation et régulation sensorielle déficientes, ces conditions étant corrélées positivement avec la durée du séjour en institution.

En plus des répercussions que peuvent avoir des expériences passées sur la maturation de leur cerveau, et par voie de conséquence sur leurs habiletés socio-émotionnelles, ces nourrissons risquent de devoir faire face aux attentes élevées entretenues par leurs parents adoptifs, qui croient que l'amour et l'engagement suffiront pour surmonter les privations et l'incapacité chez l'enfant à faire confiance à autrui. On sait que ce décalage met la relation parent-enfant en danger, et parmi les facteurs psychologiques liés à la probabilité d'un échec de l'adoption, on a identifié les suivants (Schmidt et al., 1988; Nalven, 2005) :

- Une capacité limitée chez l'enfant à s'attacher à sa nouvelle famille, ou à se détacher de sa famille d'origine
- Les attentes chez les parents qui espéraient avoir un enfant moins difficile
- La non résolution de problèmes liés à l'infertilité du couple
- Le manque d'information sur l'histoire et les antécédents de l'enfant
- Le soutien inadéquat des parents adoptifs.
- Le fait de besoins spéciaux chez l'enfant, qui entraîne un plus fort taux d'échecs de l'adoption.

Les études d'enfants adoptés provenant d'institutions ont montré que le rattrapage des capacités cognitives suit un trajet plutôt linéaire : plus les enfants sont jeunes au moment de l'adoption et plus leur séjour en foyer adoptif se prolonge, plus les progrès sont significatifs sur le plan cognitif (O'Connor et al., 2000). Par contre, la progression est beaucoup moins nette et uniforme au niveau du fonctionnement social et émotionnel, y compris chez les enfants adoptés en très bas âge (O'Connor et al., 2000). Ces données suggèrent qu'il existerait des effets consécutifs aux privations qui affecteraient différemment l'une ou l'autre des sphères du développement, tandis que les facteurs médiateurs se situeraient au niveau des mécanismes neurobiologiques intervenant dans le développement (Zeanah et al., 2003).

De leur côté, Dozier et al. (2001) ont étudié cinquante nourrissons âgés entre 12 et 24 mois suivis durant les vingt premiers mois de leur adoption. Selon ces chercheurs, le facteur principal influant sur la qualité de l'attachement relevé chez le nourrisson était celui du pattern d'attachement chez la mère d'accueil ou adoptive, et non pas l'âge de l'enfant au moment du placement. Cette constatation est lourde de conséquences pour la clinique, dont la suivante : les nourrissons qui ont connu des privations extrêmes au cours de leurs deux premières années de vie devraient être dépistés rapidement, de même que les parents adoptifs qui ont des histoires d'attachement adverses, puisque ces dyades risquent d'être confrontées tôt ou tard à un échec de l'adoption.

Tout récemment, Steele et collègues (2006) montraient l'importance d'utiliser l'*Adult Attachment Interview* dans l'évaluation de situations d'adoption et de placement. Ils ont ainsi administré l'AAI à un groupe choisi de parents qui avaient adopté avec succès des enfants souffrant de retards développementaux. En dépit de la petite taille de leur échantillon (N = 25), une donnée des plus intéressantes tenait dans les écarts de distribution des différents types d'attachement parmi les parents adoptifs comparés à la population générale : seulement 32 % des parents adoptifs avaient un attachement sécure (par opposition à 70 %), 52 % un attachement de type désengagé (comparé au chiffre habituel de 20 %) et 16 % avaient un attachement de type préoccupé (comparativement à 10 %). Fait à noter, 96 % des parents ont dit avoir vécu la perte d'un proche durant leur enfance ou à l'âge adulte et pourtant, seulement trois d'entre eux montraient des signes d'attachement désorganisé, ce qui témoigne d'un niveau remarquable de résilience chez la majorité de ces parents. Dans leur conclusion, les auteurs suggéraient d'inclure le AAI dans la batterie de tests utilisés par les intervenants sociaux des services d'adoption pour évaluer les parents candidats à l'adoption.

## Implications des recherches sur les procédures cliniques et les politiques sociales

Partant des données réunies ici, il existe clairement un besoin de dépister cette minorité significative de parents adoptifs et de nourrissons qui risquent de présenter divers problèmes émotionnels et développementaux à plus ou moins long terme. Selon notre expérience, le processus de sélection auquel sont soumis les parents candidats n'est pas une garantie de succès de l'adoption dans la mesure où ce processus ne permet pas de prévoir l'impact qu'aura l'enfant, suivant ses traits caractéristiques et ses réactions, sur ses parents adoptifs. Il est néanmoins frappant de constater l'écart qui existe entre l'importance accordée dans plusieurs pays, incluant le nôtre (Israël), sur le processus de sélection pré-adoption et le peu d'accompagnement psychologique offert aux familles en post-adoption. Plusieurs explications peuvent être avancées, dont la plus évidente est de nature économique, en plus de l'idée assez largement répandue voulant que les familles adoptives ne soient pas fondamentalement différentes des familles biologiques, une fois le processus d'adoption complété. Ce présupposé, très compréhensible du point de vue des familles adoptives, ne saurait être endossé aveuglément par les professionnels, alors que les données empiriques s'accumulent et sont maintenant disponibles sur ce sujet.

## Contexte de notre étude d'intervention

Il y a quelques années, dans le cadre d'une clinique de santé mentale du nourrisson basée dans la communauté, nous avons traité plusieurs cas où nous avions observé une relation parent-enfant gravement perturbée en raison d'un défaut d'accordage entre les parents et l'enfant adopté. Au moment de la consultation, l'échec de l'adoption était devenu pratiquement inévitable. Dans tous les cas, il s'agissait d'enfants adoptés des pays d'Europe de l'Est âgés d'au moins un an au moment de leur adoption et chez qui on retrouvait des histoires de privations émotionnelle et environnementale souvent extrêmes. Les parents s'étaient soumis au processus de sélection standard administré par diverses agences d'adoption internationale. Celles-ci ne se sentaient toutefois pas obligées de fournir une guidance aux parents même s'il était clair que ces nourrissons avaient vécu en institution des expériences adverses souvent sévères.

Conscients des biais que pouvait comporter cet échantillon clinique, nous avons alors décidé d'étudier les caractéristiques de la relation parent-enfant dans les premiers temps suivant l'adoption à partir d'un groupe non clinique de parents et d'enfants de l'adoption internationale. Ces rencontres cliniques ont déclenché un vif intérêt chez nous et c'est ainsi que nous avons voulu démontrer la nécessité d'offrir du counselling en matière d'attachement, et ce faisant, tâcher d'influencer, lors d'une étape suivante du processus, les politiques gouvernementales définies en matière d'adoption internationale.

En Israël, les agences d'adoption internationale sont privées, tout en étant supervisées par le département en charge des adoptions. Actuellement, ces agences ne sont pas tenues de fournir des services psychologiques en post-adoption (tels qu'une évaluation des besoins de la famille en matière de counselling ou d'intervention) et non plus, les familles n'ont pas à participer à des séances de counselling. Par contre et du fait même d'être un service public, les services d'adoption locale sont régis par des règles plus strictes, et ceci autant à l'étape de pré que de post-adoption, mais ils ne couvrent que 30 % du nombre des adoptions réalisées.

Lorsque nous avons approché les agences d'adoption et leur avons présenté notre projet, nous avons été interpellés par leur réaction : « Très bien, nous a-t-on dit, mais montrez-nous d'abord les familles qui ont réellement besoin d'une intervention, et dites-nous quel genre d'intervention serait nécessaire dans ces cas...». C'est ainsi qu'en plus de poursuivre des objectifs cliniques, notre étude a été conçue avec une question politique bien spécifique en tête, tel que le recommandent Cicchetti et al. (2000) dans l'élaboration d'un processus de recherche.

*Buts, méthodes et procédures*

Les buts poursuivis par la présente recherche se définissent comme suit :

❖ Fournir des données démontrant que les parents adoptifs d'enfants soumis à des privations graves ont besoin de counselling en matière d'interactions et d'attachement, et ceci quel que soit le processus de sélection auquel ont pu répondre les parents précédant l'adoption;

❖ Démontrer l'utilité de l'*Adult Attachment Interview* dans la mise en place d'une intervention fondée sur l'attachement qui doit être « taillée sur mesure » selon les cas;

❖ Étudier l'impact de l'intervention sur le fonctionnement cognitif et émotionnel de l'enfant, sur la qualité des interactions parent-enfant et la perception de l'enfant par les parents, un an après l'adoption.

Notre échantillon est composé de 40 nourrissons adoptés de l'Europe de l'Est et de leurs parents adoptifs, qui ont été divisés en deux groupes, soit de 20 familles qui ont fait l'objet d'une intervention, et de 20 familles contrôles (sans intervention). Les deux groupes ont été appariés quant à la structure familiale (familles monoparentales vs. familles composées de deux parents). Toutes les familles sont de classe moyenne et l'âge des enfants au moment de l'adoption variait entre 9 et 24 mois.

L'*Adult Attachment Interview* (George et al., 1996) a été réalisé avec chaque parent avant l'arrivée de l'enfant. Le AAI est entièrement structuré autour de l'attachement (Main, 1995). Ainsi, le parent est invité à se rappeler et décrire sa relation avec ses parents au cours de son enfance, et à rapporter des souvenirs spécifiques qui substantifient et appuient en quelque sorte les termes choisis pour qualifier sa relation. On demande au sujet de fournir des explications sur le comportement de ses parents et de dire quelle influence ont eue sur sa vie et sa personnalité adulte les expériences remontant à son enfance.

Le système de classification répartit les récits ou narratifs recueillis auprès des parents selon les trois types suivants d'attachement chez l'adulte, deux dits «*insécure*» (*désengagé* et *préoccupé)* et un «*sécure*» ou *autonome*. Cette distribution se fonde essentiellement sur le jugement posé par des observateurs sur le récit du parent, lequel doit répondre aux critères de cohérence suivants : 1. Une concordance entre les souvenirs et les termes employés pour décrire les liens et les expériences d'attachement; 2. La présentation d'un tableau complet mais à la fois synthétique et succinct; 3. L'apport de détails pertinents; 4. La clarté et l'ordre dans le déroulement du récit (Main et Goldwyn, 1998a). L'entraînement à la cotation des entrevues implique la participation à un atelier de deux semaines, suivi de très nombreux tests portant sur l'accord inter-juges. Dans notre étude, M. Keren, qui ignorait l'identité des parents participants, a elle-même coté toutes les entrevues.

Concernant les procédures suivies, un mois après l'arrivée de l'enfant, le test de Bailey est administré et on procède à l'enregistrement sur vidéo des interactions parent-enfant lors d'un repas et d'une période de jeu. La raison justifiant ce délai d'un mois est que la plupart des nourrissons ont des problèmes d'alimentation et de sommeil en plus d'autres problèmes de comportement au moment du placement, lesquels se résorbent dans la plupart des cas spontanément (Miller, 2005). Dans ces conditions, il paraissait approprié de donner aux parents le temps de se sentir à l'aise avec leur nouvel enfant, avant de leur demander de nous laisser entrer dans leur vie.

Les questionnaires suivants sont aussi administrés : HOME, SCL-90, Family Assessment Device, PSCS.

Six mois après l'adoption, nous procédons à un nouvel enregistrement sur vidéo des interactions parent-enfant, puis un an après l'adoption, nous prenons de nouveau sur vidéo les interactions parent-enfant, et nous passons le test de Bailey, le *Parent Developmental Interview*, entrevue semi-structurée sur la perception parentale de l'enfant (Aber et al., 1985), et des questionnaires tels que le *Brief Infant and Toddler Social and Emotional Assessment* (BITSEA; version 2, Briggs-Crown & Carter, 2001) et le *Family Assessment Device.*

## Spécificité de l'intervention

Nous avons opté pour une intervention centrée sur l'état des liens d'attachement, nous appuyant sur le présupposé qu'il s'agit de la tâche principale durant la première année de l'adoption d'enfants ayant vécu en orphelinat. La démarche est réalisée au domicile des parents à toutes les deux semaines pendant les deux premiers mois, puis à la fréquence d'une fois par mois ou plus souvent, si nécessaire, par la suite. Étant donné qu'une partie seulement des familles participantes sont arrivées au terme de cette année d'intervention, nous ne présenterons ici que des résultats très préliminaires sur l'état de l'attachement chez les parents adoptifs, puis nous nous centrerons sur l'intervention mise en place illustrée au moyen du suivi d'un cas. Notre échantillon actuel comprend 27 familles, soit 12 familles contrôles (7 sont composées des deux parents et 5 de mères monoparentales) et 15 familles recevant une intervention (8 composées des deux parents, et 7 de mères monoparentales).

### État de l'attachement chez les parents adoptifs

Il importe de souligner ici que nous n'avons encore que des résultats très fragmentaires réunis à partir de notre projet pilote. Selon nos données, la distribution des types d'attachement chez les parents adoptifs (N = 22) est différente de celle retrouvée dans la population générale en Israël. Sagi et al. (1994) ont étudié la distribution des types d'attachement chez de jeunes adultes israéliens. Dans leur échantillon composé de 59 étudiants de niveau universitaire, la répartition était la suivante : 69 % autonomes, 24 % désengagés, et 7 % préoccupés. Les pourcentages étaient pratiquement similaires chez les garçons et les filles.

Dans notre échantillon, les mères adoptives étaient significativement plus insécures (seulement 54,5 % étaient classifiées sécures), tel que noté dans l'étude de Steele et al. (2006). Parmi le groupe insécure, la proportion d'attachements préoccupés chez les mères était trois fois plus élevée que les attachements désengagés : 31,8 % comparé à 10 %, la proportion des «désengagées» vs. des «préoccupées» étant inversée par rapport au chiffre retrouvé dans la population générale.

Chez les pères adoptifs (N = 13, compte tenu des familles monoparentales), le pourcentage global d'attachements sécures (46,2 %) était aussi nettement plus bas que celui de la population générale. La proportion de pères «désengagés» vs. «préoccupés» se situait en sens opposé de celle retrouvée chez les mères, et correspondait plutôt à celle retrouvée dans la population générale : 30,8 % des pères étaient classifiés comme désengagés vs. 23,1 % comme préoccupés. Aucun des parents, mères ou pères, ne répondait au type d'attachement « désorganisé / non résolu ».

Tel que nous l'avons dit, les chiffres rapportés sont fondés sur un petit nombre de cas. Cependant, s'ils sont reproduits dans l'échantillon final plus large, ils pourraient suggérer certains traits propres aux parents adoptifs considérés en tant que groupe, caractéristiques possiblement liées à l'expérience malheureuse d'infertilité et à ses conséquences sur les plans médical et psychologique. On pourrait surenchérir à cet égard et dire que même si les parents infertiles n'ont pas forcément un état d'esprit insécure, l'infertilité et ce qu'elle entraîne de vicissitudes, est en soi une expérience traumatique qui, pour certains parents, peut représenter un événement de vie déstabilisant. Nous reviendrons sur ce sujet plus loin dans la discussion.

## Présentation de cas

R. avait un an et deux mois lorsqu'elle fut adoptée en Russie. Ses parents adoptifs avaient déjà un fils plus âgé lorsqu'ils décidèrent de l'adopter après des essais infructueux pour avoir un enfant. En rétrospective, nous avons appris que les deux parents avaient réagi différemment en voyant la photo de R. avant son adoption : la mère était apparue ambivalente alors que le père s'était montré enthousiaste. Les parents partirent avec leur fils pour la Russie, puis la mère et le fils rentrèrent en Israël tandis que le père restait une semaine de plus là-bas dans le but d'obtenir le permis l'autorisant à ramener R. en Israël.

Le *Adult Attachment Interview* réalisé avec la mère la classifiait comme *préoccupée*, révélant chez elle les éléments suivants : une histoire de renversement des rôles avec sa propre mère très anxieuse, un manque de définition des frontières interpersonnelles, la perte soudaine d'un frère plus jeune, sept ans plus tôt, et une relation difficile avec un père vu comme critique et autoritaire. La mère s'était étendue longuement sur son récit : elle parlait sur un mode très associatif et devenait facilement débordée émotionnellement, rapportant chaque sujet au présent et apparaissant souvent confuse dans ses énoncés et ses descriptions.

Le *Adult Attachment Interview* complété par le père le classifiait aussi comme *préoccupé*. Il était encore fâché contre sa mère, bien qu'il travaillait avec elle. Suivant le divorce de ses parents, il avait perdu tout contact avec son père. Il décrivait ses relations en termes vagues. Même s'il semblait valoriser ses liens et être capable

d'intimité, il ne démontrait qu'une faible compréhension psychologique de sa situation. Dans son récit diffus et éparpillé, il utilisait
des termes souvent équivoques.

*État de l'enfant à son arrivée* : Selon le test de Bailey, le niveau de
compréhension et le développement moteur de R. se situaient dans
la normale avec, tel qu'on pouvait s'y attendre, un retard au niveau
du langage expressif. Un problème de vision qui nécessita la
prescription de lunettes fut détecté quelques mois après l'arrivée de
l'enfant. Le comportement de R. était marqué par une peur per-
sistante de l'étranger, et plus troublant encore pour les parents, par
un comportement agressif à leur égard et vis-à-vis des proches de la
famille.

*Interaction parent-enfant, un mois après l'arrivée de l'enfant*

*Interaction en situation* de jeu : La mère agit de façon intrusive, intervenant la plupart du temps pour diriger l'enfant et lui montrer
comment faire. Ses comportements sont inappropriés par rapport
au stade de développement de l'enfant : elle prend sans cesse le
contrôle de la situation, n'engage pas de contact physique avec R., la
complimente seulement par un «Bonne fille!», n'élabore pas sur le
jeu et surstimule l'enfant. La mère ne permet pas au père de s'introduire dans le jeu et celui-ci n'insiste pas pour y participer.
De son côté, R. se montre docile mais ne regarde pas la mère.
L'enfant affiche un sourire artificiel, engage des contacts physiques
seulement avec le père et on note très peu de vocalises.

*En situation de repas*, l'interaction est pire encore, alors qu'un combat
physique s'engage entre R. qui s'oppose et la mère qui tente de la
nourrir par derrière, jusqu'à ce qu'elle abandonne devant la résistance de l'enfant.

L'intervention mère-enfant individualisée qui fut réalisée à domicile
a été planifiée en fonction des objectifs suivants : 1. Situer et recadrer
les comportements d'attachement du bébé dans le contexte de son
passé, et ainsi modifier la perception négative de la mère qui voit
l'enfant comme «collante» et « voulant être gentille avec tout le
monde» ; 2. Permettre à l'enfant d'entendre les réflexions du thérapeute. Le père n'a pu participer à l'intervention en raison d'un conflit
d'horaire avec ses engagements professionnels.

*Interaction parent-enfant à la fin de l'année d'intervention*

*Situation de jeu* : On note chez la mère une amélioration importante
sur le plan des affects positifs et dans sa capacité à avoir du plaisir

avec l'enfant. R. n'affiche plus son sourire artificiel, la peur de l'étranger a diminué et l'enfant recherche le contact physique avec la mère. L'intelligence est évidente chez R. même si le retard de langage persiste (stade de phrase à un mot) de même que la tendance à interagir de façon agressive avec son entourage.

Les progrès sont moindres dans la *situation du repas* : même si elle donne plus d'autonomie à l'enfant, la mère continue de «pousser» R. à manger davantage.

Au cours de l'intervention, la relation ambivalente de la mère vis-à-vis de R. a été recadrée dans un contexte plus large et rapportée à ses difficultés interpersonnelles, le thérapeute faisant des liens avec des expériences remontant à l'enfance de la mère, telles que décrites lors de la passation de l'AAI. La mère a par la suite été encouragée à s'engager dans une psychothérapie individuelle.

## Discussion

Tel que nous l'avons dit en introduction, certains parents adoptifs ont de la difficulté à établir des liens adéquats avec leur enfant, en particulier lorsque leurs propres liens d'attachement (tels qu'intériorisés) sont de type insécure et que les caractéristiques de l'enfant s'avèrent différentes de leurs propres attentes. Le cas de R. illustre cette situation de risque où l'on voit que, de fait, l'enfant a déjà développé des comportements non adaptés qui suscitent en retour des réactions chez la mère, installant ainsi un cercle vicieux de frustration et de colère réciproques.

Cette famille nous est apparue représentative de notre groupe d'intervention. Considérant le AAI réalisé avec chaque parent et l'état des interactions parent-enfant saisies sur vidéo, une intervention centrée sur l'attachement nous a semblé très appropriée en pareil cas. Notre intervention est à cet égard assez semblable à celle développée par Dozier et collègues (2004). Cette équipe a en effet mis en place un programme d'entraînement des parents d'accueil centré sur les trois besoins reconnus comme les plus cruciaux chez les bébés placés, tout en soulignant la nécessité d'offrir aux parents une intervention « sur mesure » qui tienne compte de l'état d'esprit du parent en regard de l'attachement. Ces auteurs définissent comme suit les objectifs de leur programme :

*1. Apprendre au parent à interpréter les signaux et les besoins de l'enfant*

Les nourrissons présentent souvent des comportements qui sont mal interprétés par les parents dont l'état d'esprit est insécure, avec pour résultat que ces enfants rejettent leurs parents (selon la « compulsion à répéter » le rejet qu'ils ont eux-mêmes subi). On demande aux parents dont l'état d'esprit est désengagé de se concentrer sur le besoin de rapprochement chez l'enfant, alors que les parents avec un état d'esprit préoccupé sont encouragés à se centrer sur les besoins de l'enfant plutôt que sur leurs propres malaises et leurs préoccupations.

*2. Offrir des soins et du réconfort même si ce mouvement ne vient pas naturellement*

On demande aux parents d'accueil de réfléchir aux aspects souvent douloureux de leur propre histoire qui peuvent rendre difficile pour eux d'être sensibles aux besoins de l'enfant.

*3. Offrir à l'enfant un monde interpersonnel attentif à ses besoins*

En se basant sur leur étude précédente qui démontrait des signes de dysrégulation au plan physiologique chez les enfants placés (Dozier et al., 2001), et par suite le besoin qu'a l'enfant d'être aidé à développer ses capacités d'autorégulation, ces auteurs ont recommandé d'apprendre aux parents d'accueil à suivre les signaux de l'enfant et à développer leur capacité à recevoir des émotions négatives.

Selon notre propre expérience, les parents adoptifs d'enfants qui ont vécu en institution devraient se voir offrir le même type d'intervention individualisée fondée sur l'attachement durant la première année suivant l'adoption. Par exemple, le comportement de l'enfant rapporté dans la vignette était interprété de façon erronée par la mère comme « collant et dépendant», plutôt que d'être compris comme la manifestation passagère d'un processus d'attachement en train de se former. De fait, nos résultats préliminaires de recherche qui font état d'une fréquence accrue d'états d'esprit insécures dans l'échantillon de parents adoptifs n'ont fait que renforcer notre volonté de promouvoir ce projet et de proposer un tel type de programme en faisant valoir ses composantes tant préventives que thérapeutiques.

## Conclusion

Notre étude clinique a pour but d'appliquer les connaissances nouvellement acquises sur les répercussions que peuvent avoir des expériences précoces adverses sur le développement du cerveau chez le jeune enfant. Il s'agit essentiellement de dépister les dyades parents – nourrissons qui sont exposés à de très hauts risques de connaître des perturbations de leurs liens précoces, et parmi ceux-ci, les très jeunes enfants de l'adoption internationale qui, par définition, ont passé au moins leur première année de vie en institution et vécu des privations d'ordre émotionnel et sensoriel parfois sévères. Nous nous concentrons sur le traitement de la relation parent-enfant (via la psychothérapie de la dyade ou de la triade parent-enfant), sachant que l'expérience relationnelle nouvelle entre le parent et l'enfant a un impact certain sur la maturation du cerveau du bébé. Nous cherchons à optimiser les relations d'objet que cet enfant développera au cours des années et à améliorer le fonctionnement et la capacité réflexive chez les parents. Ce faisant, nous avons été frappés de voir combien ces familles adoptives avaient besoin de conseil et de soutien émotionnel, et dans certains cas, d'une intervention thérapeutique en bonne et due forme. On peut se demander ce qui adviendrait si ces familles ne recevaient pas d'aide, en particulier lorsque le comportement et les réactions du bébé sont mal compris par les parents et l'entourage. Aussi espérons-nous en arriver à des résultats de recherche assez robustes et ainsi convaincre nos partenaires de la nécessité d'allouer des fonds qui serviraient à évaluer très tôt la qualité des liens entre ces parents adoptifs et leurs enfants et à fournir des interventions conçues en fonction des besoins de chaque famille.

Traduit par *Denise Marchand*

# ABSTRACT

*Following their review of literature on the connexions between early deprivation, experiences and infant's brain and mind development, the authors pose that the detection of risk conditions for the infant's brain development should be inherent to the practice of infant mental health. They suggest that interventions targeted to improve early childhood experiences are crucial, and among them improving parental effective emotional regulation and interactive behavior with their infants. In the adoption situation, the impact of past emotional and sensory deprivation and often lack of basic trust in children adopted out of institutions lead to inadequate socio-emotional skills which put these children at risk of adoption failure in numerous cases due to difficulties to form adequate bonding, especially when parents are insecure in their own attachment. The authors discuss the goals and procedures of their intervention study with its clinical and social policy implications and they illustrate with a case study the process and justification of the attachment-based home individualized intervention to detect at an early stage high risk infant-parents dyads.*

# Références

**Aber JL, Slade A, Berger B, Bresgi I, Kaplan M.** *The Parent Developmental Interview.* Manuscrit non publié, 1985.

**Aitken KJ, Trevarthen C.** *Self-other Organization in human psychological development and psychopathology.* 1997; 9 : 653-678.

**Blonder LX, Bowers D, Heilman KM.** The role of the right hemisphere in emotional communication. *Brain* 1991; 114 : 1115-1127.

**Chiron C, Jambaque I, Nabbout R, et al.** The right brain hemisphere is dominant in human infants. ***Brain*** 1997; 120 : 1057-1065.

**Cicchetti D, Toth S.** Editorial: Social policy implications of research in developmental psychopathology. *Dev & Psychopathol* 2000; 14 : 417-420.

**Costello E.** Complementary and alternative therapies: considerations for families after international adoption. *Pediatr Clin North Am* 2005; 52(5) : 1463-1478.

**Davies JK, Bledsoe JM.** Prenatal alcohol and drug exposures in adoption. *Pediatr Clin North Am* 2005; 52(5) : 1369-1393.

**Diamond GW, Senecky Y, Schurr D, et al.** Pre-placement screening in international adoption. *Isr Med Assoc J* 2003; 5(11) : 763-766.

**Dozier M, Chase Stovall K, Albus KE, Bates B.** Attachment for Infants in Foster Care : the Role of Caregiver State of Mind. *Child Dev* 2001; 72(5) : 1467-1477.

**Dozier M, Levine S, Gordon K, et al.** *Atypical daytime patterns of cortisol production among young children who entered foster care in infancy.* Presented at the Society for Research in Child Development, Tampa, FL., 2001.

**Dozier M, Sepulveda S.** Foster mother state of mind and treatment use : Different challenges for different people. *Infant Mental Health J* 2004; 25(4) : 368-378.

**George C, Kaplan N, Main M.** *Adult Attachment Interview Protocol* (3rd ed.). Unpublished manuscript,

University of California at Berkeley, 1996.

**Juffer F, Van Ijzendoorn MH.** Behavior problems and mental health referrals of international adoptees : a meta-analysis. *J Am Med Ass* 2005 ; 293 (20) : 2501-2515.

**Kandel ER.** Psychotherapy and the single synapse. *New Engl J Med* 1979; 301 : 1028-1037.

**Kandel ER.** A new intellectual framework for psychiatry. *Am J Psychiat* 1998; 155 : 457-469.

**Keenan JP, Wheeler MA, Gallup,GG, et al.** Self-recognition and the right prefrontal cortex. *Trends in Cognitive Sciences* 2000; 4 : 338-344.

**Lin SH, Cermak S, Coster WJ, Miller L.** The relation between length of institutionalization and sensory integration in children adopted from Eastern Europe. *Am J Occup Ther* 2005; 59(2) : 139-147.

**Main M. Attachment :** Overview, with implications for clinical work. In : **Goldberg S, Muir R, Kerr J.** (eds) *Attachment Theory : Social, developmental, and clinical perspectives.* 1995 : 407-474.

**Main M, Goldwyn R.** *Adult Attachment scoring and classification system.* Unpublished manuscript, University of California at Berkeley, 1998.

**Mesulam MM.** From sensation to cognition. *Brain* 1998; 121 : 1013-1052.

**Nalven L.** Strategies for addressing long-term issues after institutionalization. *Pediatr Clin North Am* 2005; 52(5) : 1421-1444.

**O'Connor TG, Rutter M, Beckett C; Keaveney L, Kreppner JM,** *the English and Romanian Adoptees Study Team.* The effects of global severe deprivation on cognitive competence : Extension and longitudinal follow-up. *Child Dev* 2000; 71 : 376-390.

**O'Connor TG, Rutter M,** *the English and Romanian Adoptees Study Team.* Attachment disorder behavior following early severe deprivation: Extension and longitudinal follow-up. *J Am Acad Child & Adol Psychiat* 2000; 39 : 703-712.

**Rutter M, O'Connor TG,** *the English and Romanian Adoptees* (ERA) *Study Team.* Are there biological programming effects for psychological development? Findings from a study of Romanian adoptees. *Dev Psychol* 2004; 40(1) : 81-94.

**Sagi A, Van IJzendoorn MH, Scharf MH, et al.** Stability and discriminant validity of the AAI : A psychometric study in young Israeli adults. *Dev Psychol* 1994; 30 : 771-777.

**Schore AN.** *Affect regulation and the origin of the self : The neurobiology of emotional development.* Mahwah, NJ : Erlbaum, 1994.

**Schore AN.** Contributions from the decade of the Brain to Infant Mental Health. *Infant Mental Health J* 2001; 22(1-2) : 1-6.

**Schore AN.** Attachment and the regulation of the right brain. *Attachment & Human development,* 2000 : 23-47.

**Siegel DJ.** *The developing mind : Toward a neurobiology of interpersonal experience. New* York : Guilford Press, 1999.

**Spence S, Shapiro D, Zaidel E.** The role of the right hemisphere in the physiological and cognitive components of emotional processing. *Psychophysiology* 1996; 33 : 112-122.

**Steele M, Kaniuk J, Hodges J, et al.** The use of the Adult Attachment Interview : Implications for assessment in Adoption and Foster care. In : **British Agencies for Adoption and Fostering Publications** (ed.) *Assessment, Preparation and Support : Implications from Research.* London : BAAF, 2006 : 1-7.

**Weitzman C, Albers L.** Long-term developmental, behavioral, and attachment outcomes after international adoption. *Pediatr Clin North Am* 2005; 52(5) : 1395-1419.

**Yamada H, Sadato N, Konishi Y, et al.** A Milestone for normal development of the infantile brain detected by functional MRI. *Neurology* 2000 ; 55 : 218-223.

**Zeanah CH, Nelson CA, Fox NA, et al.** Designing research to study the effects of institutionalization on brain and behavioral development : The Bucharest Early Intervention Project. *Dev & Psychopathol* 2003; 15 : 885-907.

no 46

# L'approche intergénérationnelle centrée sur la famille, un modèle d'intervention auprès des familles adoptives

**Roxanne L. Shoulders**

L'auteure est travailleuse sociale et directrice clinique de NuWay Consulting Services Inc. à Red Deer, Alberta.

Adresse :
501 – 4808, Ross
Red Deer, AB (Canada) T4N 1X5

Courriel : nuway1@telus.net

Lorsqu'elle s'adresse aux familles adoptives d'enfants qui ont des besoins spéciaux, la thérapie centrée sur la famille représente un domaine particulièrement complexe de la pratique clinique mais qui peut être bénéfique tant à l'enfant qu'au système familial. Le placement d'un enfant plus âgé dans un système familial déjà établi entraîne des changenents qui auront des répercussions sur chacun des membres de la famille – immédiate et étendue. On a rapproché la situation d'adoption à celle d'un balancier hors de contrôle, alors qu'après le placement, la famille cherche à retrouver l'équilibre qui était le sien avant l'arrivée de l'enfant (Jewett, 1978; Katz, 1977; Satir, 1977). Malgré tous leurs efforts pour offrir un foyer aimant à ce type d'enfants, les familles ne pourront retrouver le même équilibre et c'est plutôt un nouveau mode de fonctionnement qui devra être élaboré par le système et chacun de ses membres (Brodzinsky et Schechter, 1990; Casey Family Service, white paper; Cohen et al., 1992; Conn-Blowers et Spronk, 1993; Grabe, 1990; Hartman et Laird, 1983, 1990; Hartman, 1984; Reitz et Watson, 1992; Whitford-Numan, 1994).

Dans ce texte, je discuterai des défis posés par l'adoption d'un enfant avec des besoins spéciaux, dont celui d'une histoire de placements multiples précédant l'adoption (Barth, Gibbs et Siebenaler, 2001; Casey Family Services, White Paper; Fahlberg, 1991; Morrison-Dore, 2006; Steinhauer, 1974, 1991; Young, 1950); la présence de troubles neuropsychologiques, de déficits organiques ou de problèmes neurodéveloppementaux liés à la prise d'alcool (Bourguignon et Bonnier, 1990; Edelstein, 1995; Gray, 2004a, 2004b; Kolb et Whishaw, 2003; Perry, 1995, 1997; Rothenberg, 2002; Wass, communication personnelle, avril 2006); les troubles d'anxiété, de dépression et de l'humeur (Akiskal et Cassano, 1997; Barlow, 2002; Bradley, 2000; Mash et Barkley, 1996; Morris et March, 2004; Papolos et Papolos, 1999); un état de stress post-traumatique en lien avec des abus

(276)

# RÉSUMÉ

*S'appuyant sur un vaste corpus d'experts dans le domaine, l'auteure discute de la pertinence de l'approche intergénérationnelle centrée sur la famille dans les cas d'adoption d'enfants avec des besoins spéciaux. Dans les cas rapportés, dont une intervention au long cours, l'auteure fait état des problématiques les plus fréquemment rencontrées tant chez l'enfant que chez les parents adoptifs et elle illustre la manière d'appliquer cette approche et d'atteindre les objectifs du traitement en tenant compte des besoins de l'enfant, des parents et du système familial. En conclusion, elle livre un aperçu des enjeux éthiques et ceux posés par la recherche évaluative dans ce domaine de pratique.*

physiques ou sexuels, de la négligence, une exposition à la violence conjugale et d'autres conditions socio-affectives (Greenwald, 2002; James, 1989; 1994; Lovett, 1999; Myers et al, 2002; Pelcovitz et al, 1994; Perbix, 1994; Perry, 1997, Perry et Azad, 1999; Terr, 1992; Tinker et Wilson, 1999; Toth et Cicchetti, 1996; van der Kolk, 1987; van der Kolk et al, 1996); le défi posé par l'adaptation dans le cas d'adoption internationale (Adams et al., 2005; Chisholm et al, 1995; Tan, 2004) et le fait de troubles réactionnels, de traumatismes ou de déficit de l'attachement (Ainsworth, 1979; Atkinson et Zucker, 1997; Adam, Sheldon-Keller et West, 1996; Allen et al., 1996; Belsky et Nezworski, 1988; Bradley, 2000; Bowlby, 1969, 1973, 1980, 1988; Cassidy et Shaver, 1999; Fraiberg, 1987; Holmes, 1993; Hughes, 1997, 1998; Karen, 1998; Lyons-Ruth, 1996; Steinhauer, 1998).

Au cours de plus de vingt ans de travail auprès de familles adoptives, j'ai pu constater la multiplicité des approches cliniques utilisées auprès de cette population. Le choix des interventions a varié avec le temps, passant d'approches centrées sur l'enfant à des approches apparentées à la thérapie familiale traditionnelle, cependant que la littérature et la pratique indiquent que le mode d'intervention le plus efficace dans ces cas est l'approche intergénérationnelle centrée sur la famille (Barth, Gibbs et Siebenaler, 2001; Becvar et Becvar, 1993; Casey Family Services, White paper; Chetkow-Yanoov, 1992; Cowan et al., 1996; Crittenden, (sans date); Freeman, 1981, 1998; Gurman et Messer, 2003; Hartman, 1984; Hartman et Laird, 1993; Morrison-Dore, 2006; Nichols et Schwartz, 1991; Rietz et Watson, 1992).

Les circonstances familiales et la dynamique particulière à chaque adoption font en sorte que chaque famille réagit à l'intervention d'une manière qui lui est propre (Casey Family Services, White Paper, sans date; Morrison-Dore, 2006; Whitford-Numan, 1994). Je présenterai ici des applications de l'approche intergénérationnelle en situation d'adoption en tenant compte des liens entre théorie et clinique, des objectifs du traitement et des moyens pris pour atteindre ceux-ci avant de conclure par un aperçu des enjeux éthiques et ceux posés par la recherche évaluative dans ce domaine de pratique. Avant d'entamer la discussion, une mise en garde s'impose sur les risques de généraliser à toutes les familles adoptives le matériel présenté : il faut se rappeler que chaque famille est unique en ce qu'elle apporte ses propres questions et son mode de résolution dans la thérapie. Aussi on ne doit pas considérer comme inclusifs les propos tenus ici mais plutôt y voir une perspective ouverte à la réflexion du lecteur.

## Pertinence de la thérapie familiale inter-générationnelle

La dynamique des familles adoptives qui viennent consulter est complexe et propre à chaque situation. Bien que ceci puisse paraître évident, les familles formées par l'adoption d'un enfant sont différentes des familles biologiques (Hartman, 1984; Kirk, 1984, 1988; Morrison-Dore, 2006). Les familles adoptives ont en général traversé une période d'attente prolongée et affronté une procédure d'évaluation intensive avant d'être considérées éligibles à l'adoption d'un enfant. Cette expérience peut laisser des traces, telle une réticence chez les parents à accepter une aide professionnelle (Winkler et al., sans date; Workman, 1991). Faisant face à des problèmes d'infertilité, certains couples ont subi diverses procédures médicales dans le but de mettre au monde un enfant. Un sentiment d'échec ou d'inadéquacité peut par suite être associé par le parent au fait de rechercher l'aide de professionnels de la santé (Valentine, 1988). Ainsi, bien des parents adoptifs se décident à faire appel alors que le problème est installé depuis longtemps, et lorsqu'ils consultent, c'est la colère qui domine chez eux. Plusieurs manifestations secondaires à un état de stress post-traumatique ou au stress chronique du fait de vivre avec un survivant de traumatisme sont alors présentes : la mère adoptive éprouve une réelle détresse, les frères et sœurs souffrent eux aussi et le père ne sait plus comment gérer la situation et les changement survenus dans la famille. L'enfant adopté pourra quant à lui se montrer indifférent et il sera souvent difficile de l'amener à s'engager vraiment dans le processus thérapeutique.

Au décours de mon expérience d'intervention auprès de ces familles, sept thématiques se sont imposées comme essentielles à traiter en association avec tout autre problème identifié, soit de nature comportementale ou émotionnelle, pouvant affecter immédiatement la sécurité de l'enfant (Bourguignon et Watson, 1988). En tout premier, la question du *droit des parents à assumer la responsabilité de l'enfant* doit être considérée dans la mesure où ceux-ci ont besoin d'aide pour jouer leur rôle de parent, devant les messages plus ou moins directs qu'ils reçoivent tantôt de l'enfant ou de la famille étendue, tantôt de systèmes extérieurs, voire de la société à cet égard. De même, on doit explorer le fait que l'enfant et les parents *reconnaissent et expriment leur appartenance* à la famille. En adoption, l'existence *d'attentes non partagées* peut être très fréquente. Aussi les fantaisies et les projections intergénérationnelles entretenues dans la famille doivent être nommées et cette prise de conscience utilisée en vue de réconcilier les attentes des uns à l'égard des autres. Dans la *modification des systèmes familiaux*, on doit considérer la tâche d'intégrer dans la famille adoptive immédiate le système familial de l'enfant, que ceci engage un contact en face à face ou qu'il s'agisse de l'influence de «loyautés invisibles» (Becvar et Becvar, 1993; Gurman et Kniskern, 1981; Hartman et Laird, 1983; Nichols et Schwartz, 1991). Les questions *de perte, de deuil et de séparation* risquent aussi de s'étendre à tout le système familial puisque chacun pourra avoir vécu une telle expérience – perte d'un enfant par fausse couche ou infertilité déclarée chez les parents, perte de ses parents naturels pour l'enfant adopté, et moins clair mais non moins réel, le sentiment de perte vécue par la fratrie du fait de changements chez les parents et dans leur mode de vie depuis l'adoption. De même, la question complexe de *l'attachement et de la capacité de lien* devra être examinée avec soin : tout défaut d'attachement et la présence de traumatismes et de patterns d'interaction inappropriés chez l'enfant adopté et chez chacun des parents nécessiteront une intervention appropriée. Enfin une sphère à considérer sera celle de la *formation de l'identité* autant dans la famille que chez l'enfant adopté, et l'évolution du cycle de la vie familiale, sachant que cette question de même que les précédentes risquent

d'être compliquées par les pertes, les traumatismes et le fonctionnement actuel de chacun des membres du système familial.

L'adoption n'est pas un remède à tous les traumatismes et les
expériences vécues par l'enfant ne disparaîtront pas du fait de son
placement dans une famille adéquate (Cohen et Westhues, 1990). De
fait, le placement entraîne souvent une régression chez l'enfant à des
stades précédents de son développement, des passages à l'acte plus
ou moins sévères, et la reviviscence d'événements traumatiques
(Fahlberg, 1990). Nous avons pu observer un net changement chez
des enfants qui, reconnus comme stables et «bien adaptés» dans
leur famille d'accueil, adoptaient des comportements inadéquats et
vivaient de sérieuses difficultés d'adaptation après leur placement
en foyer adoptif. Le changement est directement proportionnel aux
attentes de la famille adoptive sur le plan de l'engagement affectif
par rapport à celles qu'avait la famille d'accueil vis-à-vis de l'enfant.
Alors que le travail avec le système familial concerne les points ci-
haut, l'enfant adopté apportera des thèmes particuliers en thérapie.
Goodman et Keefer (1990) ont relevé les suivants : *le deuil*, en
considérant ses différents stades; *le besoin de contrôle* chez l'enfant
qui se sent souvent impuissant face à ce qui arrive dans sa vie ; les
*conflits de loyauté* ; la *crainte d'être abandonné et rejeté* alors que
l'enfant cherche à être « suffisamment bon », sinon « endommagé en
permanence » ; *l'estime de soi et le concept de soi* alors que l'enfant
tâche de se définir et d'intégrer les valeurs et les modes de vie des
familles où il a vécu ; *la confiance* qui recouvre la capacité de se relier
à d'autres et de s'attacher et enfin, *les questions liées à l'identité* en
tenant compte de sa famille actuelle, de son histoire passée et de sa
propre identité.

Tout au cours de leur vie, les familles adoptives auront besoin d'une
aide psycho-éducative pour résoudre ces questions et ainsi acquérir
de nouveaux savoirs en lien avec les expériences individuelles et
familiales traversées par chacun des membres du système familial
(Germain et Gitterman, 1980; Levine et Sallee, 1990 ; Morrison-Dore,
2006 ; Parkes,1991 ; Reitz et Watson, 1992; Rosenberg, 1992 ; Nichols
et Schwartz, 1991 ; Rhodes, 1986).

### Une intervention au long cours : le cas d'Evan

L'auteure, agissant comme intervenante dans ce cas, a commencé à
rencontrer Evan, 9 ans, en vue de le préparer à son adoption. Placé
en famille d'accueil depuis l'âge de 5 ans, Evan avait connu huit

placements en quatre ans. Il avait gardé des souvenirs très vifs de sa famille d'origine où des images positives et des scènes de violence s'entremêlaient. Deuxième d'une fratrie de 4 enfants (deux demi-frères sont nés de l'union de leur mère avec un autre homme), Evan et sa sœur avaient été mis en foyer d'accueil et séparés par la suite ; sa soeur s'étant enfuie, il ne l'avait pas revue depuis l'âge de 7 ans et s'en ennuyait beaucoup. Devant cette situation et la qualité aléatoire des placements, son travailleur social s'était mis à rechercher une famille adoptive pour lui.

Evan travaillait en thérapie à comprendre les circonstances qui avaient précédé son adoption et les raisons motivant celle-ci. Le travail de l'intervenante visait aussi à ce qu'il soit en mesure de participer au choix de sa famille adoptive. Le jeune garçon en vint donc à accepter que ses parents d'origine n'étaient pas en mesure de le garder, tout en reconnaissant qu'il avait encore besoin à son âge de parents qui l'élèvent en lui apportant affection et sécurité.

Pour Evan, il était important d'établir qu'une mère et un père adoptif ne seraient jamais alcooliques, ni abusifs ou violents envers lui ou l'un envers l'autre. Par suite, l'intervenante construisit avec Evan une liste des caractéristiques familiales souhaitées, qui fut remise au travailleur social, au moment de considérer un foyer adoptif poten-tiel. Au cours du processus de sélection, le garçon accepta de parti-ciper à l'entrevue en présence de l'intervenante et du travailleur social, après quoi Evan choisit d'aller de l'avant avec la famille entre-vue et de s'engager dans les visites pré-adoption. Evan serait le seul enfant d'un couple marié qui avait deux enfants d'âge adulte et dont la mère restait au foyer. Les parents avaient suivi une formation avant le placement et se montraient ouverts à discuter des traumatismes passés, des attitudes de la famille naturelle de l'enfant de même qu'à participer à la thérapie en cours d'Evan.

Au cours des premiers mois suivant le placement, l'intervenante a rencontré Evan et ses nouveaux parents pour les aider à établir un mode ouvert de communication. Durant cette phase du travail, la mère et le père parurent incertains de leur rôle auprès d'Evan. Le couple avait élevé avec succès leurs deux enfants maintenant d'âge adulte, et pourtant ils questionnaient leur droit de fixer des limites ou d'imposer une discipline, et de donner de l'affection à l'enfant. Une intervention a consisté à travailler avec la mère et Evan pour définir des frontières physiques appropriées entre la mère et le fils.

Le trio a aussi cherché à établir une discipline appropriée, les parents et l'enfant reconnaissant leur crainte partagée autour du fait que se disputer ou appliquer les conséquences pouvait être compris comme « ne pas s'aimer et risquer de faire échouer le placement ».

L'expérience aidant, cet aspect a été résolu et parents et enfant se sont détendus. Une fois que les parents ont commencé à se voir comme responsables d'Evan, celui-ci les a reconnus comme efficaces, différents de sa famille d'origine et des parents d'accueil qu'il avait connus. Evan et ses frère et sœur plus âgés se trouvèrent des points d'intérêt communs et la fratrie qui exerçait une certaine surveillance confronta alors les parents, disant qu'ils « gâtaient » Evan. En explorant ce point en thérapie, la mère avoua son besoin d'offrir à l'enfant une vie meilleure et de compenser pour les privations subies dans le passé.

Avec le temps et les expériences accumulées, on assista à la consolidation de la relation entre parents et enfant. Ceci apparaissait clairement en thérapie dans la démonstration de marques d'affection et l'aisance des échanges où intervenait l'emploi de formules telles que « mon fils » et « maman et papa, mon frère et ma sœur… ». Du fait de ce rapprochement familial, Evan gagna un sentiment de sécurité et il se mit à raconter des événements significatifs de son histoire à ses parents. Alors que l'adoption était finalisée et que l'enfant reconnaissait la permanence de sa situation, des signes du travail de deuil commencèrent à se manifester, dont des images obsédantes (flashbacks) associées à des événements traumatiques anciens. L'intervenante fit en sorte d'assurer la sécurité émotionnelle de la famille, ce qui permit à Evan de partager ses expériences avec ses parents, en particulier la mère à qui il racontait ses cauchemars, ses inquiétudes à propos de sa sœur et la tristesse qu'il ressentait.

Evan avait cependant de plus en plus de difficultés à contenir son agressivité et il blâmait la mère pour tout ce qui lui arrivait. Sa relation avec elle qui avait été très proche jusque là se détériora, cependant que le père réagissait avec colère à l'attitude d'Evan. Blessée, la mère resta néanmoins compréhensive. Cette dynamique, illustrée comme suit, fut longtemps au centre de la thérapie. Ainsi, au cours d'une session, l'intervenante demande à Evan, alors âgé de 14 ans, d'écrire une chanson que sa mère naturelle lui aurait chantée, tandis que la mère adoptive écrit de son côté sa propre chanson, le but étant de réconcilier les deux versants de l'expérience d'Evan.

Dans la chanson d'Evan, les thèmes du rejet, de l'abandon et de la haine dominent : « Mon Dieu, prenez-le... Pourquoi m'avez-vous donné ce garçon? Emportez-le... Je n'en veux pas... ». Le garçon éclata en larmes en verbalisant les sentiments qu'il prêtait à sa mère naturelle cependant que la mère adoptive le réconfortait et le rassurait sur sa valeur. Tout en aidant chacun à reconnaître ses émotions, l'intervenante encourageait Evan à explorer les perceptions négatives plus ou moins déformées remontant à son enfance. Par la suite, mais sans parvenir à le libérer de la pensée qu'il était « rejet », la mère partagea sa chanson avec Evan : « Mon Dieu, comme nous sommes heureux... Nous avons prié et vous nous l'avez envoyé. Il est si précieux, nous l'aimons tant... Merci pour la joie qu'il nous apporte...».

Evan exprima alors à la mère la pression qu'il ressentait autour du fait d'être la joie du foyer alors qu'il sentait au dedans de lui qu'il était l'« autre chanson », montrant ainsi le fossé qui existait pour lui entre les deux visions. Tout au cours de ce combat intérieur où s'affrontaient les scénarios offerts par ses deux mères, la résolution de ce conflit majeur chez Evan se joua essentiellement autour de sa capacité à se voir comme un être confiant et sûr de sa valeur, et à renoncer par la suite à utiliser des images de son passé pour s'excuser de ses agirs inappropriés.

Il arriva aussi à Evan d'abréagir les abus physiques qu'il avait subis en s'en prenant à sa mère qu'il poussait (sans la frapper toutefois) et agressait verbalement. La colère du père devint telle qu'Evan dut à un certain moment quitter le foyer et aller vivre chez son frère aîné pendant que l'intervenante et les parents élaboraient un plan pour contrer cette escalade de la violence. C'est alors qu'un lien apparût entre l'histoire de violence et d'abus (avec suppression des émotions négatives et admission d'une vision négative des femmes) dans la famille naturelle d'Evan et celle de la mère adoptive. Cette dynamique inter-générationnelle occupa le centre de la thérapie, nécessitant des sessions tour à tour individuelles, dyadiques et familiales pour amener chacun à se réconcilier avec son passé, et Evan à mieux gérer son agressivité et intégrer son passé à sa nouvelle vie.

Plus tard dans l'adolescence, Evan a connu des hauts et des bas qui l'ont ramené en thérapie pendant de brèves périodes. Il est revenu une dernière fois pour travailler l'anxiété qu'il vivait autour de sa graduation et de son départ de la maison : la prise d'autonomie était pour lui chargée de craintes et il sentait le besoin de confirmer la permanence de sa famille dans sa vie.

### Perspective systémique dans des situations d'adoption

Les professionnels s'accordent en général pour dire que les approches centrées sur l'enfant peuvent être inefficaces (Minshew et Hooper, 1990; McNamara et McNamara, 1990). Certains croient que cette approche mine le rôle joué par la famille adoptive auprès de l'enfant (Koehne, 1990; Pinderhughes et Rosenberg, 1990), tandis que d'autres auteurs croient qu'une telle approche permet une triangulation entre le thérapeute, l'enfant et les parents (Grabe, 1990).

De leur côté, les familles adoptives reçues en consultation par des praticiens qui appliquent la thérapie familiale traditionnelle rapportent des expériences peu satisfaisantes. Plusieurs familles ont quitté ces rencontres en se sentant blâmées et identifiées comme étant la source des problèmes de l'enfant. Selon Nichols et Schwartz (1991), les mères sont souvent blâmées pour le problème présenté par l'enfant, (Backhaus, 1989; Schmidt et al., 1988). Ceci est particulièrement le cas lorsqu'en présentant l'information pertinente au moment de l'évaluation, la mère exprime sa frustration et que la colère domine chez elle. Enfin, selon d'autres familles, certains thérapeutes ne reconnaissent pas l'adoption comme un facteur contribuant à la dynamique actuelle dans la famille (Hartman et Laird, 1990; Reitz et Watson, 1992; Sandmaier, 1988). Mes consultations auprès de collègues ont montré une prévalence de cette dynamique (Bird, communication personnelle, mai 2005; Wass, 2006; Pines, 2006; Gray, 2006, Woodman, avril 2006).

La thérapie familiale est un vaste domaine et alors que des praticiens souvent puristes l'occupaient à une certaine époque, il est maintenant ouvert à une pratique éclectique qui met l'accent sur la famille comme système (Grunebaum, 1988 ; Kolevzon et al., 1989 ; Nichols et Schwartz, 1991). De fait, les thérapeutes centrés sur la famille qui disposent d'habiletés d'évaluation, d'une perspective systémique, de techniques multimodales et d'une conscience affinée des défis posés par l'adoption sont les mieux placés pour aider ces familles (Berman et Bufferd, 1986 ; Cohen, 1981 ; Morrison-Dore, 2006 ; Prew et al., 1990 ; Workman, 1991). Selon Reitz et Watson (1992), « le meilleur contexte dans lequel considérer l'adoption est l'approche systémique de la famille. Le système familial étendu est constitué de plusieurs sous-systèmes : la famille d'origine de la mère naturelle, celle du père naturel et la famille constituée par les parents d'origine et leur enfant ; la famille adoptive dans laquelle l'enfant est placé, et la famille d'origine de chacun des parents adoptifs, et les familles que chacun des parents naturels peuvent former plus tard... Même si le système familial concerné par le traitement demeure le système familial primaire du client au moment de la rencontre thérapeutique, il est essentiel, s'il veut offrir un service effectif, que le professionnel travaille en tenant compte des divers systèmes engagés dans le processus » (p. 12).

Un des grands bénéfices du fait d'engager tous les membres de la famille dans le processus est que les expériences émotionnelles et personnelles partagées au cours de la thérapie favoriseront l'attachement et la formation de liens à l'intérieur de la famille adoptive (Cohen et Duvall, 1996 ; McNamara et McNamara, 1990).

*Brittany, 11 ans, a été adoptée par une famille composée de deux frères plus âgés, dont un enfant biologique et un adopté. Elle a une histoire de placements multiples où l'on soupçonne des abus sexuels. D'abord heureuse d'être adoptée, elle s'est engagée dans la thérapie après avoir dit que sa famille adoptive semblait être « plus une famille avant qu'elle n'y entre que maintenant ». La communication dans la famille apparaît très ouverte avec une bonne connaissance des enjeux de l'adoption. Sensibles aux propos de Brittany, les parents souhaitent consolider son sentiment de sécurité. L'intervenante considère de son côté que l'indépendance associée à ce stade de l'adolescence pose un risque potentiel pour le placement si la jeune fille n'arrive pas à se sentir vraiment intégrée à la famille.*

*C'est dans ce contexte que tous les membres de la famille furent invités à travailler sur l'histoire de la famille. Des rouleaux de papier furent étalés sur le sol et chacun devait apporter des photos et des souvenirs où était présente ou non Brittany. Les parents devaient de leur côté fournir des images d'événements futurs où ils souhaitaient voir la famille participer, par exemple l'anniversaire des enfants, des projets pour Noël ou pour des vacances en famille, la graduation et le mariage des enfants. L'histoire de la famille fut également repassée, depuis le mariage des parents, l'arrivée de chacun des enfants et divers événements de la vie de Brittany avant et depuis son entrée dans la famille.*

*L'exercice qui s'étendit sur huit séances a aidé la famille à comprendre l'histoire individuelle de chacun de ses membres et à envisager l'avenir qui les attendait. Essentiellement, le travail a permis à chacun de redéfinir son engagement, et à Brittany de confirmer son sentiment d'appartenance à la famille.*

Le thérapeute familial David Freeman (1981, 1998) considère que les parents sont les experts dans leur famille et leur inclusion dans l'équipe traitante respecte par suite la réalité, à savoir que vingt-quatre heures par jour, ils sont les premiers aidants auprès de l'enfant traumatisé (Bourguignon et Watson, 1988 ; Grabe, 1990 ; Koehne, 1990 ; Workman, 1991). De plus, le fait de combiner en alternance des sessions individuelles et familiales (Gurman et Kniskern, 1981 ; Nichols et Schwartz, 1991 ; Rhodes, 1986) plutôt que d'adhérer trop strictement à un suivi de toute la famille peut être bénéfique pour tous. Dans ma pratique, j'utilise cette approche combinée comme suit : dans une session de 90 minutes, une partie du temps est passée avec l'enfant seul, puis avec les parents, et ensuite parents et enfant sont réunis, ce qui permet d'atteindre les objectifs visés tout en tenant compte des besoins de l'enfant, de ceux des parents et du système familial.

Le concept de causalité circulaire offre une certaine pertinence ici (Rodway, 1986). Souvent le comportement ou les émotions présentés par l'enfant entraîneront des réactions à l'identique chez d'autres membres de la famille. Bien que le placement d'un enfant puisse sembler entretenir une causalité linéaire, l'intrication entre les émotions suscitées par le comportement de l'enfant et les réactions de la famille tendent avec le temps à produire un effet de boucle récursive. De même, le comportement de l'enfant est souvent pris comme indicateur du dysfonctionnement familial (Gurman et Kniskern, 1981 ; Nichols et Schwartz, 1991 ; Rodway, 1986). Cette équation n'est pas nécessairement juste dans les cas d'adoption où il est fréquent que les enfants aient de sérieuses difficultés dans des familles pourtant bien établies, chaleureuses et fonctionnelles. On sait que ces enfants sont aux prises avec des sentiments de honte et de dévalorisation, et qu'il leur est difficile de donner et de recevoir, tous ces éléments étant d'autant plus présents qu'ils sont ignorés ou déniés par les parents (Fahlberg, 1990).

Finalement, les approches familiales non directives sont peu utiles avec cette clientèle (Morrison-Dore, 2006; Nichols et Schwartz, 1991).

Les familles disent clairement avoir besoin d'un thérapeute actif qui soit attentif à leur fournir une direction face aux défis particuliers qu'elles affrontent, à leur offrir des voies d'explication par rapport aux situations présentes ou passées, mais aussi qu'on puisse valider leur expérience comme parent et leur permettre d'exprimer leur ambivalence face à l'enfant (Grabe, 1990 ; McNamara et McNamara, 1990).

## Objectifs thérapeutiques et techniques utilisées dans le traitement

Les objectifs de traitement et les techniques mises de l'avant par le thérapeute devraient tenir compte du fait que la famille adoptive a des ressources et des habiletés et est par suite un membre actif de l'équipe de traitement. Faisant écho à cette approche, Freeman (1981) note que la famille est le véhicule du changement et que le thérapeute agit comme consultant au cours du traitement (p. 188).

Les objectifs de la rencontre sont les suivants :

❖ Promouvoir la coopération entre les membres de la famille au moyen d'une meilleure communication (Workman, 1991)

❖ Aider les membres de la famille à comprendre leurs réactions au cours de la période d'adaptation à l'adoption (Sandmaier, 1988)

❖ Promouvoir des liens d'attachement entre les membres de la famille dans l'objectif à plus long terme de prévenir un échec de l'adoption (Groze et Gruenwald, 1991)

❖ Soutenir et valider l'expérience des parents dans leur manière d'intervenir auprès de l'enfant (Sandmaier, 1988)

❖ Faciliter les liens avec divers systèmes de soutien extra-familiaux, tels que les groupes de parents adoptifs, les ressources d'évaluation psychologique ou psychiatrique

❖ Favoriser la compréhension et la prise de conscience quant à la manière dont les expériences passées de l'enfant et des membres de la famille interviennent dans la dynamique familiale actuelle

❖ Respecter l'unité familiale et utiliser des approches thérapeutiques qui incluent le système dans son entier et visent à donner du pouvoir aux membres de la famille (Reitz et Watson, 1992).

La diversité des besoins de ces familles oblige à avoir recours à de multiples techniques thérapeutiques (Sandmaier, 1988). Une évaluation complète de la famille et de l'enfant est un pré-requis à l'intervention. L'évaluation de la famille adoptive devrait inclure de l'information sur les plans psychologique, comportemental et systémique (Reitz et Watson, 1992). Selon Bourguignon et Watson (1988), le motif de l'évaluation est d'identifier les problèmes contribuant aux difficultés de la famille, de reconnaître ses forces en tant qu'unité et chez chacun de ses membres, et de proposer un plan d'intervention permettant de stabiliser l'enfant et d'aider la famille à fonctionner plus adéquatement (p. 15).

Plusieurs thérapeutes familiaux utilisent l'*écomap* (carte réseau) au cours de l'évaluation et du traitement (Koehne, 1990; Cohen et Westhues, 1990; Sandmaier, 1988). Selon Hartman (1984), cet outil qui sert à identifier les ressources dont dispose la famille est indispensable dans le travail avec les familles adoptives (Hartman et Laird, 1990). Whitford-Numan (1994) a dessiné une écomap type de l'environnement nécessaire à une famille adoptive avec des besoins spéciaux. Cet instrument permet en somme de réviser, évaluer et offrir des services qui respectent le cadre écologique d'une famille adoptive (p. 135).

Le *Résumé de l' Histoire de Placement* employé par Donley (1981) est utile pour recueillir des données sur l'histoire de l'enfant. Il s'agit d'une liste chronologique des parents d'accueil précédents et des raisons du retrait de l'enfant dans chaque cas (communication personnelle, mai 1991). Cet instrument permet par ailleurs d'ouvrir la discussion entre l'enfant et la famille au cours d'une rencontre; l'enfant est alors encouragé à faire état des souvenirs conservés de son placement tandis que les parents adoptifs le soutiennent et valident son expérience. Selon mon expérience, cet outil peut être précieux pour mettre à jour des fantaisies et corriger des distorsions dans des faits associés à certains souvenirs traumatiques.

Le *Questionnaire de services en pré et post-placement* contribue à l'évaluation des familles adoptives (Donley, 1991). Il permet d'identifier des sphères qui, du fait de n'avoir pas fait l'objet d'interventions, contribuent aux difficultés suivant le placement. Selon mon expérience, la qualité de l'environnement en post-placement est directement proportionnelle à l'étendue du travail effectué avant le placement de l'enfant.

La collecte des évaluations déjà effectuées de l'enfant et de la famille peut aussi fournir une riche information. En particulier, chez les enfants qui ont une histoire post-traumatique complexe où l'on soupçonne une exposition prénatale à l'alcool, aux drogues, ou des traumatismes infligés après la naissance, divers auteurs recommandent une évaluation neuropsychologique avant de débuter le traitement (Wass, communication personnelle, avril 2006 ; Gray, 2004a, 2004b). En plus de fournir une information sur l'utilité de certaines interventions, ces évaluations aident à circonscrire les changements espérés par les parents.

Plusieurs techniques, utilisées en thérapie familiale traditionnelle, sont recommandées avec les familles adoptives car souvent, la coopération entre les membres de la famille peut les amener à se relier entre eux à mesure qu'ils partagent des expériences et des émotions. Ces techniques incluent la *sculpturation* de la famille (Sandmaier, 1988 ; Nichols et Schwartz, ch. 6) ; la *carte de vie* (Pinderhughes et Rosenberg, 1990) ; le *génogramme* (Cohen et Westhues, 1990; Nichols et Schwarts, ch. 8) ; le *portrait* de la famille (Nichols et Schwartz, ch. 6 ; Pinderhughes et Rosenberg, 1990); les *charades*, *exercices de dévoilement* et *collages* (Pinderhughes et Rosenberg, 1990); le *questionnement circulaire* (Berman et Bufferd, 1986; Grunebaum, 1988) ; le *recadrage* (Rhodes, 1986, Sandmaier, 1988) ; et les techniques de gestion du comportement (Sandmaier, 1988; Nichols et Schwartz, 1991, ch. 7).

D'autres techniques spécifiques aux situations d'adoption font appel au *livre de vie* (Fahlberg, 1990), privilégiant l'expérience partagée entre des membres de la famille et où il s'agit de compiler des souvenirs, photos et tout autre objet rappelant le passé de l'enfant. Cette démarche est utile dans l'accompagnement du travail de deuil avec des enfants adoptés (Berman et Bufferd, 1986 ; Winkler et al., sans date). J'ai utilisé le livre de vie qui m'est apparu comme un outil extrêmement puissant mais qui doit être employé de façon respectueuse avec la famille naturelle de l'enfant. La création d'un livre intégré qui rassemble les histoires de l'enfant et de la famille, y compris l'histoire des placements, peut être une expérience importante qui consolide le processus d'adoption.

Les efforts thérapeutiques déployés pour traiter les traumatismes affectant l'enfant et/ou les parents nécessiteront une approche et un engagement clinique prolongé pour arriver à une résolution réelle du problème (James, 1989, 1994; Gil, 1991 ; Jernberg, 1979 ; van der Kolk, 1987 ; Terr, 1992). De plus, une sensibilité très affinée est nécessaire au thérapeute qui travaille dans un cadre systémique s'il veut parvenir à des changements dans la dynamique familiale.

## Questions éthiques et état de la recherche

Discutant les aspects éthiques spécifiques à cette clientèle, Haldane (1987) souligne l'attention qui doit être portée à la confidentialité et aux frontières de chaque patient, sachant qu'il s'agit de réunir deux systèmes familiaux profondément distincts. L'enfant, les parents naturels et la famille adoptive disposent chacun d'une information qui leur est propre et qui peut entraîner par suite des dilemmes et obliger des choix dans le cours de la thérapie. Une autre question délicate est celle d'évaluer à quel point les besoins de l'enfant ne rencontrent pas, voire peuvent aller à l'encontre de ceux de la famille adoptive. Si certaines familles sont capables de tolérer le stress induit par la condition de l'enfant, souvent au prix d'un fonctionnement familial altéré (Reitz et Watson, 1992), la situation devrait être considérée d'un point de vue systémique en explorant avec la famile les besoins de part et d'autre et en estimant l'impact sur la famille du fonctionnement actuel de l'enfant (Levine et Sallee, 1990), quitte à prendre des moyens appropriés (tel qu'un temps de répit hors du foyer, par exemple) pour remédier au problème.

Considérant l'état des recherches évaluatives menées en thérapie familiale (Gurman et Kniskern, 1981), l'essentiel de la littérature sur les enfants adoptés avec des besoins spéciaux s'appuie sur la pratique des professionnels et des parents. Plusieurs professionnels s'accordent pour reconnaître que l'approche familiale est la seule façon de traiter ces familles, selon diverses modalités, dont la thérapie brève, qui met l'accent sur une vision non pathologisante de la famille dans le but de modifier des patterns d'interaction (Schaffer et Lindstrom, 1990); la thérapie multisystémique, dérivée du travail de Murray Bowen, où l'on cherche à comprendre l'influence sur l'enfant et la famille des divers systèmes en cause (Forsythe, 1990); l'approche d'équipe qui vise au soutien et à l'éducation de tous les membres de la famille (Groze et Gruenewald, 1991); et une approche en cinq étapes selon une perspective psychodynamique et psychosociale qui devrait faciliter l'adaptation de la famille à l'adoption (Levine et Sallee, 1990).

Récemment, des chercheurs ont insisté sur le rôle des traumatismes et des troubles de l'attachement ainsi que d'autres variables présentes chez l'enfant (James, 1994 ; Perry, 1997; Schore, 1994), ce qui constitue un apport de la recherche à la pratique. Par comparaison, les éléments de la dynamique familiale n'ont pas fait l'objet d'investigations aussi poussées. En particulier, l'impact de variables relevées chez un enfant adopté sur les autres enfants vivant dans la famille adoptive n'a pas été étudié alors qu'en pratique, la fratrie est soumise à rude épreuve et les besoins de ces enfants peuvent être compromis alors qu'ils essaient d'aider l'enfant adopté.

*Monsieur et Madame Townsend rencontrèrent l'intervenante dans une situation d'urgence où leur fils aîné, John, 14 ans, adopté alors qu'il était bébé, menaçait de tuer leur fils de 8 ans, adopté deux ans plus tôt en Haïti. La famille était allé chercher cet enfant dans un orphelinat et ressentait que depuis son arrivée, la vie familiale avait complètement basculée. Il y avait deux autres enfants dans la famille, une fille de 12 ans, adoptée à la naissance, et un garçon de 4 ans adopté à l'âge de deux ans d'Haïti.*

*L'intervenante rencontra alors John pour évaluer son état affectif et le risque qu'il posait pour lui-même et les autres membres de la famille. John était un adolescent bien adapté qui avait des amis et était un bon étudiant, mais qui était aux prises avec les changements que vivait la famille. Avouant être dépassé par ses émotions, il se sentait malheureux et appréhendait ce qui pouvait arriver à sa mère en raison du stress qu'elle vivait face à son fils de 8 ans. John décrivit son frère comme opposant, rude et hypocrite, et dit qu'il ne semblait pas pouvoir apprendre des situations; selon lui, son frère agissait comme s'il haïssait toute la famille. John déclara enfin qu'il ne pourrait jamais tuer qui que ce soit mais qu'il se sentait en colère et terriblement mal.*

*L'intervenante rencontra ensuite les parents et suggéra qu'une évaluation était nécessaire pour saisir plus précisément l'état des problèmes dans la famille. Les parents se dirent d'accord et avouèrent que la famille avait été unie avant l'adoption de cet enfant d'Haïti et qu'ils ne savaient comment réagir face à lui. L'orphelinat n'avait fourni aucune information et ils ne savaient vers qui se tourner. Ayant rencontré l'enfant qui fut soumis à divers tests au cours de quatre rencontres successives, l'intervenante découvrit que le garçon avait un retard mental significatif et elle soupçonna un dommage neurologique de même qu'un trouble réactionnel de l'attachement. Une consultation fut demandée à un neuropsychologue afin d'avoir des éléments plus clairs permettant de mieux définir les attentes des parents par rapport à cet enfant, mais aussi d'aider les autres enfants à fixer des frontières interpersonnelles adéquates et à mieux faire face à la situation. L'évaluation neuropsychologique révéla des troubles sérieux chez le garçon, dont un trouble réactionnel de l'attachement de type désinhibé, un dommage au niveau du lobe frontal, avec un faible pronostic dans ce cas. La direction prise dans la thérapie consista à aider les parents à intégrer cette information et à planifier des services répondant aux besoins de cet enfant et à ceux des autres enfants de la famille.*

Les études évaluatives portant sur l'efficacité des interventions auprès de familles adoptives pourraient aussi assister des cliniciens nouvellement associés à cette pratique ou qui font face à des situations complexes. Trois études fréquemment citées ont tenté d'ouvrir ce domaine de recherche (Cohen et coll., 1992; Prew et al., 1990; Pinderhughes et Rosenberg, 1991) mais leur réplication est grandement attendue pour confirmer les données attestant de l'efficacité de ces programmes.

## Conclusion

L'utilisation de la thérapie familiale avec des familles adoptives ayant des besoins spéciaux est au centre de la présente discussion. La pertinence de son application a été établie en identifiant les sphères de congruence entre les modalités proposées et la population desservie. Les familles adoptives sont réceptives à une approche centrée sur la famille, alors que la littérature indique que les thérapeutes qui savent tenir compte du rôle des parents dans le cours du traitement et qui travaillent selon une perspective systémique sans se limiter à la réalité de l'ici et maintenant et une approche éclectique seront les plus efficaces dans ces cas. Des divergences existent toutefois quant à l'utilité de certaines approches, en particulier celles où le thérapeute s'en tient au présent en ignorant les expériences passées, où le comportement de l'enfant est vu comme le symptôme du dysfonctionnement familial, et où l'on se centre sur le système entier à l'exclusion de l'individu en utilisant une approche non directive. L'objectif de la rencontre étant d'amener les membres de la famille à construire des liens significatifs et durables entre eux, nous avons fait état de techniques à privilégier et soulevé plusieurs questions qui peuvent surgir en travaillant avec cette population. Enfin, face au manque d'études évaluatives, nous avons tenu à signaler l'urgence d'obtenir des données fiables qui viennent valider les notions théoriques et les règles de la pratique auprès de ces familles.

Traduit par *Denise Marchand*

# ABSTRACT

*Family-centered therapy with adoptive families of special needs children is a complex area of clinical practice. The author discusses the clinical issues presenting in those families who adopt children with special needs and through several vignettes including a long term intervention with Evan, she further demonstrates the relevance and specificity of family-centered intergenerational approach to adoption situations in light of practice and theory, treatment goals and techniques used to achieve these goals. She finally explores key ethical issues and considers the need for efficacy research in this domain of practice.*

## Références

**Adams G, Tessler R, Gamache G.** The development of ethnic identity among Chinese adoptees : Paradoxical effects of school diversity. *Adoption Quarterly* 2005; 8(3) : 25-46.

**Adam KS, Sheldon-Keller AE, West M.** Attachment organization and history of suicidal behavior in clinical adolescents. *J Cons & Clin Psychol* 1996; 64(2) : 264-272.

**Ainsworth MD.** The development of infant-mother attachment. In : **Caldwell BM, Riciutti HH.** (eds) *Review of child development research.* Chicago : University of Chicago Press, 1973; 3 : 1-94.

**Akiskal HS, Cassano GB.** (eds) *Dysthymia & the spectrum of chronic depressions.* New York : The Guilford Press, 1997.

**Al-Aidy D, Haines J, Studaker P.** *Family preservation : The second time around : A curriculum for adoptive parents.* Dec. 1990 (Available from : North American Council On Adoptable Children 1821, University Ave., Suite N498 St. Paul, Minn. 44104, USA)

**Allan JD, Hauser ST, Borman-Spurrell E.** Attachment theory as a framework for understanding sequelac of service adolescent psychopathology : An 11 year follow-up study. *J Cons & Clin Psychol* 1996; 64 (2) : 254–263.

**Atkinson L, Zucker KJ.** (eds) *Attachment and psychopathology.* New York : The Guilford Press, 1997.

**Backhaus KA.** Training mental health practitioners to work with adoptive families who seek help. *Child Welfare* 1989; LXVIII(1) : 61-68.

**Barlow DH.** *Anxiety and its disorders : The nature and treatment of anxiety and panic.* (2e ed.) New York : The Guilford Press, 2002.

**Barth RP, Gibbs DA, Siebenaler K.** *Assessing the field of post-adoption service : family needs, program models & evaluation issues.* Literature review. Dept of Health & Human Services Office of the Assistant Secretary for Planning & Evaluation. Washington, D.C., 2001. Contract No. 100-99-0006. RTI project No. 7578. 004. Internet Site : http://aspe.hhs.gov/hsp/pass/lit-res-ol.htm

**Becvar DS, Becvar RJ.** *Family therapy : A systemic integration.* (2nd ed) Boston : Allyn and Bacon, 1993.

**Belsky J, Nezworski T.** (eds) *Clinical implications of attachment.* New Jersey : Lawrence Erlbaum Ass., 1988.

**Berman LC, Buffered RK.** Family treatment to address loss in adoptive families. *Social Casework : The Journal of Contemporary Social Work* 1986 : 3-11.

**Bourguignon JP, Bonnier C.** *Medications, behavioral management and child welfare.* Illinois : NBI Press, 1990.

**Bourguignon JP, Watson K.** *After adoption : A manual for professionals working with adoptive families.* (Fed. Grant # 90-co-0287). Illinois Department of Child & Family Services, 1988.

**Bowlby J.** *A secure base.* London : Routledge, 1988.

**Bowlby J.** *Separation : Anxiety & Anger* (vol. II) London : Basic Books, 1973.

**Bowlby J.** *Loss : Sadness & Depression* (vol .III). London : Basic Books, 1980.

**Bowlby J.** *Attachment. Attachment & Loss* (vol. I). London : Penguin Books, 1969.

**Bradley S.** *Affect regulation and the development of psychopathology.* New York : The Guilford Press, 2000.

**Brodzinsky DM.** A stress and coping model of adoption adjustment. In : **Brodzinsky DM, Schechter MD.** (eds) *The Psychology of Adoption.* New York : Oxford University Press, 1990 : 3-25.

**Casey Family Services – Whitepaper.** *Strengthening families & communities : Promising practices in adoption – competent mental health services.* Internet Site : www.caseyfamilyservices.org/casey-mhpaper.html

**Cassidy J, Shaver PR.** (eds) *Handbook of attachment : Theory, research, and clinical applications.* New York : The Guilford Press, 1999.

**Chetkow-Yanoov B.** *Social work practice : A systems approach.* New York : The Haworth Press, 1992.

**Chisholm K, Carter M, Ames E, Morison S.** Attachment security and indiscriminately friendly behavior in children adopted from Romanian orphanages. *Dev & Psychopathol* 1995; 7 : 283 – 294.

**Cohen JS.** *Adoption breakdown with older children.* Toronto : University of Toronto, Faculty of Social Work, 1981.

**Cohen JS, Westhues A.** *Well-functioning families for adoptive and foster children.* Toronto : University of Toronto Press, 1990.

**Cohen NJ, Duvall JD.** *The family attachment program: An innovative program for working with families adopting older children.* Toronto : Hincks Institute, 1996.

**Cohen NJ, Duval J, Coyne J.** *Adopted and biological children in the clinic : Family, parental and child characteristics.* New Market, On : Children's Aid Society of York Region, 1992.

**Cohen NJ, Duvall JD, Coyne JC.** *Characteristics of Post-adoptive families presenting for mental health service.* Final Report sponsored by the Children's Aid Society of York Region, Newmarket, On., 1992.

**Conn-Blowers EA, Spronk T.** *The effects on families of adopting beyond infancy.* Edmonton : University of Alberta, Faculty of Education, Dept of Educational Psychology, 1993.

**Cowan PA, Cohn DA, Pape Cowan C, Pearson JL.** Parents' Attachment Histories and Children's Externalizing and Internalizing Behaviors : Exploring Family Systems Models of Linkage. *J Cons & Clin Psychol* 1996; 64(1) : 53-63.

**Crittenden PM.** *Transformation in Attachment Relationships in Adolescence : Adaptation versus need for Psychotherapy.* Adolescent attachment and treatment.

**Donley KS.** *The mechanics of placement.* New York : Spaulding for Children, 1981.

**Donley KS.** *Post-placement services analysis.* In the Best Interests of Children : Making Adoption Work, Conference on Adoption, Calgary, AB, July 1990; Red Deer, AB, May 1991.

**Edelstein SB.** Children with prenatal alcohol and/or other drug exposure : Weighing the risks of adoption. Washington, D.C. : *Child Welfare League of America,* 1995.

**Fahlberg V.** *The child in placement : Common behavioral problems.* Michigan Department of Social Services and the National Resource Centre for Special Needs Adoption, Mich., 1990.

**Fahlberg VI.** *The child's journey through placement.* Indianapolis : Perspectives Press, 1991.

**Forsythe J.** Multi-systems therapy : Helping families help themselves. In : **Grabe P.** (ed) *Adoption resources for mental health professionals.* New Brunswick, PA : Transaction Publ., 1990 : 203-214.

**Fraiberg L.** (ed) *Selected writings of Selma Fraiberg.* Columbus : Ohio State University Press, 1987.

**Freeman DS.** *Family systems thinking and the helping process : Misconceptions and basic assumptions.* In : **Freeman DS, Trute B.** (eds) *Treating families with special needs.* Ottawa : Alberta Association of Social Workers and Canadian Association of Social Workers, 1981 : 187-198.

**Freeman D.** Multigenerational Family Therapy. In : **Macnaughton I.** (ed) *Embodying the mind & minding the body.* California : Kreatic Press, 1998 : 8-22.

**Germain G, Gitterman A.** *The life model of social work practice.* New York : Columbia University Press, 1980.

**Germain G, Gitterman A.** The life model of social work practice revisited. In : **Turner FJ.** (ed) *Social work treatment : Interlocking theoretical approaches.* New York : The Free Press, 1986 : 618-644.

**Gil E.** *The healing power of play : Working with abused children.* New York : The Guilford Press, 1991.

**Goodman D, Keefer B.** *Post-adoption parenthesis : Northeast Ohio mental health/adoption training project,* 1990.

**Grabe P.** (ed) *Adoption resources for mental health professionals.* London : Transaction Publ., 1990.

**Gray SG.** *The maltreated child : Finding what lurks beneath.* Colorado : Living Water Press, 2004a.

**Gray SG.** *Motivating Marvin : Helping your bright underachiever succeed in school.* Colorado : Living Water Press, 2004b.

**Greenwald R.** *The role of trauma in conduct disorder. Journal of Aggression, maltreatment and trauma* 2002; 6 : 5-23.

**Groze V, Gruenewald A.** Partners : A model program for special needs adoptive families in stress. *Child Welfare* 1991; LXX(5) : 581-589.

**Grunebaum M.** The relationship of family theory to family therapy. *Journal of Marital & Family Therapy* 1988; 14(1) : 1-14.

**Gurman AS, Kniskern DP.** (eds) *Handbook of family therapy.* New York : Brunner/Mazel, 1981.

**Gurman AS, Messer SB.** Essential psychotherapies : Theory and practice. New York : The Guilford Press, 2003.

**Haldane D.** Ethics, professionalism and family therapists. In : **Walrond-Skinner S, Watson D.** (eds) *Ethical Issues in Family Therapy.* London : Routledge & Kegan Paul, 1987 : 138-151.

**Hartman A, Laird J.** *Family-centered social work practice.* New York : The Free Press, 1983.

**Hartman A, Laird J.** Family treatment after adoption: Common themes. In : **Brodzinsky DM, Schecter M.** (eds) *The psychology of adoption.* New York : Oxford University Press, 1990 : 221-239.

**Hartman A.** *Working with adoptive families beyond placement.* New York : Child Welfare League of America, 1984.

**Holmes J.** *John Bowlby & Attachment Theory.* London : Routledge, 1993.

**Hughes DA.** *Facilitating developmental attachment: The road to emotional recovery and behavioral change in foster and adopted children.* New Jersey: Jason Aronson, 1997.

**Hughes DA.** *Building the bonds of attachment : Awakening love in deeply troubled children.* New Jersey : Jason Aronson, 1998.

**James B.** *Treating traumatized children.* Boston : Lexington Books/Macmillan, 1989.

**James. B.** *Handbook for treatment of attachment-trauma problems in children.* New York : The Free Press, 1994.

**Jernberg AM.** *Theraplay : A new treatment using structured play for problem children and their families.* Oxford : Jossey-Bass, 1979.

**Jewett C.** *Adopting the older child.* Boston : The Harvard Common Press, 1978.

**Karen R.** *Becoming attached : First relationships and how they shape our capacity to love.* New York : Oxford University Press, 1998.

**Katz L.** Older child adoptive placement : A time of family crises. *Child Welfare* 1977; LVI(3) : 161-167.

**Kirk HD.** *Shared fate : A theory and method of adoptive relationships* (rev. ed.). Port Angeles, WA : Ben-Simon Publ., 1984.

**Kirk HD.** *Exploring adoptive family life : The collected adoption papers of H. David Kirk.* British Columbia : Ben-Simon Publ., 1988.

**Koehne PJ.** The adoption process of special needs children : A family therapy perspective. In : **Grabe P.** (ed) *Adoption*

*Resources For Mental Health Professionals.* New Brunswick (USA) : Transaction Publ., 1990 : 281-296.

**Kolevzon MS, Sowers-Hoag K, Hofman C.** Selecting a family therapy model : The role of personality attributes in eclectic practice. *Journal of Marital and Family Therapy* 1989; 15(3) : 249-257.

**Levine ES, Sallee AL.** Critical phases among adoptees and their families : Implications for therapy. *Child and Adolescent Social Work* 1990; 7(3) : 217-231.

**Lovett J.** *Small wonders : Healing childhood trauma with emdr.* New York : The Free Press, 1999.

**Lyons-Ruth K.** Attachment relationships among children with aggressive behavior problems : The role of disorganized early attachment patterns. *J Cons & Clin Psychol* 1996; 64(1) : 64-73.

**Mash EJ, Barkley RA.** (eds) *Child psychopathology.* New York : The Guilford Press, 1996.

**McNamara B, McNamara J.** *Adoption and the sexually abused child.* New York : Family Resources, 1990.

**Melito R.** Combining individual psychodynamics with structural family therapy. *Journal of Marital & Family Therapy* 1988; 14(1) : 29-43.

**Minshew D, Hooper C.** The adoptive family as a healing resource for the sexually abused child : A training manual. Washington, D.C. : *Child Welfare League of America,* 1990.

**Morris TL, March JS.** (eds) *Anxiety disorders in children & adolescents.* (2nd ed.) New York : The Guilford Press, 2004.

**Morrison-Dore M.** The postadoption experience : Adoptive families' service needs and service outcomes. Washington, D.C. : *Child Welfare League of America,* 2006.

**Myers JE, Berliner L, Briere J, Hendrix CT, Jenny C, Reid TA.** (eds) *The APSAC Handbood on child maltreatment* (2nd ed.) London : Sage Publ., 2002

**Nichols MP, Schwartz RC.** *Family therapy : Concepts and methods.* (2nd ed.) New York : Gardner Press, 1991.

**Papolos D, Papolos J.** *The bipolar child.* New York : Broadway Books, 1999.

**Parkes CM, Stevenson-Hinde J, Marris P.** (eds) *Attachment across the life cycle.* London : Routledge, 1991.

**Pelcovitz D, Kaplon S, Goldenberg B, Mandel F, Lehane J, Guarrera J.** Post-traumatic stress disorder in physically abused adolescents. *J Am Acad Ch & Adol Psychiat* 1994; 33(3) : 305-312.

**Perbix R.** *Post-traumatic stress disorder in later placed adopted children. A training outline for the Washington Post Adoption Project.* Children's Home Society of Washington's Adoption Resource Center, 1994.

**Perry BD.** Incubated in terror : Neurodevelopmental factors in the cycle of violence. In : **Osofsky JD.** (ed) *Children in a violent society.* New York : Guilford Publ., 1997 : 124–149.

**Perry BD, Azadi I.** Post traumatic stress disorders in children and adolescents. *Current opinions in pediatrics* 1999; 11(4).

**Pinderhaughes EE, Rosenberg K.** Family bonding with high risk placements : A therapy model that promotes the process of becoming a family. *Journal of Children in Contemporary Society* 1990; 21(3-4) : 209-230.

**Prew C, Suter ST, Carrington J.** *Post-Adoption Family : A Practice Manual.* Oregon : Children's Services Division, Dept of Human Resources, 1990.

**REITZ M, WATSON K.** *Adoption and the family system.* New York : The Guilford Press, 1992.

**Rhodes SL.** Family Treatment. In : **Turner F.** (ed) *Social Work Treatment.* New York : The Free Press, 1986 : 432-453.

**Rodway M.R.** Systems Theory. In :**Turner F.** (ed) *Social Work Treatment.* New York : The Free Press, 1986 : 514-540.

**Rothenberg M.** *Children with emerald eyes : histories of extraordinary boys & girls.* Berkeley, Calif. : North Atlantic Books, 2002.

**Roxenberg EB.** *The adoption life cycle : The children and their families through the years.* New York : The Free Press, 1992.

**Sandmaier M,** Family Services of Burlington County, Mt. Holly, N. J. *When Love is not Enough.* Washington, D.C. : Child Welfare League of America, 1988.

**Schaffer J, Lindstrom C.** Brief-solution focused therapy with adoptive families. In : **Brodzinsky DM, Schechter MD.** (eds) *The psychology of adoption.* New York : Oxford University Press, 1990 : 240-252.

**Schmidt DM, Rosenthal JA, Bombeck B.** Parents views of adoption disruption. *Children and Youth Services Review* 1988; 10 : 119-130.

**Steinhauer PD.** *How to succeed in the business of creating psychopaths without even trying.* Paper presented to the Annual Meeting of Ontario Association of Children's Aid Societies. Toronto, On., 1974.

**Steinhauer PD.** *The least detrimental alternative : A systematic guide to case planning and decision making for children in care.* Toronto : University of Toronto Press, 1991.

**Steinhauer Paul D.** Attachment disorder: A neurodevelopmental approach & implications for caregiving, treatment & case planning. Presentation at Calgary, 1998.

Tan TX. Child adjustment of single parent adoption from China : A comparative study. *Adoption Quarterly* 2004; 8(1): 1–20.

**TERR L.** *Too scared to cry: Psychic trauma in childhood.* New York : Basic Books, 1992.

**Tinker RH, Wilson S.A.** *Through the eyes of a child : Emdr with children.* New York : W. W. Norton, 1999.

**Toth SL, Cicchetti D.** Patterns of relatedness. Depression symptomatology and perceived competence in maltreated children. *J Cons & Clin Psychol* 1996; 64(1) : 32–41.

**Valentine D.** (ed) *Infertility and adoption : A guide for social work practice.* New York : The Haworth Press, 1988.

**Van der Kolk BA.** *Psychological trauma.* Washington : American Psychiatric Press, 1987.

**Van der Kolk BA, McFarlane AC, Weisaeth L.** (eds) *Traumatic stress : The effects of overwhelming experience on mind, body and society.* New York : The Guilford Press, 1996.

**Whitford-Numan RL.** *Reflections on special needs adoption : An exploratory descriptive study of parental perceptions.* Calgary : University of Calgary, Faculty of Social Work Unpublished Master's Thesis, 1994.

**Winkler RC, Brown DW, Van Keppel M, Blanchard A.** (date Unknown). *Clinical practice in adoption.* New York : Pergamon Press.

**Workman D.** *Treating adoptive families : The clinician.* Utah Post-Adoption Project, 1991 dec. (federal Grant Pt90-co-1426).

**Young L.** Placement from the child's viewpoint. *Social Casework,* June 1950.

no 46

# De Michel à François... Pour briser le cercle vicieux du déficit d'attachement

Louise Noël

Travailleuse sociale au Service adoption, Centre jeunesse de Montréal – Institut universitaire, l'auteure a une maîtrise en service social de l'Université McGill. Elle prépare un livre sur l'adoption réalisée dans le cadre du programme Banque-mixte, qui devrait paraître en début 2007.

Adresse : 1001, boul. de Maisonneuve est, 6ème étage, Montréal (Québec) H2L 4R5

Courriel : louise.noel@cjm-iu.qc.ca

De 1977 à 2005, années où ce récit débute puis se termine, les pratiques en protection de la jeunesse et en adoption ont profondément évolué. La diffusion de la théorie de l'attachement est probablement un des éléments les plus déterminants de cette évolution. Les effets dévastateurs du manque de stabilité dans la relation entre l'enfant et son dispensateur de soins (mère ou autre personne significative) sont maintenant de mieux en mieux connus et reconnus par un grand nombre d'intervenants sociaux, médicaux et juridiques. Le développement de la personnalité de l'enfant, son style relationnel, son estime de lui-même, son évolution en général et la nature de son ajustement à l'environnement sont directement tributaires de la qualité de cette relation. À travers ce lien se développent également les facultés de mentalisation de l'enfant, et de l'adulte qu'il deviendra, et que Fonagy décrit comme « une fonction réflective permettant la compréhension de ses propres comportements et des comportements des autres en terme d'états mentaux » (1999).

La transmission intergénérationnelle de l'attachement est aussi clairement établie. Les travaux de Mary Ainsworth montrent qu'il y a un lien entre le comportement de la mère et le type d'attachement développé par le bébé. La réaction des bébés en *Situation étrangère* est étroitement liée à la nature du maternage observé à la maison. Les différences chez les enfants ont été associées à des différences entre les mères quant à la façon plus ou moins sensible, plus ou moins rapide et plus ou moins appropriée avec laquelle elles répondent aux signaux de détresse du bébé, particulièrement au cours des premiers mois de vie (Ainsworth et al., 1978). En général, les recherches mettent en évidence une correspondance de 68 % à 80 % entre la classification des adultes avec l'*Adult Attachment Interview* et la

Les aspects juridiques de cet article ont été révisés par Sonia Boisclair, avocate au Contentieux du CJM-IU.

classification de leurs enfants avec la *Situation étrangère* (Baker-mans-Kranenburg et van IJzendoorn, 1993).

Ce récit montre comment le travail des intervenants impliqués auprès de ce type de clientèle est profondément influencé par les nouvelles connaissances sur l'attachement mais que des progrès doivent encore être faits pour accélérer le dépistage et accompagner les parents et les enfants de manière encore plus pertinente et étroite. L'existence d'autres enfants, de leurs parents d'origine et de leurs éventuels parents adoptifs pourrait ainsi être modifiée.

## Michel

En 1977, à la suite d'un problème d'infertilité, Pierrette et Frank décident d'adopter Michel, alors âgé de neuf ans. Les intervenants impliqués auprès de cet enfant leur expliquent que les parents de Michel ont un problème d'alcoolisme et que leurs premiers enfants ont tous été placés en famille d'accueil. Au moment de la naissance de Michel par contre, sa mère montrait des signes de reprise en main et les intervenants ont alors décidé de lui laisser l'enfant. Celui-ci a donc vécu avec elle durant plusieurs années, quoique de manière intermittente : à plusieurs reprises, lorsque sa mère recommençait à consommer, l'enfant était placé en famille d'accueil puis, lors-qu'elle redevenait sobre, il retournait vivre chez elle jusqu'à la prochaine rechute. Michel a donc vécu une succession d'allers et de retours entre différentes familles d'accueil et sa mère, jusqu'au décès de celle-ci.

Pierrette et Frank apprennent aussi que Michel n'est pas apprécié des parents d'accueil chez qui il habite au moment où on leur propose de l'accueillir en vue d'une adoption. En effet, les parents d'accueil ont un fils et Michel lui est continuellement comparé. Il porte les vête-ments usés de cet enfant bien que ce dernier soit plus jeune et plus petit que lui. Tant au plan des marques d'affection que des biens matériels, les parents d'accueil lui font sentir qu'il n'appartient pas à leur famille et, bien qu'il habite chez eux depuis plusieurs années, ils ne souhaitent pas en conserver la garde et encore moins l'adopter. Il est clair que Michel n'a pas de lien d'attachement avec ces gens dont il perçoit le rejet. Plus tard il dira à ses parents adoptifs qu'il se sentait injustement traité. Ce sentiment d'injustice restera toujours présent pour lui et il en parle encore aujourd'hui.

Pierrette et Frank n'ont pas d'expérience parentale : Michel est leur premier enfant. Ils sont préparés à son arrivée par des rencontres de groupes pour futurs parents adoptifs organisées par le Service adoption de leur région. Ils bénéficieront aussi d'un suivi social jusqu'au moment où l'adoption légale sera prononcée, c'est-à-dire durant un peu moins d'un an.

Michel est un enfant intelligent qui manque cependant de motivation et qui est très secret. Pierrette et Frank lisent des livres sur l'éducation des enfants dont, entre autres, « *Parents efficaces* » de l'auteur Thomas Gordon (1976). Frank, de tempérament extraverti, a de la facilité à apprivoiser Michel. Pierrette, plutôt réservée, rencontre plus de difficultés : celui-ci met deux ans avant de l'appeler « maman »[1]. Mais tous deux s'attachent à lui et cette première expérience positive les amène, trois ans plus tard, à adopter un autre enfant, Frédéric, qui aura cinq ans à son arrivée chez eux.

Pour sa part, Michel décrira son arrivée dans cette famille comme un passage « de l'enfer au paradis ». Il mentionne néanmoins que sa période d'acclimatation a été assez longue : avoir sa chambre, se promener librement dans la maison, se sentir chez lui, sont des choses simples auxquelles il a pourtant dû s'adapter. Malgré tout, Michel semble heureux avec eux et les quatre ou cinq années qui suivent son arrivée dans la famille se passent agréablement.

À l'adolescence par contre, Michel commence à fréquenter des jeunes qui consomment de la drogue et ses comportements se détériorent : retour tardif à la maison, sommes d'argent qui disparaissent, conflits plus fréquents avec son jeune frère adoptif, Frédéric, résultats scolaires médiocres... Ses parents consultent, le problème de drogue est mis sur la table et certains événements du passé sont révélés. C'est ainsi qu'ils apprennent que Michel a été abusé sexuellement avant son arrivée chez eux.

Durant une longue période, Pierrette et Frank tolèrent les difficultés de Michel mais vient un moment où tous deux sont épuisés. Le psychologue leur conseille de demander à l'adolescent, alors âgé de dix-huit ans, de quitter la maison et de se prendre en main de façon autonome. Cela dure quelques mois puis Michel revient et tente de reprendre ses études. C'est encore un échec. Il se dirige alors vers un centre de désintoxication mais quitte quelques semaines avant la fin du séjour prescrit.

À partir de ce moment, sa condition se détériore de plus en plus. Si, à certaines occasions, Michel semble se reprendre en main, ce n'est jamais pour longtemps. Il alterne entre des périodes durant lesquelles il occupe des emplois intéressants, mais qu'il ne conserve pas à cause de sa consommation de cocaïne, et des périodes où il reçoit de l'assurance chômage ou des prestations de l'Aide sociale. Ses parents ne comptent plus les interventions, les thérapies et les stages qu'il amorce, toujours sans succès. Durant toutes ces années, l'engagement de Pierrette et de Frank auprès de Michel reste constant : ils se montrent toujours disponibles mais sont souvent déçus.

Alors que Michel atteint le début de la trentaine, Pierrette et Frank apprennent qu'il fréquente Hélène. Celle-ci consomme de l'alcool de manière abusive. Ils s'inquiètent de l'éventualité qu'elle devienne enceinte et tentent de sensibiliser Michel au fait que sa conjointe et lui n'ont pas un mode de vie qui leur permet d'élever un enfant. Celui-ci semble acquiescer mais, quelque temps plus tard, les informe qu'Hélène est enceinte de huit mois.

François est le premier petit-fils de Pierrette et de Frank. Ils sont heureux de sa naissance mais très inquiets de la situation des parents. Ils aident le couple, visitent la mère à l'hôpital, contribuent à l'organisation matérielle, s'impliquent auprès de l'enfant... jusqu'à ce que des policiers se présentent chez eux à l'improviste pour leur demander d'héberger Michel et le bébé. Le lendemain, ils rencontrent l'intervenante sociale chargée d'évaluer la situation et apprennent toute l'ampleur des problèmes du couple.

## François

Suivant le signalement fait par les policiers appelés à intervenir dans un contexte de violence conjugale, un juge du Tribunal de la jeunesse ordonne en urgence un hébergement obligatoire de l'enfant en famille d'accueil, invoquant un risque de tort sérieux si l'enfant est maintenu auprès de ses parents. L'hébergement est confirmé un mois plus tard pour une durée de quatre mois, puis pour une autre période de huit mois : la Cour statue que la sécurité et le développement de l'enfant sont compromis.

C'est ainsi que François, après avoir vécu les trois premiers mois de sa vie avec ses parents, Michel et Hélène, est d'abord placé dans une famille d'accueil de transition et, un mois plus tard, déplacé vers une famille d'accueil régulière. À son arrivée dans cette famille, il est irritable et pleure beaucoup. À ce moment là, les parents d'origine démontrent encore un potentiel de reprise en main et les intervenants espèrent une réintégration progressive de l'enfant auprès d'eux. C'est pourquoi de fréquents contacts sont encouragés entre l'enfant et les parents.

Au moment où l'intervenante assume la prise en charge de François et de sa famille d'origine, celui-ci est âgé de neuf mois. Il est né à trente-sept semaines de gestation. Hélène a consommé du tabac, des médicaments, de la cocaïne et de l'alcool durant la grossesse. L'accouchement a été normal, il n'y a pas eu de trace de cocaïne dans les urines du bébé à la naissance. Le poids, la taille et le périmètre crânien de l'enfant sont toutefois dans la basse moyenne, en raison d'un retard de croissance intra-utérin[2].

Hélène est une jeune femme de trente ans qui en paraît quarante. En cure de désintoxication pour une consommation abusive de médicaments, d'alcool et de cocaïne, elle exprime son intention de reprendre François d'ici quelques mois mais ne dispose pas des moyens nécessaires pour réaliser cet objectif. Elle ne semble pas consciente des difficultés qu'elle doit surmonter pour rester sobre et se réinsérer dans la société. Centrée sur elle-même, elle apparaît peu préoccupée ni même consciente des besoins de son enfant et des perturbations qu'il a vécues depuis sa naissance. Hélène a été adoptée à l'âge de un an. Elle dit avoir eu des relations très peu affectueuses avec sa mère adoptive et avoir vécu des abus. Elle a terminé son secondaire V en commerce et occupé des emplois de préposée aux bénéficiaires, de secrétaire et de réceptionniste. Elle consomme depuis plusieurs années. Elle a de grands besoins affectifs et son réseau de soutien se révèle très pauvre.

Pour sa part, Michel, âgé de trente-deux ans, se montre fier de sa personne, intelligent et articulé. Il est déconcertant car, vêtu différemment, il pourrait passer pour un individu stable et équilibré. Il est habile à cacher sa consommation et l'intervenante doit exercer une extrême rigueur dans son intervention pour cerner ses contradictions. L'instabilité de Michel, son mode de vie perturbé, ses conflits nombreux avec ses propriétaires successifs sont autant d'éléments qui permettent à l'intervenante de saisir graduellement son important problème d'adaptation. Elle observe chez lui des carences importantes et de grandes difficultés à être stable dans ses investissements et ses choix. Malgré cela, elle note que Michel s'est impliqué auprès de François dès sa naissance, qu'il a été présent à l'accouchement et s'est beaucoup occupé de lui durant les premiers mois en assumant une grande partie des soins du bébé.

Hélène et Michel se connaissent depuis plusieurs années mais vivent une relation de couple depuis trois ans. Il s'agit d'une relation tumultueuse qui a été marquée par au moins deux séparations avant la naissance de François. La consommation de drogue ou d'alcool des deux conjoints contribue aux problèmes relationnels.

L'intervenante entreprend le suivi de l'enfant et de sa famille, l'objectif étant que ces derniers redeviennent capables d'assumer le soin, l'entretien et l'éducation de leur enfant afin qu'il retourne habiter avec eux. À cette époque, François, dix mois, voit peu son père qui fait une cure de désintoxication en milieu fermé; par contre, il a des contacts réguliers avec sa mère deux fois par semaine. Ces contacts sont supervisés par un intervenant mais pour l'enfant, il est très perturbant d'être ainsi déplacé plusieurs fois par semaine par une personne qu'il ne connaît pas[3] pour aller visiter un parent qu'il connaît peu. La fréquence des contacts entre François et sa mère ne dure pas cependant, car Hélène quitte brusquement le centre de thérapie où elle fait, elle aussi, une cure de désintoxication depuis deux mois. Elle rappelle l'intervenante sociale après quelques semaines pour l'informer qu'elle vit à nouveau avec Michel et qu'ils habitent en appartement dans une ville située à plusieurs kilomètres de Montréal.

Hélène n'a pas vu son fils depuis un mois, et Michel ne l'a pas vu depuis six semaines. La raison qu'ils donnent est la distance qui les sépare de l'endroit où habite François. Centrés sur le rétablissement de leur relation, ils ne semblent pas avoir pris cet élément en considération lorsqu'ils se sont installés en dehors de la ville.

Ils acceptent d'être suivis par une intervenante de leur nouvelle région et reprennent les contacts avec François une fois par semaine. Mais, encore une fois, il faut mettre fin à ce plan car une autre dispute éclate dans le couple et ils se séparent, cette fois-ci, définitivement. À partir de ce moment, la mère donne très peu de nouvelles et, bientôt, il n'est plus possible de la rejoindre. L'intervenante centre alors son suivi sur le père.

Celui-ci s'avère beaucoup plus constant. Malgré ses déménagements successifs, il s'assure de rester en lien avec l'intervenante et poursuit des contacts réguliers avec son fils, à raison d'une fois par semaine. Il fait montre d'un bon jugement et de belles qualités. Lors de ses rencontres avec François, maintenant âgé de quatorze mois, il est capable d'être sensible à ses besoins, de le stimuler pour favoriser son développement et de lui apporter du réconfort lorsque c'est nécessaire. Dans sa vie personnelle par contre, il a encore de nombreuses difficultés et fait souvent appel à des ressources d'hébergement temporaire. Un de ces endroits se spécialise dans l'intervention auprès d'hommes en difficulté qui désirent retrouver la capacité d'assumer leur rôle de père. L'objectif de Michel est de récupérer la garde de François. Malheureusement, après trois mois de ce programme, il se désorganise et pose des gestes agressifs dans son milieu de vie. Il avoue alors n'avoir jamais cessé de consommer et les responsables de la ressource mettent fin à son séjour.

À cette époque, l'intervenante rencontre aussi régulièrement Pierrette et Frank. Ils s'impliquent étroitement auprès de leur petit-fils en le recevant régulièrement chez eux et sont soucieux de répondre à ses besoins. Ils ne désirent pas l'adopter, mais sont très préoccupés de l'impact que peuvent avoir les décisions sociales et légales dans la vie de François. Ils veulent que ces décisions soient prises rapidement et dans l'intérêt de ce dernier.

Après la désorganisation de Michel, l'intervenante consulte le Comité aviseur[4] dont le rôle est d'aider les intervenants à déterminer le pronostic de retour de l'enfant dans sa famille d'origine. Les membres du comité sont d'avis que même si ce père possède de bonnes capacités parentales, ses problèmes de consommation et son mode de vie instable risquent de l'empêcher de réaliser son objectif, soit de reprendre François. On prend aussi en considération le fait que ce dernier, maintenant âgé de 18 mois, a déjà connu trois milieux de vie. Son développement physique et affectif est perturbé et il est urgent qu'il trouve la stabilité dans une famille désireuse et capable de l'investir pleinement. En conséquence, le comité recommande que François soit placé dans une famille de type Banque-mixte[5] afin de lui procurer un cadre de vie stable.

À ce moment-là, Michel s'oppose totalement à l'adoption. Il n'imagine pas pouvoir vivre séparé de son fils. Afin de l'aider à cheminer, il est décidé de lui faire rencontrer la famille choisie. Isabelle et Vincent, les parents nouvellement identifiés pour accueillir François, se sentent capables d'ouvrir leur porte à la fois au père et aux grands-parents[6]. En ce sens, ils jouent un rôle significatif dans l'évolution de Michel.

Le jumelage de François avec sa nouvelle famille se fait de façon graduelle. Malgré cela, après quelques semaines, l'enfant réagit : il apparaît très fragile émotivement, fait des crises, lance des objets et frappe. Isabelle et Vincent se montrent sensibles à sa détresse et l'aident à surmonter ses difficultés. Ils font montre de beaucoup d'affection envers François et sont capables de répondre à ses besoins de sécurité et de stabilité. Ils respectent son rythme et savent attendre qu'il vienne vers eux plutôt que de s'imposer auprès de lui. Après quelques mois, on observe un attachement réciproque entre François et eux. Graduellement, il initie spontanément les contacts avec ses nouveaux parents et les appelle « papa » et « maman ».

Ces derniers démontrent aussi un grand respect des origines de François. Lorsque les contacts entre François et Michel reprennent[7], les parents d'accueil comprennent que ceux-ci sont nécessaires pour aider Michel à cheminer et ils collaborent à l'organisation de ces contacts. Ils soutiennent François au retour des visites et l'aident à se remettre des émotions parfois perturbatrices qu'il éprouve à ces occasions.

Durant cette période, Michel réussit à rester sobre. Il réalise combien son mode de vie est destructeur pour lui-même et nocif pour son entourage. Il dit souhaiter mener une vie plus enrichissante. Sa motivation se maintient, il trouve un travail régulier et cesse d'être dépendant de l'Aide sociale. Progressivement, il ne parle plus d'un retour de François avec lui et, se montrant de plus en plus préoccupé du bien-être de l'enfant, il cherche à agir dans son intérêt. Il réalise que François a besoin d'un milieu de vie stable et qu'il est peu probable qu'il réussisse à offrir à son fils cette stabilité à long terme, et ce, malgré les progrès qu'il a faits depuis quelques mois.

Michel est très conscient de ce qu'il a lui-même vécu avant son arrivée chez ses parents adoptifs et il veut éviter à François un parcours similaire. Il devient capable de reconnaître que l'intérêt de son fils est de demeurer avec ceux qu'il nomme déjà lui-même « les parents adoptifs de François ». Il annonce à l'intervenante son désir de signer un consentement à l'adoption, ce qui est fait à l'automne 2002[8].

Au moment de cette signature, Michel dit prendre cette décision pour le bien de François. Il explique qu'il a peu d'espoir d'être capable de le reprendre un jour, qu'il a « trop de barrages », trop de problèmes personnels. Il désire aussi faciliter l'adoption de l'enfant, car il estime que François est dans une bonne famille. Il mentionne l'importance d'être adopté jeune et de ne pas attendre. Michel signe aussi le consentement dans son propre intérêt car la situation actuelle le rend « malade et malheureux ». Il dit vouloir passer à autre chose. Michel souhaite cependant conserver des contacts avec François même s'il comprend que son souhait ne peut être une condition[9] au consentement et que la décision d'autoriser des contacts avec François reviendra, après l'adoption, aux nouveaux parents qui détiendront alors l'autorité parentale. Ces contacts ne pourront se réaliser que s'ils sont perçus comme étant, à ce moment là, dans l'intérêt de l'enfant.

Bien que cela leur soit très difficile, car ils sont attachés à l'enfant, les grands-parents ne s'opposent pas à l'adoption[10]. Ils savent que leur fils ne sera jamais capable de reprendre François et ils ont la conviction que celui-ci a trouvé des parents qui sauront l'aimer et répondre à ses besoins. Ils sont d'accord avec la décision prise par les parents adoptifs de ne pas maintenir les contacts entre Michel et François : l'enfant est encore trop vulnérable, il a besoin de stabilité et Michel, de son côté, n'a pas réglé ses problèmes.

Aujourd'hui, François est devenu un enfant épanoui et joyeux. Il est en bonne santé et se développe normalement. Il s'est bien intégré à sa famille adoptive et a développé un lien d'attachement sécurisant avec ses parents. Il conserve encore des vulnérabilités et est facilement insécure surtout dans les situations où il est confronté à l'inconnu. Michel, pour sa part, consomme à nouveau. Il a une nouvelle conjointe qui consomme aussi. Bien qu'il décrive son expérience de père comme « la plus belle chose de sa vie », il n'a pas l'intention d'avoir d'autres enfants car il est conscient qu'il ne pourrait leur offrir ce dont ils auraient besoin.

## De 1977 à 2005 : À propos de l'évolution des pratiques

### Le dépistage et le suivi pré-adoption

Michel est arrivé dans sa famille adoptive à l'âge de neuf ans après avoir subi de très nombreux déplacements, des abus et du rejet. Concernant ces déplacements, il faut compter chacun des allers et retours dans la famille d'origine comme deux déplacements : en effet, chaque fois qu'un enfant quitte une famille d'accueil pour retourner dans sa famille d'origine et chaque fois qu'il quitte à nouveau sa famille pour être placé dans une famille d'accueil, souvent différente de la première, il perd sa stabilité et son développement est interrompu.

Si les déplacements et les séparations se multiplient, l'enfant risque de devenir le premier obstacle à la création d'un lien d'attachement : trop souvent blessé, il devient allergique à toute forme de relations. Cette situation correspond à l'un des exemples de dérive de projet de vie décrit par Steinhauer : « Une autre forme de dérive se produit lorsqu'une agence permet qu'un enfant placé soit sans cesse entraîné – « rebondisse » serait un meilleur terme – dans des allers et retours correspondant à autant d'essais infructueux de le réinsérer dans sa famille, laquelle se montre ambivalente ou même franchement rejetante et dont l'incapacité à répondre à ses besoins aurait pu être reconnue beaucoup plus tôt » (Steinhauer, 1996, p. 257).

De son côté, François a connu quatre milieux de vie entre sa naissance et l'âge de vingt et un mois : sa famille d'origine, deux familles d'accueil et la famille du programme Banque-mixte qui l'a adopté. Sa situation est beaucoup moins perturbée que celle de son père au même âge. Il n'en reste pas moins qu'à un moment où son énergie doit être principalement utilisée pour créer un lien d'attachement sécurisant, François connaît déjà plusieurs personnes qui entrent en relation avec lui chacune à sa manière. Il aurait été souhaitable de pouvoir lui éviter un ou deux de ces déplacements et leurs conséquences. Dans les cas où ces déplacements sont inévitables, comme dans la situation de François qui a du être déplacé pour des raisons administratives sur lesquelles l'intervenante n'avait aucun contrôle, il aurait été souhaitable, comme le suggère Steinhauer (1996, p. 40), de pouvoir à tout le moins lui assurer la présence d'une personne stable à laquelle il aurait pu se référer.

Cependant, contrairement à ce qui s'est passé pour Michel, l'intervenante qui s'occupe de François et de sa famille est rapidement convaincue de l'incapacité des parents à se reprendre en main dans un temps convenant aux besoins de l'enfant : « Le temps d'un enfant n'est pas le même que celui de ses parents. Six mois dans la vie d'un enfant de un an, c'est la moitié de sa vie. Six mois dans la vie d'une personne de vingt ans, c'est un quarantième de sa vie. Le moment est aussi important. Les deux premières années de vie sont cruciales. C'est à ce moment-là que l'enfant développe une image de lui-même et une image des autres, qu'il établit les fondations de ses relations futures » (Noël, 2003, p. 243).

La priorité pour l'intervenante est d'assurer le plus tôt possible la stabilité de l'enfant dans une famille qui peut répondre à ses besoins.

Pour ce faire, elle suit le père de très près, met l'accent sur l'intérêt de François et en second seulement, l'intérêt du père[11].

Lorsque Michel prend la décision de signer le consentement à l'adoption, l'intervenante sait que cela aura pour conséquence de couper les liens de filiation de François non seulement avec ses parents mais aussi avec ses grands-parents et cela l'attriste. Par contre, lorsqu'elle voit François dans sa nouvelle famille et qu'elle constate ses progrès, surtout au plan affectif, cela la rassure et l'encourage à poursuivre et à donner suite au projet. Elle réalise rapidement qu'elle fait, par son intervention, une différence significative dans la vie d'un enfant.

Depuis 2004, le CJM-IU, de concert avec les autres Centres jeunesse du Québec, a mis sur pied un nouveau programme d'intervention, le programme *Projet de vie*. Le terme « projet de vie » signifie « une situation dans laquelle l'enfant est placé de façon stable et permanente » et qui comporte deux dimensions : une « dimension physique » (milieu de vie, lieu d'appartenance) et une « dimension dynamique » (une personne significative avec qui l'enfant vit et peut développer un lien d'attachement). Ce programme propose «des outils cliniques et administratifs pouvant servir au dépistage précoce du risque d'abandon et permettant de fournir une connaissance systématique de la situation des enfants à risque ou en voie d'abandon » (Paquette, 2004, p. 3-5)[12].

Le programme *Projet de vie* et le programme Banque-mixte sont complémentaires : le programme Banque-mixte fournit des ressources à la fois stables et dynamiques aux enfants identifiés par le programme *Projet de vie* comme étant à haut risque d'abandon ou dont les parents ont un pronostic de reprise en main très réservé; de son côté, le programme *Projet de vie*, par ses modalités cliniques et administratives plus claires et mieux encadrantes, facilite l'identification et la réalisation des projet d'adoption de type Banque-mixte. La tâche des intervenants a été simplifiée par la mise en place de ce programme. Le suivi des parents d'origine se fait dans le cadre d'un plan d'intervention révisé aux trois mois avec des objectifs clairs. Une limite de temps est donnée au départ. Les parents lisent et signent le plan d'intervention. S'ils ne le respectent pas, il est alors plus facile d'en faire la preuve. Malgré cela, il y a encore des dérives de projets de vie et il manque encore d'intervenants formés et spécialisés dans ce type d'intervention qui exige beaucoup de rigueur et de minutie.

La révision (16 juin 2006) de la Loi sur la protection de la jeunesse met des balises de temps plus étroites tant pour les durées d'hébergement en famille d'accueil qu'en centre de réadaptation et ce, que ce soit sur la base d'une entente sur mesures volontaires ou dans le cadre d'une ordonnance[13].

*Le suivi post-adoption*

En ce qui concerne la vie après l'adoption, les parents qui ont accueilli Michel l'ont fait avec amour, générosité et constance. Ils auraient dû cependant pouvoir compter sur l'aide de professionnels aptes à intervenir dans les cas de troubles d'attachement et dans les situations d'adoption, non seulement durant les processus de jumelage et d'adoption mais aussi après que le jugement d'adoption final ait été prononcé. Mais en 1977, la théorie de l'attachement et les défis que comportent l'adoption d'un enfant plus âgé étaient très peu connus et le suivi post-adoption, pratiquement inexistant. Encore aujourd'hui au Québec, malgré les connaissances acquises sur ces sujets, les parents adoptifs doivent, comme tous les autres parents, s'adresser au CLSC lorsqu'ils ont besoin d'aide. Tous ces centres n'ont pas nécessairement de professionnels spécialisés en adoption et en troubles de l'attachement[14]. Les parents qui adoptent devraient pouvoir compter sur l'aide de ce type de professionnels surtout dans les situations d'adoption tardive (enfants âgés de plus de 18 mois) ou lorsque l'enfant présente une particularité (porteur d'un déficit moteur, sensoriel, cognitif, intellectuel, de troubles de l'attachement ou de problèmes de comportement) et ce, même après que l'adoption légale ait été prononcée.

## Conclusion

Dans une lettre, Hélène dit à François : « Je t'aime du plus fort amour que je connaisse ». La capacité d'aimer n'est pas innée. Elle se développe par le contact entre l'enfant et la personne qui lui dispense les soins dans le quotidien. Michel et Hélène n'ont pas eu la chance d'avoir auprès d'eux, dans les trois premières années de leur vie, une personne stable et chaleureuse auprès de laquelle ils auraient pu apprendre à aimer et à investir leur enfant de manière à favoriser le développement de ce dernier. Tous deux aiment François à leur manière, beaucoup plus pour ce qu'il peut leur apporter à eux que pour lui-même. Il leur est difficile de l'investir en tant que sujet, de mettre en attente leurs propres besoins pour répondre aux siens chaque fois et aussi longtemps que nécessaire. Aussi déchirant que cela puisse être, il est essentiel de reconnaître les lacunes de ce type d'amour afin de prendre rapidement les décisions qui s'imposent pour mettre fin au cercle vicieux du déficit d'attachement.

## Notes

1. Les mères adoptives rencontrent souvent plus de difficultés à apprivoiser l'enfant qui leur est confié, surtout lorsque celui-ci arrive chez elles à un âge avancé (plus de dix-huit mois). Ces enfants ont généralement été blessés au plan affectif par leur mère d'origine alors que leur père d'origine est souvent absent. Si plusieurs mères d'accueil se sont succédées dans sa vie, comme dans la situation de Michel, l'enfant est justifié de se sentir rejeté par les femmes. La figure de la mère est ainsi chargée d'affects négatifs et celle du père est le plus souvent une page blanche. Les pères adoptifs peuvent alors avoir une longueur d'avance sur les mères adoptives et il leur est parfois plus facile de créer un lien positif avec l'enfant. En ce sens, le rôle des pères adoptifs auprès de ce type d'enfants est crucial : ils peuvent servir de médiateur entre l'enfant et la mère adoptive et aussi soulager cette dernière lorsque la tension devient trop difficile à soutenir.

2. La prématurité et un retard de croissance intra-utérin peuvent être des conséquences de l'exposition à l'alcool, aux drogues ou à d'autres substances ou conditions tératogènes durant la gestation.

3. Les parents d'accueil ne peuvent assumer le transport de l'enfant et celui-ci est accompagné d'un bénévole inconnu de lui.

4. Le Comité aviseur comprend l'intervenant chargé de la prise en charge du dossier, l'adjoint clinique ou le chef de service, le réviseur, un représentant du Service adoption et tout autre intervenant susceptible d'aider à la bonne compréhension de la situation présentée.

5. Il s'agit de parents adoptifs qui acceptent de jouer d'abord le rôle de parents d'accueil avec les risques et les contraintes que ce rôle implique. Les enfants orientés vers ce type de ressource sont sélectionnés avec soin : les chances d'obtenir leur admissibilité à l'adoption, soit par un consentement des parents d'origine ou par une décision d'un juge de la Chambre de la jeunesse, doivent être grandes ou excellentes.

6. Aujourd'hui, les visites des parents d'origine se font dans un milieu neutre et non au domicile de la famille Banque-mixte. Trois raisons motivent cette nouvelle manière de faire : 1. protéger le milieu de vie de l'enfant qui est son refuge; 2. permettre que les visites, qui, selon Maurice Berger, « représentent le meilleur lieu d'observation de la relation parent-enfant », soient observées par un intervenant, afin que le résultat de ces observations puisse être apporté lors des comparutions à la Chambre de la jeunesse; 3. superviser ces visites qui, toujours selon Berger, devraient avoir lieu « essentiellement pour favoriser le développement psychique de l'enfant » (2001, p. 165, 166).

7. Ils avaient été interrompus pour faciliter la période de jumelage.

8. Le consentement des deux parents étant essentiel pour réaliser une adoption et la mère de François n'étant pas présente et disponible pour signer un consentement, il a été nécessaire d'obtenir, en plus du consentement du père, une déclaration d'admissibilité à l'adoption prononcée par un juge de la Cour du Québec, Chambre de la jeunesse.

9. Selon les dispositions du Code civil du Québec en matière d'adoption, un consentement général à l'adoption doit être libre et éclairé. Cela signifie qu'il n'est lié par aucune condition et que le signataire est à même d'en comprendre toute la portée.

10. Dans cette situation, les parents adoptifs de François resteront en contact avec ses grands-parents d'origine. Cela se rencontre très peu souvent dans une adoption de type Banque-mixte.

11. Dans le cadre d'un de ses travaux universitaires pour obtenir son baccalauréat, l'intervenante dit ceci :

    [..... le] travailleur social, [.....] doit se conformer à son code de déontologie et au code d'éthique de l'établissement pour lequel il travaille. Dans ce sens, selon le code de déontologie, le travailleur social doit poser des actions cohérentes avec les demandes de son client (article 3.01.04) et il doit éviter de poser des gestes qui iraient à l'encontre des besoins de ce dernier (article 3.02.11). Mais en ayant ces principes en tête, il est crucial de se demander qui est le client aux yeux de son employeur. Selon le guide de conduite éthique de l'établissement (CJM-IU), l'usager est l'enfant. Dans ce sens, nous pouvons lire que « le développement personnel du jeune usager constitue l'ultime critère pour juger des choix à faire et des gestes à poser dans notre établissement : il devient par le fait même la première inspiration du guide de conduite éthique (CJM-IU, 1996, p. 5). Afin de respecter la confidentialité de l'intervenante, la référence de ce travail n'est pas donnée ici.

12. « L'objectif général du programme consiste à fournir aux enfants âgés entre 0 et 5 ans, dans un délai de 1 an, un milieu de vie et un environnement humain stable et permanent qui soit apte à répondre à ses besoins – dont celui de développer un lien sélectif avec une personne significative (le parent dans les meilleures circonstances) – de manière à ce que l'enfant ait devant lui un avenir prévisible » (Paquette, 2004, p. 11). Cet objectif est devenu une préoccupation essentielle en raison de la diffusion de plus en plus large de la théorie de l'attachement. Celle-ci démontre « l'importance pour le jeune enfant de développer un attachement sécurisant et stable avec une figure d'attachement primaire » (Paquette, 2004, p. 5). Dans le cadre de ce programme, des moyens cliniques et administratifs sont développés afin de prévenir la « dérive du projet de vie » des enfants. (Paquette, 2004, p. 7-10)

13. Article 53.0.1. Malgré le deuxième alinéa de l'article 53, la durée de la nouvelle entente ne peut excéder six mois si celle-ci contient une mesure d'hébergement volontaire d'un enfant par une famille d'accueil ou un établissement qui exploite un centre de réadaptation. Cette nouvelle entente peut être renouvelée pour une seule période d'au plus six mois si, à la date du début de son renouvellement, l'enfant a atteint l'âge de 14 ans. Voir : http://www.? canlii.org/qc/legis/loi/p-34.1/20060614/tout.html, date de consultation 2006-07-21.

14. À Montréal, le CLSC St-Louis-du-Parc offre actuellement un service d'aide pour les parents qui ont adopté dans le cadre de l'adoption internationale mais ce service ne s'adresse pas aux parents qui adoptent un enfant né au Québec.

# Références

**Ainsworth MDS, Blehar MC, Waters E, Wall S.** *Patterns of Attachment : A Psychological Study of the Strange Situation.* Hillsdale, N. J. : Lawrence Erlbaum Ass., 1978, 391 p.

**Bakermans-Kranenburg MJ, van IJzendoorn MH. A** Psychometric Study of the Adult Attachment Interview : Reliability and Discriminant Validity. *Developmental Psychology* 1993; 29(5) : 870-879.

**Berger M.** Les visites médiatisées. *Neuropsychiatrie Enfance Adolescence* 2001; 173 : 12-20.

**Centres jeunesse de Montréal.** *Guide de conduite éthique du groupe de travail sur l'éthique.* Montréal, Centre jeunesse de Montréal-Institut universitaire, 1996

**Fonagy P.** *Transgenerational Consistencies of Attachment : A New theory.* Paper to the *Developmental and Psychoanalytic Discussion Group,* American Psychoanalytic Association Meeting, Washington, D.C., 1999. http ://psychematters.com/papers/ fonagy2.htm

**Noël L.** *Je m' attache, nous nous attachons: le lien entre un enfant et ses parents.* Montréal: Éditions Sciences et Culture, Collection Centre jeunesse de Montréal-Institut universitaire, 2003. 270 p.

**Paquette F.** *À chaque enfant son projet de vie permanent : Un programme d' intervention 0 à 5 ans.* Montréal, Centre jeunesse de Montréal–Institut universitaire, 2004, 137 p. http://www.cjm-iu.qc.ca/evaluation/pdf/programme_projet_vie.pdf

**Steinhauer PD.** *Le moindre mal. La question du placement de l' enfant.* Montréal : Les Presses de l'Université de Montréal, 1996, 463 p.

prisme
PRISME
no 46

# Modèle d'intervention clinique en CLSC auprès des familles adoptantes et de leurs enfants

**Domenica Labasi**
**Hélène Duchesneau**

La première auteure est travailleuse sociale attachée au CSSS Jeanne-Mance, installation CLSC St-Louis du Parc à Montréal et la seconde auteure est psychoéducatrice rattachée au même organisme. Les auteures ont mis sur pied un service en adoption internationale qui relève du Ministère de la santé et des services sociaux du Québec.

**Adresse :**
155, Bd St-Joseph est Montréal (Québec) H2T 1H4

**Courriel :**
adoption.internationale@ ssss.gouv.qc.ca

Une augmentation marquée du nombre d'adoptions internationales dans les années '90, combinée à une demande croissante de la part des familles adoptantes pour des services adaptés à leur réalité ont incité le Secrétariat à l'adoption internationale et l'Agence de développement de Montréal à mandater, en l'an 2000, le CLSC St-Louis du Parc - maintenant annexé à la grande famille du CSSS Jeanne-Mance - à mettre sur pied des services en adoption internationale. Une équipe composée d'une travailleuse sociale, d'une psychoéducatrice et d'une infirmière s'est penchée sur la recherche et les programmes existants au Québec et dans d'autres pays afin d'élaborer un programme complet qui se veut en constante évolution. L'objectif de cet article est de faire une petite incursion dans le modèle d'intervention clinique développé et mis en œuvre par cette équipe.

## Les services

### Ateliers de groupe en pré-adoption ou post-adoption

Ces ateliers qui comptabilisent près de 30 heures de services sont offerts, soit en session régulière le jour, soit en session intensive le soir ou en fin de semaine. Se déroulant en groupe fermé composé d'un maximum de 16 participants, chaque atelier se veut interactif. Ainsi, les membres du groupe sont encouragés à partager leurs expériences personnelles et à réfléchir sur des thèmes tels l'attachement, les pertes, la discipline, la culture, le racisme, etc. Ces ateliers les amènent à travailler sur leur propre vécu à l'aide d'exercices comme par exemple faire leur génogramme ou répondre à un questionnaire qui s'inspire du « Adult Attachment Interview » (Main et Solomon, 1986). Lors de l'animation de ces groupes, il peut nous arriver d'y inclure des membres de la famille élargie, en particulier les grands-parents.

## RÉSUMÉ

*Les auteures décrivent le modèle d'intervention comprenant ateliers de groupe et groupe de soutien, consultations et activités de diverses natures, mis en place par leur équipe en concertation avec divers partenaires dans le but d'offrir aux parents adoptants et aux enfants des services en pré et post-adoption. Parmi les postulats fondant leur approche, elles discutent de l'importance de développer la sensibilité parentale par rapport aux besoins de protection, en particulier face au sentiment d'abandon existant chez l'enfant adopté, en rappelant l'état des pertes et l'inscription dans la mémoire implicite de l'expérience de séparation et ses répercussions prévisibles sur la formation du lien d'attachement. Elles insistent enfin sur la nécessité d'inclure, ne fut-ce que symboliquement, les parents biologiques, considérant qu'ils ont partie liée dans le processus d'attachement et la consolidation des liens entre parents et enfant adopté.*

C'est en janvier 2001 qu'a débuté le premier groupe en post-adoption, puis en septembre de la même année, celui en pré-adoption. La demande d'inscription à ces groupes est très forte, si bien qu'ils sont complets au moins six mois à l'avance. L'équipe en anime sept par année.

Idéalement, le couple ou la personne célibataire qui désire adopter s'inscrit à une session en pré-adoption qui comporte aussi un volet santé et soins à l'enfant. Le groupe post-adoption s'adresse plus spécialement à ceux qui n'ont pas participé à un groupe en pré-adoption. Les participants sont toujours rencontrés au préalable avant le début des ateliers afin de mieux connaître leurs besoins et d'évaluer les défis auxquels ils ont à faire face.

### Groupe de soutien

Dès la première année de la mise en place des services, un groupe de soutien a été formé à la demande des parents qui ont participé au tout premier groupe en post-adoption et qui souhaitaient un plus grand nombre de rencontres. Ainsi, le groupe de soutien permet à ceux qui ont complété les ateliers de groupe de poursuivre leur réflexion s'ils en sentent le besoin. D'ailleurs, Sherrie Eldridge, l'auteure du livre « *Parents de cœur* » (Eldridge, 1999), elle-même adoptée, encourage la tenue de tels groupes et la recherche démontre de façon convaincante les bienfaits de ce type d'intervention (Barth et Mille, 2000).

Le groupe de soutien que nous avons mis sur pied est un groupe ouvert, où sont proposés des thèmes précis à approfondir, lesquels sont établis d'avance par un comité de parents. Les rencontres mensuelles qui ont lieu le soir sont animées par les intervenantes du programme adoption, ou parfois par un conférencier invité ou encore, par les parents eux-mêmes. Une structure de base a été établie pour le déroulement de ces rencontres : 1) les urgences (le 911) pour les participants qui vivent une situation particulière et qui désirent le soutien du groupe ; 2) les petites annonces (le 411) pour le partage de diverses ressources disponibles ; 3) le thème choisi pour la soirée est abordé. Les sujets sont variés et traitent par exemple de l'éventualité d'une deuxième adoption, de la relation de couple, du rôle du père, des massages comme moyen pour stimuler l'attachement, de l'approche d'intégration sensori-motrice, etc.

Des conférences à grande échelle sont parfois organisées, amenant la participation de plus de 200 parents adoptants. Les conférenciers invités sont alors des experts en adoption dont le travail a été souligné et dont nous utilisons certains des concepts et outils dans notre programme, comme ce fut le cas pour Sherrie Eldridge en 2004 et Holly Van Gulden en 2006. Il va sans dire que l'organisation de conférences de cette envergure ne peut se faire sans partenaires et c'est avec l'organisme agréé « *Formons une Famille* » que nous avons pu réaliser ce type d'activités.

Les participants croient en la pertinence d'un groupe de soutien; ils en ont exprimé le besoin et leur présence assidue le confirme. Pour eux, il est important d'avoir un lieu de rencontre où tous ceux qui y viennent tiennent un langage commun, vivent des expériences similaires, se sentent compris dans leur réalité, sachant surtout que la sagesse populaire ne tient pas vraiment compte du vécu de l'enfant adopté.

### Consultations individuelles

Nous offrons aussi des consultations cliniques individuelles ou de couple, ou parfois même familiales. Pour la majorité des parents, l'aide demandée concerne la gestion des symptômes reliés à l'adoption, par exemple comment encadrer l'enfant qui souffre d'insécurité, qui est anxieux, qui fait des crises de colère, qui présente des troubles de sommeil, etc. Mais pour d'autres, cette approche est insuffisante et il est alors nécessaire de travailler d'une façon plus thérapeutique des questions touchant l'adoption elle-même, les traumatismes, les dynamiques familiales et parfois même transgénérationnelles, les dynamiques de couple ou l'impact sur le partenariat parental, tout autant que les difficultés personnelles de chacun qui refont surface et entrent en conflit avec l'adoption. Ainsi, depuis le début des services, on a relevé plus de 400 usagers, totalisant plus de 1 000 heures d'intervention. Pour sa part, l'infirmière offre une visite post-adoption et des consultations individuelles aux personnes qui ont besoin de conseils en matières de santé et de soins à l'enfant.

### Services complémentaires

Afin de répondre encore mieux aux besoins exprimés par les familles, nous croyons au développement de services complémentaires. Ainsi, nous souhaiterions former des groupes parents-enfants qui auraient pour objectif de favoriser le développement du lien d'attachement au moyen d'exercices adaptés au contexte de l'adoption. C'est dans cette optique que nous avons déjà tenté l'expérience auprès des jeunes avec l'aide d'une stagiaire.

Deux groupes ont ainsi été formés, l'un pour les enfants de 7 à 9 ans, et l'autre pour les enfants de 10 à 12 ans, chacun étant composé d'un maximum de six enfants. Le programme s'est articulé autour de dix rencontres hebdomadaires d'une durée de 90 minutes, au cours desquelles les enfants étaient encouragés à un travail d'introspection et d'expression portant sur trois thématiques arrimées à leur vécu pré et post-adoption. La structure et le contenu thématiques sont inspirés du cahier d'exercices que nous avons développé, intitulé « Mon livre de vie », exercices qui permettent de revisiter différentes étapes de la vie des enfants adoptés, soit la famille de naissance, le ou les placements successifs et la famille adoptive.

Les objectifs poursuivis avec ces groupes visent, entre autres, à augmenter la capacité de l'enfant à nommer et à s'approprier sa trajectoire d'adoption et à développer des liens de soutien avec d'autres enfants adoptés. Pour ce faire, de nombreuses activités sont mises au programme, dont des cercles de paroles, des jeux de socialisation ou de résolution de problèmes, des créations artistiques à partir de médiums divers (crayons de couleur, crayons feutre, gouache, pastel, argile, collage, etc.), des discussions thématiques et enfin quelques brèves incursions en écriture créative.

Fait à noter, l'assiduité des enfants se situe à 92 %, ce qui en soi est révélateur de l'intérêt suscité auprès de la clientèle visée et de l'engagement des parents. On a observé que ces activités d'art-thérapie ont permis à certains enfants d'exprimer leur ressenti d'enfant adopté, et à d'autres, d'intégrer de façon plus positive la validation de leur vécu au sein du groupe pour en ressortir plus solides dans leur « normalité ». Les parents, quant à eux, souhaitent que cette expérience soit renouvelée et ils en vantent les bienfaits pour leur enfant et leur famille en général (Galipeau, 2006).

*Concertation avec d'autres professionnels*

Il est souvent nécessaire de travailler en collaboration avec d'autres professionnels qui gravitent autour de l'enfant adopté ou de sa famille, le but étant de les sensibiliser au vécu de l'enfant et à certaines réactions qui peuvent en résulter, dont une sensibilité au rejet, un besoin de contrôle exagéré, une difficulté à se concentrer, à gérer le stress, etc. Ensemble, les éducateurs de garderie, les enseignants et les autres professionnels travaillent à mieux comprendre les enfants, répondre à leurs besoins et intervenir plus adéquatement.

## Le programme : postulats de base et interventions
*La sensibilité parentale*

À la base, notre travail repose sur le principe que le degré de sensibilité parentale est le facteur déterminant du succès de l'adoption (Dozier, 2005). Il s'agit d'influencer le parent dans la perception qu'il a de son enfant pour qu'il devienne plus empathique envers ce que vit l'enfant et qu'il mesure l'impact de ce vécu sur le développement du jeune. Pour en arriver à développer cette capacité chez le parent, il est primordial de l'amener à reconnaître la différence entre un enfant adopté et un enfant biologique, différence rapportable à la séparation de l'enfant d'avec ses parents biologiques.

Si cette rupture laisse souvent des séquelles et en fragilise plusieurs sur le plan développemental, elle peut aussi avoir un impact traumatique pour certains enfants. La recherche, et particulièrement celle menée en Suède et publiée en 2002, rapporte une santé mentale plus fragile chez les enfants adoptés à l'étranger que chez les enfants biologiques (Actualité Médicale, 2002). C'est lorsque nous abordons ce sujet sensible que nous rencontrons la plus grande résistance chez notre clientèle, résistance qui tient, soit au désir de l'enfant rêvé ou à celui de vouloir normaliser l'adoption. Ceci se traduit par une grande difficulté pour les parents à reconnaître le vécu de leur enfant, la croyance populaire voulant qu'il n'en ait gardé aucun souvenir. Une grande partie de notre travail a pour but de faire comprendre le concept qui éclaire cette différence, et non de stigmatiser l'enfant, mais bien prendre en compte ses besoins spécifiques et prévenir l'apparition de certains problèmes ou l'aggravation de ceux déjà présents.

## L'enveloppe protectrice

Dans le cadre de notre approche auprès des familles, nous proposons aux parents et les encourageons fortement de s'accorder le privilège de faire ressentir à leur enfant une forme de protection en lui offrant ce que Brazelton (Brazelton et coll., 2001) appelle « *l'enveloppe protectrice* » et que Gabor Maté (2001) nomme : « *la deuxième tranche de gestation* ». Il s'agit de faire ressentir à l'enfant toute la chaleur et la sécurité émotionnelle possible. Bien au-delà de l'amour et des meilleures intentions parentales, on cherche à amener l'enfant à se dégager de tout stress qui pourrait miner son équilibre psychologique. Lorsque nous demandons aux parents de passer la première année toute entière avec leur enfant, c'est pour que ce soient eux qui deviennent les personnes significatives dans sa vie quotidienne, et c'est aussi pour répondre au besoin vital de protection parentale dont l'enfant a été privé en étant séparé de ses parents biologiques.

## Des pertes importantes à reconnaître

Fondamentalement, l'adoption implique la rencontre de trois pertes (Artoni Schlesinger, 2004; Van Gulden & Bartels-Rabb, 1997) pour chacune des personnes concernées : 1) l'enfant vit une rupture soudaine, soit la séparation d'avec ses parents biologiques ; 2) les parents biologiques doivent assumer la décision déchirante d'avoir à se séparer de leur enfant ; 3) les parents adoptifs ont pour la plupart à accepter leur infertilité.

La séparation ne sera pas sans séquelles pour l'enfant qui aura tout au cours de son développement des phases de deuil à vivre. Concernant les parents biologiques, c'est un mythe de croire qu'ils oublient aussitôt leur enfant et ne ressentent plus aucun attachement envers lui. Or, l'on sait que la plupart en sont très affectés et éprouvent même des difficultés à aller de l'avant dans leur vie (Soll, 2000).

Quant aux parents adoptifs, ils font face au désir non comblé d'avoir un enfant biologique, lequel peut refaire surface devant certaines difficultés à différents moments au cours de leur vie. Ils doivent par conséquent renoncer à vivre la phase symbiotique durant laquelle l'enfant est une extension de soi, chacun devant mettre de côté le besoin narcissique de se reconnaître dans son enfant. Le script ou scénario familial est souvent écrit dans leur tête, avec un rôle déjà prescrit pour l'enfant. Par exemple, le parent qui souhaite ne pas faire comme ses parents qui étaient distants et peu démonstratifs envers lui, ce qu'il a ressenti comme un manque d'affection, se dit qu'il sera, lui, beaucoup plus proche de son enfant et saura lui démontrer son amour. Mais comme il ne peut combler ce manque en ayant un enfant biologique, le parent tentera d'y remédier avec l'enfant adopté. Toutefois, il aura tendance à oublier que l'enfant arrive avec un bagage génétique et déjà un passé de ruptures à gérer, tandis que de son côté, l'enfant pourra avoir une réaction totalement contraire aux attentes du parent. C'est alors que les besoins des parents et ceux de l'enfant peuvent entrer en conflit. Cette réalité vient bouleverser le parent en le confrontant une fois de plus à la réalité de son infertilité, et ce, sans compter les nombreux défis spécifiquement reliés à l'adoption.

### La trilogie

L'adoption n'est pas une relation dyadique entre l'enfant et ses parents uniquement. Il faut plutôt parler de triade, car l'adoption est un processus tripartite entre l'enfant, les parents biologiques (absents ou non) et les parents adoptifs.

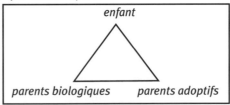

L'enfant adopté n'est pas seul face à ses parents actuels, il est en relation tant avec ses parents biologiques qu'avec ses parents adoptifs. Bon nombre de parents adoptifs croient que parce que les parents biologiques sont absents de la vie de l'enfant, ils n'auront jamais à affronter la réalité de leur présence. Plusieurs choisissent d'ailleurs l'adoption internationale pour être certains que ni eux, ni leur enfant ne puissent jamais entrer en contact avec les parents biologiques.

Dans le cadre de notre travail, nous devons faire réaliser aux parents que la présence des parents biologiques, même seulement symbolique, est essentielle. Ceci les déstabilise parfois et d'autant plus qu'ils se sentent menacés. Dans un premier temps, ils réagissent habituellement en bloquant toute information en ce sens, puis dans un deuxième temps, ayant saisi qu'ils peuvent même avoir besoin des parents biologiques pour consolider le lien d'attachement avec leur enfant, ils développent alors une plus grande ouverture d'esprit et acceptent cette présence des parents biologiques, qui est fondamentale pour la famille adoptive.

Si les parents adoptifs n'arrivent pas à intégrer cette présence tout à la fois symbolique et réelle des parents biologiques, il leur sera plus difficile d'affronter sainement la vie avec leur enfant adopté. En faisant une place aux parents biologiques, on évite que l'enfant n'entretienne un lien imaginaire avec eux et ne s'invente des scénarios, tels que : « Si mes parents de naissance savaient où je suis, ils viendraient immédiatement me chercher. » « Mes parents de naissance ne me diraient pas non, ils me donneraient plus de permissions ». Se laisser entraîner dans un lien imaginaire console l'enfant et sert d'exutoire à ses sentiments et au désir souvent intense qu'il a de vouloir connaître, voire être en relation avec ses parents biologiques. Par contre, cette situation le distrait du présent, soit de sa relation actuelle avec ses parents adoptifs. Aussi en faisant une place aux parents biologiques, on pourra éviter que l'enfant ne mette toutes ses énergies dans un lien imaginaire, tout en l'aidant à mieux comprendre la ou les raisons de sa séparation d'avec eux. Quand l'enfant arrive à donner un sens à ce qui a pu provoquer la séparation et s'il peut établir un lien entre cette séparation et l'émotion ressentie, c'est alors qu'il peut atteindre une certaine forme d'acceptation et de pardon (Hargrave, 2001).

Le motif principal pour reconnaître les parents biologiques et l'importance de leur faire une place est celui de permettre à l'enfant de développer une juste image de soi. Autrement, l'enfant risque de tirer de son expérience de séparation une image négative de lui-même, se croyant non désirable ni aimable, et donc non désiré. Il faut amener l'enfant à comprendre en quoi le geste que ses parents biologiques ont posé se voulait un geste de protection afin de lui éviter un vécu difficile avec eux, étant donné leurs circonstances de vie. En permettant à l'enfant d'intégrer une autre perception de la séparation, on l'aide à contrer les effets du manque de protection parentale vécu lors de cette séparation : l'enfant construit ainsi une nouvelle représentation émotive et cognitive de son vécu.

Finalement, tout ce travail de représentation mentale procure à l'enfant un sentiment de continuité entre l'avant et l'après adoption, fondée sur la visualisation des interrelations entre ces deux épisodes. On veut éviter que l'enfant garde de lui-même l'image d'un enfant non désirable avant l'adoption, transformé du coup en enfant désirable après l'adoption. Un des grands défis de notre travail auprès des parents est de les amener à changer leur perception des parents biologiques et les encourager par la suite à développer un genre de partenariat symbolique avec eux. En plus d'éviter que l'enfant ne se retrouve en conflit de loyauté, cette démarche devrait l'amener à saisir éventuellement le contrat implicite entre ses deux types de parents, soit ceux qui lui ont donné la vie et ceux qui l'aident à grandir.

### La terminologie

Les mots deviennent un enjeu primordial dans un tel contexte d'inter-vention et nous leur accordons une attention toute particulière. Par exemple, un jugement implicite est associé au mot « abandon », aussi l'évitons-nous simplement pour utiliser plutôt le mot « sépa-ration ». Le sens étymologique du mot « abandon » pourrait sembler approprié dans les circonstances d'une adoption, mais compte tenu des implications affectives que comporte ce mot, soit un certain sentiment de honte qu'on y associe, nous préférons de beaucoup mettre l'accent sur le sentiment d'abandon, car c'est vraiment ce que ressent l'enfant par suite de sa SÉPARATION d'avec ses parents biologiques.

*On ne peut aimer l'enfant si on se sent hostile à ses parents. On entend parfois des parents dire devant leur enfant adopté : « Si c'est pas malheureux !... Une mère qui abandonne son enfant, quelle salope! » C'est incroyable de parler ainsi, surtout quand on connaît les histoires réelles de mères qui sont dans la circonstance d'avoir à se séparer de leur enfant.* (Dolto, 1994)

En employant le mot « séparation », on évite d'exacerber chez l'enfant le sentiment qu'il n'est pas aimable, pas attirant. Autrement, comment pourrions-nous l'aider à se construire une identité saine si celle-ci est basée sur la honte ?

### La mémoire

Plusieurs parents se demandent quel souvenir peut avoir leur enfant de la séparation d'avec ses parents biologiques. Or, nous savons que le corps se souvient des événements qui ont eu un impact parfois même traumatisant. Il est important toutefois de différencier la mémoire implicite et la mémoire explicite. Le cerveau a enregistré la perte de l'objet d'amour (parents biologiques, ou du moins la mère), cette représentation est inscrite dans la partie du cerveau, à titre de processus inconscient ou automatique, auquel on réfère comme étant le site de la mémoire implicite.

Bon nombre de parents croient que l'enfant qui ne se souvient pas de la séparation d'avec ses parents biologiques ne peut par conséquent en garder de séquelles. Dans bien des cas, il n'en a effectivement aucun souvenir de nature cognitive, mais le cerveau ne conserve pas moins l'empreinte ou la mémoire affective de cet événement. *Souvent, les parents adoptifs pensent qu' un être humain ne sait de son histoire que ce qui lui en est dit ou ce dont il se souvient mentalement. L' inconscient sait. Et si son histoire véridique n' est pas mise en paroles, la vie symbolique de l' enfant est sur des bases d' insécurité. L' enfant a toujours l' intuition de son histoire. Si la vérité lui est dite, cette vérité le construit.* (Dolto, 1978)

Quand on parle de mémoire implicite, il n'est pas question de souvenir défini ou conscient mais plutôt d'empreintes rattachées à des expériences émotives, sensorielles et conditionnées, tels des automatismes. Il n'y a pas de langage associé, pas encore de mots pour décrire ce que ressent la personne. Le cerveau a la capacité d'enregistrer et de mémoriser ce type de traces dès la naissance (Rothschild, 2000). Et nous pouvons aller encore plus loin et penser que le cerveau a même cette capacité à l'enregistrer durant la gestation, dans l'environnement intra-utérin. Aucun souvenir ou rappel précis n'est nécessaire pour que la mémoire implicite soit déclenchée : toute situation peut dans le présent activer cette mémoire et faire ressurgir une émotion sans raison apparente, ce qui crée parfois une certaine confusion et rend difficile l'intervention. En pareil cas, plusieurs parents se retrouvent pris dans un cercle vicieux car l'enfant ne réagit pas comme ils le voudraient à leurs efforts. Les parents doutent alors de leurs capacités parentales et réagissent souvent avec colère ou anxiété, en devenant, soit intrusifs envers l'enfant ou sinon distants ou encore punitifs. Ces réactions exacerbent en retour l'anxiété chez l'enfant de même que son sentiment d'abandon et il n'est pas surprenant qu'il devienne désorganisé et se montre colérique, ambivalent ou même indifférent à l'endroit de ses parents.

Une capacité essentielle pour les parents est de savoir décoder le comportement de l'enfant et comprendre ce qui le provoque ou se cache derrière. S'il est plus facile de déceler le sens d'un comportement répétitif, les parents devraient, et ceci même lorsque le comportement est occasionnel, en rechercher la source et le motif. Dans le cas où elles deviennent symptomatiques, ces manifestations sont souvent révélatrices d'insécurité et d'anxiété chez l'enfant. Pour parvenir à sécuriser leur enfant, il est important que les parents aillent au-delà du simple encadrement ou du contrôle à tout prix de tels comportements. L'hypothèse que ceux-ci soient associés au vécu de l'adoption ne devrait jamais être mise d'emblée de côté, mais toujours prise en compte et vérifiée. C'est par ce moyen que les parents arriveront à reconnaître si ces comportements chez l'enfant relèvent d'une phase de son développement en cours ou s'ils sont reliés à la problématique particulière de l'adoption.

## L'enfant adopté : profil et réactions

Il n'est pas rare de relever chez l'enfant adopté le profil d'un enfant anxieux, souffrant d'insécurité et toujours aux aguets, avec un besoin de vigilance souvent excessif. De ce profil peuvent découler plusieurs types de réactions souvent passagères, tandis que d'autres seront persistantes, quoique à des degrés d'intensité variables : prenons par exemple l'enfant qui s'accroche à son parent ou qui, au contraire, semble indifférent, l'enfant qui teste constamment les limites ou celui qui se montre plutôt soumis, celui qui est rigide ou encore qui ne peut rien jeter, celui qui est sensible au moindre changement, qui résiste au sommeil ou qui se réveille fréquemment, etc. Par ailleurs, on observe fréquemment chez ces enfants des carences au niveau du sentiment de permanence et du principe de constance, qui sont deux préalables au développement du lien d'attachement. L'anxiété, chez l'enfant adopté, découle souvent du fait qu'il craint une autre perte et a ainsi tendance à percevoir que son parent n'existe plus dès qu'il n'est pas en contact sensoriel avec lui. « Loin des yeux, loin du cœur. » Si le parent n'est pas à ses côtés, il remet en question et doute de sa propre existence.

Les différentes interventions proposées visent à aider l'enfant adopté à développer la capacité de savoir et de ressentir au niveau sensoriel et non cognitif, que son parent est là pour lui, et cela même s'il n'est pas constamment présent auprès de lui. C'est ainsi que, par exemple, nous soulignons l'importance pour l'enfant d'avoir un objet transitionnel comme une photo de lui et ses parents qu'il peut ainsi apporter lors du coucher ou lorsqu'il va à la garderie, etc. Ces interventions devraient aussi aider l'enfant adopté à intégrer la notion que ses parents qui lui procurent amour, protection, confort et chaleur, demeurent accessibles même lorsqu'ils se montrent irrités, en colère ou déçus, et que lui aussi continue à aimer ses parents même lorsqu'il est en colère contre eux. Des suggestions d'intervention sont données aux parents en matière d'encadrement et de discipline suivant une approche qui évite d'exacerber les fragilités de l'enfant adopté. Cette approche se fonde sur le principe qu'il faut toujours travailler l'attachement lorsque les parents doivent discipliner leur enfant et même parfois, de façon stratégique, laisser tomber la discipline pour se concentrer sur le lien d'attachement.

## Processus d'attachement

L'attachement est un processus qui comprend plusieurs étapes. Après une première perte, celle de ses parents biologiques, du moins la mère, l'enfant demeure souvent anxieux et vit un sentiment d'insécurité, craignant des pertes subséquentes. La perte des parents biologiques à laquelle s'ajoute le temps passé en institution, comme c'est le cas pour beaucoup, ne lui a pas permis d'expérimenter l'enveloppe protectrice nécessaire à la construction du lien d'attachement.

Par ailleurs, plusieurs enfants n'ont pas eu la chance de vivre de façon constante et répétitive le cycle de gratifications qui permet à l'enfant de développer un sentiment de confiance envers la personne qui en prend soin, alors que d'autres, qui ont expérimenté ce cycle, vivent un deuil important en perdant cette relation au moment de l'adoption. De son côté, le parent adoptant qui accueille l'enfant à un âge plus ou moins avancé est lui aussi privé de l'expérience d'offrir cette enveloppe protectrice au bébé dès sa naissance et au cours des tout premiers stades de la formation des liens d'attachement.

À cet égard, notre travail s'inspire grandement de celui de Holly Van Gulden (2005). Selon cette clinicienne, les parents tout comme l'enfant adopté ont à récupérer des étapes manquées dans le développement « normal » des liens d'attachement. C'est pourquoi il est important d'aider les parents à nuancer et doser ce qui convient selon l'âge physiologique de leur enfant et ce que requiert son 'âge affectif'.

Les interventions cliniques proposées se doivent de respecter ces deux composantes. Plusieurs parents ressentent d'ailleurs cette forme de dysharmonie dans le développement de leur enfant et se sentent déchirés devant l'écart qu'ils constatent entre les besoins parfois régressifs de maternage et l'âge chronologique réel de l'enfant.

## Conclusion

Cette incursion brève et condensée dans le modèle d'intervention clinique développé en CLSC auprès des familles adoptantes et de leurs enfants, démontre l'importance d'offrir des services adaptés à la réalité de cette clientèle. Les résultats observés, loin d'être précis comme ceux que l'on obtient dans le cadre d'un projet de recherche, sont tout de même significatifs, compte tenu du nombre toujours grandissant des demandes d'inscription aux différentes activités cliniques et de l'engagement toujours aussi enthousiaste des participants. De plus, les résultats des questionnaires d'évaluation des ateliers de groupe indiquent en majorité un niveau de satisfaction très élevé.

Aux dires des professionnels qui évaluent les futures familles adoptantes, il existe une nette différence entre celles qui ont suivi les ateliers préparatoires et celles qui n'ont pu y participer. Les participants quant à eux expriment leur mieux-être, ce qui témoigne de la valeur clinique de notre programme. Il faut souligner également les bienfaits de l'intervention multidirectionnelle, qui touche divers types de besoins, tout en offrant une gamme de services complémentaires. Le fait que le réseau public de la Santé et des Services sociaux offre de tels services à Montréal est un grand pas en avant pour les familles adoptantes, mais il reste encore beaucoup à faire tant pour développer les services déjà existants que pour accroître la sensibilité du public face aux défis que doivent relever les familles adoptantes, mais peut-être surtout pour reconnaître et mieux répondre aux besoins spécifiques de l'enfant adopté.

## ABSTRACT

*The authors discuss the intervention model recently developed with their team and various partners destined specifically to adoptive parents and children in their care. Group workshops, individual consultations and support group are among the services offered in pre and post adoption. When reviewing their theoretical approach, the authors insist on the crucial need to enhance parental sensitivity to the need for protection in adopted child, considering the fear of abandonment and the reality of separation and loss experienced by these children. They are also concerned with the necessity to include, either symbolically or concretely, biological parents in the process, since these have a crucial role in the attachment process and consolidation of ties between the child and his adoptive parents.*

# Références

**Ainsworth MDS, Blehar MC, Waters E, Wall S.** *Patterns of Attachment : A Psychological Study of the Strange Situation.* Hillsdale, N.J. : Erlbaum, 1978.

**Artoni Schlesinger C.** *Atti del Convegno : « L' adozione ela ferita dell' abbandono : l' émergere del trauma e le difficoldà delle identificazioni nell' adolescenza.* Milan, 2004.

**Barth R, Miller JM.** Building Effective Post-Adoption Services: What is the Empirical Foundation. *Journal of Family Relations* 2000 ; 49 :447-455.

**Bowlby J.** *A Secure Base.* New York : Basic Books, 1988.

**Brazelton TB, Nugent JK.** Échelle de Brazelton. Évaluation du comportement néonatal. *Médecine et Hygiène.* 2001

**Dolto F.** Réflexions sur l'adoption. *Médecine de l' Homme* Août -septembre 1978.

**Dolto F.** *Tout est langage.* Paris : Gallimard, 1994.

**Dozier M.** Les interventions portant sur l'attachement et leur impact sur la qualité de l'attachement chez les nourrissons et les jeunes enfants. In : **Tremblay RE, Barr RG, Peters RdeV.** (eds). *Encyclopédie sur le développement des jeunes enfants.* Montréal : Centre d'excellence pour le développement des jeunes enfants, 2005.

**Eldrige S.** *Twenty Things Adopted Kids Wish Their Adoptive Parents Knew.* (traduction : Parent de Coeur) Dell Publ., 1999.

**Fahlberg V.** *Attachment and Separation : Putting the Pieces Together.* Evergreen, CO : Michigan Department of Social Services, 1979.

**Galipeau L.** Intervention groupale auprès d'enfants adoptés. Rapport de stage de maîtrise. Université de Sherbrooke, 2006.

**Hargrave T.** *Forgiving The Devil.* Phoenix, Ariz. : Zeig, Tucker and Theisen, Inc. 2001.

**Keren M.** *L'enfant au vécu traumatique : Traumatisme précoce et jeune enfant : aspects cliniques et psychopathologiques.* Conférence organisée par l'Hôpital Sainte-Justine, octobre 2005.

**L'Actualité médicale.** *Enfants adoptés à l'étranger: une santé mentale plus fragile.* 18 septembre 2002.

**Laplanche J, Pontalis JB.** *The Language of Psychoanalysis.* London : Hogarth Press, 1985.

**Levy T, Orlans M.** *Attachment, Trauma and Healing.* Washington, D.C. : CWLA Press, 1998.

**Main M, Solomon J.** Discovery of an insecure disorganized/disoriented attachment pattern: procedures, findings and implications for classification of behaviour. In : **Yogman M, Brazelton TB.** (eds) *Affective development in infancy.* Norwood, NJ : Ablex, 1986 : 95-124.

**Maté G.** *L' esprit dispersé : comprendre et traiter les trouble de concentration.* Montréal : Les Éditions de l'Homme, 2001.

**Rothschild B.** *The Body remembers.* New York : W.W. Northern & Co., 2000.

**Rutter M.** *Maternal Deprivation Reassessed.* Harmonds Sworth : Penguin, 1972.

**Siegel DJ.** *The Developing Mind. How Relationships and the Brain Interact to Shape Who We Are.* New York : Guilford Press, 1999.

**Soll J.** *Adoption Healing... A Path to Recovery.* Baltimore, MD : Gateway Press, 2000.

**Steinhauer PD.** *The Least Detrimental Alternative. A Systematic Guide to Case Planning and Decision Making for Children in Care.* Toronto : University of Toronto Press, 1991.

**The Ohio Department of Human Services.** *Pre Service Training for Foster, Adoptive, Kinship Parents Caregivers.* Institute for Human Services, 1998.

**Van Gulden H, Bartels-Rabb L.** *Real Parents, Real Children.* New York : Crossroads Publ. Co., 1997.

**Van Gulden H, Vick C.** *Learning the Dance of Attachment. Edina MN : Holly Van Gulden and Crossroads Adoption Services,* 2005.

**Verrier NN.** *The Primal Wound : Legacy of The Adopted Child.* Baltimore: Gateway Press, 1993.

no 46

# Une clinique pédopsychiatrique auprès d'enfants adoptés d'âge de latence

**Maria Kapuscinska**

L'auteure est psychiatre rattachée à l'Hôpital de Montréal pour Enfants et professeur associé à la Faculté de Médecine de l'Université McGill.

Adresse :

4018, Sainte-Catherine Ouest Montréal (Québec) H3Z 1P2

Courriel :

maria.kapuscinska@mcgill.ca

Selon les tendances observées en matière d'adoption au cours des dernières décennies, le nombre de nourrissons en bonne santé a chuté dans les agences d'adoption locales et on a plutôt assisté à une augmentation des adoptions dans le cas d'enfants avec des « besoins spéciaux ». En général plus âgés, ces enfants sont le plus souvent sous la tutelle des services de protection après avoir été retirés de leur famille d'origine en raison d'abus ou de négligence. Ils peuvent avoir vécu dans plusieurs foyers d'accueil avant de trouver une famille adoptive.

Si les enfants adoptés sont surreprésentés dans les services d'hospitalisation et de consultation externe, ils sont sous-représentés dans les milieux de la délinquance juvénile et du système judiciaire (Kim et al., 1992). On sait aussi que le taux de références augmente au cours de la période de latence et en début d'adolescence où l'on relève des risques accrus de problèmes d'apprentissage et de comportements externalisés chez ces enfants.

Alors que plusieurs études de suivi rapportent un taux élevé de satisfaction parmi les familles adoptives, certains parents considèrent que leurs enfants adoptés ont plus de problèmes que les enfants cliniquement symptômatiques, et ces parents sont davantage portés à rechercher de l'aide lorsque des problèmes surviennent que les parents d'enfants non adoptés. Il est aussi bien établi que les problèmes d'ordre socio-affectif chez les enfants adoptés tendent à augmenter en raison de multiples facteurs de risque, dont l'adoption à un âge avancé et les expériences adverses vécues avant l'adoption qui ont pu nuire au développement précoce de l'enfant.

Divers courants sont apparus dans les pratiques en matière d'adoption qui reflètent les transformations intervenues dans les normes culturelles prônées dans notre société : c'est le cas de l'adoption ouverte (qui permet de garder des contacts avec les parents d'origine), de l'adoption par un seul parent, par un couple homosexuel ou encore

(324)

## RÉSUMÉ

*L'auteur discute des défis propres à l'âge de latence et des problèmes les plus fréquents pouvant nécessiter une consultation chez les enfants adoptés au cours de cette période du développement. Elle souligne les facteurs spécifiques de risque qui se posent dans cette population, dont le fait d'avoir été adopté à un âge avancé et les expériences adverses vécues de façon prolongée avant l'adoption qui influent sur la capacité de ces enfants à développer un lien d'attachement confiant avec leurs nouveaux parents. Plusieurs vignettes viennent illustrer diverses problématiques et les modalités de résolution offertes dans ces cas.*

le recours à des parents substituts. Ce besoin profondément humain d'avoir une famille et des enfants peut s'accompagner de défis psychologiques supplémentaires aussi bien que de bénéfices potentiels pour les membres de ces familles non conventionnelles.

Sur un plan historique, les guerres, la misère et les catastrophes naturelles qui ont sévi un peu partout dans le monde ont laissé derrière elles un nombre substantiel d'enfants orphelins ou abandonnés. Longtemps après avoir été adoptés, ces enfants gardent le souvenir, en plus des séquelles psychologiques associées, de leur séparation brutale ou de la perte de leurs parents dans des circonstances souvent tragiques qui peuvent les affecter lourdement dans leur quotidien.

Au cours de la dernière décennie, les adoptions internationales ont connu un essor remarquable. La chute des régimes communistes en Europe de l'Est et l'éclatement de l'Empire Soviétique de même que la libéralisation des politiques d'adoption en Chine ont ouvert aux parents candidats de nouvelles opportunités d'adoption. Dans les faits, plusieurs de ces enfants sont reconnus comme ayant des « besoins spéciaux » du fait d'avoir grandi dans des institutions où ils ont connu des privations parfois extrêmes, ou d'avoir été exposés à diverses conditions au cours de leur vie prénatale avec les répercussions prévisibles sur leur santé physique et psychologique.

Si, de façon générale, les parents adoptifs améliorent la vie de l'enfant adopté, ils peuvent dans certains cas ajouter sans le vouloir aux problèmes déjà nombreux dont souffrent ces enfants. Les travaux de recherche en adoption fournissent une occasion d'étudier et de comparer les influences de la 'nature' et de la 'culture', en considérant des populations de parents et d'enfants non liés génétiquement. Des traits de résilience amenant des progrès remarquables sont le fait de nombreux enfants adoptés. Dans les recherches longitudinales sur des enfants ayant vécu en institution, on s'est attardé aux conséquences à long terme de privations vécues au cours d'une période circonscrite en tâchant de voir si l'on pouvait contrer les effets adverses de privations et de négligence en procurant à l'enfant un milieu adoptif qui lui offre bien-être et sécurité. Les résultats obtenus à date sont encourageants bien qu'il existe un consensus parmi les chercheurs, à savoir que certains enfants n'évoluent pas favorablement et présentent des déficits d'ordre social, scolaire et comportemental plusieurs années après leur adoption, affichant des retards cognitifs, un attachement désorganisé, des traits autistiques et des troubles graves du comportement (Rutter et al., 2001; O'Connor et al., 2003; Ames, 1997; MacLean, 2003).

## L'enfant adopté d'âge de latence

Dans la pratique clinique courante, les enfants adoptés forment un groupe hétérogène pour lequel l'on observe un taux de références accru durant la période de latence. Ces enfants présentent un ensemble de traits, dont certains sont hérités de leurs parents de naissance ou d'une histoire de soins précoces, et d'autres, de l'influence exercée par leur milieu adoptif, lequel s'est étendu plus tard à l'école et au voisinage de l'enfant.

Lorsqu'il s'agit d'une adoption locale, on peut avoir accès, dans le meilleur des cas, à une histoire médicale complète sur les parents biologiques et les événements marquants dans la vie de l'enfant. Dans la majorité des adoptions internationales, ces données sont ou manquantes ou inexactes, y compris la date de naissance de l'enfant. Par suite, il appartient au clinicien de considérer la trajectoire développementale de l'enfant pour saisir les traits hérités et les influences des milieux de soins et d'élevage qui ont contribué à l'acquisition de compétences par l'enfant dans diverses sphères.

Au cours de la période scolaire, qui intervient comme une importante transition par rapport à la vie dans le milieu familial, les enfants sont exposés à de nombreux défis d'ordre social et cognitif. Dans leurs interactions quotidiennes avec des pairs et face à des figures d'autorité, ils se forgent une conscience et une image de soi fondées sur les perceptions qu'ils ont d'eux-mêmes et celles qui leur sont renvoyées par les autres.

Dans le cours du développement normal, soit vers l'âge de six ans, les enfants devraient avoir atteint un niveau suffisant sur les plans social et académique pour répondre aux exigences de l'école élémentaire. Avec la maturation des lobes frontaux du cerveau s'ouvre pour l'enfant l'accès à ses fonctions exécutives et à un meilleur contrôle de ses émotions. S'il dispose d'une bonne capacité verbale pour exprimer ses sentiments, ceci lui permettra de mieux réguler et gérer ses émotions. La maturation au plan cognitif amène aussi l'enfant à accomplir des opérations mentales de plus en plus complexes. Les traits de tempérament distinctifs chez l'enfant acquièrent un caractère de relative stabilité. Ces progrès sont réalisés dans le contexte d'un environnement familial à la fois souple et contenant qui sait offrir une base de sécurité à l'enfant.

Au cours de la période de latence, les enfants développent une capacité accrue d'empathie et ils prennent conscience de leurs propres états émotionnels tout en développant une plus grande tolérance à l'angoisse ou aux sentiments ambivalents qu'ils peuvent vivre. Dans leurs interactions quotidiennes avec leurs parents, et d'autant plus que l'«accordage» est adéquat, ils apprennent à maîtriser leur anxiété vis-à-vis de la séparation, leur crainte de l'étranger, celle de perdre l'amour de leurs parents, etc. Ils développent aussi leur estime de soi. Enfin, la capacité de contrôler ses impulsions et de verbaliser ses émotions correspond à une étape cruciale du développement d'un comportement social de l'enfant par rapport à sa famille, son groupe d'amis et son milieu de vie.

Alors que les enfants sont en âge d'entrer à l'école, leur monde interne devient la principale source d'information qui leur permet de modeler leurs interactions avec l'environnement extérieur. En d'autres mots, l'enfant se rapporte aux souvenirs qu'il a emmagasinés pour se faire une opinion et définir ses attentes par rapport aux personnes qu'il côtoie dans le quotidien. Réagissant au besoin de maîtriser son environnement, l'enfant adoptera souvent des comportements fondés sur des croyances normales ou parfois même pathologiques, tâchant ainsi de faire coïncider la réalité externe avec son monde intérieur (Gemelli, 1996).

Chez les enfants abusés ou négligés, on note fréquemment des réactions exagérées à des stimuli souvent inoffensifs, tels qu'un bruit intense ou un geste soudain, qui sera interprété comme une menace et pourra éveiller de mauvais souvenirs. Ces enfants peuvent employer des stratégies ou des comportements anciens, même si ceux-ci ne sont plus utiles ni nécessaires dans leur nouvel environnement. Souvent, leur difficulté à collaborer avec leurs parents ou leurs enseignants peut traduire un manque de confiance dans les figures d'autorité, cependant qu'une faible estime de soi et la crainte d'être rejeté pourront être la cause de comportements inappropriés, comme si l'enfant attendait d'être puni et que cette réponse était la seule prévisible, calquée sur l'environnement abusif qu'il a déjà connu.

Les enfants qui ont été exposés à des traumatismes sévères ou à des abus ou de la négligence en bas âge peuvent avoir des souvenirs perturbants ou entretenir des fantaisies sur leurs parents biologiques et sur des événements traumatiques anciens. Ils peuvent aussi se croire responsables des mauvais traitements ou de l'abandon vécus et se blâmer eux-mêmes ainsi que leurs parents d'origine. Cette vision déformée de la réalité peut contribuer au sentiment d'être sans valeur et à la formation d'une identité négative. Dans les adoptions interraciales, le processus de formation de l'identité pourra encore se trouver compliqué du fait de préjugés raciaux qui auront pour effet de renvoyer à ces enfants une image négative d'eux-mêmes.

Une faible estime de soi et la crainte de ne pas être accepté socialement sont des facteurs qui risquent d'affecter les relations entre pairs et le potentiel d'apprentissage de l'enfant. Les parents adoptifs ont un rôle essentiel à cet égard pour modifier les idées préconçues de même que l'influence négative laissées par des figures parentales précédentes dans la vie de l'enfant, en particulier par les parents d'origine. Ils doivent aussi constituer une enveloppe protectrice contre les préjugés et tout autre biais négatif, en aidant leur enfant à développer une identité positive et à se voir comme un membre désiré de sa famille et de son milieu.

## Adoption et facteurs héréditaires

Les préoccupations au sujet de déficits et de retards sur le plan cognitif sont une cause de problèmes fréquents dans la clinique auprès d'enfants adoptés. Plusieurs études confirment que des facteurs génétiques jouent un rôle plus important dans le développement de l'intelligence que l'environnement extérieur. Toutefois, un environnement stimulant et attentif, en particulier dans la première enfance, a une influence certaine sur l'acquisition de capacités cognitives, alors qu'on peut s'attendre à un effet contraire d'un environnement défavorable, tel qu'un milieu institutionnel peu stimulant.

Les enfants qui, en raison de prédispositions génétiques, risquent de développer certains troubles peuvent trouver des conditions de vie protectrices, lorsqu'ils sont placés dans des familles attentives à leurs besoins. L'opposé est cependant aussi vrai, tel qu'on en relève des cas dans la population clinique. Par exemple une prédisposition à un comportement antisocial et à l'alcoolisme peut être significativement accrue si l'enfant est placé dans un foyer où les parents ont des problèmes de consommation ou des comportements antisociaux. (Les facteurs héréditaires sont plus évidents et en lien avec des psychopathologies émergeant à l'adolescence.)

Dans les études sur la dépression, des données suggèrent que le poids de facteurs génétiques peut s'accroître avec l'âge mais qu'un environnement favorable pourra intervenir comme facteur de protection. Par contre, une présence parentale négative et critique est considérée comme très nocive et pouvant conduire à des symptômes dépressifs chez l'enfant adopté. Si l'effet combiné de facteurs génétiques et environnementaux intervient dans le développement, le style parental influence aussi fortement le comportement de l'enfant chez qui le tempérament, le style cognitif et les expériences précédant l'adoption peuvent constituer un ensemble d'éléments plus ou moins favorables ou protecteurs (Shapiro, Shapiro et Parlet, 2001; Scarr et Weinberger, 1983).

## Facteurs de risque prénataux chez les enfants adoptés

Divers facteurs de risque prénataux sont susceptibles d'altérer le développement de l'enfant, en particulier la malnutrition chez la mère, l'abus de substances, la pollution environnementale, de même que des soins lacunaires au cours de la période prénatale. Le stress chez la mère au cours de la grossesse est corrélé négativement avec un développement normal du cerveau chez l'enfant (Weitzman et Albers, 2005).Si certains effets tératogéniques sont manifestes à la naissance, d'autres peuvent apparaître plus tard sous forme de difficultés neurocomportementales (Davis et Bledsoe, 2005). Les troubles rapportables au syndrome d'alcoolisme fœtal sont l'une des principales causes de retard intellectuel chez l'enfant. Les enfants les plus gravement atteints peuvent être nés avec des traits faciaux dysmorphiques et des anomalies parfois graves, dont certaines affectant leur système nerveux central. Les enfants moins affectés peuvent présenter plus tard dans l'enfance des problématiques telles que des difficultés d'apprentissage ou des problèmes de comportement.

L'exposition prénatale aux opiacées entraîne des problèmes de type neurodéveloppemental qui peuvent avoir de lourdes conséquences à long terme. Chez les enfants d'âge scolaire, ceci peut se traduire par une faible capacité d'attention, de l'hyperactivité, des troubles du sommeil, des difficultés d'ordre perceptuel et des problèmes de mémoire. Les effets du tabagisme, dont le retard de croissance fœtale (petit poids à la naissance) ont été largement documentés. L'exposition à la nicotine a été associée au syndrome de mort subite du nourrisson, et plus tard, aux troubles de déficit de l'attention (TDAH), aux problèmes de conduite externalisés et aux traits anti-sociaux chez l'enfant.

Le cannabis et d'autres drogues telles que la cocaïne ingérés durant la grossesse sont associés à des anomalies neurocomportementales qui affectent le comportement, le tempérament et le processus d'information avec par suite des difficultés d'apprentissage qui se développeront dans l'enfance. L'exposition à la méthamphétamine in utero a été associée à des comportements agressifs, des problèmes de relations avec les pairs et à l'hyperactivité. Ces enfants ont des scores plus bas dans les domaines de l'intégration visuo-motrice, du cours de l'attention et de la mémoire, ces déficits pouvant affecter leur adaptation sociale et leur réussite académique plus tard dans leur vie.

## Facteurs de risque post-nataux chez les enfants adoptés

Les facteurs post-nataux qui constituent des risques pour le développement normal ont constamment été reliés à la mauvaise qualité des soins physiques et émotionnels donnés à l'enfant, au fait d'abus ou de multiples placements avant l'adoption. L'âge de l'enfant au moment de l'adoption, qui peut impliquer un vécu prolongé dans des conditions potentiellement nuisibles à son développement, est considéré comme une variable importante en regard de son évolution. Il est bien établi que des traumatismes sévères, incluant des privations physiques ou émotionnelles précoces, peuvent altérer la chimie du cerveau et induire des changements durables qui fragiliseront les réponses subséquentes au stress chez ces enfants.

Des perturbations au niveau du système hypothalamo-pituitaire-adrénal (HPA) responsable de la régulation du stress, des hormones sexuelles et de la croissance sont en cause dans les troubles émotionnels et d'attention, dont les comportements d'attachement. Il a en outre été démontré que le volume de l'hippocampe diminue en réaction au stress. Une dysfonction de l'hippocampe risque d'affecter la régulation de l'humeur et le fonctionnement de la mémoire chez l'enfant (Heim et al., 2000; Dunman, Heninger et Nestler, 1997).

## Troubles d'attachement

Il semble que plusieurs problèmes de comportement retrouvés chez les enfants adoptés prennent leur source dans des troubles d'attachement. L'attachement s'inscrit dans la relation précoce entre le parent et l'enfant, et devient un noyau central du développement social et affectif. Défini comme un lien émotionnel durable qui unit un individu à un autre, le comportement d'attachement est sous-tendu par un besoin pressant chez l'enfant de rechercher la proximité avec la figure d'attachement, et du réconfort surtout lorsqu'il vit une situation de stress. Les études sur l'attachement ont bien montré l'importance de l'«accordage» entre parent et enfant pour assurer chez ce dernier un développement psychologique optimal.

Les premières études entreprises dans les orphelinats par des chercheurs de Grande-Bretagne et des États-Unis ont démontré le lien crucial entre les troubles d'attachement et l'absence de lien émotionnel durant les premières années de vie, dans le cas d'enfants placés dans des institutions où ils étaient exposés à une carence de soins. Les études récentes menées auprès d'enfants adoptés de Roumanie qui ont passé une partie de leur petite enfance en orphelinat démontrent que la sévérité de leurs troubles est proportionnelle à la longueur de leur séjour en institution.

Le trouble d'attachement consiste en des patterns anormaux de comportement social de la part de l'enfant à l'égard des parents et des étrangers. Les sous-types cliniques les plus fréquemment rencontrés sont le type inhibé avec retrait émotionnel et le type désinhibé associé à un comportement social non discriminé.

Le Trouble réactionnel de l'attachement (TRA) dans le système diagnostique actuel recouvre diverses caractéristiques retrouvées dans le cas d'enfants âgés de moins de cinq ans qui ont expérimenté des conditions adverses de vie (absence de soins manifeste, soins pathogéniques) entraînant par suite des conduites d'attachement inappropriées. Cette condition relativement rare s'exprime par des interactions sociales inadaptées, incluant un manque de réactivité et des réponses excessivement inhibées chez l'enfant, de l'hypervigilance ou une vigilance «glacée», alors que selon le type désinhibé, l'enfant affichera une sociabilité désinhibée ou indifférenciée, un mode d'attachement diffus ou désorganisé. L'absence de figures d'attachement clairement identifiées est en cause dans ce trouble (Zeanah et al., 2004).

Une controverse existe concernant le fait que les troubles d'attachement puissent être diagnostiqués de façon fiable chez des enfants plus âgés, et ceci dû au manque de mesures d'attachement suffisamment validées pour les âges de latence ou du début de l'adolescence. Néanmoins, certaines études ont montré que plusieurs enfants avec des troubles d'opposition et d'agressivité, en particulier ceux élevés en institution, ont des traits du trouble réactionnel de l'attachement.

Les conditions de l'environnement associées à des abus, de la négligence et des privations peuvent aussi être considérées comme des facteurs de risque d'autres troubles du développement, tels que le retard mental ou intellectuel, les troubles envahissants du développement, le déficit de l'attention avec ou sans hyperactivité, les troubles des conduites, etc. (Boris et al., 2005).

### Syndrome de stress post-traumatique

Le syndrome de stress post-traumatique (SSPT) a été étudié dans sa relation avec les troubles d'attachement. Selon une conception plus large de la notion d'«événement traumatique» (DSM-IV, 1994), un élément à prendre en compte est celui de l'absence de soins ou du manque à répondre aux besoins fondamentaux de l'enfant, qui s'ajoute aux circonstances de vie telles que la torture, les abus et les menaces entraînant la peur, le sentiment d'impuissance ou d'horreur. Plusieurs enfants adoptés ont vécu de tels événements, qui sont considérés comme des facteurs de risque du SSPT.

Dans une étude portant sur 80 enfants adoptés de Roumanie par des parents vivant en Hollande, 20% d'entre eux avaient un score situé au niveau du seuil clinique pour le syndrome de stress post-traumatique (Hoksbergen et al., 2003). Ces mêmes enfants avaient des scores cliniquement significatifs au *Child Behavior Checklist* (CBCL) en regard des symptômes externalisés et des comportements de recherche excessive d'attention. Ces résultats furent mis en lien avec la négligence physique et sociale extrême observée dans certains orphelinats roumains. On a aussi remarqué que les comportements agressifs, la recherche d'attention excessive et les attitudes indifférenciées vis-à-vis des étrangers relevaient essentiellement de stratégies de « survie » utilisées par certains enfants qui cherchaient désespérément à attirer ainsi l'attention de parents potentiels. De telles stratégies donnaient à ces enfants de meilleures chances de se tirer de leur situation de négligence, comparées aux réactions de gêne et de retrait chez certains de leurs camarades. Ces «survivants» se butaient toutefois à des problèmes après leur arrivée dans leur famille adoptive où ces mêmes stratégies entraînaient inévitablement des conflits dans leurs relations avec leurs parents et leur nouveau milieu de vie.

## Tâches et défis pour les parents adoptifs

Les parents adoptifs partagent avec les parents naturels les mêmes préoccupations concernant le bien-être de leurs enfants et ils entretiennent les mêmes espoirs de réussite future pour eux. Ils désirent donner de l'amour et en recevoir en retour tout en s'efforçant d'être attentifs aux besoins de l'enfant en lien avec son stade de développement. Selon la théorie de l'attachement, les relations aux figures d'attachement fournissent à l'enfant des modèles internes de soins et font en sorte de promouvoir chez lui le sentiment de sa propre valeur (Stern, 1985).

Les parents servent de modèles en regard du développement social de l'enfant. Diverses stratégies parentales peuvent permettre à l'enfant d'acquérir un meilleur contrôle de ses impulsions. Ainsi, les parents aident l'enfant à réagir face à l'environnement en lui donnant un soutien approprié et des moyens de réguler ses émotions. En regard du développement cognitif, les parents proposent à l'enfant des sources de stimulation qui sont susceptibles de lui faire vivre de nouvelles expériences. Les activités d'apprentissage seront structurées en considérant les aptitudes de l'enfant et sa capacité d'affronter de nouveaux défis (avec l'appui du parent en cours d'expérience). Les enfants attachés de manière sécure sont plus enclins à s'engager dans des conduites exploratoires alors que les enfants insécures tendent à éviter les nouvelles expériences et à adopter une conduite régressive devant des changements qu'ils percevront comme une menace ou un danger potentiel à leur intégrité. Par suite, ces enfants seront davantage centrés sur la dimension du lien à maintenir, plutôt que sur des apprentissages ou de nouvelles expériences à tenter.

Lorsque les parents manquent d'attention et d'ouverture face à des comportements d'allure agressive ou sinon régressive chez l'enfant, c'est toute la qualité de leur réponse aux besoins de l'enfant qui peut s'en ressentir, et augmenter par suite les risques de problèmes de comportement chez celui-ci (Geert-Jan et al., 2002). Les liens d'attachement de type insécure ou désorganisé sont associés à des risques accrus de problèmes de comportement internalisés et externalisés. Le fait d'un tempérament difficile ou d'un accordage défectueux entre le tempérament du parent et celui de l'enfant pourra aussi accroître les risques de problèmes de comportement.

*A. a été adoptée en Roumanie à l'âge de trois ans deux mois en même temps qu'une soeur (par ailleurs non apparentée) âgé de trois semaines. Turbulente et hyperactive, A. s'est vite démarquée par son caractère opposant qui s'est heurté avec le tempérament tranquille de sa mère, sujette à la dépression chronique. La fillette était aussi portée à amasser de la nourriture et à manger de façon excessive. Dans ses relations, A. avait un comportement amical mais superficiel ou elle pouvait autrement agir de façon agressive et contrôlante. La mère qui n'a jamais pu former un réel lien affectif avec l'enfant, se montrait ouvertement partiale à l'égard de sa soeur plus jeune qui était sa favorite; elle était incapable de reconnaître que les privations précoces vécues par A. pouvaient être la cause de ses symptômes. Perçue comme «mauvaise», A. se sentait rejetée. Des passages à l'acte répétés alors que A. entrait dans l'adolescence conduisirent à un échec de l'adoption.*

*D'abord évaluée à l'âge de sept ans, A. suivit au cours des trois années suivantes une thérapie par le jeu d'orientation psychodynamique. Elle développa un lien très profond avec sa thérapeute qui lui servit plus tard de soutien lors d'une crise. Les interventions tentées auprès des parents, en particulier la mère, eurent peu de succès. En cours d'adolescence, la jeune fille trouva enfin la stabilité et l'acceptation dans une famille d'accueil et elle put terminer ses études secondaires tout en développant son talent exceptionnel pour la poésie.*

Certains parents adoptifs partagent avec leur enfant une histoire de perte ou de deuil non résolu, qui peut tenir à une grossesse avortée ou interrompue ou encore à des problèmes d'infertilité qui les ont obligés à renoncer à leur rêve d'avoir leur propre enfant « parfait ». Souvent plus âgés, ces parents sont aussi plus sujets à divers problèmes de santé, alors que l'enfant, souvent très sensible à toute perte potentielle, pourra de son côté réagir fortement au moindre changement observé chez ses parents.

> A l'âge de 11 ans, J. fut adressée en clinique pour une évaluation en raison de son comportement rebelle et d'une baisse soudaine dans ses résultats scolaires. Adoptée à l'âge de un an en Chine, elle est décrite comme une enfant brillante et bien adaptée jusque là. L'évaluation a montré que ses symptômes coïncidaient avec l'intervention chirurgicale (mastectomie) subie par sa mère frappée par un cancer du sein. Son père qui venait tout juste de prendre sa retraite s'était alors impliqué dans la supervision de ses travaux scolaires où il agissait comme un maître sévère et exigeant. J. manquait de la relation chaleureuse qu'elle avait connue avec sa mère toujours proche et pleine d'attentions pour elle. Elle réagissait mal aussi à l'intrusion de son père dans des domaines où son autonomie et ses compétences étaient auparavant reconnues.
>
> J. a été suivie en thérapie brève pour travailler sa peur de l'abandon. Le counselling offert aux parents visait à les encourager à s'engager dans des activités de couple, cependant que J. irait de son côté poursuivre des intérêts avec des pairs.

Bien des parents adoptifs entretiennent des attentes vis-à-vis de leur enfant au plan des résultats académiques qui correspondent plus à leurs propres intérêts qu'aux capacités réelles de l'enfant.

> P. est un enfant adopté de Russie à l'âge de quatre mois par un couple très performant au plan académique. A l'âge de 7 ans, l'enfant commença à refuser d'aller à l'école. L'examen de la situation révéla que le comportement de P. était lié à sa crainte d'être renvoyé en Russie parce qu'il n'était pas assez bon en lecture.
>
> L'enfant suivit une thérapie par le jeu qui visait à accroître son estime de soi, à travailler sa peur de l'abandon et son anxiété de

*séparation. L' intervention avec les parents a porté essentiel-*
*lement sur des questions d' attachement, en insistant sur la*
*nécessité de démontrer à l' enfant un amour inconditionnel sans*
*promesse de performance en retour.*

Les parents adoptifs comme tous les parents se sentent responsables des progrès académiques de leurs enfants et ils cherchent à leur
inculquer un comportement qui les rende socialement acceptables
aux autres. Toutefois, il n'est pas facile d'être parent d'un enfant
souvent traumatisé qui continue à se sentir rejeté ou exclu. Il est par
suite important de travailler conjointement avec les familles adoptives sans adresser de blâme et en tâchant de comprendre pourquoi
l'enfant a des difficultés d'apprentissage ou des comportements
inappropriés.

La tâche fondamentale des parents adoptifs est de créer un lien
émotionnel avec l'enfant. En insistant trop sur les règles scolaires à
respecter, ils risquent d'envenimer les tensions autour du contrôle et
de perdre de vue le lien à tisser avec l'enfant. Certains enfants plus
vulnérables peuvent avoir besoin d'une plus grande souplesse face
aux règlements et de plus de temps pour rattraper un retard scolaire,
en étant par exemple intégrés dans une classe de niveau inférieur à
leur âge, en recevant plus de soutien et en disposant de plus de
temps pour jouer (Swanton, 2002; Dole, 2005).

Parmi les thèmes fréquemment abordés par les parents adoptifs, il y
a celui du «fantasme de sauvetage» qu'ils ont vécu et, par suite, leur
déception devant le peu de progrès réalisés par l'enfant en retour des
efforts consentis par eux. Le fait de ne pas se sentir «complètement»
en charge et responsable de l'enfant peut aussi amener le parent
adoptif à ne pas imposer de limites, ce qui risque d'affecter le
comportement et nuire à la socialisation de l'enfant.

Lorsque les parents se montrent très préoccupés par l'existence de
facteurs héréditaires pouvant peser sur leur enfant, ceci peut avoir
une influence néfaste sur leurs interactions avec l'enfant et les
amener à développer des attentes négatives à son endroit.

*C. a vécu dans un orphelinat de Roumanie où il fut adopté à*
*l' âge de trois ans et demi. Il présentait des traits dysmorphiques*
*associés à un syndrome d' alcoolisme fœtal. En plus d' un retard*
*mental léger, il souffrait d' épilepsie. Âgé maintenant de dix ans,*

*c'est un enfant en général docile qui, à l'occasion, peut faire des crises où il agressera physiquement les autres. Ses parents ne lui permettent pas de jouer avec des fusils à la maison et se disent très préoccupés par son potentiel « criminel » qui, selon eux, pourrait se manifester à l'adolescence.*

*Les parents ont rejeté la recommandation d'inscrire C. dans une école pour enfants atteints de retard intellectuel. En classe régulière, C. traîne de l'arrière sur les plans académique et social. Les parents ont insisté sur un seul point, soit que l'enfant reçoive un traitement pharmacologique afin de résoudre ses problèmes de comportement, tout en poursuivant leurs recherches du « remède miracle ».*

## Latence et références en psychiatrie

Divers syndromes cliniques se retrouvent chez les enfants du niveau de l'école primaire, ce qui suggère que certains ont de la difficulté à affronter les défis aux plans social et cognitif propres à cet âge. Les enfants adoptés peuvent être confrontés à l'une ou l'autre des problématiques suivantes selon qu'un ensemble de facteurs de risque les prédisposera à des difficultés d'apprentissage, à des problèmes relationnels avec les pairs ou à des troubles psychiatriques (Combrinck-Graham, 2002).

Les problèmes les plus fréquemment diagnostiqués en milieu d'enfance sont le trouble d'anxiété de séparation (phobie scolaire) et divers troubles d'apprentissage et de développement. Pour certains enfants adoptés, fréquenter l'école peut équivaloir à une séparation et provoquer un sentiment de perte intolérable pour eux. Ils ont de la diffculté à vivre des changements ou de nouvelles expériences tels qu'un voyage organisé par l'école ou un séjour en camp d'été. Ils peuvent même éviter d'aller à l'école lorsqu'ils ressentent que leur performance n'est pas à la hauteur des attentes de leurs parents et qu'ils risquent de perdre leur amour.

Les cas de retard intellectuel léger ou limite peuvent être reconnus dans les premières années d'école, de même que des difficultés d'apprentissage spécifiques.

Le développement du langage est une dimension particulièrement sensible dans les adoptions internationales, étant donné que la plupart des enfants doivent apprendre une deuxième langue en même temps qu'ils perdent leur langue d'origine. Le peu de stimulations reçues à ce niveau - qui est un fait fréquent dans les environnements où ont vécu ces enfants avant d'être adoptés - peut redoubler les risques de troubles de langage chez ces enfants (Glennen et Masters, 2002).

Vues les attentes en ce qui a trait au comportement en classe, on pourra détecter des traits d'hyperactivité chez certains enfants qui ont de la difficulté à se concentrer et à être attentifs et obéissants face aux consignes. Des problèmes de coordination visuo-motrice peuvent aussi handicaper et retarder l'enfant dans l'acquisition de la lecture et de l'écriture et l'exercice de ses habiletés motrices dans divers jeux de groupe. L'enfant peut aussi être aux prises avec des problèmes d'énurésie ou d'encoprésie qui nuiront à son intégration sociale, de même qu'à l'acquisition d'une image positive de lui-même. Les troubles affectifs, en particulier la dépression et l'anxiété, qui apparaissent à ce stade, sont habituellement reliés à l'estime de soi. L'enfant d'âge scolaire est soumis à de fortes pressions quotidiennes de la part de ses enseignants et de ses parents, sans compter la compétition normale entre pairs, qui évaluent ses performances. Dans le cas d'un enfant vulnérable, ces stress sociaux et académiques répétés peuvent être suffisants pour déclencher un trouble psychiatrique chez lui.

Considérant l'intervention psychiatrique, celle-ci commence habituellement par une évaluation complète de l'enfant, incluant un examen psychiatrique détaillé, des tests psychologiques et une évaluation en ergothérapie, selon les questions soulevées par l'école. Le plan de traitement est formulé en fonction du problème mais en général, on offre du counselling aux parents, en particulier de la psychoéducation et de la thérapie familiale. Les thérapies individuelles mettent de l'avant la thérapie par le jeu pour les enfants plus jeunes, tandis que les thérapies comportementales et l'approche EMDR seront davantage utilisées dans le cas d'enfants souffrant de stress post-traumatique. Si nécessaire, une médication pourra être prescrite. Également, des mesures de soutien ou des services de répit peuvent être recommandés aux parents pour éviter qu'ils ne s'épuisent. Un séjour en hôpital ou une intervention des services de protection pourra être requis à l'occasion dans les cas de psychopathologie sévère chez ces enfants.

Traduit par *Denise Marchand*

# ABSTRACT

*The author discusses clinical practice with adopted children and reasons for referrals and clinical issues raised in middle childhood which corresponds the an important transition to the non-familial environment for the child exposed to various social and cognitive challenges. Development perspectives and clinical issues are discussed and several case vignettes serve to illustrate the impact of prenatal and postnatal conditions on the severity of the child's impairment and development delay and the treatment modalities offered to the child and family. The role of adoptive parents is outlined with special consideration to their main responsibility which is to build a strong and secure emotional bond with their adopted child.*

## Références

**Ames E.** *The development of Romanian orphanage children adopted to Canada.* Burnaby, B.C : Simon Fraser University, 1997.

**Boris NW, Zeanah CW, et al.** Practice parameter for the assessment and treatment of children with Reactive Attachment Disorder of infancy and Early Childhood. *J Am Acad Ch & Adol Psychiat* 2005; 44(11) : 1206-1219.

**Combrinck-Graham L.** Development of school-age children. In : **Lewis M.** (ed) *Child and Adolescent Psychiatry,* 3$^{rd}$ ed. New York : Williams & Wilkins, 2002 : 324-332.

**Davies JK, Bledsoe JM.** Prenatal Alcohol and Drug Exposure in Adoption. *Ped Clin N Amer* 2005; 52 : 1369-1393.

**Dole KN.** Education and internationally adopted children : Working collaboratively with schools. *Ped Clin N Amer* 2005; 52 : 1445-1461.

**Dunman R, Heninger G, Nestler E.** A molecular and cellular theory of depression. *Arch Gen Psychiat* 1997; 54 : 597-606.

**Geert-Jan J, et al.** Maternal sensitivity, infant attachment and temperament in early childhood predict adjustment in middle childhood : The case of adopted children and their unrelated parents. *Dev Psychol* 2002; 38(5) : 806-821.

**Gemelli RJ.** *Normal child and Adolescent Development.* Washington : American Psychiatric Publ., 1996.

**Glennen S, Masters M.** Typical and atypical language development in infants and toddlers adopted from Eastern Europe. *Am J Speech Lang Pathol* 2002;11(4) : 417-433.

**Heim C, et al.** Pituitary-adrenal and autonomic responses to stress in women after sexual and physical abuse in childhood. *J Am Med Ass* 2000; 202 : 592-597.

**Hoksbergen RA, et al.** Posttraumatic Stress Disorder in adopted children from Romania. *Am J Orthopsychiat* 2003; 73(3) : 255-265.

**Kim WJ, Zrull JP, Davenport CW, et al.** Characteristics of adopted juvenile delinquents. *J Am Acad Ch & Adol Psychiat* 1992; 31 : 525-532.

**MacLean K.** The impact of institutionalization on child development. *Dev & Psychopath* 2003; 15 : 853-884.

**O'Connor TG, Marvin R, Rutter M, et al, for the English and Romanian Adoptees Study Team.** Child-parent attachment following early institutional deprivation. *Dev & Psychopath* 2003; 15 :19-38.

**Rutter M, Krepner J, O'Connor TG, for the English and Romanian Adoptees Study Team.** Specificity and heterogeneity in children's responses to profound institutional privation. *Br J Psychiat* 2001; 179-197-103.

**Scarr S, Weinberger RA.** The Minnesota adoptions studies : Genetic differences and malleability. *Child Dev* 1983; 54 : 260-267.

**Shapiro V, Shapiro J, Parlet JH.** Developmental perspectives and clinical issues in complex adoptions. *Complex Adoption and Assisted Reproductive Technology.* New York : Guilford Press, 2001 : 24-49.

**Stern DV.** *The interpersonal world of the infant : A view from psychoanalysis and developmental psychology.* New York : Basic Books, 1985.

**Swanton P. Adoption – 3 :** The adopted child at school. *J Fam Health Care* 2002; 12(6) : 155-157.

**Weitzman C, Albers L.** Long term developmental, behavioral and attachment outcomes after international adoption. *Ped Clin No Amer* 2005; 52 : 1395-1419.

**Zeanah CH, Scheeringa MS, Boris NH, Heller SS, Smyke AT, Trapani J.** Reactive Attachemen disorder in Maltreated Infants and Toddlers. *Child Abuse & Neglect* 2004; 28 : 877-888.

no 46

# L'adoption tardive : une expérience vécue

**Daniel Massicotte** et **Donald Massicotte**

À la fin des années 1970, le ministère des Affaires sociales du Québec a tenté d'amorcer un « virage enfant » afin d'améliorer le sort des enfants placés en famille d'accueil depuis plusieurs années. Une vaste enquête a permis de découvrir qu'il y avait au Québec au-delà de 30 000 enfants qui vivaient placés à l'extérieur de leur milieu familial et qui étaient en situation d'abandon. Le désir de prendre ce virage était tout à fait honorable puisqu'on cherchait à redonner à ces enfants abandonnés une vie stable et, plus encore, leur permettre d'avoir enfin une véritable famille qui les accueille et où ils vivent une vie familiale « normale ».

Dès mon arrivée au service adoption en avril 1979, je fus amené à m'intéresser plus particulièrement à ces enfants abandonnés pour qui l'on devait construire/élaborer un projet de vie permanent. Voici le récit de l'expérience vécue dans notre propre famille de l'adoption tardive d'un garçon de 14 ans, laquelle a représenté, pour plusieurs enfants comme le nôtre, alors placés en famille d'accueil, une « planche de salut » dans leur cheminement vers l'âge adulte et, malgré les critiques suscitées, qui aura été pour plusieurs l'occasion de vivre dans un milieu familial aimant, sécurisant et acceptant.

Dans cet article, nous aborderons l'adoption tardive telle que nous l'avons vécue, tant de l'extérieur comme professionnels que de l'intérieur, puisque nous avons, dès 1979, vécu une expérience comme parents adoptifs d'un enfant plus âgé. Notre fils, aujourd'hui adulte, nous a aimablement aidés à enrichir ce texte par ses souvenirs.

## L'expérience de la Montérégie

Le Centre jeunesse de la Montérégie est reconnu comme un pionnier dans le domaine de l'adoption des enfants plus âgés. Dès la fin des

Daniel Massicotte est travailleur social au Service adoption du Centre jeunesse de la Montérégie. Donald Massicotte est directeur des programmes au C.S.S.S de La Tuque.
**Adresse :** 32, chemin du lac Saint-Louis, Léry (Québec)
**Courriel :** daniel.massicotte@rrsss.16.gouv.qc.ca

( 340 )

années 1970, les valeurs implicites du service adoption ouvraient toute grande la recherche souvent non traditionnelle de moyens pour aider ces enfants plus âgés en situation d'abandon à vivre de nouvelles expériences familiales. Ainsi, les photos de tous les enfants plus âgés furent rassemblées dans un recueil qui les décrivait brièvement, lequel fut envoyé à tous les parents postulants en attente. Cette façon d'opérer pour le moins inusitée donna alors des résultats surprenants : les réponses ne tardèrent pas à arriver et la plupart des enfants trouvèrent un couple ou une famille désireux de les accueillir. Forts d'une expérience aussi concluante, les intervenants se mirent à recruter et mettre sur pied des groupes dont le but était de préparer et sensibiliser les nouveaux postulants à la réalité de ces enfants qui, pour la plupart, avaient des besoins spéciaux.

## Les échecs de placement nous amènent à définir un nouveau type de parent

Avec le temps, les échecs de placement et d'intégration de certains enfants nous amenèrent à définir de nouvelles pratiques en adoption. Convaincus que chaque enfant a besoin d'un milieu de vie stable auquel il pourra se référer à l'âge adulte, nous constations toutefois que certains d'entre eux ne pouvaient pas vivre harmonieusement dans un milieu familial traditionnel où les attentes affectives étaient trop élevées. La présence de carence relationnelle étant fréquente parmi la clientèle de ces enfants plus âgés, il a donc fallu trouver des ressources mieux adaptées à leurs besoins spéciaux. Ces enfants ayant autant que les autres besoin de parentage, il nous a fallu développer un nouveau concept de « parent », c'est-à-dire un adulte qui soit prêt à accueillir l'enfant, à accepter d'être son parent à part entière tout en n'ayant pas à court terme d'attentes trop grandes au plan affectif.

Nous étions bien conscients qu'il était à peu près impossible de trouver des personnes qui n'aient aucune attente vis-à-vis de l'enfant. Aussi avons-nous défini certaines balises qui nous paraissaient réalistes : le parent a-t-il besoin que l'enfant le reconnaisse, à court terme, comme son parent? Combien de temps le parent est-il capable d'attendre avant d'avoir une certaine reconnaissance de son enfant? Nous considérions qu'un parent répondant à ce type de critères pouvait jouer le rôle de parent que nous avons alors appelé « parent accompagnateur ». Tout en ayant le goût et le désir d'aider un jeune et de partager sa vie, le parent accompagnateur devait être en mesure de n'exercer aucune pression affective sur le jeune ni de lui demander cette reconnaissance parentale que la plupart des parents traditionnels exigent.

Trouver ce type de parent ne fut certainement pas facile, car souvent dans les couples que nous avions en vue, l'un des deux parents se définissait comme accompagnateur, mais pas l'autre. Dans les cas où nous avons réussi notre quête, nous avons certainement permis à plusieurs enfants de trouver des milieux de vie capables de les accueillir et de les soutenir dans leur cheminement vers l'âge adulte.

## L'expérience d'un intervenant parent
### Les défis qui attendent le parent accompagnateur

C'est au cours de cette période, à la fin des années 1970, que fort d'une expérience clinique, je suis interpellé par une réalité que je connais de l'extérieur et qui nous confrontera, ma conjointe et moi. Déjà père de deux jeunes garçons âgés de 1 et 2 ans, je me retrouve subitement père d'un adolescent de 14 ans avec qui nous décidons de construire un projet de vie permanent. Ce jeune a une histoire de quatorze années de vie : il a grandi ailleurs, a reçu une éducation ainsi que des valeurs transmises par les gens qui l'ont gardé depuis l'âge de deux ans et demi. Comme c'est déjà mon travail d'intervenir auprès de ce type de jeunes, je crois naïvement que ce sera facile...

Le jeune arrive soudainement chez nous, alors que la famille d'accueil avec qui il vit depuis plus de sept ans vient de décider de le «remettre », en prétextant des difficultés comportementales : il a volé deux dollars, ne respecte pas les consignes données par les parents substituts, voilà pour moi autant de raisons pour vouloir aider ce jeune rejeté. Mais nous (ni lui ni notre famille) ne sommes pas vraiment préparés. Il a un fort bagage qu'il connaît plus ou moins, il a vécu dans un milieu familial où les valeurs sont différentes, où les habitudes de vie sont plus ou moins les mêmes que les nôtres, et qu'il a intégrées depuis de nombreuses années. Il est déjà construit, nous dira-t-il, au cours d'une conversation que nous avons avec lui en préparation de cet article.

Au cours des premiers jours, nous vivons une véritable lune de miel. Il se montre coopérant, affable et semble se plaire dans notre famille qui l'accueille si chaleureusement. Les choses se bousculent et le projet d'adoption prend rapidement forme, alors qu'au départ, sa venue chez nous ne visait qu'un dépannage d'une nuit. Nous sommes vite pris sous le charme, pour nous, cet adolescent est carrément abandonné, sans famille, croyons-nous, et sans maison. Tous ces éléments nous vont droit au cœur et nous faisons des démarches afin que sa situation soit régularisée. Nous lui parlons d'adoption et il est d'accord. Les jours passent, l'administration du service social parle alors de conflit d'intérêts, hésite à sanctionner notre projet, puis tout s'arrange et on nous permet de faire un projet d'adoption pour ce jeune.

Quelques semaines passent et doucement mais fermement, la famille sort de sa lune de miel. Comment gérer nos relations avec lui? Nous connaissons en partie son histoire passée puisque j'ai eu accès comme intervenant à son dossier, mais ce dernier renferme peu de détails pouvant nous aider à comprendre les réactions du jeune.

Ce garçon de quatorze ans connaît quelques éléments de sa vie passée : il est orphelin de mère depuis l'âge de deux ans et il ne connaît pas son père biologique, il sait qu'il a plusieurs frères et sœurs, mais il ne connaît que l'aîné qu'il a rencontré à quelques reprises. Il a appris qu'il était « placé » à l'âge de six ans lors d'un changement précipité de famille d'accueil. Il vit maintenant avec des gens qui désirent le « garder », puisque nous lui parlons, dès la première semaine, d'adoption. Il a donc des obstacles à surmonter, des craintes de l'échec et, comme il a une estime de lui-même plutôt faible, il se demande à tout moment s'il sera à la hauteur des attentes « même faibles » de ses nouveaux parents. Il a beaucoup de difficultés à reconnaître ces étrangers comme ses parents et d'ailleurs, il le leur démontre chaque fois que l'occasion s'y prête. Donald (c'est son nom) utilise souvent dans ses interactions avec nous des « mécanismes de brisure », c'est-à-dire qu'il confronte la solidité de la relation que nous essayons tous d'établir avec lui, comme s'il cherchait à nous mettre au défi de l'abandonner, et surtout à jauger notre patience devant ses comportements souvent désagréables, voire inacceptables. Par exemple, il étire longuement l'heure à laquelle il doit rentrer le soir,  il invective un professeur qui, le soir même, nous appelle pour nous rapporter le fait. Il lui arrive même d'être agressif avec nos enfants qui ont à peine 2 et 3 ans... Ces phénomènes sont extrêmement éprouvants pour nous puisqu'ils nous mettent en situation de vivre à tout moment un échec, une rupture. Dans mon travail, je continue à intervenir ailleurs auprès de familles qui sont confrontées à ces mêmes difficultés.

## Collision des limites de chacun

Dans une telle aventure, les parents comme le jeune ont des limites et la confrontation entre les uns et l'autre est pratiquement inévitable. Nos limites comme parents sont d'ailleurs souvent contestées par le jeune. Ses demandes nous apparaissent souvent déraisonnables, voire irréalisables, et notre désir de répondre aux demandes de D. nous amène souvent à un constat d'échec difficile à vivre. Il s'intéresse à tout, nous demande de jouer au baseball et après l'avoir équipé, il abandonne. Il est avide d'objets de toutes sortes, de vêtements, de raquettes de tennis que nous nous empressons de lui fournir pour nous apercevoir qu'il les brise à la première occasion ou qu'il les perd.

Ce qu'il faut comprendre, c'est la nécessité d'en arriver à une réciprocité, sans laquelle la réussite d'un projet d'adoption d'un enfant plus âgé n'est pas possible. Le jeune doit absolument adopter ses parents autant que ces derniers le choisissent. C'est dans et par cette réciprocité que peut se construire le lien sécurisant nécessaire au plein épanouissement de la nouvelle famille.

Le jeune qui a toujours réprimé ses émotions doit apprendre à les extérioriser dans ce nouveau milieu qui devrait lui faciliter la tâche. Toutefois, pour la famille, ces expressions émotives demeurent préoccupantes et souvent difficiles à vivre. Ce que le jeune parvient à exprimer lui évite souvent d'avoir des comportements difficiles. Lorsque notre fils arrivait à nous dire ce qu'il vivait et qu'il pouvait mettre des mots sur l'émotion que ces demandes suscitaient chez lui, la réaction était moins vive.

Lorsque nous-mêmes comme parents vivions des situations difficiles émotivement, notre fils ne comprenait pas toujours pourquoi nous réagissions comme nous le faisions. Cela nous a amenés à lui rendre accessible par des mots et des explications ce que nous vivions et pourquoi nous avions telle ou telle réaction. S'il était en mesure de comprendre nos réactions, il pourrait mieux saisir et prendre conscience de « ses limites »... et des nôtres. Le parent tout-puissant aux yeux du jeune devient alors un être humain avec ses forces et ses faiblesses.

Le processus d'attachement se construit lentement et difficilement. L'histoire de D. comporte plusieurs ruptures et des rejets évidents; aussi, il se cabre, résiste aux marques d'amour que nous tentons de lui témoigner. Il n'y croit tout simplement pas, le « et si c'était vrai...»

n'existe même pas pour lui. À quelques occasions, il nous lance : « Tu ne peux pas m'aimer puisque tu ne m'as pas fait ». Nous sommes à certains moments complètement découragés, l'échec est là, prêt à éclater au grand jour. Heureusement nous sommes deux, et lorsque je déprime, ma conjointe prend la relève, mouvement qui est réciproque entre elle et moi.

La naissance d'un autre enfant ne vient pas arranger les choses, bien au contraire... Alors que l'accouchement est imminent, notre jeune déprime, se referme sur lui-même et devient très maussade. Nous analysons, interprétons, mais le filtre de nos propres émotions nous empêche d'y voir clair. Cette naissance est bouleversante pour notre fils adoptif. Alors que l'arrivée d'un enfant dans notre famille est un heureux événement, notre jeune ne semble pas du tout participer à cet état des choses. Par la suite, nous comprendrons que la naissance de cette enfant remettait notre fils en contact avec son propre abandon. Comment peut-on recevoir un enfant dans la joie alors que lui a été mis au monde et aussitôt abandonné?

Ce n'est qu'avec la venue d'un autre enfant que nous saisirons vraiment pourquoi notre fils est si déprimé dans ces circonstances pourtant heureuses. De fait, lors de la naissance de notre dernière fille, notre fils devient encore plus déprimé, il se renferme et établit un véritable blocus affectif qui nous empêche de le rejoindre. Incapable de comprendre et de m'expliquer ce qu'il vit, c'est alors que je me « désorganise »... Je vais dans sa chambre et dans un mouvement de colère irrépressible, je brise devant lui une chaise tout en lui disant que je ne sais plus quoi faire et que maintenant, c'est à lui d'agir ou de réagir. Je lui dis : « Je suis arrivé au bout de ma corde!». Il ne réagit pas tout de suite à cette manifestation, mais une fois seul, il pleurera longuement sans trop savoir pourquoi. Que pleure-t-il? Plusieurs hypothèses pourraient être émises.

## Dénouement de la crise : le point de vue du fils

Pour nous comme pour plusieurs parents qui adoptent des enfants plus âgés, la notion de temps a été très importante. Il nous semblait que nous n'avions jamais assez de temps pour tout dire et tout faire, mais en même temps, nous avions l'impression que le temps qui passait n'arrangerait pas les choses. Nous ne réussirions pas ce que nous avions entrepris avec notre fils. Il ne pourrait pas s'adapter à sa nouvelle réalité familiale, il était trop vieux. Comment pouvait-on penser de la sorte? Je crois que le stress engendré par la situation, l'impétuosité de jeunes parents qui voulaient tout réussir le plus rapidement possible ont créé en quelque sorte une situation quasi insurmontable.

Donald nous expliquera bien plus tard que cette « crise » lui a fait prendre conscience qu'une manifestation aussi violente de ma part voulait certainement dire : « Ces gens-là m'aiment vraiment! ». Cette intervention pour le moins impulsive et irréfléchie a permis à notre fils de comprendre toute l'ampleur et l'intensité du lien émotif que nous tentions d'établir avec lui. Ce que nous pouvons en dire aujourd'hui, c'est que notre jeune avait probablement besoin d'une marque tangible d'amour; il nous est encore difficile aujourd'hui de faire le lien entre le geste posé et son impact positif sur l'évolution psychique de notre jeune.

Avec cette « crise » très intense, il a pu amorcer des prises de conscience qui s'avéreront positives dans son développement psychologique. En rétrospective, notre fils nous dira que l'événement de la « chaise brisée » l'a amené à s'engager dans un processus de maturation où il a relevé trois grands défis :

1. Il nous dira :« J'ai ressenti votre désarroi et cela m'a touché, j'ai aussi ressenti votre peine et cela m'a peiné, je suis passé graduellement d'un mode relationnel principalement primaire, défensif, réactif et fermé, à un mode de prise de conscience de l'impact de mes actions sur mes parents ».

2. Il a aussi pris conscience que le dénouement de l'impasse relationnelle dépendait de lui dans une certaine mesure. Il est passé d'un mode relationnel fondé sur l'idée, « C'est votre problème » à « Je fais partie de votre problème ». Il a, selon lui, acquis beaucoup de maturité en se reconnaissant une responsabilité partagée à propos de la relation entre lui et nous.

3. Et enfin, il s'est vu confronté à son démon le plus redoutable, soit de vivre un autre rejet. Il nous dira : « Je suis convaincu aujourd'hui que malgré l'attitude de retrait affectif qui me caractérisait, des liens affectifs s'étaient suffisamment tissés de sorte que confronté au désarroi manifeste de mon père, j'ai vraiment eu peur de perdre ces gens qui se disaient être ma famille et qui, au fond, étaient des personnes réellement bien ».

Et il ajoute : « L'enfant plus âgé impliqué dans un projet d'adoption doit surmonter des défis qui sont entre ses mains et que lui seul devra surmonter ». La présence de personnes aimantes est essentielle. La réussite du projet d'adoption dépendra aussi de la façon dont l'enfant s'acquittera de ses défis relationnels.

Le temps qui passe arrange bien les choses, mais il faut aussi y mettre du cœur et de la détermination. Ce n'est qu'après plusieurs années que nous avons compris qu'il ne sert à rien de vouloir précipiter les choses. L'expérience d'être parent s'acquiert tout au long du temps que l'on consacre à nos enfants.

## Conclusion

Aujourd'hui, avec un meilleur dépistage des enfants en situation d'abandon, l'adoption d'enfants d'âge scolaire est beaucoup moins fréquente. Et cela vaut mieux pour les enfants qui sont pris en charge par des familles adoptives dès leur plus jeune âge. Néanmoins, l'expérience d'adoption tardive vécue par plusieurs parents a été enrichissante et a permis de développer une expertise des plus pertinentes.

Le fait d'avoir été parent adoptif d'un enfant plus âgé et d'être en même temps intervenant au service adoption a-t-il eu une influence sur l'issue positive de la démarche? Il est difficile de répondre à cette question. Les connaissances peuvent certainement aider à comprendre certaines situations, mais l'émotivité prend la première place – et souvent toute la place – dans un tel projet.

Beaucoup de choses auraient pu être dites sur notre expérience de parents tout court et de parents d'un garçon adopté à l'âge de l'adolescence. Cependant, ce qui reste de cette belle expérience, c'est la vie tout entière qui nous le donne. Lorsqu'on voit nos enfants heureux de vivre et entretenant des liens affectifs serrés entre eux et avec nous, cela nous suffit amplement pour dire qu'être parent est la plus belle chose qui puisse nous arriver.

## Moïse, Œdipe, Superman...

### De l'abandon à l'adoption

**Sophie Marinopoulos
Catherine Sellenet
Françoise Vallée**

Paris : Fayard, 2003,
351 pages

Les auteures allient leurs expériences de psychologues cliniciennes, psychanalyste et professeure d'université, toutes oeuvrant dans le domaine des maternités vulnérables et de l'adoption, pour nous présenter une réflexion sur les thèmes de la parentalité et des origines, dans une perspective à la fois sociologique, juridique et psychanalytique, dans le contexte de l'adoption en France. De nombreuses références à des sommités d'autres cultures et une réflexion sur l'essence de la filiation donnent cependant à cet ouvrage une dimension universelle.

Moïse, Œdipe, Superman, autant d'enfants abandonnés puis adoptés, dont les mythes nous instruisent des grand enjeux de leur destinée : échapper tout d'abord à la mort par l'abandon salvateur, s'inscrire et se développer dans une deuxième filiation, mais au prix du secret de leur naissance. Secret dont on peut se demander ce qu'il serait advenu d'Œdipe s'il avait été levé, par exemple. Cependant, les auteures ne s'attardent pas sur ces héros mythiques et entrent rapidement dans le contenu de leur sujet.

Ce livre décrit le processus de l'abandon et de l'adoption dans un contexte légal spécifique, qui, comme d'ailleurs le contexte de l'adoption au Québec, n'est pas toujours relié et sensible à la dimension clinique de l'adoption. Utiliser le légal pour donner la parole au clinique, utiliser le clinique pour donner un sens au légal, tel est le défi des cliniciens analytiques qui travaillent en ce domaine. Les auteures présentent un parallèle constant entre la réalité particulièrement juridique de l'adoption et le sens que revêt, ou que

(348)

devrait revêtir chaque étape du parcours de l'enfant abandonné, de ses parents d'origine, et de ses parents adoptants.

À travers plusieurs cas cliniques, la démonstration est faite de la nécessité, pour une évolution saine de l'enfant abandonné et une adoption réussie, de ne pas passer sous silence l'acte d'abandon. L'enfant adoptable, et adopté, est avant tout un enfant abandonné. Une démarche intégrée d'adoption n'est possible que si l'enfant a accès à une parole sur ses origines, et à un ancrage, imaginaire ou réel dans sa filiation biologique. Vouloir nier l'abandon, l'édulcorer, c'est ne pas permettre à l'enfant de donner un sens à son histoire, et la possibilité de construire une nouvelle filiation. Il faut avoir été l'enfant d'un père et d'une mère pour devenir l'enfant d'un autre, puis soi-même un parent.

C'est ainsi que les auteures réfléchissent également sur un aspect souvent négligé de la littérature sur l'adoption, à savoir le vécu des mères biologiques, durant la période de grossesse, celle autour de l'accouchement et de l'abandon : solitude, renoncement, doute, secret, la réalité de l'anonymat de l'accouchement se confronte ici au droit et au besoin de l'enfant de mettre une parole, une identité sur ses origines. Ces mères ont besoin d'un accompagnement spécifique afin d'exister en tant que mère pour que leur enfant puisse exister en tant qu'enfant. C'est toute la complexité de la construction de l'identité qui est en jeu.

Après avoir ainsi réfléchi sur la situation de la mère biologique et de l'enfant abandonné, les auteures s'intéressent au vécu des parents adoptants. Elles constatent que les démarches d'agrément pour les parents postulants durent neuf mois, le temps d'une grossesse. Ce temps doit être également accompagné, pour devenir un temps où se construire une parentalité imaginaire. Il faut que le parent postulant ait construit un enfant imaginaire pour que l'enfant réel puisse s'y substituer. On n'adopte pas n'importe quel enfant, avec n'importe quelles caractéristiques. On adopte un enfant qui peut s'inscrire dans l'enfant imaginaire qu'on s'est construit. Le temps des procédures permet au parent de se projeter, de se rêver parent dans l'avenir. Tout projet d'enfant renvoie le parent à sa propre enfance et à ses liens avec ses propres parents. Le temps de l'agrément permet aussi au parent de clarifier son propre passé d'enfant. Car l'enfant qui va arriver va s'inscrire dans sa filiation ; encore faut-il que le parent postulant lui-même ait une place dans sa propre filiation, condition essentielle et nécessaire à une réussite de l'adoption. Et si l'enfant attendu a déjà lui-même un passé de quelques années de vie, s'inscrire dans cette nouvelle filiation demande du temps et un espace où la parole va permettre à chacun de définir son identité, ses différences.

Le même processus doit être activé dans les situations d'adoption internationale. Les auteures constatent cependant que, dans ces situations, la recherche de l'identité et de la filiation biologique, quasi impossible, s'élargit pour se transformer en une recherche d'identité culturelle.

Dans un des derniers chapitres du livre, les auteures proposent des paramètres concrets pour l'accompagnement de l'enfant, de son parent biologique, et de ses parents adoptants, dans cette aventure qu'est l'abandon puis l'adoption. Les auteures élargissent leur réflexion en situant la problématique de la filiation dans une optique plus large, où l'évolution actuelle de la société amène d'autres enfants et d'autres familles à se questionner sur la filiation : familles recomposées, couples homosexuels, choix du patronyme. Elles terminent en passant en revue les processus d'abandon et d'adoption dans les différents pays de la Communauté Européenne.

C'est donc un livre riche, dense, qui propose un sens tout en restant très impliqué dans la réalité, éclairé en cela par des analyses de cas fort pertinentes. Il intéressera particulièrement les professionnels de tous horizons (social, psychologique, mais aussi santé, juridique) qui sont en contact et soutiennent dans leur cheminement les parents biologiques, les enfants, les parents adoptants, en leur proposant une réflexion approfondie et des pistes d'action. Il intéressera également tous les professionnels qui, sans être en contact direct avec cette clientèle, peuvent être amenés à supporter les intervenants ou à réfléchir sur les pratiques juridiques et cliniques en vigueur.

*Denise Trano*
Directeur des services professionnels
Centre jeunesse des Laurentides

Somme de dialogues et d'entretiens avec des collègues et des praticiens d'horizons divers (psychiatrie, psychoéducation, travail social, ergothérapie), ce livre retrace l'itinéraire d'un pédopsychiatre érudit, engagé, singulier mais par-dessus tout allergique aux idées reçues. Dans le premier chapitre, Brigitte Leblanc, initiatrice de ce projet, amène le Docteur Lemay à parler de ses origines, de sa formation première comme éducateur, de son séjour aux États-Unis durant les années 50, qui fut un temps de découverte des idées psychanalytiques, de ses études en psychiatrie à son retour en France et bien sûr, de ses premiers contacts dans les années 60 avec des pionniers de la psychoéducation québécoise, comme Janine Guindon et Gilles Gendreau. Puis, ce fut en 1973 le départ de Bretagne et l'arrivée à Montréal à titre de professeur de pédopsychiatrie et de psychoéducation.

Les chapitres suivants abordent des thèmes qui seront au cœur de l'écriture et de l'action de Michel Lemay, tels la coexistence nécessaire de divers points de vue pour rendre compte de la complexité de la psyché humaine, le rôle essentiel du diagnostic, la formation du praticien, où l'on aborde nécessairement la crise d'identité du psychiatre pourtant en besoin d'ancrages solides. À ce sujet, l'on sent bien l'inquiétude que le Docteur Lemay transmet au sujet de l'avenir de notre profession, mais en même temps, l'on sent aussi chez lui l'attirance pour la tension créatrice et le nécessaire déséquilibre que celle-ci engendre.

De façon tout à fait inusitée, Michel Lemay sait rendre compte de son amour de la psychodynamique et tout à la fois il sait reconnaître des erreurs graves que le courant psychanalytique a fait peser sur certaines de nos conceptions (la culpabilisation des parents, le mépris du corps, les dérives sectaires, l'enfermement dans des théories toute-puissantes qui favorisaient le repli sur soi et l'assujettissement à un maître omniscient). Il semble qu'il soit dans la nature même de la théorie (en psychiatrie ou dans d'autres domaines du savoir...) d'accéder à des mouvements ou d'opter pour des tendances qui, tôt ou tard, reproduisent l'aliénation dont on voulait s'affranchir. Disons quand même que pour ce qui est du courant analytique, le Docteur Lemay insiste sur la rupture radicale introduite par ces notions que sont le regard sur soi et l'intérêt pour la vie imaginaire de l'enfant. L'on imagine sans peine l'enthousiasme du jeune praticien, qui avait connu les conceptions organicistes, face à

**Aveux et désaveux d'un psychiatre**
Dialogues

**Michel Lemay**

Montréal : Éditions du CHU Sainte-Justine
2006, 300 pages

ces courants novateurs pour l'époque. Ce qui distingue particulière-ment le trajet du Docteur Lemay, c'est d'être resté ouvert à toutes sortes de courants et de pratiques, que ce soit le psychodrame, l'intérêt pour les classifications diagnostiques, le travail en centre d'accueil, les nouvelles conceptions de l'autisme, le développement de la psychopharmacologie. Enfin, au plan clinique, des sujets qui ont nourri la réflexion de Michel Lemay tout au long de sa carrière sont abordés comme la délinquance, le suicide des enfants, la com-plexité des troubles envahissants du développement, les agressions sexuelles, la négligence et les carences, les facteurs de résilience.

Il me semble que ce livre a une nature philosophique puisqu'on y parle d'observation, d'interprétation des faits, d'humanisme, de dissertation par la remise en question d'une chose et de son con-traire. Sans aucun doute, Michel Lemay aura su développer chez les étudiants et les collègues qui l'ont côtoyé le principe d'incertitude (le physicien Eisenberg avait développé cette notion qui rend compte du fait que toute observation d'un phénomène naturel modifie celui-ci) tout en suscitant l'enthousiasme nécessaire à un engagement authentique et éclairé auprès des enfants, des adolescents, des familles et des équipes de soins qui viennent nous consulter.

Ce témoignage unique, véritable plaidoyer contre tout réduction-nisme, est précieux pour les pédopsychiatres mais aussi pour les étudiants de diverses disciplines qui pourront puiser à la sagesse d'un praticien qui a connu plusieurs époques, tant au plan des con-ceptions théoriques, de la définition que de l'organisation des soins et des pratiques éducatives. Michel Lemay aura marqué profon-dément notre milieu, non seulement par sa pensée originale et ses nombreux ouvrages dont plusieurs constituent des jalons dans le monde francophone - l'on pense entre autres à *J'ai mal à ma mère,* sur la carence affective, à *L'Éclosion psychique de l'être humain,* véritable encyclopédie du développement, et à *L'Autisme aujourd'hui,* qui fait si bien comprendre le vécu du sujet autiste -, mais aussi par son sens exceptionnel de la transmission de son savoir. Nous lui sommes reconnaissants de nous avoir légué cet héritage.

*Bernard Boileau,* pédopsychiatre
CHU Sainte-Justine

## Familles en mouvance : quels enjeux éthiques?

Cet ouvrage, qui est issu des travaux du groupe de recherche interdisciplinaire « Familles en mouvance et dynamiques intergénérationnelles », rassemble des contributions de divers spécialistes du domaine des sciences humaines et sociales qui se sont intéressés aux nouvelles formes qu'ont prises les liens familiaux au cours des dernières décennies en Occident. Les aspects éthiques associés aux transformations familiales sont particulièrement considérés, tout comme les valeurs individuelles et les normes sociales sous-jacentes à ces processus.

Sous la direction de **Françoise-Romaine Ouellette, Renée Joyal et Roch Hurtubise**

Québec : Presses de l'Université Laval, 2005
Collection Culture et Société

Parmi ces transformations du paysage familial, on rappelle le taux élevé de divorces, d'unions libres, de nouvelles unions après un divorce ou une séparation, la forte baisse de la natalité, une longévité accrue ainsi que le relâchement des obligations entre générations; ces phénomènes prennent place dans le contexte d'une démocratisation de la sphère privée et de modifications significatives au niveau du lien social et de l'intimité. Des changements législatifs majeurs ont accompagné ces nouvelles réalités, comme l'attribution de l'autorité parentale aux deux parents et la reconnaissance des droits égaux aux enfants, quelles que soient les circonstances de leur naissance. Les spécialistes évoquent notamment une dissociation de l'alliance, de la filiation, de la sexualité et de la procréation, processus amorcé avec la fin des années 60, parallèlement à l'éventail de plus en plus élargi des configurations familiales socialement reconnues : familles biparentales, monoparentales, recomposées, familles formées par procréation, adoption ou procréation assistée, familles hétéro parentales ou homoparentales... Face à une liberté accentuée des adultes dans leur vie affective, on peut se questionner sur la présence concomitante d'une relative instabilité des enfants dans leurs propres ancrages familiaux. De nouveaux concepts, comme celui de la pluriparentalité, émergent également pour rendre compte de cette complexité accrue des repères parentaux pour les enfants. Dans le domaine de l'adoption, une diversité plus grande des encadrements légaux possibles est suggérée afin de tenir compte de la complexité des situations rencontrées et garantir notamment une certaine préservation des liens de filiation originels, comme c'est le cas avec l'adoption simple, la tutelle ou le partage des responsabilités parentales.

Ces transformations de la famille sont étroitement articulées à d'autres phénomènes sociaux en mutation, concernant notamment

(353)

le marché du travail, le droit social et les politiques publiques. Une part importante des fonctions identitaires, sanitaires, de socialisation et d'aide propres aux réseaux familiaux se trouve maintenant assumée par d'autres agents sociaux : enseignants, médecins, psychologues, employeurs, centres de la petite enfance, hôpitaux, groupes d'entraide et services communautaire... Dans un contexte où l'État tend à se retirer de nombreux programmes sociaux en invoquant l'idéal de la solidarité familiale, de nouvelles revendications sociales et l'expression de nouveaux besoins se font jour.

Les principes d'égalité, de liberté, d'autonomie et d'authenticité qui sous-tendent l'individualisme contemporain sont en lien avec les transformations de la famille actuelle, avec notamment une certaine érosion du sens de la solidarité et du devoir. En contrepartie, le principe de responsabilité permet de tisser des liens entre l'individu, ses pairs et la communauté, de concert avec les principes comme le respect de la personne et de son intégrité ainsi que la protection des personnes vulnérables.

La fragilisation des repères et la pluralité des normes présentes s'accompagnent d'une réflexion incontournable pour chaque parent sur les valeurs à privilégier, les normes sociales à établir et les pratiques éducatives à mettre en œuvre. Penser autrement la parentalité exige ainsi d'assumer l'incertitude associée à ce rôle, tout en préservant un souci de soi et en renouvelant cette réflexion sur le rôle de la responsabilité et des solidarités.

L'éthique d'aujourd'hui est ainsi devenue une éthique relationnelle exigeante qui garantit la reconnaissance de soi et de l'autre mais qui nécessite souvent un important travail de médiation, entre l'excès d'autorité et le laisser-faire, la poursuite de la satisfaction égoïste et l'abnégation.

Les contributions présentées dans cet ouvrage sont à la fois riches et denses. Elles prennent en compte des enjeux sociaux fondamentaux qui constituent la toile de fond sur laquelle on est à même de mieux saisir la complexité des nouvelles réalités sociales des patients. L'angle éthique privilégié par les auteurs fait écho aux questionnements éthiques et moraux situés au cœur de notre propre pratique clinique, confrontée à une société en pleine mutation et à une complexification des tableaux cliniques rencontrés.

*Sylvaine De Plaen,* pédopsychiatre
CHU Sainte-Justine

# Une maman pour Choco

## Keiko Kasza

Paris : École des loisirs
Lutin poche, 2006

Le trajet parcouru par un enfant adopté est, comme celui du parent adoptant, semé d'embûches, parfois de douleurs, de questionnements et de réconciliations. Cet enfant est parfois démuni devant les questions de son entourage. Ces questions sont parfois directes et maladroites lorsqu'elles proviennent d'autres enfants, qui notent rapidement l'absence de ressemblance entre le petit ami et ses parents qui l'accompagnent. Le manque de ressemblance renvoie l'enfant à un questionnement beaucoup plus large qui fait référence, parfois à l'abandon, à la tristesse, à la filiation, à l'identité et bien sûr à l'amour. De son côté, le parent adoptant est, lui aussi, souvent dérouté devant les questions maladroites de son entourage, surtout si elles sont faites devant l'enfant ou, bien sûr, si elles proviennent directement de l'enfant.

Une maman pour Choco est un petit livre charmant et réconfortant pour ces couples parents-enfant parfois mal pris. Choco est un petit oiseau à l'allure inhabituelle dont on raconte l'histoire. « Choco était un petit oiseau qui vivait tout seul. Il aurait bien voulu une maman. » Dès la première phrase, le sentiment douloureux de l'abandon est évoqué et immédiatement suivi de la quête de cette mère perdue : « Un jour, il se mit en tête d'aller la chercher ». Choco ira interroger successivement une girafe, un manchot, puis un morse qui, tous, le renvoient, parfois gentiment, parfois plus rudement, à un manque flagrant de ressemblance entre eux et lui qui a d'étranges petites pattes rayées bleu et jaune.

Ces différents parents potentiels n'ont visiblement pas parcouru le chemin du parent adoptant et du deuil de l'enfant biologique! Le petit Choco aux pattes rayées poursuit donc son chemin. Il aperçoit une grosse ourse et conclut immédiatement qu'elle n'est pas sa mère, « Madame ourse ne lui ressemblait pas du tout ».Choco doit faire face à sa douleur, « Choco se sentit tellement triste qu'il se mit à pleurer. Maman, maman ! J'ai besoin d'une maman! » Bien sûr, Madame ourse s'approche et interroge le petit. « Mon pauvre petit ! Si tu avais une maman, que ferait-elle ? » Chacune des réponses aux désirs du petit sont immédiatement exécutées par cette grosse ourse, elle le prend donc dans ses bras, l'embrasse, chante et danse avec lui. Madame ourse invite Choco, par la suite, à venir manger une tarte aux pommes chez elle, en compagnie de ses enfants.

Vous avez, bien sûr, deviné que les autres enfants de Madame ourse ne lui ressemblent pas du tout, ils ressemblent plutôt à un alligator, à un petit cochon et à un hippopotame. Choco a fait face à sa douleur, à l'absence d'une mère qui lui ressemble et il est prêt à investir et à s'identifier à une maman qui, elle, a visiblement déjà parcouru le chemin du parent adoptant. L'histoire se termine sur un gros câlin et sur cette phrase charmante : « Choco était très heureux que sa nouvelle maman soit exactement comme elle était ».

*Geneviève Tellier*, pédopsychiatre
CHU Sainte-Justine

## Partir du bas de l'échelle
### Des pistes pour atteindre l'égalité sociale en matière de santé

### Ginette Paquet

Montréal : Presses de l'Université de Montréal
2005, 154 pages

On sait depuis longtemps que les personnes des classes défavorisées ont des taux de mortalité et de morbidité plus élevés. Au moment de l'instauration des programmes d'assurance-maladie, il y a cinquante ans, on avait cru que l'accès gratuit aux soins médicaux ferait disparaître cette inégalité. On ne soupçonnait pas alors l'énorme complexité de ce problème.

Cet ouvrage s'est donné comme objectif de comprendre les multiples aspects du problème et décrire les nombreuses tentatives qui ont été faites pour le corriger. Le premier chapitre documente l'ampleur des inégalités sociales, d'abord à l'étranger, puis au Canada et au Québec. Le deuxième chapitre examine en détail l'hypothèse courante que l'inégalité sociale serait due à la fréquence plus élevée de comportements nocifs (tabagisme, alcoolisme, toxicomanie, sédentarité et mauvaise alimentation) dans les classes défavorisées. Cette hypothèse est testée d'abord dans les pays industrialisés puis au Québec, en particulier chez les enfants. À cet égard, l'auteure utilise les données toutes récentes de l'étude longitudinale du développement des enfants du Québec (ELDEQ) coordonnée par Richard E. Tremblay. On conclut que les comportements nocifs n'expliquent qu'en très petite partie l'inégalité sociale en matière de santé.

Le troisième chapitre résume les principaux courants théoriques qui recherchent, au delà de la pénurie de base (extrêmement rare aujourd'hui dans les pays industrialisés), le «quelque chose de sous-jacent» qui rendrait compte du problème global. Le peu d'explications par les variables économiques conduit à considérer l'environnement psychosocial et les diverses variables psychosociologiques, entre autres le sentiment personnel de contrôle sur sa destinée (*empowerment*) qui serait un facteur clé pour expliquer l'inégalité sociale en général, et en particulier en santé.

Le quatrième chapitre révise les nombreuses études qui ont montré l'influence significative du vécu bio-psychosocial de l'enfant sur l'état de santé à l'âge adulte. Après une revue des études considérant les pays industrialisés, l'auteure utilise les données de l'ELDEQ pour démontrer les facteurs de risque et de protection (allaitement d'une durée d'au moins six mois, soutien actif des grands-parents, absence de fumée secondaire, bonne santé de la mère) dans la prédiction de l'état de santé à l'âge adulte. Dans la foulée de cette démonstration de l'influence de l'enfance sur l'état de santé à l'âge adulte, le cinquième chapitre donne un aperçu systématique de divers programmes d'intervention précoce surtout éducatifs (avant l'âge de 3 ans) et d'éducation préscolaire (3-4 ans) dont on a fait le suivi chez certains jusqu'à l'âge adulte.

« *Rompre avec la fatalité* » est le titre du dernier chapitre où l'auteure montre qu'il est possible de diminuer les inégalités sociales par un choix politique à faire dans les pays industrialisés, choix qui implique des investissements majeurs beaucoup plus dans le ministère de l'éducation (intervention précoce) que dans celui de la santé.

Cet ouvrage est étonnamment documenté, non seulement pour le Québec mais aussi pour tous les pays industrialisés. L'auteure dispose d'une information détaillée des recherches faites au cours des trois dernières décennies autant chez les adultes que chez les enfants, et des diverses tentatives d'interventions menées pour corriger la situation. On retient de l'ouvrage que le problème est d'une complexité considérable mais qu'il est possible d'opérer des changements significatifs si on investit très tôt au début de la vie, un peu en soins médicaux mais surtout en soins éducatifs. Aux citoyens concernés qui s'objectent devant l'ampleur des fonds nécessaires, il faut rappeler qu'on y gagnera à long terme non seulement en ce qui a trait au bien-être adulte mais même en termes financiers pour toute la communauté.

*Jean-François Saucier*, pédopsychiatre
CHU Sainte-Justine

# Recommandations
# aux auteurs

En soumettant un texte à la revue, chaque auteur doit tenir compte des règles de présentation suivantes.

Le texte soumis doit être dactylographié à double interligne et sa longueur ne doit pas excéder 15 pages. Les tableaux, figures et illustrations seront numérotés et produits sur des pages séparées et leur emplacement dans le texte indiqué dans chaque cas. Les citations doivent être accompagnées du nom de l'auteur et de l'année de publication du texte cité, sans numérotation. De même, les références à des livres ou articles sont placées dans le texte en mentionnant le nom de l'auteur entre parenthèses.

La liste des références en fin de texte ne doit contenir que les noms des auteurs cités dans le texte. Pour sa présentation, on se reportera aux exigences pour les manuscrits présentés aux revues biomédicales (Can Med Assoc J., 1992) ou aux numéros précédents de la revue.

L'auteur doit faire parvenir trois exemplaires sur papier + disquette 3.5 des logiciels Word ou Word MacIntosh de son texte accompagné d'un résumé en français et en anglais et d'une note de présentation. Le texte sera soumis anonymement à trois membres du comité de lecture pour arbitrage et leurs remarques seront ensuite communiquées à l'auteur.

Aux auteurs dont la langue maternelle est autre que le français, la rédaction offre un service de révision linguistique pour faciliter l'édition de leurs textes.

## Adresse de la Rédaction:

PRISME

Programme de psychiatrie

CHU Sainte-Justine

3100, rue Ellendale

Montréal (Québec) H3S 1W3

Pour toute autre information,

s'adresser à Mme Denise Marchand

Tél.: (514) 345-4931 poste 5701

Télécopieur: (514) 345-4635

Courriel : denise_marchand@ssss.gouv.qc.ca